*Pouvoir
de femme*

Anne Rivers Siddons

Pouvoir de femme

TRADUCTION DE LILIANE CRETÉ
ET JEAN WAGNER

FRANCE LOISIRS
123, boulevard de Grenelle, Paris

L'édition originale de cet ouvrage a été publiée
en 1981 par Simon and Schuster sous le titre
Fox's Earth.

Édition du Club France Loisirs, Paris,
avec l'autorisation de Philippe Lebaud Éditeur

ISBN 2-7242-4193-2

A mon ami Jim Townsend,
qui a fait toute la différence.

Prologue

Deux routes mènent d'Atlanta à Sparta. Ce ne sont pas les mêmes voyageurs que l'on rencontre sur ces deux voies. La première, la route fédérale, bifurque, à vingt milles au nord d'Atlanta, vers les villes moyennes des deux Carolines avant d'atteindre les cités grouillantes de l'Est. En voyant les bas-côtés au gazon bien tondu, les fermes prospères, les banlieues propres, les villes riches et le brillant des panneaux de la route fédérale, le voyageur se rend compte de ce que peut devenir cette terre quand on s'en occupe. C'est le Sud dans son plus beau profil, c'est là du moins l'opinion générale. Nous sommes à l'orée de la Sunbelt[1]. C'est la route des touristes, des personnalités qui, pour une raison ou une autre, doivent se rendre à Sparta, à l'université de l'État, des étudiants et des parents d'étudiants. Bref, des gens pressés qui savent ce qu'ils veulent. C'est une route agréable pour aller à Sparta.

L'autre route, recouverte de goudron lépreux, est un chemin à deux voies. Elle fut ouverte aux environs de 1840 pour permettre à la minuscule et sauvage ville d'Atlanta d'avoir accès au monde plus civilisé de l'université de l'État, située à Sparta. Elle traverse la forêt de pins du plateau du Piedmont. Chaque année, après que l'hiver de Géorgie a écartelé le macadam, on rafistole cette route, on rebouche les nids-de-poule et l'on remet en état les bas-côtés. Cependant, sa dernière réfection totale, effectuée dans le cadre du Works Progress Administration[2], remonte à 1937.

C'est un autre pays, un Sud plus ancien que traverse cette vieille route. Elle est flanquée de fossés envahis par les genêts et les jeunes

---

1. Région des États-Unis s'étendant de l'Atlantique au Pacifique. Le soleil y est très chaud et les hivers plutôt doux.
2. Un des organismes fondés par F. D. Roosevelt dans le cadre du New Deal.

9

pins. Le malfaisant kudzu vert masque des cabanes croulantes, des clôtures en fil de fer barbelé rouillé, de vieux poteaux téléphoniques de bois pourri, des kilomètres et des kilomètres de paysages lunaires. Les champs de coton, ici, sont plus petits, assez mal entretenus, plongés presque toute l'année dans des bains de poussière rose. Des ponts métalliques qui datent des années trente surplombent des rivières à l'eau brunâtre. Elles portent des noms comme One Stump, Hellpeckish, Booger's Water, Coosaula. Ce sont les affluents de l'Oconee, ce fleuve majestueux qui, tout au long de son cours tumultueux, fournit l'énergie aux filatures de Sparta et d'une douzaine de villes de la région. Puis il va rejoindre l'Ocmulgee et créer en fin de parcours l'Altamaha. Ces noms de rivières appartiennent à la musique discordante et familière du Piedmont.

Le long de cette vieille route, on voit rarement la terre nue : elle disparaît sous les genêts, les pins et les kudzus. La couleur de la poussière pâle qui recouvre les champs et les fossés n'est pas la vraie couleur de la terre mais celle de la lassitude et de la décrépitude. La terre ici est un véritable dépotoir : maisons et boutiques en parpaings de béton, stations d'essence à une pompe jouxtant des bistrots branlants et des cabinets crasseux, vieux cimetières qui sont devenus la dernière escale de familles tout entières, lignes électriques coupées, panneaux de signalisation blanchis par les ans et que piquettent les graviers projetés par les camions, enfin, monceaux de bouteilles de bière. Sur cette route, seul Jésus peut vous sauver, seul le Coca-Cola vous aide à vivre.

On chercherait en vain sur cette terre un fantôme, même très vague, rappelant la guerre la plus triste, la plus stupide et la plus magnifique, la guerre de Sécession. Comme Sparta n'était traversée par aucun chemin de fer important, comme elle ne possédait pas la moindre usine de munitions, elle n'attirait guère les troupes de William Tecumseh Sherman. En ce mois de septembre tragique, alors que le général nordiste, après avoir incendié Atlanta, gagnait la mer en tuant, pillant, brûlant tout sur son passage, on ne dénombra autour de Sparta que quelques escarmouches sporadiques entre la cavalerie confédérée de Fightin'Joe Wheeler[1] et une ou deux divisions de l'Union. Aussi bien, Fightin'Joe causa-t-il probablement

---

1. Joseph Wheeler, général confédéré (1836-1906).

autant de dommages à cette terre que les combattants yankees : les Sudistes aux yeux pâles, rongés par l'ankylostomiase, chaque fois qu'ils le pouvaient, vivaient sur le pays.

A première vue, la région que traverse la vieille route d'Atlanta à Sparta ne ressemble pas tellement à la terre rouge, sauvage, généreuse pour laquelle les hommes du Sud combattirent leurs frères, pour laquelle ils versèrent leur sang. Pourtant, des hommes, mais aussi des femmes, moururent pour cette terre-là. Quelques-uns vécurent et moururent pour le territoire même de Sparta sur lequel se dressaient, à côté des bâtiments néo-classiques de l'université, quelques maisons blanches aussi belles que la rose de ce Sud dont la splendeur maudite, au cours des années paisibles qui précédèrent l'apocalypse, fut éclatante.

Les gens qui empruntent cette vieille route sont rarement pressés. Pour la plupart, s'ils sont là, c'est qu'ils appartiennent à cette terre, même s'ils n'habitent pas toujours dans l'une de ces vieilles maisons.

C'était cependant le cas des deux femmes qui, dans une Volvo bleue, s'étaient engagées sur la vieille route, un beau matin de mai. Elles se dirigeaient vers une grande maison blanche, où des ombres vivaces les attendaient.

Première partie

RUTH

Chapitre premier

Il était deux heures en ce samedi de septembre 1903. L'homme et sa famille marchaient depuis plus d'une demi-heure sous un soleil implacable. La sueur marquait leurs ceintures et leurs cols, mouillait leurs cheveux pâles et coulait le long de leurs cous, de leurs dos et de leurs jambes. Les roues des charrettes faisaient tourbillonner une poussière rose qui se collait sur leur peau humide. Mêlée aux fines particules de coton, elle s'incrustait dans les plis des coudes et du cou, se glissait dans leurs cheveux. La poussière provenait de la grande filature de brique située derrière eux, au sud. Tous y travaillaient... Tous sauf la petite fille et la femme. Il n'avait pas plu depuis près de six semaines : à cause de la sécheresse et de la chaleur impitoyable, la petite cité gisait dans un semi-coma.

En ville, dans les arrière-cours et les jardins brûlés, d'une haie à l'autre, s'affairaient autour de leurs lessiveuses de métal noirci, de leurs poulaillers et de leurs cordes à linge, les épouses des petits marchands, des forgerons, des charretiers. Elles étouffaient dans leurs chemisiers montants, boutonnés jusqu'au col, dans leurs longues jupes qui les emmaillotaient, et dans leurs corsets lacés dans le dos qui les étranglaient.

Dans le centre, leurs maris luttaient contre les implacables vagues de poussière qui envahissaient leurs boutiques, leurs voitures, leurs marchandises. Ils transportaient de l'eau pour leur bétail et ne cessaient de scruter le ciel plombé. Sur la voiture des pompiers, la cloche n'en finissait pas de sonner. Le buggy du vieux docteur Hopkins et le phaéton du jeune docteur Hopkins se croisaient régulièrement dans les rues étouffantes. On parlait plus bas, les visages se pétrifiaient, les têtes se tournaient lentement au tintement de la cloche et au passage des voitures. La chaleur et la sécheresse meurtrières s'accompagnaient de menaces terrifiantes : le feu, la

15

typhoïde, tapie dans les eaux basses et stagnantes des puits et des réservoirs, la paralysie infantile dont on ne savait pas très bien l'origine...

À l'extérieur de la ville, dans les champs ondoyants où dominaient le rose et le vert, les fermiers transpiraient, puaient, titubaient et allaient s'abreuver de plus en plus souvent à la charrette à eau. Mais ils souriaient.

— C'est bon pour le coton, pour sûr...

— La récolte de coton s'ra bonne, c't' année, vraiment bonne...

— J'ai entendu dire, en ville que l' coton pourrait bien monter jusqu'à douze cents, c't' automne, p't-être plus...

Le coton ! A Sparta comme dans tout le Sud profond, dans ce terrible mois de septembre, le troisième du nouveau siècle, le coton était une fois de plus le sang qui redonnait vie à cette terre rouge. Pour la première fois depuis que les canons du Fort Sumter, à Charleston, avaient sonné le glas des grandes plantations et de l'esclavage qui les faisait vivre, pour la première fois, l'agriculture du Sud renversait le cours de sa pente déclinante... Tout au moins, son déclin était plus lent. Une fois de plus, c'était le coton qui était le moteur de ces retrouvailles avec la prospérité et la gloire d'antan. Mais il ne jouait plus le même rôle qu'avant-guerre lorsque les Noirs s'éreintaient dans les immenses champs rouges afin que les récoltes puissent déferler comme une marée blanche sur les usines et les filatures du Nord. Aujourd'hui, le coton était cultivé par de petits fermiers à la tête d'exploitations sans envergure. Il était transporté dans des voitures bricolées, montées de roues de métal et tirées par des mules efflanquées. Ces équipages brinquebalants gagnaient la ville la plus proche où le coton était vendu le jour du marché. Puis il s'en allait alimenter les grandes et sombres filatures qui avaient surgi sur toute la surface du Sud comme des champignons dévorants.

Juste après la guerre civile, il n'y avait guère dans le Sud qu'une poignée de filatures rudimentaires ; en 1900, elles étaient quatre cents qui dressaient dans le ciel leur sombre silhouette. A travers le Sud, plus de 250 000 fermiers, locataires ou métayers, réduits par la stérilité de la terre, la pauvreté et le désespoir, au rang des Noirs qu'ils méprisaient, et, pire encore, contraints de travailler à leurs côtés, étaient venus chercher refuge dans les filatures. Le coton ! Ce qui était bon pour le coton était bon pour le Sud et ceux qui

16

maudissaient la chaleur et la sécheresse de ce début d'automne le faisaient à mi-voix.

Parmi toute cette foule qui entrait dans Sparta, ce samedi-là, seuls les Noirs marchaient dans la poussière des bas-côtés de la route. Les Noirs et la famille de Cater Yancey. Les familles qui travaillaient à la filature n'avaient pas quitté le village aux allées rectilignes et crasseuses. Aucune ne possédait de charrette ou de buggy. Tous faisaient leurs maigres achats au magasin de la compagnie où un petit crédit leur était ouvert : leur situation était sans espoir, leurs salaires n'étant jamais suffisants.

Seuls les Yancey s'étaient aventurés jusque dans les rues de Sparta. A leur tête, Cater, les yeux bleus pleins de haine fixés sur l'horizon, le dos raide et droit sanglé dans la queue-de-pie noire et poussiéreuse qu'il portait, hiver comme été, pour prêcher le dimanche, pour célébrer les mariages et les enterrements et pour ses rares sorties en ville. Depuis sa tendre enfance sur les montagnes bleues de la Géorgie du Nord, il avait conservé la même démarche : de longues enjambées dans un rythme chaloupé. Soixante-douze heures par semaine pendant trente-six ans comme fileur dans l'enfer rugissant de deux filatures de coton n'avaient en rien modifié son allure ni fait pâlir le bleu intense de ses yeux ! Le Dieu cruel et austère de ses ancêtres presbytériens tonnait dans sa tête jour et nuit et les dieux celtes de ses aïeux écossais faisaient bouillonner silencieusement en lui le sang, la pourpre, les plaisirs tendres et les rites sauvages qui se célébraient dans l'air bleu et léger des Highlands. C'était eux qui inspiraient son discours les dimanches où il devait prêcher dans la petite église de bois blanc, au village, près de la filature. C'étaient les jours où le prédicateur baptiste était absent : il avait de plus gros et plus brillants poissons à mettre dans sa nasse.

L'assemblée silencieuse des fidèles au regard amorphe ne comprenait pas grand-chose à sa litanie confuse, mais sa belle tête blonde, ses longues mains blanches les bouleversaient. Son intense ferveur les effrayait et les excitait comme peu de choses en ces jours mornes auraient pu le faire. Les dimanches où il ne prêchait pas, il traînait sa famille terrorisée dans une petite pièce à l'entrée de son pavillon et il hurlait des pages de l'Ancien Testament. Il les haranguait et les exhortait d'une voix de stentor jusqu'à ce que les tout-petits se mettent à pleurer de terreur et à trembler de tous leurs membres. Chacun dans la famille savait qu'il était illettré et que cette prodigieuse connaissance de la Bible lui avait été en fait inculquée par la vieille grand-mère un peu folle qui l'avait élevé, là-haut, dans sa montagne. Personne d'autre n'était au courant et son érudition faisait l'admiration de tout le village.

Sa femme, Pearl, craignait et haïssait ces séances. Elle ne protestait pas : Cater Yancey était un homme violent et dangereux. Il battait fréquemment sa famille — de longues et sauvages raclées assenées avec une ceinture de cuir réservée à cet usage et pendue à une patère dans la cuisine. Ils étouffaient tous leurs cris comme ils le pouvaient, avec leurs poings ou en transformant un coin de jupe en un tampon serré contre leurs lèvres : tous savaient que les cris excitaient sa violence. Même Pearl Steed Yancey, malgré son orgueil et son habileté, ne pouvait, sous les coups, retenir quelques gémissements. Jamais on n'entendit la petite Ruth. Depuis toujours, ce qui la soutenait était la haine, une haine profonde, violente, sans faille.

En cet après-midi, alors qu'elle suivait Cater en alignant son pas sur le sien, elle était envahie par cette haine ardente et pure. Elle ne levait la main ni pour éponger la sueur qui coulait de ses cheveux blonds et aveuglait ses yeux bleus, ni pour chasser de sa bouche la poussière qui l'étouffait. Sarah, huit ans, et Hagar, neuf ans, pleurnichaient. Lot, douze ans, et Isaac, treize ans, marmonnaient des jurons à voix basse. Ruth qui n'avait que dix ans, réplique parfaite de Cater Yancey, restait silencieuse, lovée dans son noyau de haine.

Ces expéditions à Sparta avaient lieu un samedi par mois. Il lui semblait à chaque fois que les regards des gens de la ville lui rongeaient la chair. En un sens, elle avait raison. Leurs regards s'attardaient plus souvent et plus longtemps sur elle que sur les autres enfants de Pearl et de Cater. Ruth Steed Yancey était en effet une fillette d'une beauté exceptionnelle et elle promettait de devenir une femme superbe. Déjà, à dix ans, sa beauté coupait le souffle.

Le premier objectif de Cater Yancey, ces samedis-là, était d'emmener sa famille chez les philistins de Sparta pour lui montrer les péchés de la chair et les méfaits de l'abondance. Il psalmodiait à voix haute devant les étalages regorgeant de marchandises, chez *Dorrance's Mercantile* et au *Mabry's Drugstore*. Il écrasait brutalement les visages des enfants contre les vitrines du *Sparta's Café* et du célèbre coiffeur Wright. Il marquait une halte devant le mystérieux

18

centre téléphonique : c'était un prétexte pour stigmatiser le tort que l'absurde progrès portait aux anciennes manières de vivre. Il les rassemblait, complètement soumis et le visage grave, devant l'étal plein de viande du boucher ou devant le marbre et les dorures de la *Sparta Railroad Savings Bank*. Il hurlait des imprécations contre les deux automobiles toussotantes — les deux seules de la ville — qui soulevaient la poussière de la rue. Il levait le poing comme un prophète de l'Ancien Testament contre les attelages huppés des nantis et contre les élégants coupés appartenant aux habitants des grandes et vieilles maisons blanches en bordure du campus universitaire.

Le deuxième objectif de Cater, lors de ses missions du samedi, était de faire honte aux habitants de Sparta et de leur donner une leçon en leur offrant un modèle de conduite. C'est pourquoi toute la famille recevait l'ordre de s'habiller dans les vêtements les plus propres mais aussi les plus râpés, de prendre l'attitude la plus modeste, de fermer les yeux et de rester bouche cousue quelle que soit l'énormité des provocations. Il avait réussi à économiser on ne sait trop comment quelques sous avec lesquels il achetait un rogaton ou deux de porc salé, un paquet de haricots séchés et un petit sac de farine. Il les choisissait dans l'épicerie de Lapham après avoir beaucoup réfléchi et avoir examiné ostensiblement tous les articles en pestant contre la bêtise de l'épicier. Il l'accusait de gaspiller les marchandises à force d'amasser autant de viande fraîche, de fromages, de café en grains, de denrées de toutes sortes. Par-dessus tout, il s'élevait contre la tentation que représentait le comptoir en verre et en acajou empli de bonbons.

Ruth, bien qu'inculte, avait une intelligence très vive. C'est ce qui lui avait permis d'apprendre seule à lire puis, avec l'aide des maigres connaissances de Pearl, à compter. C'est à elle qu'incombait la tâche de faire les calculs pour les achats de la famille et de répartir les pièces que lui tendait parcimonieusement Cater. On ne pouvait s'empêcher de la regarder, cette belle petite fille, grave et pâle dans ses haillons, affichant une dignité qui faisait défaut à bien des adultes.

Un jour, Marcus Lapham avait offert à Ruth un berlingot rouge. Cater avait arraché le bonbon diabolique du poing de l'enfant et l'avait jeté sur le comptoir sous le nez de l'épicier. Ses vociférations avaient atteint une telle violence et avaient plongé la famille dans une telle humiliation que Lapham ne recommença jamais. Aucun des témoins de la scène ne s'aventura désormais à venir en aide à la famille de Cater Yancey.

Son troisième objectif était plus simple. Quand l'humble petite troupe quittait la ville pour rentrer au village, Cater avait l'habitude de laisser sa femme et ses enfants sous un magnolia géant qui surplombait la voie de chemin de fer. Après leur avoir ordonné de ne pas bouger, de ne pas parler aux passants, il s'éclipsait par un sentier qui traversait les haies de kudzus dans l'ombre du ravin. Tout au fond se nichait Suches, la « ville nègre » comme l'appelaient les pauvres Blancs du village. Dans une maison de bois puant la graisse, et semblable à toutes les autres maisons de bois de Suches, Titterbaby Calhoun vendait des bocaux pleins d'un dangereux whisky maison à des prix qui étaient plutôt compétitifs si on les comparait à ceux du saloon de Carne à Sparta.

Les ombres bleu-vert qui dominaient le massif de kudzus dans le ravin avaient eu le temps de se transformer en nuit profonde avant que ne revienne Cater. Pearl et les enfants l'écoutaient chanter et remonter le sentier à travers les kudzus. Ils l'attendaient en silence en se demandant dans quel état ils allaient le retrouver. Souvent, il n'avait bu qu'une goutte de whisky dans la cuisine de Titterbaby. Ces jours-là, son sac de toile était encore empli de bocaux, soigneusement fermés qui tintaient doucement les uns contre les autres dans leur enveloppe de papier journal. Cater se montrait alors expansif et relativement indulgent, tapotant rudement les crânes de Ruth et des plus petites filles, donnant des bourrades maladroites aux garçons. Il posait ses mains sur les hanches de Pearl avant de lui pincer les fesses. Ces soirs-là, il chantait d'étranges ballades bien cadencées où l'on pouvait imaginer le son des cornemuses et des violons.

Mais à d'autres moments, le vieux sac n'était plus qu'à moitié plein et l'obscurité avait envahi l'esprit de Cater qui se mettait à errer sans retenue dans l'univers étrange et terrible qui l'habitait. Tous savaient qu'en rentrant à la maison, il y aurait des cris, des chants et des raclées. Viendrait le moment angoissant où il saisirait leur mère par ses épaules osseuses, la pousserait dans leur chambre à coucher minuscule et sans fenêtre. Il claquerait la porte bancale. Les enfants se glisseraient alors dans l'autre pièce, là où se trouvaient leurs paillasses. Ils se coucheraient dans l'obscurité, attentifs aux gémissements de la mère se mêlant aux cris et aux chansons. Puis viendrait le dernier hurlement, celui qui précéderait un silence ponctué de grognements sourds. Enfin, il n'y aurait plus que les sanglots et les reniflements de Pearl au milieu des ronflements enroués de Cater.

Au matin, Pearl se réveillerait en haletant et en boitant. Des contusions et des égratignures marqueraient sa chair blême. Le plus souvent, ses blessures étaient plus graves. Il était courant de la rencontrer le dimanche, au lendemain du marché au coton, les yeux noircis et enflés. Même, un matin, trois dents lui manquaient parmi celles que toutes les années de sous-alimentation avaient épargnées.

Un jour, Ruth, à la fin d'une de ces nuits, avait demandé à sa mère :

« Mais qu'est-ce qu'y t' fait, là-dedans ?

— Y m' bat, tu sais. C'est un homme qui cogne quand il a bu un coup de trop.

— Non, m'man. J' veux dire quand y s'est mis à couiner drôlement. J' sais qu' c'est bien longtemps après la raclée. T'avais arrêté de gueuler d'puis déjà quèque temps... Quoi qu'y t'a fait alors ? »

Pearl regarda sa fille. Ce fut un long regard scrutateur. L'enfant ne baissa pas ses yeux bleus en amande, des yeux attentifs et fatigués qui n'étaient plus ceux d'un enfant.

« Il a cette vieille chose entre les jambes... Tu sais, comme en ont Lot et Isaac mais bien plus grosse... Elle enfle et devient énorme et longue et rouge et y me met sur le dos, il écarte mes jambes et y m' la rentre dedans tout entière.

— Oh ! non, m'man ! Oh ! Seigneur ! Tu veux dire là où qu'on fait pipi ? » Ruth se mit à pleurer d'effroi.

« Tout juste. Et y la laisse dedans. Y va et vient jusqu'à ce qu'y soit tout excité. Alors y s' met à couiner comme t'as entendu et y m' décharge sa vieille saloperie blanche. Et ça m' coule sur les jambes. Et ça saigne aussi... C'est ça qu'y m' fait.

— Y doit être furieux après toi, m'man, pour faire un truc comme ça. » Ruth renifla.

Pearl eut un pauvre sourire.

« Y n'est pas furieux. C'est ce qu'y veut. Y veut faire ça. Tous les hommes, y veulent faire ça aux femmes. Très bientôt, y voudront te le faire aussi, à toi. Y en a sûrement qui y pensent déjà, vu comme t'es jolie. Mais écoute-moi, Ruth. Écoute bien. Faut pas que tu laisses un homme te rentrer sa chose tant que t'as pas obtenu de lui tout ce que

21

tu veux, à commencer par une alliance en or. Si t'oublies pas ça, tu peux obtenir un bon paquet de bonnes choses en serrant les cuisses. L'homme, il est un peu bête quand c'est qu'y s'agit de cette chose.

— Aucun homme me fera jamais ça ! » Ruth sanglotait, les dents serrées. « Aucun homme sur cette terre pourra jamais me faire ça. J' tuerai l'homme qui m' fera ça. »

Pearl s'accroupit à côté de sa fille, lui entoura ses maigres épaules. Elle scruta le petit visage furieux aux grands yeux morts. Elle baissa la voix.

« Ruth, écoute. Les hommes sont des diables. Un homme te fera du mal et te tuera à moitié avant même que de t' regarder. Il se servira de toi, il t'épuisera et prendra tout ce que t'as. Jamais y te donnera ce qui te revient. Un homme a tous les pouvoirs, un homme est fort, un homme, y gagne à tous les coups… Mais un homme est bête. Une femme, c'est faible, une femme, ça a rien, une femme, c'est le jouet ou l'esclave de l'homme… Mais une femme, ça a une chose avec quoi elle peut obtenir tout ce qu'a un homme si elle sait s'en servir. C'est ce qu'elle a entre les jambes. Si tu veux, avec ça, tu peux avoir tout ce que tu veux dans ce monde. Seulement si tu fais ce qu'y faut, si tu sais ce qu'y faut faire…

— Qu'est-ce qu'y faut faire, m'man ?

— Tu te trouves l'homme dont tu veux tirer quèqu'chose, tu lui tournes autour, tu fais tout c' qu'y faut pour qu'y t'ait à la bonne, tu t'arranges aussi pour qu'il ait le temps que ça le travaille. Alors, là, tu lui fais voir tout ce que t'as, t'hésites pas à te frotter contre lui et quand tu vois qu' sa chose, elle commence à enfler, là tu t'allonges, tu te la prends dans tes mains, tu la caresses, tu t' la mets doucement, tu te trémousses et tu lui murmures : " Oh ! C'est bien, mon chou ! C'est bon, mon chou ! T'en as une vraiment chouette, mon chou, tout juste ce qu'une femme veut… " Tu continues comme ça et t'attendras pas longtemps avant qu'y t'ait donné tout ce que t'as envie. C' qu'y faut, c'est qu' tu t' trouves un homme qu'y a quèqu'chose qu'en vaut la peine. Foutue comme t'es, y a rien qu' tu peux pas obtenir. Si tu sais y faire et si tu t' trompes pas d'homme… Mais y faut qu' tu t' prépares, Ruth… Faudra qu' t'arrêtes pas de la chercher, cette chance, et quand elle s'ra là, faudra pas la laisser passer ! Surtout jamais regarder en arrière ! Jamais, pour rien au monde ! Rappelle-toi de ce que je viens de te dire… »

Ruth regarda sa mère. Les bleus sur sa gorge commençaient à

pâlir mais il y en avait de tout frais, des bien noirs qui marbraient ses avant-bras maigres, sans le moindre atome de graisse, si maigres que la peau pendait lamentablement comme un vêtement humide et chiffonné. Ses longs cheveux, noués sur sa nuque en un chignon négligé, avaient été autrefois épais et brillants et d'une belle couleur châtain. Ils étaient maintenant ternes et secs comme la crinière d'une vieille rosse. Les trois dents arrachées lui avaient affaissé la bouche, ce qui lui donnait l'apparence d'une vieille femme. Sa clavicule gardait, depuis une fracture mal soignée, une protubérance apparente, et on pouvait la voir se soulever au rythme de sa toux continuelle provoquée par un début de tuberculose.

— « Qu'est-ce que papa, y t'a jamais donné ? » dit Ruth.

Pearl resta silencieuse si longtemps que Ruth crut qu'elle ne répondrait pas. Elle regardait au-delà de l'enfant, ses yeux perdus dans le temps et l'espace, scrutant un passé si lointain qu'on pouvait se demander s'il avait jamais existé. Elle reporta son regard sur Ruth :

« T'as jamais travaillé à l'usine, n'est-ce pas ? C'est ça que j'ai eu de ton père. C'est tout ce qu'y m'a donné et c'est tout ce que j'ai jamais eu. Jamais t'as su comment c'était l'intérieur de cette filature-là, ni d'aucune autre et jamais tu l' sauras. Pour ça, tu peux remercier l' machin qu' j'ai entre les cuisses. »

Ruth avait alors neuf ans. Ce fut la dernière fois de sa vie qu'elle se souvint avoir pleuré.

Ils traversèrent le pont de chemin de fer surplombant le ravin. Les rails, dans la chaleur, scintillaient et dessinaient comme un mirage sur le fond des kudzus d'un vert profond. Ils empruntèrent une rue bordée d'arbres qui devenait de plus en plus étroite et se transformait en une sorte de tunnel d'une belle couleur bien fraîche. Elle menait droit au cœur de la ville. Le long de cette rue bien entretenue, au-delà des pelouses lisses, bien à l'ombre grâce à de vieux chênes très hauts, s'alignaient de grandes maisons aux colonnes blanches. Au milieu des buis et des rosiers, des magnolias et des cèdres du Liban, des glycines et des vignes vierges, fers forgés ornementaux, balcons suspendus, rangées de colonnades doriques et corinthiennes, frises et frontons grecs s'étalaient avec superbe comme des tombes d'Atlantis. À gauche de la rue, il y avait d'autres rues comme celle-là, mais peut-être pas toujours aussi sépulcralement blanches et majestueuses ; à droite, derrière elles, se trouvait le campus universitaire. Les bruits dans cette rue étaient étrangement étouffés, même en hiver, à l'heure où les arbres perdent leurs feuilles. Ce calme qui régnait sur la rue était comme une bénédiction venue d'un passé enchanté : c'est là qu'on avait entendu une porte claquer, les pleurs et les rires d'un groupe d'enfants dans un jardin clos derrière une maison, les rires profonds des serviteurs noirs, le tintement des harnais et le claquement léger des sabots fins et luxueux, une cloche sonnant le dîner, le rire bas d'une femme, le son d'une épinette... Ce grand calme les pénétrait et les submergeait. C'était la rue de l'Église.

De toutes les rues de la ville, c'était celle que Ruth préférait. Son petit corps coincé se détendait quand elle entrait dans la rue de l'Église ; son petit visage dur et volontaire se tournait vers les grandes maisons et vers les arbres. Sans effort, de lui-même, il s'apaisait. Il s'adoucissait dans quelque chose qui ressemblait à de la tendresse et, en cette unique occasion, il retrouvait sa jeunesse. Des voix s'échappaient des maisons sur la rue de l'Église ; elles parlaient et chantaient à Ruth Yancey. C'était le seul bruit qu'elle entendait.

Il y avait une maison... La voix de cette maison devenait un hymne si pur et si pénétrant que Ruth, la première fois qu'elle la vit et qu'elle entendit son chant, tourna malgré elle son regard autour d'elle. Quand elle se rendit compte que les autres n'entendaient rien, elle fut surprise, mais, par la suite, elle accepta le fait en toute simplicité. La maison ne parlait qu'à elle ; c'est à elle seule que sa chanson était destinée.

La maison était légèrement plus grande que celles qui l'entouraient dans la rue de l'Église. Comme elles, elle comprenait deux étages et un toit plat, dans ce style néo-classique qui avait fait la renommée de la petite ville. Quatorze hautes colonnes corinthiennes, d'un blanc éclatant, flanquaient la façade des deux côtés de la maison, et on gagnait la véranda coiffée de tuiles italiennes par des marches basses disposées en éventail en une courbe élégante. Sur ces marches, des lions Médicis pleins de majesté montaient la garde. Un autre lion à la tête fine et agressive servait de heurtoir de bronze devant la porte. De grandes fenêtres aux volets verts ceinturaient le premier étage, allant du plafond de la véranda jusqu'aux tuiles. Le deuxième étage présentait autant de fenêtres. Ruth en avait compté seize sur le devant de la maison, huit au premier étage et huit au second. Il devait y en avoir autant de l'autre côté mais on ne voyait que les haies de jasmin du cap qui bordaient le jardin à l'arrière du bâtiment. Ruth ne savait pas exactement le nombre de pièces mais elle était certaine qu'il y en avait beaucoup.

Les fenêtres du deuxième étage s'ouvraient sur un balcon entouré d'une balustrade blanche. Un jour, Ruth y vit une belle femme tout auréolée de blanc. Elle était sur le balcon, sa main reposant avec grâce sur la rampe. Elle regardait fixement le spectacle de la rue. Dans la lumière tamisée par les arbres et le silence de ce début d'après-midi, elle semblait éphémère et immatérielle. Ruth pensa que c'était peut-être un fantôme. Il semblait normal qu'une telle maison possédât un beau fantôme. Elle ne confia à personne qu'elle avait vu cette femme.

Ce jour-là, devant la maison, dans le jardin orné de buis taillé, de magnolias, de cèdres du Liban, de lauriers-cerises, de gardénias, de jolis seringas et de cognassiers en fleur, elle vit un garçon. Il marchait dans l'allée pavée de marbre qui menait de la remise donnant sur la rue jusqu'au perron. Il était son aîné de trois ans environ — à l'époque, il devait avoir dans les onze ans. Comme la femme, il était vêtu de blanc. Il portait un costume marin empesé avec un col carré qui lui couvrait le haut du dos, une cravate de satin noir et des culottes courtes. Ses jambes étaient gainées de bas noirs et ses chaussures montantes étaient brillantes comme des miroirs. Ses cheveux châtain clair étaient surmontés d'un chapeau de marin en paille, aux bords relevés. Il tenait à la main un cerceau et un bâton. C'était un garçon boulot, quelque peu mou et sans personnalité : il portait de beaux habits, avait un visage rond et pâle, des traits fins et de grands yeux marron.

Le garçon était immobile dans l'allée, comme si les yeux impassibles des enfants qui passaient l'avaient cloué au sol. Ils regardèrent ses habits, des habits fabuleux qu'ils ne pouvaient même pas imaginer : ils ne connaissaient en matière d'habits que leurs salopettes râpées jusqu'à la corde et coupées aux genoux, leurs longues chemises fabriquées dans les sacs à fourrage de la filature ; ils regardèrent le cerceau ; ils en avaient aperçu un une fois dans la boutique d'Olcott, le marchand de nouveautés, mais jamais ils n'avaient eu l'occasion d'en voir un entre les mains d'un garçon. Cependant on ne put lire la moindre surprise dans les cinq paires d'yeux des enfants ; pas plus que le costume de marin ou le cerceau, la surprise n'appartenait à leur univers : l'enfant aurait pu être un fantôme. Les yeux bruns de ce garçon croisèrent les yeux bleus de Ruth et s'écarquillèrent légèrement. C'est alors que Cater, qui fermait la marche, l'aperçut. Il marqua une pause sur le trottoir et ordonna à sa petite troupe de s'arrêter. Il tourna son long visage vers le ciel.

« Fruit de l'enfer, commença-t-il en pointant un long doigt blanc sur l'enfant paralysé. Fils de Satan… »

Le garçon s'enfuit en escaladant les marches. Il pénétra dans la maison aussi silencieusement qu'un faon dans la forêt. La pelouse redevint tranquille et noyée de lumière comme si l'enfant n'avait jamais été là. La famille Yancey poursuivit sa route.

Le soir, avant que Cater ne pousse Pearl dans la chambre fermée et que n'éclatent les hurlements et les pleurs, Ruth laissa son père dans le vestibule vermoulu où il marmonnait en branlant du chef devant son sac plein de bocaux à fruits. Elle alla voir sa mère qui faisait frire du porc salé dans la minuscule cuisine nauséabonde.

« Qui c'était, le garçon, m'man ? » demanda Ruth. Elle ne précisa pas de quel garçon il s'agissait mais Pearl avait compris.

— C'est le p'tit Fox. L'a tout l'air d'un pauv' gosse, non ? On dirait bien qu'il est tout seul. Gâté, j' crois bien, avec tout c't' argent et l'école à la maison et tout et tout. Mais qu'a jamais compté et qu'aura jamais à compter.

— Les Fox ? C'est les gens qui vivent dans c'te maison ? Parlemoi des Fox, m'man.

— Pourquoi tu t'intéresses à ces gens ? C'est pas du monde pour toi.

— J' veux savoir. J' veux savoir qui c'est qui vit dans c'te maison. »

Pearl lui lança un regard aigu.

« T'aimes c'te maison ?

— C'est la plus belle maison du monde. Un jour, j'en aurai une comme ça. »

Pearl ricana bruyamment mais elle posa sa fourchette, s'appuya contre la table de la cuisine délabrée, au milieu de la pièce, qui était recouverte d'une toile cirée pleine de taches. Pearl se croisa les bras.

« Ouais, l' père, M. Fox, il est directeur de l'école. Et la mère, c't' une riche Yankee, une institutrice qu'il a rencontrée comme ça, quand il était dans le Nord à c' collège pour gens riches. Et le môme, c'est leur seul rejeton. Y va pas à l'école ; y z'ont un professeur qui vient chez eux pour lui faire la leçon.

— Comment tu sais tout ça, m'man ? Tu les as rencontrés ?

« — Sûr que non, que j' les connais pas. J'ai juste entendu dire...
Où qu' j'aurais pu rencontrer les grands Fox de la Tanière du
Renard[1] ? »

« La Tanière du Renard... » Ruth soupira doucement. Les mots
sonnaient en elle d'une manière magique, comme avait chanté la voix
de la maison.

« C'est comme ça qu'ils l'appellent, leur maison. T'as d'jà
entendu une pareille connerie ? Une maison qu'a un nom ?

— La Tanière du Renard. Qu'est-ce ça veut dire, m'man ?

— J' sais pas, Ruth. Rien de bon, c'est sûr...

— M'man, dit Ruth lentement, sachant avec une certitude
absolue qui venait de quelque part à l'intérieur d'elle-même que ce
qu'elle disait était vrai. Oui, m'man, un jour, j' pourrai y vivre. »

Pearl ne gronda pas sa fille. Elle retourna vers sa viande qui
rissolait dans la poêle et son dos mince se raidit sous sa robe de
semaine tachée de sueur, robe qui provenait du vestiaire des pauvres
à l'église de la filature.

« Ouais, c'est pas comme si t'étais pas née pour ça », dit-elle mais
elle n'en dit pas plus.

Ruth l'avait déjà entendue, cette légende qui voulait qu'elle soit
de naissance aristocratique. Sa mère la ressassait comme un chapelet,
les nuits où Ruth avait la colique ou mal aux oreilles ou un peu de
fièvre ; elle la répétait comme une litanie pendant qu'elles faisaient la
lessive dans l'arrière-cour ou qu'elles frottaient avec une brosse dure
et du savon noir les planchers blanchis et déformés, ou encore quand
elles maniaient les lourds fers à repasser qui chauffaient dans les
cendres du foyer qu'on n'éteignait jamais, hiver comme été.

Car les choses s'étaient déroulées comme Pearl l'avait dit. À la
naissance de sa première fille, Pearl avait affronté la colère de Yancey
et refusé de retourner à la filature. Ni les raclées ni les imprécations ni
les adresses au Seigneur n'avaient pu la faire changer d'avis.

Bien plus, quand Ruth eut six ans, l'âge où la plupart des enfants
descendaient à la filature et travaillaient à l'embobinage pendant
douze à quatorze heures par jour, Pearl avait une nouvelle fois défié
Cater : elle avait refusé de laisser sa fille accompagner les garçons,

---

1. Jeu de mots intraduisible en français. Le mot « fox » signifiant « renard » en
anglais, le nom de cette maison veut dire aussi bien « la terre des Fox » que « la
tanière du Renard ».

Lot et Isaac, dans les chaudrons mugissant et éternellement allumés de la *Dixie bag* et de la *Cotton Manufacturing Company*. Les autres petites filles qui naquirent après Ruth, Hagar la blême ou Sarah au visage de fouine et aux yeux qui louchaient, elle les laissa partir à la filature sans le moindre remords : il fallait que le plus grand nombre d'enfants travaillent pour que Cater reçoive un salaire suffisant et puisse faire vivre la famille. Aucun des autres enfants de Cater Yancey n'avait été assez curieux ou assez audacieux pour demander la raison de la présence constante de Ruth près de sa mère. Depuis le jour de sa naissance, Ruth était nimbée d'une aura brillante, d'un nuage doré qui la tenait à l'écart des enfants du village.

« Tu sais, Ruth, disait Pearl, les nôtres n'étaient pas nés pour travailler dans les filatures. Même si on a eu des coups durs, ça n'y changera rien… Toi non plus, t'es pas née pour ça. J' peux pas bien me rapp'ler l'époque où c'était pas pareil à aujourd'hui mais j' sais qu' ça l'était. Ma mère, elle était née dans une grande plantation l'année même qu' la guerre a commencé. Même si ça allait vraiment mal à l'époque où elle était assez vieille pour s'en souvenir, elle m' racontait des histoires qu' sa mère lui avait racontées. C'était sur la maison où qu'ils vivaient, sur les frusques qu'ils portaient, sur les bonnes choses qu'ils mangeaient et sur les *parties* et les bals et les barbecues. Au moment de la récolte, la terre, elle était blanche comme de la neige aussi loin que l'œil pouvait voir. Blanche de coton, et au-dessus, y avait du noir avec tous ces nègres qui le ramassaient. Et tout ça était à nous. Alors, faut que tu te rappelles, t'es pas née pour la filature et t'y mettras jamais les pieds. On était la crème du pays en c' temps-là et un jour, moi j' t' l' dis, ça r'viendra. »

Il y avait une parcelle de vérité dans le récit de Pearl mais une toute petite parcelle. Les Steed avaient été de petits planteurs modérément prospères installés sur les collines rouges au nord de Sparta, juste à la limite de la riche terre, là où le coton recouvrait le centre de la Géorgie comme un manteau de richesse. Avec la défaite des Confédérés étaient venues la pauvreté et la maladie. Les grands-parents de Pearl Steed et, plus tard, le fermier âgé qui avait épousé sa mère et engendré Pearl étaient morts en se battant pour arracher de quoi vivre à une terre devenue stérile. Le lendemain de l'enterrement de son mari, la mère de Pearl avait vendu à son voisin plutôt aisé la maison de bois blanc avec ses deux colonnes à la peinture écaillée, ses cheminées tordues, le maigre bétail et les quelques acres d'un terrain caillouteux. Elle avait cousu l'argent à l'intérieur de son corset — c'était la dernière pièce qui restait de son trousseau —, avait pris la petite Pearl, ses vêtements et un panier d'œufs. Puis elle avait emprunté la route de terre rouge qui menait au village de la filature. Elle s'était arrêtée chez une femme qu'elle avait rencontrée à l'église et qui lui avait manifesté un peu d'amitié. Elle avait ensuite disparu en suivant à pied la voie de chemin de fer qui menait à Atlanta et qui scintillait comme un ruban d'argent sous le soleil. Pearl ne la revit jamais.

La femme qui avait recueilli Pearl n'avait pas non plus de mari. Quelques années plus tôt, il s'était enfui en laissant un papier griffonné sur la facture d'un marchand de fourrage : « Parti à l'ouest. » Et il avait disparu en lui laissant huit enfants entre deux et treize ans. Elle ne savait ni lire ni écrire et, sans son mari, elle ne pouvait espérer honorer le bail de la petite ferme qu'ils cultivaient. Elle n'avait pas le choix.

Avec ses enfants, elle gagna la ville et la filature qui venait de se construire dans les environs sur les rives d'une rivière de montagne. En un sens, elle était plutôt contente d'avoir avec elle la petite Pearl Steed. L'enfant ne prenait pas beaucoup de place, ne mangeait pas beaucoup, n'avait pas besoin de vêtements et elle était si silencieuse qu'elle ne causait pas le moindre dérangement. Elle faisait tout ce qu'on lui demandait : elle allait à son travail à la filature avant le lever du jour et quand, pendant les mois d'hiver, elle rentrait avec les autres enfants, la nuit était tombée. Très vite, l'évidence s'imposa : ses petites mains agiles étaient destinées à devenir celles d'une tisserande. À l'âge de quatorze ans, elle était déjà apprentie. Si l'on tenait compte de la contribution de Pearl au budget familial, la femme avait fait une bonne affaire en lui offrant l'hospitalité.

Pearl devint une jeune fille svelte et silencieuse, avec un visage rusé, des yeux qu'elle gardait baissés et un dos qui restait droit malgré les heures où, pendant des années, elle avait été rivée au métier à tisser. Tout en elle était incolore sauf la chevelure, lourde et soyeuse qui composait une véritable couronne de flammes rouges autour de son petit visage et de son cou gracile. Elle était humble, docile, et presque totalement insignifiante. Il était pratiquement impossible de deviner qu'à l'intérieur de ce petit corps sans importance couvait un vaste incendie où se consumait une rage incandescente contre les gens qui l'entouraient et contre la filature.

29

La disparition de sa mère était à l'origine de sa douleur infinie et continuelle. Elle s'était construit un refuge : cette autre vie qu'elle n'avait pas connue, cet héritage qui n'avait jamais existé, cette grande maison blanche et fantomatique qui, en réalité, n'avait été qu'une pauvre maison de planches avec deux colonnes pourries et entourée de terres mortes.

Quelque chose avait pris naissance chez la grand-mère de Pearl après la guerre, quelque chose qu'elle avait transmis à sa fille qui l'avait à son tour inoculé dans le cœur et l'esprit de sa fille Pearl bien avant que l'enfant puisse en prendre conscience ; il n'y avait pas eu un seul moment où Pearl n'en avait eu conscience. C'était une connaissance, une certitude, un dogme secret, une croyance inaltérable. C'était un don que, depuis les temps de folie et de douleur jusqu'à un futur qu'elles ne pouvaient imaginer, toutes les femmes se faisaient entre elles. C'était une vérité absolue, aussi fondamentale que la connaissance, vieille comme le monde, de l'amour, du mal et de la mort : il n'existe qu'une chose importante, c'est la terre et ce qu'elle nous donne. Et cette certitude s'accompagnait d'une détermination froide et impitoyable : celle de ne plus jamais confier aux hommes la conquête et l'entretien de la terre ; ils l'avaient cavalièrement abandonnée pour un idéal fou et nébuleux, une « cause glorieuse » d'autant plus grotesque que ce n'était pas une cause du tout mais la haine suprême d'enfants frustrés drapés dans les nuages d'un idéalisme chauvin.

Elles étaient des pragmatistes de premier ordre, ces femmes vaincues. Elles se rendirent compte qu'elles ne pouvaient, par la force, avoir barre sur leurs hommes, leurs terres et leurs destinées, mais qu'en revanche elles pouvaient les contrôler par la ruse, par la douceur et par une féminité avouée, jusqu'à leur ôter tout pouvoir.

Ainsi Pearl Steed, pendant que ses doigts couraient sur le métier à tisser, laissait vagabonder son cœur et son âme dans l'univers vert, blanc et rafraîchissant de sa naissance imaginaire, avec la conviction qu'il s'agissait là de l'héritage de sa mère. Elle rencontra Cater Yancey un dimanche de juin : elle avait seize ans et était au zénith de sa beauté. La seule promesse de sa vie était celle qui chantait secrètement dans son sang et ses tripes : il n'y avait pas la moindre promesse dans les lendemains qui l'attendaient aussi bien dans sa maison qu'à la filature. Elle l'épousa cinq mois plus tard.

Cater avait alors vingt-cinq ans. Il travaillait dans les filatures depuis qu'il avait atteint ses dix-huit ans. Il était descendu, mourant presque de faim, des hautes montagnes, au nord de la Géorgie ; les intrépides agents du fisc des États-Unis étaient, en cette fin de siècle, sur le point de couper définitivement la principale source de revenus des montagnards du Sud, la production clandestine de whisky de maïs. D'aussi loin que remontait la mémoire collective du clan, les Yancey avaient consciencieusement usé leur énergie à distiller du whisky, à chasser et à cultiver un lopin de terre dans les vallées étroites entre les flancs de leurs montagnes. Comme la plupart des gens des Appalaches du Sud, la famille de Cater Yancey était un groupe étrange, à l'écart du monde, païens sauvages et presbytériens austères. Ils étaient les héritiers des Écossais qui, les premiers, avaient trouvé refuge dans ces collines après la défaite de Bonnie Prince Charles à Culloden.

Bien qu'illettré, toujours mal habillé et, à partir de la puberté, assez peu équilibré, Cater avait des traits réguliers et, pour tout dire, quelque chose d'un prince. Sa folie, au moins dans ses premières années, était plutôt une exaltation, une pulsion du sang. Aussi marchait-il dans une sorte de luminosité éclatante. Il attirait le regard comme aurait pu le faire un animal sauvage ou un feu grégeois.

Après que son oncle eut tué son père à coups de hache et emmené sa mère dans la cabane qu'il possédait de l'autre côté de la montagne, Cater vécut chez sa grand-mère. C'était une demi-folle qui s'occupa de lui pendant ses premières années. Elle lui donna le goût du discours et lui inculqua la terreur respectueuse d'un Dieu étrange, venu certes de l'Ancien Testament mais qu'elle avait soigneusement remodelé.

Quand la vieille femme mourut, le laissant seul dans la cabane nue, il avait déjà, depuis deux ou trois ans, de manière très irrégulière, prononcé quelques prêches à des assemblées d'une douzaine de personnes dans des églises nichées au creux des vallées. Lorsqu'il quitta les montagnes pour travailler dans les filatures, il s'agissait, dans son esprit, d'un état très provisoire, le temps simplement de s'établir comme prêcheur et de se choisir une église régulière. Il enterra sa grand-mère dans une tombe peu profonde creusée dans le schiste de la montagne, la recouvrit de pierres pour la protéger des animaux, et ne mit aucune marque qui aurait permis de la retrouver. Il fit un paquet des quelques loques qui lui servaient de vêtements et enfila ses chaussures. D'un pot de crème du Stratfordshire caché dans la tourtière en fer, il retira une petite somme d'argent, mit le feu à la cabane, la regarda brûler. Quand tout fut consumé, il ratissa les braises et les couvrit de terre. Il descendit alors de la montagne et prit la route du sud vers la ville, vers la filature où Pearl Steed trompait sa faim en se réfugiant dans ses rêves.

La première fois que Cater Yancey prêcha dans la petite église du village, près de la filature, Pearl Steed, sans hésiter, se dirigea vers lui, comme si elle était en transe. En fait, la transe s'était bien emparée d'elle : elle était transfigurée par l'apparition de cette longue silhouette élancée. Elle était envoûtée par sa couronne de cheveux blonds semblable à celle que devait avoir eu — elle en était sûre — son grand-père. Comme lui, cet homme devait avoir une origine aristocratique. Pour la première fois de sa vie, le sermon lui apparut comme une chanson fredonnée uniquement à son intention. Elle l'invita à dîner.

Cater observa la mince silhouette de Pearl tandis qu'elle s'affairait à préparer le repas. Des bavardages de la tutrice, il déduisit que Pearl était déjà tisserande. Il en conclut qu'elle était capable de ramener de la filature un salaire maximum. Elle avait la taille fine et étroite, des hanches et des fesses épanouies, des seins lourds faits pour tenir dans le creux des mains. Sa chevelure qu'elle avait dénouée tombait sur ses épaules comme une flamme vivante.

Jamais Pearl n'avait ressenti cette sorte de pulsion qui lui traversa le corps ce soir-là. Elle agit avec beaucoup d'intuition. Elle but ses paroles et le félicita timidement pour son sermon. Elle rougit jusqu'aux cheveux lorsqu'il la complimenta pour sa cuisine.

Il pouvait sentir sa chaleur qui, en même temps que la moiteur, l'envahissait entièrement. Il la sentait, palpable, sur son visage et le dos de ses mains. Il brûlait avec elle et, comme la Bible disait clairement qu'il valait mieux se marier que de brûler, il épousa Pearl, cinq mois plus tard. Dans la petite maison que la compagnie lui louait pour un dollar par semaine, il se consuma chaque nuit avec elle et en elle jusqu'à ce que les enfants commencent à venir.

Elle se fit alors moins vive. Elle épaissit. Les privations et le labeur incessant l'affaiblirent. Son caractère s'aigrit. Elle lui chercha querelle et ne cacha plus son amertume. La nuit, elle cherchait à échapper à son étreinte. Il sentit monter la fureur rouge qui était en lui depuis toujours ; il la laissa se libérer et même exploser. Il battit Pearl jusqu'à ce qu'elle accepte d'être une fois de plus sa femme.

Sous le mépris croissant de son épouse, ses sermons devinrent aussi vengeurs qu'inconsistants. Sa folie qui, jusque-là, l'auréolait d'une étrange lumière, se mua en un véritable incendie. Il effraya la congrégation. Les diacres de l'église, finalement, lui demandèrent de ne plus prêcher. Profondément bouleversé par cette interdiction, il ne se retint plus et sa folie devint évidente. Un jour, avec toute sa famille, il dévala la colline. Il gagna l'autre filature, l'ancienne, celle qui était près de l'église de la belle ville blanche de Sparta qui dépendait d'une autre congrégation.

C'est là que naquit Ruth Yancey. C'est là aussi qu'après avoir obtenu de lui la promesse qu'il n'enverrait jamais l'enfant à la filature, Pearl Steed Yancey lui ferma ses cuisses pour toujours. Sauf quand, les samedis de marché, il la battait et la violait.

C'est enfin là que grandit Ruth. Si son travail auprès de Pearl était épuisant et sans grand intérêt, jamais elle n'eut à entrer dans cette filature ni dans aucune autre d'ailleurs. Sa mère lui fut entièrement dévouée. Ruth fut l'objet de tous ses soins et fut comblée. Pearl lui raconta à l'envi l'histoire de cette maison fantôme, avec ses colonnes, dressée sur une colline depuis longtemps perdue.

Et elle lui enseigna que tout, un jour, s'arrangerait. Il suffisait de savoir attendre et attendre encore...

Chapitre II

Ils sortirent du tunnel vert de la rue de l'Église et traversèrent la place du Palais-de-Justice. Une foule nombreuse s'y pressait. Toutes les charrettes s'étaient vidées. Un flot d'individus, telle une coulée brûlante de lave, s'était répandu dans les rues de Sparta. Ils entraient et sortaient des magasins ; ils s'agglutinaient autour des bancs, sur la place ou sous les auvents en zinc, le long des trottoirs. Leurs silhouettes, tels des fantômes, s'agitaient à l'intérieur d'un nuage de poussière qui montait jusqu'aux fenêtres du premier étage des magasins. Bien qu'elle sût que Sparta, le samedi du marché au coton, était en quelque sorte la Mecque commerciale du comté tout entier, Ruth, intérieurement, frissonna à la vue de cette foule, raison principale de la présence des Yancey à Sparta ce samedi-là. Grâce à son ancienneté mais aussi grâce à sa persévérance obstinée, Cater avait depuis longtemps réussi à obtenir pour sa demi-journée de congé le troisième samedi de chaque mois. Cette avalanche tumultueuse d'achats et de ventes qui se poursuivaient de l'aube au crépuscule le stimulait et le fascinait. Son éloquence n'était jamais aussi impressionnante que ces samedis-là, lorsqu'il lançait ses imprécations furieuses contre Mammon.

Ce jour-là, ses harangues furent plus violentes qu'à l'ordinaire. Depuis le début de l'été, Ruth l'avait remarqué, elles avaient encore empiré. En fait, c'était l'état général de Cater Yancey qui, cette année, s'était très rapidement dégradé — et de manière évidente. D'abord, il s'était mis à boire plus abondamment qu'à son habitude : il vidait en deux semaines sa ration mensuelle des bocaux de Titterbaby Calhoun et il se relevait la nuit pour aller en rechercher. Ensuite, il battait plus souvent Pearl Yancey et sa brutalité s'était accrue.

Il y avait aussi dans l'atmosphère lourde et étouffante de cet été quelque chose d'inconnu et de dangereux, quelque chose qui stagnait dans l'air comme une odeur pestilentielle. Les yeux de Cater, les nuits où il revenait de chez Titterbaby ne brillaient pas seulement en s'attardant sur la chair flasque et usée de Pearl. Plus d'une fois, Ruth devina qu'il était en train de la regarder. C'était comme si des doigts se promenaient sur son corps. Quand elle sentait que les yeux de son père se posaient sur elle, elle abandonnait aussitôt ce qu'elle était en train de faire, s'enfuyait dans la chambre à coucher des enfants ou gagnait l'extérieur. Elle cherchait un refuge dans l'obscurité et dans un endroit où il ne pourrait pas la suivre. Elle se retrouvait quelquefois dehors ou dans une autre pièce, sans savoir comment elle était arrivée là, muette de rage, le cœur au bord des lèvres, le sang battant à ses poignets et à ses tempes.

L'épicerie de Lapham était la première de toutes les épiceries de Sparta. C'est elle qui fournissait les cuisinières et les maîtres d'hôtel des grandes maisons de la rue de l'Église et des rues voisines. C'est elle aussi qui savait satisfaire le palais des gens du Nord et de l'Est employés à l'université, sans pour autant décevoir les clients de la bourgeoisie locale ou les familles des fermes aux alentours. Les grands bacs en fer de Lapham destinés aux denrées les plus courantes côtoyaient les étagères bourrées de marchandises en conserve et les paniers qui regorgeaient de produits arrivés des fermes le matin même. On pouvait aussi admirer les rangées de produits d'épicerie fine, épices, thé, cafés aux noms exotiques et aux parfums aussi insolites que délectables. Enfin, le grand comptoir en verre recelait la confiserie qui avait rendu célèbre Lapham dans toute la région. C'est là que Cater Yancey trouvait sa plus féroce source d'inspiration.

Ce jour-là, il fit ranger sa famille le long du comptoir en acajou. En hurlant, il se mit à leur tête. La foule le serrait de très près. Les gens se dressaient sur la pointe des pieds et tendaient le cou pour tenter d'apercevoir au-dessus des têtes rouges et hâlées des Yancey les bonnes choses que contenait le comptoir. Pearl, les garçons et les deux filles baissaient les yeux et fixaient le plancher sombre et ciré du magasin, mais Ruth, elle, avait levé la tête. Par-dessus l'épaule de son père, de ses yeux calmes et tranquilles, elle regardait la foule sans la voir.

« L'épée du Seigneur est repue de sang ; elle est gorgée de chair comme si elle avait été utilisée pour immoler en sacrifice des agneaux et des chèvres ! hurlait Cater. Car le Seigneur prépare un grand sacrifice à Sparta. Il fera ici un horrible massacre. Les plus forts périront, mais aussi les jeunes garçons et les vieillards. La terre sera imbibée de sang et le sol sera enrichi par la graisse des cadavres. Car c'est le jour de la vengeance, l'année de la récompense pour ce qu'a entrepris Sparta contre Israël. Les rivières de la ville seront remplies de poix brûlante et la terre sera dévorée par le feu. Cette condamnation de Sparta n'aura pas de fin. La fumée s'élèvera pour l'éternité. Le pays se videra...

— Tu veux pa'ler d'Édom, F'ère Yancey ? dit une voix dans la foule. Édom, c't en Hollande... Là où qu'y a des tulipes et des moulins à vent ? L' Seigneur, l'est pas assez fou pour perd' son temps avec une tit' ville com' Sparta quand y peut s' farcir une tapée d' moulins à vent tous les matins, au p'tit déjeuner. »

Il y eut quelques rires et le hurlement de Cater monta de plus en plus haut jusqu'à ce que les mots se perdent dans un absurde cri suraigu et que ses yeux vides se mettent à rouler dans leurs orbites. Les rires, avant de mourir, se transformèrent en hoquets. Dans le brouhaha, Ruth entendit une voix haute, claire et précise : « Mère, c'est l'homme dont je vous ai parlé, celui qui vient le samedi accompagné de sa très pauvre famille. À votre avis, il est malade ?

— Chut, Paul », dit une voix de femme, plus claire et plus douce que celle du garçon mais de même tonalité.

Ruth fit pivoter son visage et dirigea son regard vers les voix. Elle affronta les grands yeux, couleur de chocolat fondu, du gros garçon qu'elle avait aperçu sur la balustrade de la grande maison blanche puis, un peu au-dessus, ceux de la belle femme qu'elle avait vue, il y avait longtemps, sur le balcon. Ils étaient aussi grands que ceux du garçon mais couleur noisette et avec de très longs cils. Ils étaient pleins d'une pitié sans fard. La faible lumière du magasin lui sembla soudain nettement plus sombre, avec des reflets rouges au milieu des bourdonnements indistincts. Le sang quitta ses mains et ses avant-bras. Seuls les doigts de Pearl, s'enfonçant profondément dans les épaules de sa fille, l'empêchèrent de tomber sur le sol.

Cater, en ayant finalement terminé avec sa tirade, entreprit sa tournée impériale à travers la boutique et passa en revue toutes les marchandises. Le malaise de Ruth s'estompa. Autour d'elle, tout rentra dans l'ordre. Elle fut capable de reprendre sa place dans les rangs derrière son père. Son pas était ferme et son dos était resté droit. Cater désigna, finalement, avec son index anormalement long, d'une couleur bleuâtre, le tonneau de farine et le bac de petits pois secs. Le commis de Lapham n'eut pas à lui demander combien il en voulait. Ruth, petite poupée dorée dont la chemise déchirée d'un blanc délavé pendait lamentablement autour de ses chevilles nues, fit un pas en avant et prit la bourse de son père. Elle examina les chiffres inscrits sur l'ardoise que le commis présentait à chaque client afin qu'il n'y ait pas la moindre contestation ; elle fit mentalement les additions, se contentant de remuer silencieusement les lèvres, puis elle plongea les doigts dans la bourse. Elle posa délicatement les pièces sur le comptoir et s'empara en échange des sacs de farine et de haricots que lui tendait le commis. Elle attendit plusieurs secondes. Elle s'éclaircit alors la gorge et prit la parole. Tranchant sur les voix indistinctes qui composaient le fond sonore, les mots de Ruth pénétrèrent dans les oreilles comme des cris.

« Ça fait quat' cents que vous m' devez, dit-elle. J' vous ai donné une pièce de dix cents et une de cinq, et pas une de dix cents et une de un cent.

— C'était un cent, mademoiselle, dit fermement le commis. Je l'ai juste là. Vous voyez ? » Il montra une pièce.

« Non, m'sieur pa'ce que j'avais pas d' cent, autrement j' vous l'aurais donné, dit Ruth.

— C'est ce cent-là », dit le commis.

Cater recommença à maugréer, sa voix montant dans un crescendo de plus en plus bruyant tandis qu'il gesticulait devant le comptoir. Ruth serra les mâchoires.

« J' vous ai donné cinq cents, dit-elle.

— C'était cinq cents. Je l'ai vu. J'ai vu qu'elle vous les donnait », dit une voix.

La femme fantôme de la maison des Fox se trouva soudain juste à côté de Ruth. Ses jupes froufroutaient à chacun de ses gestes. Il émanait de toute sa personne une odeur de citron et de verveine qui baignait le nez de Ruth, rafraîchissant son visage brûlant que le rouge avait, une fois encore, envahi jusqu'à la racine de ses cheveux.

« Si vous l' dites, M'ame Fox, dit le commis d'un air morose et il lança quatre pièces sur le comptoir.

— Je crois que ce serait un peu plus courtois de les tendre à la jeune fille en vous excusant », dit doucement la femme ; sa voix sonnait, dans les oreilles brûlantes de Ruth, comme la mélodie de la grive des bois qui, en fin d'après-midi, chantait dans les hautes branches de magnolias lorsqu'ils attendaient, dans le ravin des kudzus, le retour de Cater.

Le commis ramassa les pennies sur le comptoir et les tendit à Ruth en murmurant : « Désolé pour l'erreur, mademoiselle. »

Ruth ramassa l'argent. Elle ne regardait pas la femme. La masse du gros garçon derrière elle tenait une place énorme dans son champ de vision, comme une statue ou une montagne. Le silence s'était installé dans le magasin. Cater s'était calmé et les enfants Yancey étaient aussi tranquilles que des lapins quand le faucon à queue rouge tournoie au-dessus de leurs têtes. Ruth pouvait sentir la présence de Pearl. Elle sentit dans son cou un battement étrange qu'elle était incapable de contrôler.

« Vous êtes très habile avec les additions et l'argent, dit la femme en se penchant sur Ruth. » Un pli de sa jupe frôla le pied nu de la petite fille. Elle était blanche, taillée dans une étoffe soyeuse ; elle était ornée de petits dessins représentant des roses et des feuilles. L'espace d'un instant, elle put apercevoir le bout luisant d'une bottine en chevreau qui apparut sous la jupe. Ruth ne releva pas la tête.

« Vous êtes vraiment bien meilleure que je ne l'étais à votre âge, poursuivit la voix fraîche. Je pense que vous devez être une fille très intelligente. Voulez-vous me dire votre nom ? Le mien est Fox. Alice Fox. J'habite dans la rue de l'Église, près de l'université. »

Ruth restait figée sur place. A cause du tumulte qui agitait son sang, elle n'entendait plus rien. Elle ne bougeait pas, ne voyait rien. Le silence se prolongeait. Elle perçut le parfum de la femme qui lui caressait le visage et le cou.

C'est alors qu'elle sentit dans le dos, entre les omoplates, quelque chose de pointu. Instinctivement, elle résista ; elle reçut un autre coup si insistant que, malgré elle, elle avança d'un pas. Dans ses oreilles en feu sonnèrent comme un klaxon les quelques mots que murmura Pearl :

« Laisse pas passer ta chance. »

Ruth leva la tête vers la femme et lui sourit. Un sourire radieux et timide. Puis elle fit la révérence gracieuse que Pearl lui avait apprise.

« Je m'appelle Ruth Steed Yancey, dit-elle d'une voix claire. J' suis très fière d' vous connaître. »

Chapitre III

« Il faut faire quelque chose pour cette enfant, Claudius. Il y a en elle tant de promesses. »

Dans son désir de convaincre, Alicia Fox pencha légèrement sa taille souple, s'appuyant presque de ses avant-bras blancs sur la table de la salle à manger. À l'autre bout de cette table en acajou bien ciré du Honduras, Claudius Fox joignit ses petites mains blanches et boudinées et les contempla avec gravité. Puis il regarda sa femme, dont le visage s'encadrait dans la lumière des chandeliers. Ses yeux, de la même couleur brun liquide que ceux de son fils, s'adoucirent et s'animèrent derrière les verres épais de ses lunettes rondes. Les bougeoirs et les appliques à gaz en cristal projetaient sur les murs tapissés de soie une lumière moelleuse.

Il sourit de la véhémence d'Alicia et il s'émerveilla une fois de plus de la voir là, à sa table, éclairée par les chandelles. Ils étaient mariés depuis quinze ans. Pourtant, il avait encore à chaque fois le souffle coupé et il se sentait plein d'humilité devant le miracle de cette créature adorable, douce, cultivée, qui illuminait sa vie et sa maison. Pour lui, ce n'était pas une femme de chair, d'humeurs, d'odeurs et de passions même si, chaque nuit, avec appréhension, il s'allongeait à ses côtés, dans le lit à baldaquin du premier étage, et même si son fils Paul avait surgi, un jour, encore humide et rouge du sang qui avait coulé du ventre blanc de sa femme. Elle était pour lui un concept, une perfection. Il avait pleuré la première fois qu'il l'avait vue nue : gênée, elle avait détourné le visage mais ses bras s'étaient tendus vers lui.

« J'ai contemplé la beauté nue », avait-il sangloté dans un transport de timide passion.

Il l'avait rencontrée à New Haven chez son professeur d'études bibliques, plus précisément spécialisé dans le Nouveau Testament. Il était alors étudiant de quatrième année à Yale. À cause d'un examen, il lui avait été impossible de rentrer à Sparta pour les vacances de Noël ; il avait accepté de bon cœur l'invitation du docteur Chambliss de partager le repas de Noël dans la vieille demeure de briques. Il se souviendrait toujours de sa première apparition : elle se tenait sur l'escalier dans son beau costume de velours airelle, et elle s'efforçait de redresser une guirlande de sapin qui avait glissé d'un bec de gaz. Le froid qui régnait en cette journée de Noël était vif et coupant comme un diamant. Bien qu'à l'intérieur de la maison, Claudius battait la semelle pour faire circuler le sang ; il était emmitouflé jusqu'aux yeux et s'était bien protégé contre ce froid désagréable qui venait du nord-est. Il leva la tête : elle était là, devant lui, Hester Alicia Chambliss, avec ses dix-neuf ans. Elle venait d'arriver de Vassar pour les vacances. Elle le regardait en riant, les yeux noisette en amande s'encadrant dans un visage de jeune Diane.

« Bonjour, monsieur Fox », dit-elle, d'une voix qui, s'il la comparait au nasillement staccato de la plupart des filles yankees qu'il avait rencontrées, lui sembla une musique cristalline. « Papa dit que vous avez été abandonné sur une banquise et que nous devons nous porter à votre secours. Donnez-moi votre manteau et venez vous asseoir près du feu. »

Aristocrate du Sud par le cœur, humaniste par nature et par éducation, Claudius Fox était un jeune homme timide et sérieux : il eut soudain l'impression que sa langue restait collée au palais. Il s'éclaircit plusieurs fois la gorge, roula de gros yeux avec lesquels il dévisagea la jeune fille rayonnante, lui marcha sur le pied, heurta l'épagneul de la maison, et finit par tomber sur la carpette du foyer sous les yeux amusés et compatissants de Matthew Chambliss lequel pouvait, une fois de plus, constater l'effet que produisait Alicia sur les jeunes gens. Le pasteur était un homme pratique et à l'esprit ouvert sur le monde. Il avait décelé, dans le jeune Sudiste rêveur qui suivait ses cours, quelqu'un de fin, même s'il était encore mal dégrossi. Il tendit une main à Claudius, le brossa et le taquina avec autant de sérieux que de gentillesse. Il se félicita une fois de plus de son intuition. Alicia ne le savait pas encore mais Claudius ferait un excellent mari qui la chérirait jusqu'à son dernier souffle. C'est ce que le pasteur avait toujours souhaité pour sa fille.

Comme son père l'avait espéré, le cœur pur d'Alicia Chambliss sut faire la conquête du jeune patricien sudiste. Il émanait de

Claudius Fox un sentiment de bonté vraie et agissante, une rayonnante simplicité d'âme qui tantôt brûlait d'une flamme très pure, tantôt se manifestait par d'étonnantes naïvetés. Cette fille de la Nouvelle-Angleterre, que les grands principes moraux et l'esprit élevé rendaient si différente des jeunes femmes bavardes, frivoles, de son milieu à Sparta, éveilla en lui une ardeur qu'il n'avait jusqu'ici consacrée qu'à ses études. Claudius fit le siège d'Alicia pendant l'été brûlant de New Haven. À l'automne, il obtenait son accord.

Ils se marièrent en septembre de l'année suivante alors que Claudius faisait, à l'exemple de son père et de son grand-père, ses humanités classiques à l'université de Sparta. Ils emménagèrent dans les vastes pièces aérées de la grande maison blanche de la rue de l'Église, construite en 1817 par le grand-père de Claudius, Wade Howell Fox. Ils partagèrent la vie ordonnée et un peu désuète qu'Horatio, le père de Claudius, veuf depuis longtemps, s'était organisée à la mort de sa femme avec l'aide des vieux serviteurs noirs.

Horatio Fox était le président de l'austère petite université d'État, et sa vie tout entière était consacrée à ses devoirs, à ses études classiques, à son repaire confortable au premier étage de la grande maison blanche, à l'ordre et à la symétrie néo-grecque de cette résidence, à la vie de tous les jours. Il aimait d'un amour distrait son fils pâle et doux, qui tenait de sa mère les membres, les mains et les pieds tandis que, de son côté, il lui avait légué sa passion pour la culture grecque. Horatio trouva que la jeune femme était jolie et, bien que yankee, agréable, rapide d'esprit et bien élevée.

Alicia eut l'intelligence de ne rien déranger à la routine domestique et de ne pas irriter les serviteurs. Dans son for intérieur, Horatio admit vaguement, en se contentant d'effleurer la question, que la présence, après tant d'années, d'une jolie jeune femme à la maison, n'était pas désagréable puis il se replongea une fois de plus dans sa fonction de président et dans les odes de Pindare. Il n'en ressortit en clignant des paupières et en dodelinant aimablement de la tête que pour la naissance de son petit-fils Horatio Paul, un enfant délicat et rose qui porta son propre nom. Il gazouillait tranquillement dans son berceau, un étage plus haut, ne dérangeait personne, la nuit, avec des pleurs, et ne réveillait personne le matin avec des cris déchirants. Il sut même éviter les maladies enfantines.

Le bébé ne réclama aucun soin particulier. Son grand-père vécut dans la paix les quelques années qui lui restaient. Il rejoignit

41

tranquillement sa tombe, un temple grec en miniature reconstitué dans le cimetière des Confédérés de Sparta. Jamais il n'avait eu à s'inquiéter ou à se tourmenter pour son petit-fils.

Le petit Paul comblait le cœur de Claudius. À son retour de classe, il prenait sur ses genoux son enfant lavé, parfumé et poudré. Il le berçait avec tendresse. Il aimait à souligner sa ressemblance avec Alicia — qui souriait avec indulgence, l'enfant étant un portrait frappant de Claudius — et il s'émerveillait de son évidente intelligence.

« Un humaniste au berceau », disait-il en roucoulant béatement.

Plus tard, lorsque Paul eut six ans, Alicia commença à lui donner des leçons à la maison. Elle pouvait enfin faire profiter quelqu'un des fruits d'une éducation qui, au rythme très lent où vivait ce monde, était depuis si longtemps restée en jachère. Avec le nouveau siècle, l'école publique avait fait son apparition à Sparta. Mais Alicia convint avec Claudius que Paul, s'il le désirait, suivrait le chemin tracé par ses aïeux : l'étude des textes classiques. En ce sens, l'école publique, bruyante et toujours animée, avec sa marmaille pleine de santé, enfants des rues ou fils de fermiers prospères, n'était pas particulièrement un terrain propice pour entreprendre les études classiques. Aussi Paul reçut-il ses premières leçons à la maison. Son premier professeur fut Alicia. Trois ou quatre ans plus tard, un jeune homme pauvre prit le relais. Il avait un brillant avenir devant lui et avait été choisi par Claudius parmi les étudiants de sa classe de lettres classiques. Il vint quotidiennement donner à Paul des cours de grec et de latin. Alicia supervisa les études de Paul mais son temps et ses talents furent de plus en plus consacrés aux obligations mondaines qui incombaient à une jeune femme dont le mari s'élevait régulièrement dans la hiérarchie de l'université. Quand Claudius fut nommé président de l'université — Paul venait d'avoir onze ans —, ses devoirs se multiplièrent. Elle fut beaucoup plus occupée que pendant les premières années.

Mais cela ne lui suffisait pas. Le dévouement aux autres était une notion qu'on lui avait inculquée en Nouvelle-Angleterre et qui s'était épanouie dans la maison de son père où l'on suivait la morale protestante qui ne transige pas avec le devoir et le service. À Vassar, les sciences sociales l'avait attirée comme un jeune papillon par une flamme. Tout en ayant, dans la mesure du possible, donné à son zèle le cadre à la fois doux et pesant de la famille et des devoirs sociaux, et en lui ayant donné une impulsion supplémentaire, autant qu'il était nécessaire, en se consacrant à l'enseignement et à la formation du jeune Paul, elle restait avant tout l'héritière naturelle et spirituelle de ces instituteurs yankees pleins de foi qui envahirent le Sud dans le sillage des Carpetbaggers [1]. Ils voulaient profiter de la reconstruction pour éduquer l'homme noir et enseigner aux Blancs à moitié païens les principes chrétiens de l'amour et du dévouement aux autres. Le grand regret d'Alicia était d'avoir raté, à trente ans près, la cause de l'émancipation. Le fait de ne rien connaître des conditions d'existence des vrais pauvres de Sparta qui vivaient cloîtrés à l'intérieur de la forteresse de la filature et du village, ne faisait que gonfler le torrent de zèle qui bouillonnait sous son apparence sereine. En rencontrant Ruth Yancey dans l'épicerie Lapham en ce jour brûlant de septembre 1903, Alicia Chambliss Fox se sentit vibrer comme un diapason. Un sourire tremblant et l'inclinaison timide d'une petite tête nimbée d'or pâle avaient suffi à donner à l'altruisme refoulé d'Alicia l'élan qui lui manquait.

« Il semble, à vous entendre, que ce soit une enfant extraordinaire, ma chère », dit Claudius, le soir, dans la salle à manger des Fox. Il avait admiré le jeu des lumières sur le visage sérieux d'Alicia et il avait à peine entendu ce qu'elle avait dit à propos de Ruth.

« Elle est plus que cela, Claudius. Elle est... lumineuse. C'est une enfant adorable, avec le visage d'un ange de la Renaissance et une délicatesse de manières qui est déjà une victoire sur son environnement. Elle est si habile avec les chiffres et si modeste sous son doux sourire... Mais ses vêtements, Claudius ! Rien que des loques bien qu'assez propres. Et cet homme menaçant, horrible... En revenant à la maison, Henry m'a parlé de la famille. Il boit comme un trou, dit-on, et il bat cruellement aussi bien sa pauvre femme que ses enfants. Le peu d'argent dont dispose la famille, il le dépense en achetant de l'alcool fabriqué et vendu par un Noir à Suches. Saviez-vous que les Noirs fabriquaient de l'alcool ? »

Claudius hocha la tête ; il ne le savait pas.

« Mais ce qui est pire, c'est l'humiliation dont souffre sa famille.

---

1. Les *Carpetbaggers* étaient des aventuriers et des politiciens avides venus du Nord pendant la période dite de Reconstruction pour tirer profit de la situation tragique du Sud. Parce qu'ils n'avaient pour tout bagage qu'un sac fait dans un morceau de tapis, on les appela des *Carpetbaggers*.

Il prêche au coin des rues, réprimande les passants et leur fait honte, traîne sa femme et ses enfants dans les boutiques. Tout le monde en ville semble le connaître. On l'appelle frère Yancey. Même les domestiques se moquent de lui. Je suppose que je l'aurais aperçu depuis longtemps s'il m'était arrivé d'aller en ville les jours de marché, mais il y a une telle foule que je crains d'avoir pris l'habitude d'y envoyer Violet et Henry. Seulement, voilà, Violet s'est coupé sérieusement le doigt et s'est couchée... Paul dit qu'il leur arrive, le samedi, de passer devant la maison. »

Claudius regarda son fils qui était sagement assis à sa place, le visage pâle et velouté tourné tantôt vers son père, tantôt vers sa mère. Il avait maintenant treize ans. Il n'avait guère grandi depuis deux ans mais il avait un peu grossi. Alicia en conclut, non sans regret, qu'il aurait le physique de son père, ses traits délicats et pâles et ses grands yeux myopes. Mais il était doux et affectueux. Elle trouva que, tout compte fait, ressembler à Claudius n'était pas la pire des choses.

« Et que penses-tu de notre petit bijou, mon garçon ? demanda Claudius. Trouves-tu, comme ta mère, qu'elle est plus rare que les perles et plus précieuse que les rubis ?

— Je la trouve terriblement jolie, papa, dit Paul Fox. Et elle semble bonne en calcul. Mais, il faut bien le dire, sa manière de parler est horrible. »

Il omit de signaler qu'il l'avait déjà vue auparavant et que ses yeux d'un bleu de cristal l'avait totalement pétrifié.

« Bien sûr qu'elle parle horriblement, dit Alicia avec chaleur. Qu'entend-elle à longueur de journée sinon les paroles de ces gens ignorants et grossiers ? Je sais bien qu'ils ne sont pas responsables mais on peut difficilement s'attendre à ce qu'elle parle comme une dame. Je suis sûre qu'elle pourrait apprendre assez vite. Elle pourrait apprendre n'importe quoi si elle s'y applique... Vraiment, quand on pense aux chances qu'elle n'aura jamais, à cette finesse naturelle tuée dans l'œuf...

— Mais alors, elle ne va pas en classe ? demanda Claudius.

— Mon cher Claudius ! Et vous êtes président d'une université d'État... Je m'étonne parfois de votre innocence... Henry me disait qu'aucun enfant des filatures ne va à l'école. Dès l'âge de six ans, ils vont travailler à la filature en même temps que leurs parents. Six ans ! Claudius, je ne faisais pas attention ! Je ne le savais pas... Penser à *cette* enfant dans une filature de coton... J'ai honte, Claudius... Nous possédons tant de choses... Paul ne manque de rien... Nous n'avons guère été généreux... »

Claudius Fox soupira. Il admirait et aimait la noblesse d'esprit de sa femme mais, en bon aristocrate du Sud, il avait aussi une conscience profondément enracinée de sa supériorité et de ses privilèges naturels ; ses aïeux avaient été gâtés par des générations de femmes ; Claudius lui-même avait été suprêmement, délicieusement choyé par sa femme depuis le jour où il lui avait ouvert la porte de la Tanière du Renard. Son soupir était le soupir d'un homme qui constate la fin d'une situation d'autant plus aimée qu'elle en est à ses derniers jours.

« Avez-vous en tête, ma chère, de pourvoir à son éducation ? hasarda-t-il.

— C'est devenu une idée fixe, Claudius. J'aimerais que cette enfant vienne vivre et étudier ici avec Paul. J'aimerais l'habiller, lui donner des règles de morale, qu'elle apprenne aussi bien la musique que les bonnes manières et qu'elle puisse surveiller son langage. Elle pourrait tellement profiter des chances que nous pourrions lui donner, Claudius ! Plus tard, elle pourrait aller à l'école, peut-être même au collège. Avec une bonne éducation, elle ne serait plus condamnée à végéter au village de la filature pour le reste de son existence. Elle pourrait... oh ! bien se marier ou faire carrière... Claudius, vous devez vraiment la rencontrer, vous comprendrez ce que je veux dire.

— Croyez-vous qu'elle aura vraiment envie de venir ? Je veux dire, quitter sa famille, ses amis, tout ce qu'elle a toujours connu ? Ses parents le permettront-ils ? dit Claudius avec espoir, tout en sachant, en fait, que la bataille était perdue.

— Il y a si longtemps que je souhaite la présence d'un autre enfant à la maison, Claudius », dit doucement Alicia.

C'était vrai. Malgré toutes leurs tentatives, aucun bébé n'avait suivi Paul. Bien qu'elle n'ait jamais suggéré une telle chose, Claudius présumait que la faute lui en revenait. Cela l'attristait et il en avait honte. Alicia était, à ses yeux, simplement une créature trop proche de la perfection pour être incapable de concevoir un autre enfant.

« Nous avons assez de place et vous savez que c'est vrai : nous avons un nombre scandaleux de pièces et nous ne manquons pas d'argent, poursuivit-elle. Oh ! Claudius, bien sûr qu'elle voudra venir ! Comment pourrait-elle ne pas le vouloir ? Après les haillons qu'elle porte, et les raclées qu'elle reçoit ? Elle est si maigre ! Je sais qu'elle ne mange pas assez... Et sa mère ne sera que trop contente de lui donner sa chance : toutes les mères seraient ainsi. Quant au père, s'il la bat, c'est qu'il ne l'aime guère, non ? En outre, ce sera pour lui une bouche de moins à nourrir. S'il vous plaît, Claudius. Laissez-moi leur en parler. On verra bien après.

— Je ne veux pas que vous alliez seule au village des filatures, Alicia, dit-il avec fermeté. » Sur ce point, il ne voulait pas discuter.

« Bon, naturellement, c'est Henry qui me conduira, cher vieil inquiet, et Paul m'accompagnera. Vraiment, Claudius, je serais un être sans cœur si, à cause d'une peur obscure et stupide, je refusais, pour ma sécurité personnelle, de faire ce qui me semble devoir être fait. Cela n'a jamais été notre attitude, mon ami, et ce n'est pas ce que nous avons appris à Paul. »

Il s'inclina devant son vainqueur.

« Je vous soupçonne, Alicia, d'avoir raison, comme à votre habitude. Qu'en penses-tu, Paul ? Partageras-tu ton précieux M. Carruthers avec notre chère petite malheureuse ?

— Elle aura d'abord besoin de faire beaucoup d'anglais avant de pouvoir s'attaquer au grec et au latin, dit Paul d'un air détaché. Bien sûr, ça m'est égal qu'elle vienne. »

Il s'excusa et il sortit nonchalamment de la salle à manger avant que ses parents puissent entendre le grand chant d'allégresse qui s'élevait dans son cœur.

Chapitre IV

Le dimanche suivant, à deux heures de l'après-midi, l'élégante voiture noire des Fox, tirée par le propre cheval d'Alicia, un rouan plein d'énergie, s'arrêta devant la cabane des Yancey au village de la filature. Henry manœuvra au mieux pour ranger la voiture sur le bas-côté de la route poussiéreuse et pleine d'ornières mais il ne put l'empêcher d'occuper le milieu de la chaussée comme un monstrueux insecte noir. Les cuirs moelleux et les cuivres brillants étaient recouverts d'une pellicule de cendre rose récoltée dans la traversée de Sparta et du village de la filature. Henry, le dos raide, regardait fixement vers l'horizon. Tout dans son attitude soulignait sa désapprobation. Il ne pouvait cacher le mépris qu'il éprouvait pour les visages blafards des enfants qui, à l'arrivée de la voiture, s'étaient précipités hors des cabanes. Ils observaient le garçon dont le visage était écarlate. Il était assis à l'intérieur en costume à col marin.

Quelques adultes, généralement des hommes minces, aux veines saillantes, regardaient, impassibles, la voiture. Ils étaient immobiles dans leurs vérandas délabrées, se contentant de porter de temps en temps un pichet à leurs lèvres et de boire de grandes lampées. Mais à l'intérieur des cabanes, dans les pièces du devant, là où, derrière les fenêtres, des loques servaient de rideaux, les femmes les avaient écartés et contemplaient la voiture, l'enfant et le nègre. Elles suivaient de leurs yeux morts la marche de la grande femme mince moulée dans un ensemble de baptiste blanche plissée et coiffée d'un chapeau de paille clair aux bords garnis de marguerites blanches. Elle descendit souplement de la voiture, se retourna vers le garçon et lui murmura un mot par-dessus son épaule puis, la tête haute, elle escalada les deux marches de briques et de planches branlantes qui menaient à la maison de Cater Yancey. Enfin, elle traversa ce qui restait de la véranda.

47

Alicia n'avait jamais eu aussi chaud de sa vie.

À l'intérieur de la Tanière du Renard, les épais murs de briques et les plafonds de quatre mètres cinquante de haut gardaient pendant le jour la fraîcheur de la nuit. Dès dix heures du matin, on tirait les rideaux épais qui protégeaient de la chaleur envahissante. Les arbres plantés le long des pelouses et des jardins de la rue de l'Église recevaient directement le soleil brûlant, ne laissant passer sur les vieilles maisons blanches et sur les trottoirs que des éclats dorés et verdâtres. Les enfants et les femmes de la rue de l'Église étaient préservés de l'enfer de l'été géorgien par des bains tièdes et prolongés, des siestes, l'après-midi, dans les chambres à coucher obscures, avec les fenêtres françaises ouvertes sur le balcon du deuxième étage qui semblait suspendu aux plus hautes branches des arbres. À l'heure du dîner, aux heures les plus lourdes et les plus chaudes des soirées de septembre, les enfants des serviteurs, pour le prix d'un bonbon, se tenaient immobiles derrière les chaises dans les salles à manger obscures et agitaient des éventails de palmetto à longs manches : ils provoquaient de petits courants d'air qui chassaient, en même temps, les mouches errantes. Si une dame de la rue de l'Église mettait le nez dehors au plus fort de la chaleur, elle était protégée par une ombrelle et un chapeau fleuri ; ainsi le visage, le cou et la gorge conservaient-ils leur blancheur. La charrette à glaces passait deux fois par jour rue de l'Église et, tout au long des heures lentes de l'après-midi, les femmes et les enfants buvaient du thé glacé et de la citronnade. Les dimanches après-midi et le soir au dîner, pour le dessert, ils dégustaient des crèmes glacées.

Le temps d'aller de sa voiture à la véranda de la maison de Cater Yancey, Alicia Fox se rendit compte que jamais, depuis quinze ans qu'elle était dans le Sud, elle n'avait ressenti avec autant d'intensité le poids terrible d'une vague de chaleur en Géorgie.

« Si je vivais ici, je ne me donne pas trois jours pour mourir. » Alicia le pensait, et, avec humilité, elle savait qu'elle n'exagérait pas. Elle eut peur de s'évanouir sur cette terrasse de planches pourries et de tomber en arrière dans la poussière de la minuscule cour où des éclats de silex perçaient à travers les craquelures et les fissures du sol durci. Il n'y avait personne dans la cour ni sur la véranda. Aucun bruit n'émanait de la maison.

Cependant, Ruth Yancey était assise aux côtés de sa mère sur un banc de bois sans dossier. Depuis midi, heure de leur retour de l'église, elle n'avait pas quitté cette pièce sombre et brûlante. Elle vit la voiture d'Alicia s'arrêter en face de la maison.

C'était un étrange dimanche. Contrairement à son habitude, Cater n'était pas rentré avec elles de l'église. D'ordinaire, il réunissait sa famille juste avant le dîner pour la séance habituelle dans la petite pièce de devant. Aujourd'hui, Pearl lui avait remis quelques sous qui provenaient d'une vieille bourse dont Ruth était seule à connaître la cachette dans le sac que Pearl gardait toujours à la main. Elle lui avait demandé à voix basse d'aller à Suches lui chercher un petit pot d'une vieille mixture de pouliot que préparait la vieille Aunty Calhoun, mixture qui était si efficace pour les maladies de bonne femme. Ruth avait regardé fixement sa mère : comment pouvait-elle renvoyer son père chez Titterbaby Calhoun alors qu'elle portait encore sur ses pommettes et sur son cou les marques, fraîches et livides, des coups reçus la nuit dernière ? Mais les yeux de sa mère, tournés vers son mari, étaient seulement humbles et doux. Il avait pris l'argent et il était parti en clopinant et en grommelant. Ruth l'avait suivi du regard puis avait regardé à nouveau sa mère. Mais elle n'avait rien dit.

Plus étrange encore, Ruth n'avait pas retiré sa robe du dimanche, comme elle le faisait d'ordinaire à son retour de l'église. Habituellement, elle enfilait alors l'une des trois chemises taillées dans des sacs de fourrage avant de gagner la cuisine où elle aidait Pearl à préparer le déjeuner. Pearl lui avait dit : « Garde tes beaux habits et viens t'asseoir un p'tit moment avec moi dans la pièce de d'vant. » Ruth avait obéi. Elle portait une robe d'hiver, une lourde blouse de serge bleu-noir qui s'harmonisait avec les bas de laine bleue ; elle avait un col marin et elle était trop courte de quelques centimètres. Comme la plupart de ses habits, cette robe provenait du vestiaire des pauvres de l'église et, par cette journée brûlante de septembre, c'était une torture de la porter. Mais Ruth ne discuta pas les ordres de sa mère.

Elle ne ressentit ni excitation ni curiosité lorsqu'elle vit la grosse voiture noire s'arrêter devant la maison, bien que cela fût un spectacle totalement inédit dans le village de la filature. La sensation de quelque chose d'inexorable l'envahit tout entière. Il y avait des sortes de doigts qui la fouaillaient à l'intérieur, de l'estomac jusqu'aux extrémités de ses bras et de ses jambes. Elle leva la tête vers sa mère. Pearl la regardait, son visage était tranquille et ne trahissait pas la moindre surprise.

« C'est M'ame Fox, dit Ruth.

49

— J' crois ben qu' oui, dit Pearl.

— On dirait qu'ell' s'arrête.

— Quand c'est qu'ell' cogne, j' veux qu' t'ailles à la porte, dit Pearl. Tu souris, gentille et tout, et tu fais comme hier avec ta courbette. Après ti dis d'entrer et d' s'asseoir. »

L'étonnement qui se peignit sur le visage de Ruth n'était pas feint.

« Je m' demande bien ce qu'elle veut pour v'nir ici !

— Tu t' souviens de c' que j' t'ai dit, d' garder tes oreilles grand' ouvertes ? Ben, quand j' te dirai d' sortir, t' iras dans la cuisine et t'écout'ras. Là, tu comprendras bien c' qu'elle veut en v'nant ici. »

Ruth ouvrit la porte et regarda Alicia Fox. Elle était grande, grande et blanche, au milieu de reflets d'argent qui dansaient dans la lumière du soleil, juste derrière elle, au cœur du frémissement de la chaleur. Le parfum rafraîchissant d'Alicia cet après-midi-là, était celui de la violette. Bien que sa gorge fût brûlante, sa voix semblait aussi fraîche que le chant d'un torrent de montagne.

« Ruth ? C'est Mᵐᵉ Fox. Alicia Fox. Nous nous sommes rencontrées dans l'épicerie de Lapham. Pensez-vous que je puisse entrer un instant ? J'aimerais parler à votre mère, si elle n'est pas trop occupée. Je ne prendrai pas trop de son temps. »

Pearl Yancey s'était levée pour accueillir Alicia. Elle se tenait droite et calme devant le banc de bois. Son visage jaunâtre était plein de respect. On ne pouvait y lire le moindre étonnement. Elle arborait un sourire engageant. Son regard était bizarrement et désagréablement sournois. On aurait dit qu'elle s'apprêtait à flatter bassement la femme en blanc qui s'avançait vers elle, la main tendue, déterminée à ne rien remarquer de ce qui l'entourait dans la petite pièce nue et sinistre. Ruth n'avait jamais vu un tel regard sur le visage de sa mère. Elle ressentit la honte. Honte de ce regard mais aussi honte de sa propre honte. Au-dessus de la bouche affaissée, qui se déployait en un sourire humble et absent, les yeux de Pearl brillaient de… De quoi ? De colère ? De rancune ? De peur ? Ruth, dévisageant sa mère, n'aurait pu le préciser.

« Entrez et assoyez-vous, M'ame Fox », dit Pearl. Puis se tournant vers Ruth : « Ruth, va nous chercher un peu d' citronnade dans la cuisine. »

Ruth ne bougea pas. Sa mère était-elle devenue folle ? Il n'y avait pas de citronnade ; il n'y avait jamais eu de citrons dans la maison des Yancey. Ruth ne connaissait même pas le goût du citron.

« D' la citronnade ? » dit-elle stupidement.

Alicia Fox enchaîna rapidement :

« Je viens juste de finir de déjeuner, madame Yancey. Je ne veux rien prendre. Vraiment. Mais merci de votre gentillesse. Je voulais juste bavarder un moment avec vous pour vous parler de... de Ruth... »

Ruth la regardait avec passion. Elle se tut.

Pearl baissa les yeux.

« J' vous en prie, assoyez-vous », dit-elle.

Elle fit un signe de tête énergique en direction de Ruth, figée au milieu de la pièce. Ruth tourna les talons et s'engouffra dans la cuisine. Elle s'appuya contre la table de bois. Elle se pencha vers la porte ouverte sur la pièce de devant. Elle entendit le raclement de la seule chaise de bois et le son plus lourd du banc au moment où les deux femmes s'installèrent. Elle écouta.

Quand, quelques minutes plus tard, les voix, dans la pièce de devant, l'une fraîche comme une flûte d'argent, l'autre plaintive comme le bourdonnement d'un moustique, se turent, Ruth se releva. Elle détailla la cuisine d'un air absent ; elle sentait plutôt qu'elle ne voyait le plancher pourri, le robinet cassé, le seau rouillé, ce seau qu'elle allait remplir chaque matin à la pompe, au coin de la rue. Une joie brûlante, féroce, s'empara de ses entrailles avant de l'envahir tout entière. Elle crispa les doigts et ferma les paupières. De toute sa vie, elle n'avait jamais ressenti quelque chose comme ça.

Alicia Fox lui proposait de venir vivre à la Tanière du Renard : elle étudierait avec Paul, le gros garçon, afin d'avoir sa chance dans la vie.

Pearl avait donné son accord.

Il y eut encore des bruits de voix dans la pièce de devant mais maintenant elles parlaient à bâtons rompus, comme pour terminer la conversation. Ruth savait que la transaction était achevée et que l'accord était conclu. Elle entendit une fois de plus le raclement de la chaise d'Alicia, le bruit sourd du banc de bois sur lequel Pearl était assise, le froufroutement des jupes d'Alicia et, pour finir, les pas des deux femmes lorsqu'elles gagnèrent la porte.

« Bien ! dit Alicia Fox. J'enverrai Henry demain pour connaître la réponse de M. Yancey. C'est d'accord ? Nous pourrons alors mettre en route nos projets. Bon après-midi, madame Yancey. Et merci. Merci beaucoup.

51

— Bon après-midi à vous M'ame Fox », fit Pearl.

Ruth attendit. Une joie sauvage l'avait envahie et elle ressentait comme des picotements derrière les yeux. Quand elle se rendit compte que sa mère ne viendrait pas la rejoindre dans la cuisine et qu'elle ne l'appellerait même pas, c'est elle qui pénétra dans la pièce qu'Alicia venait de quitter. Après la lumière éclatante de la cuisine, la pièce sombre semblait encore transfigurée par l'image vivante et blanche d'Alicia Fox. Pearl avait repris sa place sur le banc de bois. Elle avait enfoui son visage dans ses mains. Elle ne disait rien. Elle était assise, totalement immobile.

« M'man ? »

Pearl ne bougea pas.

« M'man, ça va bien ? »

Pearl fit un léger mouvement. Elle leva la tête et se pencha pour regarder Ruth. Son visage était ravagé, déchiré, accablé sous le poids d'une terrible douleur. Puis elle sourit, un sourire sec, amer, et on put croire que la désespérance s'était enfuie. Elle était de nouveau Pearl. Maman.

« J' vais bien, dit-elle. C'est juste qu'y fait chaud, c'est tout. Bon, Ruth, j' crois qu' t'as entendu c' qu'ell' voulait.

— Oui, m'man.

— Tu penses qu' tu peux faire ça ? Tu penses qu' tu peux aller vivre dans c'te grand' maison et t' conduire comm' une dame et apprend' tous ces machins dans les livres ? Tu pens' qu' tu peux viv' comme les Fox et plus jamais comm' un' Yancey ?

— Je... Oui, m'man. Mais, m'man, J' veux pas t' quitter, J' peux pas faire ça.

— *Si, tu peux fair' ça !* »

Il y avait tant de colère dans la voix de sa mère que Ruth recula d'un pas et la regarda. Une fois de plus, Pearl n'était plus la femme qu'elle connaissait mais une étrangère livide qui la menaçait.

« Tu peux faire ça et *tu l' feras !* Crois-tu que j' te laiss'rai partir pour moins que ça ! Que j'entend' plus jamais qu' tu peux pas. Petite idiote ! Cette femme avec tous ces beaux habits et ses belles paroles et ses grands airs, c'est ton billet pour aller ailleurs que dans c' foutu trou puant et sa putain d' filature, et si y faut qu' tu l'appell' maman et qu' t'y lèches le cul pendant tout' ta vie et qu' tu m' revois jamais plus sur cet' terre... Si c'est ça qu'ell' veut d' toi... Tu l' f'ras. C'est la plus grand' chance que t'auras jamais, Ruth ; t'en auras jamais un' autre comm' cell'ci. Tu t' souviens de c' que j' t'ai dit un jour, qu'y fallait qu' tu la cherch', ta chance et que quand elle s'ra là, y faudra qu' tu la prenn' et qu' tu regard' pas en arrière ? Pour rien et pour personne. Eh ben ! C'est le moment. Si tu fais pas comm' j' te dis, tu peux déjà savoir comment qu' tu pass'ras l' reste de ta foutue vie : t'as qu'à m' regarder, Ruth. C'est comm' ça qu' tu veux être dans vingt ans ? Ou dans trente ? »

Ruth la regarda puis baissa les yeux. Elle sentit les larmes lui gonfler les yeux mais elles ne coulèrent pas.

« Je l' ferai, m'man. J' t'ai dit que j' vivrai un jour dans c'te maison et ça arriv'ra. Je l' sais. Mais j' veux pas t' laisser et plus t' voir. J' f'rai pas ça, m'man, et tu peux pas m' forcer.

— J' peux t' forcer si c't'obligé. » Sa voix et son visage étaient redevenus calmes. « Maint'nant, aide-moi à mettr' la table pour l' dîner avant qu' ton père y rentre. Y va sûr'ment pas prendr' ça très bien, tu sais. Tu veux pas qu'y soit encor' plus en rogne...

— Y dira pas non, hein, m'man ? »

Ruth n'y avait pas songé. Soudain, il y eut une sorte de poids lourd et glacial qui vint recouvrir aussi bien sa joie de partir que son chagrin à l'idée de se séparer de Pearl. Elle put à peine respirer.

« Oh ! J' pense qu'au début, y voudra pas, dit Pearl. Mais faudra bien qu'y chang' d'avis. Y a plus d'un moyen d'écorcher un chat. T'en fais pas. »

Mais Cater ne changea pas d'avis. Il hurla sa colère et son interdiction. Quand Pearl tenta de discuter et de le raisonner, il la battit si sauvagement que, pour la première fois, Ruth quitta le grabat où elle se serrait dans la nuit brûlante avec Sarah et Hagar, ouvrit la porte de la chambre de ses parents et se jeta sur le dos nu de son père comme un petit chat maigre, en griffant, égratignant, crachant. Pour la peine, elle reçut une raclée près de laquelle toutes celles qu'elle avait déjà supportées n'existaient pas, une raclée interminable rythmée par les psalmodies démentes du père, par les hurlements de Pearl, par la douleur. Ruth s'évanouit. Quand elle revint à elle, elle était couchée tout contre sa mère, dans le lit étroit de la chambre de ses parents. Cater était parti en hurlant dans la nuit. Il s'était enfermé dans le hangar à bois.

Ruth ne sentait pas encore la douleur des plaies, des contusions, des meurtrissures que la sangle de cuir avait faites. Elle se sentait vide, hors du monde et bien au chaud dans le nid que formaient les bras de sa mère. Par hasard, son regard tomba sur le drap de tissu grossier. Elle vit, entre son corps et celui de sa mère, les traces rouges que leurs sangs mêlés avaient laissées. Sans raison, à cette vue, elle se sentit encore plus au chaud, et même plus protégée, comme si elle n'était pas encore née. La respiration de Pearl était heurtée, avec quelques hoquets qui, de temps en temps, se transformaient en sanglots involontaires. Ruth remua légèrement la tête contre le bras de sa mère.

« Chut, m'man, dit-elle d'une voix rêveuse, j'irais. T'en fais pas. Attends et tu verras.

— J' suis sûr' qu' t'y arriv'ras, dit Pearl. J' voudrais seul'ment pouvoir t'aider plus, c'est tout. Mais j' crois pas qu' cett' fois, j' pourrai t'aider. Faudra, j' crois, qu' tu t' trouves un moyen tout' seule.

— Ouais, j'en trouv'rai un, dit Ruth. J'ai pas peur de lui. »

Elle se rendit compte non sans surprise que c'était vrai. Toute sa peur était morte sous les coups qu'elle avait reçus pendant la nuit.

« Y peut rien faire de plus que m' battre et il l'a déjà fait. Ça fait même pas mal, m'man. Ça sert à rien d' pleurer. »

Les sanglots de Pearl persistèrent. Ruth glissa doucement dans le sommeil à l'intérieur des bras de sa mère.

Juste avant de s'endormir, elle entendit la voix de sa mère. Elle ne put savoir si c'était un gémissement, ou un murmure : « Oh ! Seigneur ! Et dire qu' tu n'as qu' dix ans ! »

« C' t' assez vieux. » Les mots, venus de nulle part, arrivèrent complètement formés dans la tête de Ruth mais avant de pouvoir réfléchir pour savoir de quoi elle était assez vieille, elle s'était endormie.

Cater ne parla de rien, le lendemain matin lorsqu'il arriva du hangar à bois pour prendre son petit déjeuner avant de partir à la filature. Il avait le visage pâle et les yeux creux. Il se lava négligemment sur la véranda derrière la maison. Ruth avait rempli la bassine d'émail blanc. Il lissa ses cheveux jusqu'à ce que l'eau les fassent ressembler à des épis couleur de suif. Il était d'humeur sombre et ne semblait voir personne. Ni Pearl ni Ruth ni les autres enfants autour de la table. Il mangeait en vitesse et sans rien dire. Parfois, il s'interrompait et hochait vigoureusement la tête, comme s'il s'approuvait lui-même sur quelque point d'une importance

54

considérable. Un mince filet de semoule humide coulait du coin de sa bouche et disparaissait dans les poils d'une barbe de plusieurs jours autour de son menton étroit. Personne ne parlait. Les seuls bruits provenaient du claquement des timbales et des assiettes de fer-blanc contre la table et du crépitement du bois dans le fourneau à l'instant où la braise se transformait en cendre. Ruth mangeait avec circonspection. Elle levait des yeux doux et tranquilles sur le visage de son père puis les baissait de nouveau sur son assiette. Son visage était aussi calme, aussi serein, aussi vide qu'une mer d'été dans le soleil levant.

Elle était toujours aussi calme et silencieuse quand la voiture des Fox revint s'arrêter dans la poussière devant la cabane. Le Noir Henry en sortit, s'avança avec un dégoût très visible jusqu'à la porte d'entrée et frappa. Elle ne leva pas les yeux du plancher de la cuisine qu'elle était en train de frotter. Elle était à genoux dans une nappe d'eau savonneuse lorsqu'elle entendit Pearl dire d'une voix dolente et neutre : « Dites à Mme Fox qu' mon mari, y veut pas laisser partir la p'tite. Dit' lui quand même merci pour tout. »

Pendant toute la journée, Ruth et Pearl ne parlèrent pas de la nuit précédente ni d'ailleurs d'autre chose. En s'agenouillant, en s'accroupissant, en frottant ou en vidant les seaux, il leur arriva de laisser échapper quelques grognements involontaires de douleur mais ce furent là les seuls bruits que l'on put entendre dans la cuisine. Il faisait très chaud et le calme était total. La vie semblait hors du temps. Ruth entendit à peine le petit coup frappé à la porte-moustiquaire au milieu de l'après-midi : Alicia Fox était revenue. Pearl se leva avec quelque raideur et alla à la porte. Ruth ne fit aucun effort pour entendre ce que se dirent les deux femmes.

Mais le ton monta soudain et Ruth entendit la voix de sa mère : « Non, M'ame Fox, s'il vous plaît, faites pas ça. J' sais qu' vous nous voulez du bien mais ça irait mal pour la gosse si M. Fox y v'nait ici. Ça irait mal pour nous tous. »

Alicia s'en alla. Ruth entendit le grincement des ressorts quand Henry fit exécuter un demi-tour à la voiture. Puis ce fut le claquement léger des sabots quand ils reprirent la route vers Sparta, vers la rue de l'Église, vers la Tanière du Renard.

Cater ne rentra pas dîner ce soir-là. Il n'était pas encore à la maison quand la nuit tomba. Il n'était toujours pas rentré quand Ruth et Pearl eurent fini de laver les assiettes du dîner. Enfin, Ruth

55

jeta dans la nuit l'eau de la vaisselle qui avait refroidi : Cater n'était toujours pas là.

Ruth savait qu'il était allé directement de la filature à la maison de Titterbaby Calhoun, à Suches. C'était la troisième nuit consécutive qu'il buvait. Il serait dans un sale état lorsqu'il reviendrait.

Pendant longtemps, Ruth resta éveillée dans l'obscurité. Allongée sur sa paillasse à côté de Sarah et d'Hagar, elle était immobile et calme. Elle vit la lune qui envahit le carré noir et bien délimité de la fenêtre, juste à l'endroit où le carreau manquait. Puis la nuit pâlit et le noir se métamorphosa en argent. Elle entendit voler une mouche qui traversa la pièce en bourdonnant. Elle la sentit marcher sur son menton avec ses pattes visqueuses. Elle ne leva pas la main pour la chasser. Elle restait immobile. Elle ne pensait à rien. Elle ne sentait rien. Elle écoutait.

Il était encore loin lorsqu'elle l'entendit : il trébuchait sur la route et il alternait chants et malédictions. Elle l'entendit hurler très fort : « Je'vah, Je'vah ! » Elle se redressa sur son grabat, regarda les formes endormies de ses plus jeunes sœurs puis les corps de ses frères. Elle se leva, se saisit de son mince sous-vêtement trop court et l'enfila. Elle sortit de la chambre à pas de loup.

Elle le rencontra sur la marche du haut. Elle tendit vers lui ses bras dont la peau scintillait dans le clair de lune. Par instants, la lumière jouait dans ses cheveux. Sans qu'elle y prenne garde et sans qu'elle l'ait cherché, les muscles de son visage dessinèrent un sourire enjôleur. Par une sorte d'instinct venu du fond des âges, elle releva la tête avec superbe : ses cheveux lourds se dénouèrent et s'étalèrent comme un souffle de soie sur ses épaules nues.

Cater s'arrêta. La psalmodie s'arrêta en même temps. Il laissa pendre ses bras le long de son corps, ses mains tremblèrent, un feu prit naissance au bout de ses doigts, descendit jusqu'à son ventre, se fit tendre et insinuant, provoquant un certain raidissement. Il leva la main et prit celle de l'étrange femme-enfant qui, miraculeusement, venait d'apparaître sur le pas de sa porte. Il ignorait qui elle était… un ange encore vert ?… Une de ces créatures antiques nées de l'air et de la terre et qu'on rencontrait là-bas dans les Highlands ? Il n'en savait rien mais son sang sut répondre à l'appel…

Elle lui fit faire le tour de la maison jusqu'au hangar à bois. Elle ôta sa chemisette. Elle l'attira contre elle puis se laissa tomber avec lui sur la pile de sacs crasseux et déchirés qu'il gardait là pour les nuits où il ne rentrait pas à la maison. Malgré cette étrange nuit où la chaleur était étouffante, il ne fut pas choqué par le corps froid et dur qui ressemblait à celui d'un jeune serpent fraîchement sorti d'un puits profond ; il était au-delà de toute pensée. Il ne voyait pas et ne sentait pas et il n'entendait que faiblement. Ce qu'il sentait, c'étaient les petites mains froides et assurées, attachées aux sources de son sang aux multiples racines. Toute la chaleur qu'elles firent naître éclata en un grand cri qui lui hurlait dans la gorge. Ce que lui entendit était un chant haut, pur et mélancolique. « C'est bon, mon chou... T'en as une vraiment chouette, mon chou... Tout juste ce qu'une femme veut... »

En même temps que son sang explosait en un hurlement, un cri parvint à ses oreilles, un cri de pure horreur puis il n'entendit plus rien. De toute manière, il n'y avait eu qu'un seul cri.

Chapitre V

Cinq mois plus tard, il était mort. Il mourut étouffé dans son propre vomi par un jour glacial de février. Il revenait de chez Titterbaby Calhoun, à Souches. Une vieille blanchisseuse remontait le ravin du chemin de fer avec un panier de linge amidonné lorsqu'elle le trouva étendu dans les rangées de kudzus au milieu du sentier hérissé de glaçons. Il était mort, comme Ruth l'avait prévu : bourrelé de remords, accablé par son désir insupportable, mort d'avoir trop bu. Après la terrible nuit, il n'y avait eu rien d'autre à faire qu'à attendre. Ruth ne s'était pas impatientée.

Au début du mois de mars, Alicia Fox revint.

« Ruth sera prête demain après-midi », dit Pearl.

Cette nuit-là, elles travaillèrent longtemps dans la cuisine, fers à repasser en main, pour préparer la maigre garde-robe de Ruth. Pearl sortit un sac usagé que Ruth crut fabriqué dans quelque tapis usé et malodorant ; il lui rappela celui qu'elle avait vu dans le petit bureau du presbytère du village.

« C'est pas très présentab', dit Pearl. Mais en un rien de temps, tu vas avoir les plus belles toilettes qu'on a jamais vues. Qu'est-c' qui va pas, Ruth, t'as perdu ta langue ? Ça t'excit' pas ?

— Si, m'man », dit Ruth.

Mais cela ne l'excitait pas. À l'exaltation de l'après-midi avait succédé une grande et violente impatience et une impression indéfinissable. La tristesse ? Ruth ne le savait pas. Elle n'avait jamais ressenti une véritable tristesse. Il y eut simplement une douleur sourde qui enfla dans sa gorge, lui pinça le nez, lui piqua les yeux, et finit par lui serrer le cœur comme un bloc de glace.

« M'man, est-ce que j' pourrai v'nir à la maison chaqu' fois qu' j'en aurai envie ? dit-elle.

— Maintenant tu peux m' dir' pourquoi qu' tu voudrais fair' ça ?

58

dit Pearl. D'puis qu' t'es tout' gosse, tu rêves de viv' dans cett'
maison et maintenant qu' t'y es, qu' tu vas y rentrer, tu parl' déjà
d' revenir ici. Au moins, donn' toi une chance de t'y faire. Te
tourmente pas avant d' savoir d' quoi tu parles. Tu t' sentiras chez toi
avant même de t'êtr' rendu compte. T'es née pour viv' dans un'
maison com' celle-là, rappelle-toi. Oublie jamais ça, Ruth. C'est pas
comme si t'étais une prop' à rien ou une fill' de la campagne qui vient
à la ville. T'as autant droit qu'eux de viv' dans cet' maison. J' veux qu'
tu rest' là jusqu'à ce qu' tu t' sent' chez toi. On verra alors pour qu'
tu vien' nous voir.

— J'aimerais v'nir à la maison un petit moment tous les jours.

— Ça, tu peux pas. Pas au début. Alors, vaut mieux pas y penser.
Elle t'a pas d'mandé d'aller là-bas pour t' voir revenir en courant
tout' les deux minutes, de ça tu peux êt' sûre, ma p'tite. Y a qu'une
chose qu' tu dois garder en tête, c'est lui plaire.

— J' m'en fous d'elle. Y a qu'à toi qu' j' veux fair' plaisir. »

La lèvre inférieure de Ruth se mit à trembler. Elle fronça les
sourcils.

Pearl posa ses deux mains sur les épaules de Ruth et la fit s'asseoir
sur le tabouret de la cuisine.

« Écoute bien, Ruth. Un' femme, ça peut savoir c' qu'y s' passe
dans ta tête. Un homme, ça peut pas. Avec un' femm', faut toujours
êt' prudente, surtout un' femm' comme cell'là. Parc' que t'y dois
quèqu' chose, Ruth, et y pass'ra un bon bout d' temps avant qu' t'y
doives plus rien. La seule femm' sûre à avoir près de toi, c' t' une
femme qui t' doit quèqu' chose. Oublie jamais ça. Tu dois voir tout
d' suit' qui c'est qui tient les rênes et t'asseoir juste à côté, même si y
faut, pour ça, qu' tu balances la première poule hors du poulailler. Le
mieux, c'est qu' tu sois la première poule, et le mieux du mieux c'est
d'être la seule poule. Mais jusqu'à là, tiens-toi à carreau. Pour toi, ça
veut dire, fair' d' la lèche à la tout' puissante Mme Crésus Fox jusqu'à
ce que ses yeux lui sort' de la tête, ça veut dire, pas bouger jusqu'à ce
qu'elle ait oublié qu' tu viens d' la filature. Tu m'as comprise ? »

— Tu disais que j' te verrais tout l' temps. T'as dit ça l'été dernier
quand elle est v'nue pour la premièr' fois. J' veux pas rester là-bas et
plus jamais t' voir. J' vais m'en aller. J' s'rai pas là quand c'est qu'y
viendront m' chercher. Tu pourras pas m'empêcher. Tu sais que je
l' ferai ! Tu sais que j' peux l' faire ! » La voix de Ruth, monta,
hurlant dans le suraigu sa peur, son chagrin, sa fureur.

Pearl la regarda en silence. Ses yeux s'adoucirent et s'embuèrent. Elle regarda le sol, refoula ses larmes, releva la tête et fit à Ruth un sourire conciliant. Ruth sut rapidement qu'il était faux.

« C'est bon, tu pourras toujours v'nir me voir. J' te promets qu' si tu restes jusqu'à dimanche, tu pourras passer tout' la journée avec moi. Et après tu pourras v'nir passer tous les jours un p'tit moment avec moi. Ça te va ? Est-ce que ça t' va ?

— Ça m' va, dit tristement Ruth.

— Bon. Alors maint'nant, va t' coucher. Il est minuit passé. T'auras l'air d' quelqu'un qu' a des misères si tu dors pas un peu. »

Le lendemain soir, sous une tempête de neige, tardive pour la saison, Ruth Yancey, pour gagner Sparta, parcourut dans la voiture des Fox une distance qu'elle mesura à une autre aune que le mille. Elle fut introduite par Alicia au cœur de la Tanière du Renard et c'est un visage épanoui qu'elle présenta à Claudius Fox qui l'accueillit avec beaucoup de majesté en souriant, même s'il était, en fait, dévoré d'inquiétude. Elle sourit timidement :

« Qu'est-ce ça veut dire " La Tanière du Renard ", docteur Fox ? C'est un joli nom.

— Eh bien, une tanière, c'est la maison du renard, ma chère petite », dit Claudius, pensant qu'elle était aussi vive qu'Alicia l'avait dit. Même les horribles vêtements qui l'affublaient ne l'empêchaient pas d'être délicieusement jolie. « C'est l'endroit où le renard va se réfugier, où il se sent en sécurité. C'est sa propre tanière. »

« L'endroit où il est en sécurité, son propre trou dans la terre », se répéta-t-elle cette nuit-là. Elle reposait entre des draps parfumés à la lavande dans un petit lit français. Dans cette maison qu'elle ne connaissait qu'en imagination et qui, pourtant, lui était déjà si familière, sa chambre était située entre celles de Paul, d'Alicia et de Claudius.

« Oui. »

Elle s'endormit pour la première des quelque vingt-sept mille nuits qu'elle allait passer dans la Tanière du Renard.

Le dimanche suivant, lorsque Henry conduisit Ruth au village de la filature pour la visite que Pearl lui avait promise, la maison était sombre et abandonnée. Ruth regarda par toutes les fenêtres à sa portée. Les chambres vides commençaient déjà à s'imprégner de poussière. Le mobilier clairsemé était encore là mais Ruth n'hésita pas un instant : c'était une maison où personne ne vivait. Les voisins de gauche ne savaient rien sinon que les enfants Yancey n'étaient pas allés à la filature depuis trois jours. La voisine de droite, cependant, dit à Ruth qu'elle avait vu Pearl et les enfants s'en aller à pied avant le lever du soleil, entre chien et loup, avec un ballot sur l'épaule, au lendemain du jour où Ruth avait quitté le village. Ruth ne dit rien, remonta dans la voiture et dit à Henry qu'elle voulait rentrer à la maison. Elle ne dit pas « la Tanière du Renard » ni « la Maison des Fox » mais « à la maison ». Son visage était blanc et calme, ses yeux grands et très noirs avec les pupilles fortement dilatées. Elle trembla violemment et ses dents se mirent à claquer. Elle ne dit rien. La visite devant durer toute la journée, Alicia entendant rentrer si tôt la voiture se précipita, inquiète. Elle eut la conviction que Ruth ne pouvait pas parler.

Henry expliqua à Alicia que les Yancey avaient disparu. Claudius, dans l'après-midi, se rendit à la maison du superintendant de la filature qui promit de faire une enquête et d'en donner le résultat dès le lendemain matin. Ruth fut malade pendant la nuit. La fièvre monta. Ce fut d'abord un gros rhume, puis une grippe, enfin une pneumonie. Ruth perdit conscience et vécut une période assez confuse où le monde entier semblait flotter ; quand elle revint à elle, Alicia était assise sur le bord du lit et lui dit, avec beaucoup de douceur et de gentillesse, que sa mère était partie avec ses enfants vers le sud où la terre à coton était meilleure. Il en résultait que les vêtements de coton étaient plus chers et que, dans les filatures, les salaires étaient plus intéressants. Selon Alicia, la mère de Ruth ne manquerait pas de donner de ses nouvelles dès qu'elle serait installée.

Mais on n'entendit plus jamais parler de Pearl Steel Yancey. On ne la vit plus jamais au village de la filature et les enfants de Cater Yancey ne firent plus partie du personnel de la *Dixie Bag and Cotton Manufacturing Company*. Dans sa petite chambre rose à côté de celle d'Alicia, Ruth se rétablit lentement. Elle fut alimentée avec des cuillères d'argent, fut lavée avec de l'eau de toilette et habillée dans de belles chemises de nuit à volants. Le premier jour où elle fut capable de se lever et de descendre pour déjeuner, elle entendit qu'on parlait de sa mère. Claudius déclarait non sans quelque humeur : « Au fond, quand on y regarde de près, c'est bien dans la manière dont se comportent ces gens de la filature ! Une totale irresponsabilité. Que diable dirons-nous à cette pauvre petite quand elle nous posera des questions ? »

Mais, au plus profond de sa douleur, Ruth savait que la disparition de Pearl Steel Yancey était la plus grande preuve d'amour que sa mère pouvait donner. Elle ne posa aucune question.

Deuxième partie

RIP

Chapitre VI

Il y avait quelque chose de bizarre dans cette maison et cela n'était pas seulement dû au souci et au bruit causés par la présence d'un nouveau bébé. A seize ans, Rip avait eu à s'occuper de nombreux nouveaux-nés. L'un d'eux, une exquise petite fille caramel de sept mois, était d'ailleurs son propre enfant. C'était la grand-mère de Rip, une vieille blanchisseuse de Suches qui en prenait soin. Rip voyait son bébé presque à chaque week-end et quelquefois, brièvement, le matin en semaine à la porte de la cuisine de la grande maison blanche, quand la vieille femme apportait le linge des Fox rue de l'Église. S'il faisait beau et si le panier d'osier plat qu'elle utilisait était moins plein qu'à l'ordinaire, la vieille femme enveloppait l'enfant dans un morceau de tissu-éponge propre et le posait au-dessus du linge fraîchement repassé et parfumé. Puis elle l'emmenait jusqu'à la Tanière du Renard afin que Rip pût voir sa fille. A la différence des autres serviteurs des Fox, qui vivaient à Suches, Rip avait une petite chambre sous le toit plat de la grande maison. Elle était minuscule avec une petite fenêtre ronde qui ne s'ouvrait pas, un étroit lit de fer, une table de toilette, une cuvette, un pichet et un seau peint à la main qui lui appartenait. Elle ne trouvait pas la chambre étouffante. C'était beaucoup mieux que ce qu'elle avait laissé derrière elle, à Suches. Là-bas, elle devait partager un lit avec sa grand-mère tandis que son bébé dormait dans un panier sur le plancher à côté d'elle.

Rip aimait bien le père de son enfant mais elle n'avait eu, à quinze ans, aucun désir d'être mariée. Ils étaient restés amis et elle le rencontrait fréquemment quand il venait à la maison de la grand-mère pour voir sa fille et pour supplier Rip de l'épouser. A Suches, il y avait toujours un nouveau-né quelque part et elle avait appris très tôt à s'occuper des enfants avec compétence.

Aussi Rip savait-elle que ce n'était pas le nouveau bébé, là-haut,

65

dans le coin de la grande chambre blanche, qui était la cause du malaise qui régnait à la Tanière du Renard. Les autres domestiques ne s'étaient rendu compte de rien. Mais Rip, elle, savait. Le service d'Henry était moins astreignant qu'à l'ordinaire : Mme Alicia et la jeune Mme Ruth n'étaient pas sorties depuis plusieurs jours ; il se contentait de conduire M. Paul à son cabinet juridique. C'était moins fréquent qu'à l'habitude : Paul avait, le Noël précédent, étonné la famille tout entière en faisant une arrivée fracassante dans une Pierce Arrow couleur argent. Red et Rusky, les deux bonnes, étaient provisoirement bannies des étages pour leur tendance à faire tinter les tasses, cogner les meubles et chanter à haute voix. Pendant que le bébé était encore en danger, c'était Rip et Mme Alicia qui faisaient le ménage indispensable. Pinky, dans son immense cuisine, grommelait que la nurse professionnelle qui était venue pour s'occuper de l'enfant et aider Mme Alicia à soigner la jeune Mme Ruth était un tyran effronté qui lui donnait du travail en supplément avec ses incessants plateaux et ses tasses de café ou de thé. « Tout ça, c'est d' la 'acaille blanche, murmurait Pinky. Y a pas longtemps, elle était à la filatu'. J' sais bien qui c'étaient, ses vieux... »

Pinky, en effet, le savait. Tous les Noirs qui travaillaient dans les grandes maisons des Blancs savaient tout ce qu'il fallait savoir sur leurs employeurs. Certes, ils n'étaient pas aux aguets derrière les portes pour écouter, ni près des fenêtres pour regarder — encore que quelques-uns le fissent. C'était plutôt qu'aux yeux des hommes et des femmes blanches qui les payaient, ils appartenaient en quelque sorte aux superstructures et aux meubles des maisons où ils servaient, comme la poutre, la solive, le mortier, le buffet et la commode. En leur présence, on parlait librement. Mais ils ne ressentaient pas la même chose que Rip, ils ne savaient pas ce qu'elle savait : des courants et des contre-courants étranges, des sensations indicibles tourbillonnaient autour de la Tanière du Renard et y installaient un certain trouble. Toute cette agitation mystérieuse avait, selon Rip, pour origine, cette jeune femme étendue dans le grand lit à baldaquin, là-haut... Ruth Yancey Fox, belle-fille d'Alicia et de feu Claudius Fox, femme de Paul, et jeune mère du bébé tout plissé qu'on avait prénommé Hebe.

Bien qu'elle ne fût dans la maison que depuis six semaines à peine, Rip avait déjà consigné tout cela dans son sang et dans ses os longilignes. Rip avait quitté la cabane de sa grand-mère à Suches pour devenir la femme de chambre personnelle de la jeune Mme Fox. Rip savait, sans éprouver la moindre amertume, qu'elle était un cadeau de Mme Alicia à Mme Ruth à l'occasion de la naissance de Hébé. Rip fit don au bébé bleu et tout ridé de ce trop-plein généreux d'amour qu'elle ne pouvait offrir à sa propre fille.

Parce qu'elle n'ignorait rien d'elle, Rip passa avec Ruth Fox une sorte de contrat tacite de loyauté. A aucun moment, elle ne fit la moindre allusion à sa parfaite connaissance de son passé. Elles étaient destinées à devenir ensemble des vieilles femmes. Les origines de Ruth seraient, en grande partie et depuis longtemps, enfouies dans les tombes de ceux qui les avaient connues, mais ces origines continueraient à vivre dans l'esprit de Rip jusqu'à ce qu'elle-même rejoigne sa tombe. La vieille blanchisseuse qui avait trouvé Cater Yancey mort dans sa propre bile glacée, à côté du sentier de Suches, était la grand-mère de Rip.

Rip savait qui était Ruth Yancey Fox.

Ruth ne saurait jamais que Rip savait.

Il était inévitable que Ruth et le jeune Paul Fox finissent par se marier. Cela était devenu inévitable le jour où Ruth était entrée dans la Tanière du Renard, et où, tandis qu'au-dehors il neigeait si fort, elle avait tourné les yeux vers Claudius Fox en demandant : « Quèqu' ça veut dire La Tanière du Renard, docteur Fox ? »

Claudius qui, au début n'avait pas manqué de formuler des réserves, capitula à l'instant même. Timide, le grassouillet Paul, cachant sa massive silhouette blanche derrière les draperies de velours du hall d'entrée, avait déjà offert son cœur à Ruth ; cela s'était passé bien longtemps avant, devant l'allée de la Tanière du Renard. Les yeux de Ruth s'étaient fixés sur le visage au sourire stupidement épanoui de Claudius, mais c'est avec un tout autre regard qu'elle découvrit le garçon grassouillet caché derrière les rideaux : même alors, elle savait déjà qu'il était à la fois le ravisseur et le libérateur. Elle se tourna vers lui, sourit à sa forme dissimulée jusqu'à ce qu'il vienne se planter devant elle en la dévorant des yeux en silence.

« Paul, dit Alicia avec quelque brusquerie, car elle le trouvait, pour l'occasion, singulièrement idiot. Arrête de regarder Ruth et dis-lui bonjour. Si tu ne dis rien, elle va penser que ta vocation, c'est de devenir l'homme sauvage de Bornéo. »

Paul essaya mais sa voix qui, depuis deux ou trois mois, possédait le timbre d'un respectable ténor à défaut de la basse sonore qu'il recherchait et qui l'aurait satisfait, se mua soudain en un soprano argenté. Il s'arrêta, totalement humilié, ses joues lisses devenues écarlates sous la tension de l'instant. Les viscères de Ruth se contractèrent de mépris mais elle dit simplement : « Ma maman m'a dit qu' t'avais un poney. J'ai jamais vu d' poney. J'aimerais que tu m' le montres, un d' ces jours. »

En un instant, dans l'esprit de Paul, le vieux poney coléreux se métamorphosa en une licorne blanc argent et rayonnante. Il lui amena la fabuleuse bête et il l'imagina en train de s'agenouiller et de poser sa corne sur les genoux de la belle.

« Ce n'est qu'un vieux poney », s'entendit-il dire avec nonchalance. Sa voix était redevenue normale. « Tu peux l'avoir si tu veux. Pour mon anniversaire, je vais avoir un vrai cheval, un cheval de chasse. »

Claudius et Alicia Fox échangèrent un regard par-dessus les deux têtes, l'une dorée, l'autre pâle et brune comme l'eau des criques. Alicia dit à son fils : « Paul, monte avec Ruth à l'étage et montre-lui sa chambre. Attends-la dans le corridor pendant qu'elle se rafraîchit avant le dîner, puis ramène-la ici. Henry va te monter tes affaires, mon petit », ajouta-t-elle. Afin de bien marquer chaque détail dans sa mémoire, l'enfant passait en revue chaque centimètre du vaste hall en marbre noir et blanc. Elle était pâle, silencieuse, les yeux écarquillés dans la lumière assez vive que diffusait le grand chandelier. Cependant, dans l'ensemble, elle n'était ni aussi craintive ni aussi intimidée qu'Alicia avait tendance à s'imaginer le comportement d'une enfant de dix ans catapultée d'un monde nu et rabougri en un autre infiniment plus vaste et beaucoup plus brillant. Alicia tourna la tête pour suivre des yeux les enfants qui montèrent l'escalier en courant avant de disparaître de son horizon. Elle s'émerveilla une fois de plus du sang-froid assez peu enfantin de Ruth et elle en discerna aussitôt les avantages brillants qui pourraient en découler. Pourtant, une toute petite partie d'elle-même nota et enregistra l'absence de crainte et d'affection enfantines, de gratitude rayonnante et d'émerveillement candide. Elle secoua brusquement la tête.

« Suis-je en train de demander à cette enfant de me manifester de la servilité et de la gratitude comme si elle devait me payer pour ce que j'ai fait d'elle ? pensa-t-elle avec quelque dégoût. Est-ce pour cela que je l'ai introduite ici ? Je me croyais bien meilleure que cela. »

Elle se tourna vers son mari qui déclara : « Eh bien, mon amie, elle est tout ce que vous avez dit et plus encore. Elle a complètement déboussolé ce pauvre vieux Paul, n'est-ce pas ? Mais je vois ce que vous vouliez dire. Ses vêtements sont effrayants et elle est maigre comme un poussin. Nous devons agir de manière à ce qu'elle se sente chez elle dans cette maison, qu'elle y soit heureuse et qu'elle ne manque de rien. Je ne peux même pas imaginer quelle fut sa vie jusqu'ici.

— Moi non plus, répondit Alicia avec chaleur. Rassurez-vous, Claudius, je ferai tout ce qui est en mon pouvoir pour qu'elle ne manque de rien. A partir de maintenant, j'ai l'intention de veiller à ce que chacun de ses désirs soit satisfait. »

Et à partir de cet instant, il en fut ainsi pour Ruth.

Au début elle n'étudia pas avec Paul et son précepteur : le fossé entre leurs niveaux de connaissances était immense. Alicia pensait l'envoyer à l'école de la ville mais, après sa pneumonie, elle faisait vraiment pitié : la lumière du jour semblait traverser sa chair, accentuant le bleu de ses veines et rendant apparents les angles de ses os. Une toux sèche persista tout au long du printemps humide. Alicia la garda donc à la maison.

Elle reporta sur l'enfant toute l'attention et toute la ferveur qu'elle s'était bien gardée de prodiguer à son propre fils de peur de le gâter. Dans sa bonté, elle eut le cœur déchiré quand disparut la mère de Ruth. Elle habilla l'enfant de robes et de sous-vêtements garnis de dentelles, de manteaux et de capes assortis, qu'elle faisait tailler par sa propre couturière, laquelle finit par venir s'installer à la Tanière du Renard. Elle y demeura pendant presque un mois, tout son temps et son énergie étant entièrement consacrés à Ruth. Elle se fit envoyer des jouets et des fanfreluches d'une splendeur introuvable à Sparta. De New York et d'Angleterre arrivèrent des poupées merveilleuses, des vrais landaus, des vraies garde-robes, des cerceaux, un vélocipède et une jolie petite charrette toute miroitante destinée à être attelée derrière le sinistre poney qui devint la propriété de Ruth. Un costume d'équitation complet et réglementaire arriva également de Londres avec des bottes luisantes et un fouet miniature mais Ruth, parce qu'elle craignait le gros poney aux yeux jaunes, se mit à le haïr. Elle avait peur de monter à califourchon. Elle préférait la charrette et le fouet.

Chaque après-midi, quand elle s'était reposée et que Ruth avait fini sa sieste, Alicia consacrait à l'enfant un assez long moment. Elle emmenait Ruth dans la grande chambre qu'elle partageait avec Claudius et, avec gentillesse mais fermeté, lui enseignait la manière de se tenir en société.

« Une révérence, c'est charmant lors de cérémonies solennelles mais quand ce ne sont que des réunions de quelques amis qui viennent dîner ou prendre le thé l'après-midi, je pense qu'une petite inclinaison de la tête... comme ceci... avec un grand sourire, c'est beaucoup plus ravissant. Essaie, maintenant. Un peu plus lentement, peut-être, et avec les yeux baissés... C'est très mal élevé de regarder droit dans les yeux quelqu'un de plus âgé... et un vrai sourire. Oui, excellent, chérie ! Ton sourire est tout simplement merveilleux. »

Ou : « Ma grande, quand tu sers des gâteaux et du thé, essaye de dire un petit mot gentil à chacun. Leur tendre leur tasse au visage est bien trop brutal. Tu peux ajouter quelque chose comme " Je crois que vous apprécierez ces gâteaux, Mme Cobb. J'ai aidé à les préparer ce matin ". Ou " Si je me souviens bien, la dernière fois, vous avez préféré le citron au lait, Mme Varnadoe ".

— Je crois que vous apprécierez ces gâteaux, Mme Cobb », répétait Ruth comme un perroquet, haïssant la femme qui cherchait avec acharnement à la transformer.

C'est dans une attitude des plus respectueuses qu'au cours de ces après-midi interminables dans la pièce parfumée, elle accomplissait tous ses exercices. Alicia la surveillait en train de se courber en petites révérences, incliner la tête, croiser et recroiser ses jambes fluettes, passer les soucoupes fines, les saucières, les tasses de thé, les lourds plateaux, les bonbonnières d'argent, glisser sur le parquet ciré, en portant sur le haut du crâne une lourde pile de livres reliés en cuir, s'enfoncer avec grâce dans des fauteuils, en étalant ses jupes autour d'elle avant de se relever souplement, piquer et repiquer ses doigts nerveux avec de fines aiguilles d'argent en essayant de les enfoncer dans des toiles raides installées sur des tambours à broder, enfin, répéter sans cesse des voyelles et des consonnes nouvelles.

« N'est-ce pas ! N'est-ce pas ! Et non pas s' pas ! Répète encore une fois.

« Le sien, la sienne, le nôtre, la leur. Pas l' sien, l' sienne, l' nôtre, el' leur. Souviens-toi, Ruth. Et maintenant, dis-le encore une fois pour moi.

« Ruth. Ne dis pas : " Machin, comment qu'il est en rogne ! "

Cela devient presque une langue étrangère, mon petit. Personne ne comprendrait ce que tu veux dire. Il faut dire : " Machin est de mauvaise humeur " ou " de méchante humeur ", ou plus simplement encore : " Il est très mécontent. " Maintenant suppose que tu es dans une réception à l'occasion d'un anniversaire. Un jeune homme renverse de la crème glacée sur ta robe. Que lui dirait une dame, pour ne pas le mettre dans l'embarras ? Que dirais-tu ?

— Je vous en prie, ne vous dérangez pas pour moi. Rusky va la nettoyer dès mon retour à la maison. Maman dit que l'organdi se lave et se relave à merveille » murmura Ruth pour qui la crème glacée, l'organdi et les blanchisseuses étaient choses inconnues deux mois plus tôt. Elle garda le visage impassible et les yeux baissés si bien qu'Alicia ne put se rendre compte de l'aversion qu'ils exprimaient ; Alicia, ne voyant que le visage serein et modeste, serrait Ruth contre sa poitrine pour lui témoigner sa satisfaction devant ce désir de connaissance.

Le résultat fut qu'en très peu de temps, Ruth fut, aux yeux d'un observateur pas trop attentif, une petite Fox coulée dans le moule de tous les petits Fox de la Tanière du Renard. Aux séances d'apprentissage dans la chambre à coucher d'Alicia succédèrent les cours proprement dits : lecture, écriture, arithmétique qu'elle suivit avec un grand plaisir et pour lesquels elle montra dès le début beaucoup de dons, et aussi le piano, le chant, la danse, le dessin, la récitation. Ruth prenait ses leçons dans la même pièce que celle qui servait de salle de classe à Paul et à son précepteur. Bien que la pièce fût suffisamment grande pour que tous deux puissent prendre leurs leçons en même temps, elle sentait souvent les yeux de Paul fixés sur elle, et se rétractait de dégoût comme elle l'avait fait jadis quand les yeux de son père la détaillaient. Elle sut, au cours de ces leçons, se montrer une élève docile bien qu'à l'exception de la lecture, de l'écriture et du calcul, elle détestât toutes les matières. Grâce à une pratique constante et grâce aux répétitions, elle réussit, les soirs où les Fox recevaient à dîner, à jouer convenablement sur le piano du salon des mélodies simples et à chanter de jolies petites chansons.

Pour ses études, elle se donna beaucoup de mal. Elle faisait tous ses devoirs sans attendre et, dès qu'elle les avait finis, elle en réclamait aussitôt de nouveaux. Elle n'abandonnait jamais jusqu'à ce qu'elle estimât être devenue la meilleure. Par chacun de ses sens et chacun de ses pores, elle absorbait les connaissances comme une éponge absorbe l'eau d'une mare. Elle observait, elle écoutait, elle sentait, elle goûtait, elle touchait puis elle se souvenait et imitait. Ses précepteurs étaient étonnés et ravis ; Alicia et Claudius faisaient tout leur possible pour, dans leur orgueil, garder le sens de la mesure. Dès qu'elle avait une minute, Ruth allait retrouver sa chambre où elle se plongeait dans les livres, apprenant par cœur, s'exerçant et répétant sans cesse.

Quand elle étudiait, elle était à l'abri des regards de Paul, regards qui la dévisageaient et la fixaient avec une grande intensité. Elle avait l'impression que si, soudain, elle baissait les yeux, elle verrait des petits trous déchiquetés et fumants dans sa chair. Elle réussissait à s'abstraire de ces regards de la même manière qu'elle oubliait les yeux de la foule lorsque, avec Cater, Pearl et les autres enfants, toute la famille Yancey, le samedi, affrontait la ville de Sparta. Mais elle savait qu'à la différence des yeux de la foule, les trous et les cratères sculptés par les yeux de Paul étaient essentiels pour pouvoir continuer à vivre à la Tanière du Renard. Elle devait apprendre non seulement à les supporter mais à les encourager. Leur absence serait pour elle un danger mortel. Elle devait même apprendre à faire en sorte que les yeux bruns et lumineux d'Horacio Paul Fox se fixent sur sa chair et que rien ne puisse les en distraire. Mais le temps n'était pas venu. Pas encore. D'abord, il y avait Alicia.

Même sans le souvenir des paroles de sa mère la nuit qui avait précédé le départ de Ruth pour la Tanière du Renard, grâce à son sens aigu de la puissance, son intuition de ce qu'était une réelle domination, elle avait su que la première priorité était la victoire sur Alicia Fox. Car bien que ce fût Claudius Fox qui tînt les rênes et eût l'apparence du pouvoir à la Tanière du Renard, Ruth savait qu'en fait Alicia était assise sur le siège à côté de lui et que c'étaient ses mains qui guidaient les rênes.

Ainsi la conquête d'Alicia se fit-elle lentement tout au long du printemps et de l'été 1904, pendant l'automne brûlant avec la poussière rouge, le coton blanc, les rivières qui s'asséchaient, les sumacs qui rougeoyaient, puis pendant l'hiver brumeux et froid avec les fêtes de Noël particulièrement brillantes à la Tanière du Renard, puis pendant la traditionnelle journée « portes ouvertes » des Fox à l'occasion du premier de l'an, lorsque la moitié de Sparta emplissait le salon et la salle à manger.

Ce fut à l'occasion de cette journée qu'eut lieu la première apparition publique de Ruth dans la petite société de Sparta. La plupart des gens qui défilèrent devant Alicia et Claudius au cours de la réception, connaissaient la présence de Ruth à la Tanière du Renard. Quelques-uns... deux ou trois intimes d'Alicia... l'avaient même rencontrée quand ils étaient venus en visite pendant l'automne et l'hiver.

Alicia avait pensé que ces visites au cours de l'automne seraient de bonnes occasions pour Ruth de mettre en pratique les leçons qu'elle avait prises. Ruth avait, avec une soumission apparente, distribué des tasses, des coupes et des assiettes de gâteaux. Elle semblait radieuse quand elle souriait et prononçait sans la moindre faute les petites phrases charmantes qu'Alicia lui avait apprises. Les femmes en visite étaient ravies et tressaient des louanges à Alicia pour la beauté et la grâce de Ruth, sans oublier la générosité et le cœur d'Alicia qui n'avait pas hésité à se porter au secours de cette enfant et à l'arracher à la prison qu'était le village de la filature. Elles prononçaient ces paroles avec beaucoup de gentillesse en présence de Ruth.

Ruth ne dit rien et ne fit aucun signe montrant qu'elle avait entendu mais quand Alicia la renvoya à la cuisine pour remplir les assiettes des biscuits et des gâteaux de Pinky, elle s'arrêta un moment et appuya ses joues en feu contre la froide boiserie couverte de soie de la porte du salon. Qu'Alicia fût félicitée pour l'avoir amenée dans cette maison qui était si évidemment la sienne, pour laquelle elle était si évidemment née... Qu'Alicia fût félicitée quand c'était elle-même qui, pendant trois interminables saisons, avait travaillé et fait l'esclave, ce qu'elle n'avait jamais fait dans la maison de son père, tout ça pour être prête à rencontrer ces terribles femmes dont les lèvres venaient de déverser des paroles aussi obscènes que la bave d'un crapaud... Ruth pensa qu'elle allait mourir de rage, là, dans le hall d'entrée de la Tanière du Renard, avec autour d'elle une bonne odeur de cire.

Sa respiration s'apaisa lentement et le bourdonnement qui grondait dans ses oreilles décrût. Ainsi, put-elle entendre la voix fraîche d'Alicia dont le ton, contrairement à l'habitude, était étonnamment âpre.

« Pour l'amour du ciel, LaBelle, l'enfant a des oreilles ; elle peut entendre aussi bien qu'une adulte ! Comment pouvez-vous me féliciter en face d'elle de l'avoir sauvée du ruisseau comme n'importe quelle Lady Boutiful [1] l'aurait fait pour un chat écorché ! Ruth a du caractère et de l'orgueil ; elle a gagné au centuple sa place ici parmi nous et nous ne pourrons jamais la rembourser pour la joie qu'elle nous donne. Je ne supporterai jamais qu'on l'humilie devant moi ni qu'on lui fasse sentir qu'elle nous doit quelque chose. Nous avons *tout* fait pour éviter de telles implications... »

Après ces quelques après-midi d'automne, Ruth n'éprouva plus la moindre crainte de cet examen attentif de la part des étrangers. Lors de l'après-midi du nouvel an, elle resta, éclairée par les bougies, entre Claudius et Paul dans le hall décoré de guirlandes de sapin. Elle portait des habits en velours et en dentelles vert-de-jade avec de petites perles. Elle brilla de tous ses feux au point de paraître invulnérable. Elle tendit la main à la moitié de Sparta : ils étaient tous à ses genoux en souriant et en s'esclaffant. À une ou deux exceptions près, tous capitulèrent dans ce même hall comme l'avait fait Claudius au printemps dernier. Tout semblait facile, si facile. Ce jour-là fut un grand succès et sa présentation un vrai triomphe. Elle s'en rendit compte à l'accent de la voix d'Alicia lorsqu'elle dit à une personne puis à une autre : « Vous devez rencontrer Ruth : elle vit avec nous et elle est la lumière de nos yeux. »

Elle s'en rendit compte à la chaleur de l'étreinte de Claudius quand, après le départ du dernier invité, il l'attira gauchement sur ses genoux, et la pressa contre la bosse dure de son estomac qui dessinait une véritable protubérance sous la veste. Elle s'en rendit compte aux yeux marron de Paul qui l'enrobaient comme s'ils lançaient des rayons venus de la douce et languissante lune blanche de son visage.

En même temps que son cœur éclatait à grands coups sous le triomphe, il se crispait de mépris pour eux tous. Elle savait alors en grimpant avec légèreté les escaliers qui la conduisaient au lit et à l'obscurité de sa chambre qu'elle allait maintenant réfléchir et évaluer la situation. Le temps était venu aujourd'hui de penser à Paul, les jours de répit étaient terminés, elle devait accomplir son travail, affronter des yeux conquérants afin qu'ils puissent lire dans les siens, non pas un consentement, mais l'ombre de l'espoir que peut-être un jour ce consentement pourrait avoir lieu.

1. Dame riche et charitable dans la comédie du dramaturge anglais George Farquhar (1678-1707) : *The Beaux Strategens* (1707).

Dès le lendemain matin, c'est vers Paul qu'elle se tourna. Elle s'arrangea pour le rencontrer continuellement en lui rendant regard pour regard. Il fut bientôt difficile de trouver une heure du jour où ils n'étaient pas ensemble, soit pour leurs études dans la salle de classe de l'étage, soit aux repas, soit après dîner autour du feu et à la lumière de la lampe du petit salon. C'est là qu'Alicia se tenait pendant la journée jusqu'en fin d'après-midi et en début de soirée. Elle le quittait dès que la nuit venait.

Pendant ces heures, Paul avait avec elle l'audace péremptoire des grands timides. Il l'escortait sur son cheval lorsqu'elle prenait le poney. Au cours des réunions consacrées aux enfants les plus jeunes de la ville, il demeurait à ses côtés, silencieux et maussade. Qu'elle essaye de lire, de s'allonger dans le hamac ou de jouer du piano dans le salon de musique qui faisait suite à la salle de dessin, Paul restait obstinément dans son sillage. Il devint l'ombre permanente et pesante d'une silhouette légère et élancée.

Ruth était, à quinze ans, une petite fille extraordinairement jolie, avec un visage délicat et rond, une ossature très fine, des mains et des pieds menus, des cheveux brillants et des yeux dont le bleu étonnait tous ceux qui la regardaient, une démarche souple, une voix parfaitement modulée et une élocution douce et grave... et elle demeurait aussi lointaine dans son comportement qu'elle l'avait été le jour où Alicia avait installé son petit corps mince dans la voiture et l'avait arrachée à la détestable maison de Cater Yancey. Le rayonnement étrange qui l'enveloppait, cette aura qui l'entourait, cette sorte de lumière imprécise qui flottait autour d'elle et traversait sa chair blanche, tout cela agissait sur les autres comme une puissance magnétique mais ce n'était en fait rien d'autre qu'un manteau de lumière la protégeant comme une glace pure et invisible. Personne n'avait le droit d'atteindre le noyau réel, l'être profond de Ruth.

« Il y a quelque chose de faux dans les relations de Ruth et de Paul, pensait Alicia, mais quoi ? »

« Parfois, se disait-elle, il me semble que je punis inconsciemment Ruth de ne pas devenir la fille parfaite que j'aurais voulu faire d'elle. Si c'est vrai, j'ai honte de moi. Je ne me laisserai pas envahir par de telles pensées. C'est encore une enfant. Tout comme Paul. »

Mais il y avait une voix plus froide, plus sèche, derrière la voix de sa conscience, qui disait : « Elle va aller en pension l'automne prochain et Paul partira à New Haven et ainsi la question ne se posera plus pour quelque temps. Peut-être même pour toujours. Tant de choses peuvent se passer en quatre ans. »

Mais Paul ne partit pas pour New Haven. Il ne partit nulle part. Il resta à la maison, dans sa chambre, à la Tanière du Renard. Il ne la quitta que pour se rendre à trois rues de la rue de l'Église, aux classes préparatoires de droit à l'université, cette université où son père était maintenant président, et il rentra à la maison à la fin de chaque journée. Ses gros livres d'études classiques, d'antiquités, de grec et de latin pleins de richesse et d'aventures furent relégués dans un coin de sa chambre et ils furent remplacés par des livres où ne soufflait que la sécheresse de la loi et qui s'entassèrent de manière désordonnée dans des piles chancelantes sur le lit, sur le bureau, sur sa chaise et même sur le fauteuil de cuir, jumeau de celui qu'occupait Claudius dans la bibliothèque du rez-de-chaussée. Toutes les questions pleines de douceur de sa mère qui était stupéfaite, ses larmes récalcitrantes, ne purent faire revenir Paul aux études classiques et à Yale ; pas plus que les remontrances compassées, Paul abandonna sans lancer le moindre regard derrière lui la toge classique des Grecs, la robe noire des présidents d'université qui avaient battu les mollets des Fox depuis 1830, et il déposa le bagage poussiéreux de la loi aux pieds de Ruth comme un trophée... et, en fait, c'était vraiment un trophée...

Ce trophée, elle le lui avait demandé lors du dernier Noël, après plusieurs semaines de réflexion. Le jour, elle endurait l'omniprésence de Paul avec autant de bonne grâce qu'elle pouvait en montrer et il lui fallait en montrer beaucoup : les vacances signifiaient beaucoup plus de temps libre pour l'un comme pour l'autre, avec son cortège de réceptions, de bals, de promenades en voiture et de soirées consacrées à répéter les cantiques de Noël. Devant sa dévotion constante et maladroite, elle se sentait fréquemment envahie par la répugnance et la rage. Elle prétextait souvent un mal de tête pour s'enfuir là-haut, dans sa chambre, elle s'allongeait dans l'obscurité et se mettait à trembler littéralement de colère et de désespoir. Mais même alors et plus souvent encore au cours de la nuit, elle entendait une voix intérieure froide et pragmatique qui lui murmurait : « L'heure est venue. Ta chance est là. Saisis-la. Il faut resserrer tes relations avec Paul. Il faut te l'attacher. Ne pense à rien d'autre. Pense à la maison. Ne regarde pas en arrière. Agis. »

Et lors de ces nuits, elle savait qu'elle ne devait pas laisser s'affaiblir cette dévotion, pas même pour une seconde, ni la laisser s'amenuiser, pas même d'un millimètre. Elle pensait à l'automne quand il partirait à New Haven, à Yale, dans le Nord. Elle l'imaginait pendant ces quatre longues années en train de marcher sous les vieux arbres, dans cette partie du monde qu'elle ne connaissait pas et qu'elle ne connaîtrait jamais, à l'intérieur de ces bâtiments harmonieux et insolites de la côte Est. Là, tout pouvait arriver, Ruth le savait, dans ce monde séduisant des anciens ennemis de son peuple. Le fait qu'elle-même devrait quitter la Tanière pour aller en pension ne l'inquiétait pas ; elle savait instinctivement que ceux qu'elle laisserait derrière elle dans le bourbier du quotidien étaient des nostalgiques et des émotifs mais pas ceux qui partiraient. Et elle souhaitait s'éloigner de lui.

Mais il ne devait en aucun cas quitter cette maison.

« Tu me manqueras, pendant tout ce temps où tu seras à Yale », dit-elle le soir de Noël 1908.

Ils étaient assis sous les branches les plus basses du grand sapin de Noël qui brillait devant les portes-fenêtres entre les deux cheminées du salon. Un peu plus tôt, elle avait allumé les petites bougies, si bien que leur lumière blanche et scintillante jouait dans ses cheveux et faisait tomber une pluie d'or sur ses joues. Elle portait une nouvelle robe de brocart blanc avec un décolleté orné de plumes de maribou qui lui laissait nus les bras et les épaules. Elle respirait profondément, retenant un peu son souffle de manière à faire palpiter ses jeunes seins lisses et elle le regardait sous ses longs cils dorés. Ils furent un instant seuls, à la fin du dîner, juste avant que les gens ne viennent écouter les cantiques de Noël qu'elle devait interpréter sur le Steinway.

« Je reviendrai à la maison aussi souvent que je pourrai, lui souffla-t-il dans l'oreille, la respiration haletante, et tu viendras pour les bals, les week-ends et à d'autres occasions, non ?

— Je ne le pense pas », dit-elle, en se regardant les mains.

Elle prit une nouvelle aspiration et les plumes se mirent à trembler comme si elles allaient s'envoler ou comme si elles étaient contractées par la douleur.

« Je ne crois pas que je pourrai supporter de te voir comme ça, de temps en temps, juste pendant un week-end alors que tu seras absent si longtemps.

— Mais tu as promis de venir me voir ! Tu me l'as dit à l'automne dernier quand nous en avons parlé.

— Peut-être, mais j'ignorais à l'automne dernier ce que je

ressentirais aujourd'hui. Je ne savais pas que cela ferait si mal de te voir partir. »

« Idiot », pensa-t-elle rageusement, en voyant les gouttes de sueur qui perlaient à son front et les larmes qui embuaient ses yeux.

« Je ne suis pas obligé de partir », murmura-t-il.

Ruth sentit dans son haleine l'odeur des foies de veau grillés qu'ils avaient mangés au repas du soir. Elle leva la main comme si elle voulait essuyer des larmes inexistantes.

« Bien sûr que si, tu dois y aller, tout est arrangé et maman et papa s'arracheraient les cheveux si tu n'y allais pas, dit-elle.

— Je ne suis pas leur propriété, dit-il. Sa voix qui avait failli se briser, laissait percer une note de bravade.

— Mais tout le monde s'attend à ce que tu reviennes, que tu sois président du collège, que tu passes tout ton temps à jouer à l'école et à recevoir tous ces vieux professeurs ennuyeux avec leurs femmes au cours de thés stupides ou dans d'autres cérémonies de ce style. Les hommes dans ta famille ont tous fait ça. Tu ne peux pas ne pas le faire, dit-elle.

— J'aimerais connaître celui qui pourrait m'en empêcher, dit-il agressivement en regardant autour de lui comme si quelqu'un essayait de le faire.

— Ta maman t'en empêchera, dit-elle, moqueuse.

— Qu'elle soit damnée si elle y réussit ! Il la regarda curieusement. Crois-tu vraiment que c'est idiot d'être président d'un collège ? Est-ce cela que tu appelles jouer à l'école ? Je n'ai jamais ressenti ça comme ça. Tu ne me l'avais jamais dit.

— Bien sûr que non que je ne l'ai jamais dit. Pour rien au monde, je ne voudrais insulter ton père qui est si gentil. Je pensais que tu avais définitivement pris ta décision. Et puis, de penser à ta maman me serre le cœur ! Tous ces thés, ces réunions, ces dîners ! Quand on sait qu'elle hait tout cela et que, bien entendu, elle n'en parlera jamais ! Et je me dis " Regarde daddy Claudius, un homme si digne, si beau et... si... oui... si puissant... comment dire... jouant à l'école alors qu'il pourrait être si utile comme avocat ". Tu lui ressembles, tu sais... J'ai rêvé que tu faisais la même chose toute ta vie et j'ai eu envie de monter dans ma chambre et de pleurer.

— Tu pleurerais vraiment ? » Sa voix grimpa jusqu'au soprano de son enfance ; il ne parut pas s'en apercevoir.

« Oui, vraiment.

78

— Tu aimerais que je devienne avocat, alors ?

— Oh, oui ! Tu as tout à fait l'air d'un avocat, Paul, tu montres tant de dignité et puis, naturellement, tu pourrais poursuivre tes études ici même, n'est-ce pas ? Comme ça, je pourrais te voir souvent parce que ce n'est pas loin là où je vais en pension, ça n'est qu'à Madison. Mais je ne dois pas me laisser emporter et tu ne dois pas m'écouter. Tu ne voudrais pas briser le cœur de ta mère, n'est-ce pas ? Tu es son garçon chéri, tu sais.

— Je ne suis le garçon de personne, excepté peut-être de toi », dit-il fièrement et à très haute voix. Il se pencha sur elle et l'embrassa sur la joue. Quand elle leva vers lui des yeux innocents et à demi effrayés en soufflant : « Pourquoi, Paul Fox ? », il lui fit la caricature d'un clin d'œil et lui donna un autre baiser.

Quand, en septembre suivant, en serrant Ruth dans ses bras pour lui dire au revoir sur le quai de la gare de Sparta, tandis que le train pour Madison haletait sur les rails et que le porteur installait l'élégant sac de cuir tout neuf dans le wagon à bagages, Alicia déclara, avec beaucoup de perplexité et une trace de tristesse : « Je n'ai jamais pensé avoir à te dire au revoir pendant que Paul resterait à la maison. Je ne comprends absolument pas ce qui est arrivé. As-tu une idée de ce qui lui est passé par la tête, Ruth ?

— Non, M'ame, dit Ruth. Je n'en ai pas la moindre idée. »

Chapitre VII

« Quoi qu'a fout là-haut ? On dit qu'al' a tué son pè' et M'sieur Claudius et il paraît qu' maint'nant, elle en a après M'ame Alicia. »

La bouche de Jester était tout contre les seins acajou de Rip mais elle comprit pourtant les mots qu'il prononça. Elle se blottit paresseusement dans ses bras et lui donna une petite gifle sur le côté du visage. Ce qu'elle sentit sous sa paume était bien proportionné, solide et net. Elle en fut satisfaite ; c'était comme du marbre sur lequel on aurait tendu un cuir souple et basané.

« Quéqu' tu racont', nèg' ? Person' a tué person'. T'es aussi dingu' qu'un' punais' de juin, comm' tous ceux qui dis' tout' ces conn'ries. Y a rien qui va pas avec M'ame Licia. Je l' saurais, non ? Vu que j' suis là de jour comm' de nuit. »

Le corps lourd de langueur, il étira ses membres longs et musclés. Il fléchit les jambes et ses cuisses se collèrent contre l'estomac de Rip ; tout engourdie de plaisir, elle se frotta avec nonchalance contre lui. A chacun de leurs accouplements, il la comblait et la submergeait, lui inondant tous les petits creux à l'intérieur d'elle-même, provoquant l'assouvissement, apportant la détente et l'apaisement. Lui seul avait réussi à calmer la douleur déchirante, le vide des derniers mois depuis que son bébé avait disparu.

Ils étaient allongés sur une paillasse, leurs corps recouverts d'un couvre-pied usé jusqu'à la corde. Ils étaient dans le hangar derrière la baraque de la grand-mère, à Suches, là où la vache de Jersey passait ses nuits. Une pluie d'avril tambourinait sur le toit de tôle rouillée et dans ce petit enclos au sol de terre battue régnait une odeur étrange, mélange de sueur, de fourrage humide, de bouse séchée ; c'était le royaume de l'humus, des toiles d'araignée, des humeurs fécondes et luxuriantes de leur jouissance commune. Ils étaient chez eux. Tout Suches le savait et respectait leur domaine. Personne ne serait venu appeler Rip ou Jester près du hangar, aucun enfant noir, en jouant, ne s'y serait aventuré.

Ils se rencontraient dans le hangar chaque après-midi vers quatre heures pendant que la petite Hebe, qui avait maintenant un an, faisait sa sieste en compagnie de Ruth et d'Alicia. Rip était libre jusqu'au dîner du bébé, vers six heures. Elle rangeait son tablier, enveloppait sa jolie tête dans un foulard de coton bariolé, traversait silencieusement la pelouse derrière la Tanière du Renard, filait entre les haies de buis, descendait le sentier qui menait à Suches en passant par le ravin du chemin de fer puis se glissait souplement dans le hangar par l'ouverture basse et sans porte. En général, c'est lui qui l'attendait. Il avait la tête massive et crépue ; ses grandes épaules nues et dorées étaient toutes scintillantes des gouttes d'eau qui provenaient de la pompe située au milieu de l'espace poussiéreux servant de place communale à Suches. Avant de retrouver Rip, il se lavait toujours pour chasser la sueur accumulée pendant son travail dans les jardins des maisons blanches de la rue de l'Église. C'était l'une des premières choses qui avait attiré Rip, sa méticuleuse propreté. Suches s'émerveillait de tant de manières chez un homme. C'était un sujet de plaisanterie dans le village.

« C'est pas pa'c'que j' vis avec des cochons que je dois puer comme eux », disait-il en ricanant et en montrant de belles dents blanches.

Dès la première fois, ils jouirent ensemble silencieusement et tranquillement. Ils ne prononcèrent pas un mot et ne pratiquèrent aucun préliminaire rituel. C'était comme si leur union était une réalité absolue, un acte de dignité primitive qui aurait pu être dégradé par les gestes routiniers de la pudeur et de la séduction. Il la couvrit et la pénétra violemment et totalement, s'engouffra en elle, l'avala, la fora, se vida sans retenue dans la coupe que Rip, par le balancement souple de ses hanches, avait creusée pour lui, jusqu'à ce que toute peine, tout chagrin, et tout poids soient noyés et disparaissent. Elle s'entendit hurler très fort d'une voix puissante, rauque, avec des cris sans expression, elle qui n'avait jamais crié avec le père de son enfant lequel parlait rarement et ne chantait jamais dans la grande maison blanche des Fox.

L'enfant, juste avant sa naissance et dès qu'il fut là, avait rempli son cœur et son âme et son esprit si bien qu'elle n'avait ni réfléchi ni envisagé quoi que ce soit avec le père ou tout autre homme. Le garçon venait sans cesse à la cabane de la grand-mère, la cajolant et la suppliant presque en larmes, puis finalement se mettant à hurler et à la menacer comme le font les hommes-enfants. Il lui demanda de l'épouser ; il voulait, lui dit-il, donner un foyer à l'enfant ; mais elle l'entendait à peine et elle se rendit compte qu'en fait il ne se souciait guère de l'enfant. De toute façon, elle l'ignora jusqu'à ce que, finalement, il vienne de moins en moins souvent. Quand elle avait laissé son bébé à la grand-mère pour aller vivre sous les toits de la Tanière du Renard, il avait cessé complètement de se manifester.

Et puis, un soir de janvier, il était venu dès la nuit tombée et s'était installé dans l'ombre à l'extérieur de la cabane. Il avait attendu que la vieille femme sorte pour aller au hangar porter un seau de mash de coton à la vache de Jersey. Il s'était glissé par la porte de derrière, s'était emparé du bébé, du couvre-pied, du panier, et avait disparu sur la route obscure menant au ravin. La vieille femme l'avait vu s'en aller. Ses cris avaient attiré des gens qui avaient délaissé leur dîner pour venir voir mais le garçon avait bien préparé son départ : on ne les avait jamais retrouvés, ni lui ni le bébé. Personne depuis n'avait entendu parler de lui.

Rip s'effondra dans les bras de sa grand-mère quand elle apprit la nouvelle. On l'allongea dans le vieux lit qu'elle avait déjà partagé avec la vieille. Elle dit à Alicia Fox qu'elle avait un gros rhume et qu'elle ne pourrait s'occuper de la petite Hebe. Pendant deux jours, elle resta immobile, rigide, silencieuse comme une pierre, les yeux fixés au plafond. Quand, enfin, elle se leva, son visage était creusé par le chagrin, sa bouche était silencieuse et l'on ne vit plus au milieu de la face que ses yeux qui semblaient vieux comme le monde. On la persuada que le garçon avait bon cœur, qu'il avait seulement perdu la tête à force de la désirer. Sûrement il ne ferait aucun mal à l'enfant. Il l'avait probablement emmenée chez un de ses parents lointains. Viendrait un moment où il estimerait qu'elle avait compris la leçon qu'il voulait lui donner et il reviendrait aussitôt. Mais son cœur gémissant, ses entrailles palpitantes et vides savaient que ce n'était pas vrai et que tout indiquait que son enfant était mort. Elle inclina son long cou et ses minces épaules sous le poids de l'impuissance... Car il n'était pas possible d'envisager qu'un habitant de Suches aille chercher le shérif de Sparta pour un incident ne-menaçant-la-vie-de-personne comme par exemple le kidnapping d'un enfant par son propre père. « Je vous l'ai déjà dit. » Le shérif Gaither Floyd l'avait répété à plusieurs reprises aux habitants de Suches. « Je vous l'ai dit un bon millier de fois. Je ne m'amuse pas. Je n'ai pas d'hommes et je ne veux pas perdre l'argent des contribuables pour quelques disputes de nègres que vous pouvez régler tout aussi bien entre vous. »

Et Rip était retournée vers la frêle petite fille de huit mois aux yeux doux comme des fleurs qui végétait dans la nursery blanche de la Tanière du Renard. Elle n'était pas encore vigoureuse. Rip l'avait prise dans ses bras et elle avait été remuée jusqu'au plus profond de son jeune être engourdi et désespéré. Elle avait été submergée par une vague d'amour sauvage, absolu, aussi vieux que la terre. À ce moment-là et pour toujours, Hebe Fox devint plus la fille de la Noire Rip qu'elle ne serait jamais celle de la Blanche Ruth Yancey Fox.

Après cela, ce fut comme si la douleur qui la remplissait — car elle n'avait jamais cessé de souffrir pour sa propre fille — lui avait ouvert les yeux. Par un matin doux de février, quand elle se rendit dans le bas du jardin afin de couper une brassée de forsythias pour la nursery, elle leva la tête et regarda dans les yeux noirs de Jester Tully. D'un seul coup, elle venait de rencontrer un homme ou plutôt l'homme. Son homme. Rip sut à cet instant que tout ce que les filles lui avaient dit tout au long des crépuscules brûlants, tout cela était vrai : le plus doux et le plus chaud plaisir qu'une femme puisse connaître sur cette terre, c'est sous un homme qu'elle le connaît, et elle, Rip, le connaîtrait un jour. Et elle l'avait connu la semaine suivante lors de sa première rencontre dans le hangar de la grand-mère. Les gens qui vivaient à Suches n'utilisaient pas habituellement des mots tels qu' « amour » et n'y pensaient guère mais Rip pensait qu'elle aimait Jester Tully. Bien qu'elle eût constamment le cœur déchiré par la perte de son bébé, l'amour de Jester et de la petite Hebe Fox avaient sur sa blessure l'effet d'un baume : elle trouva qu'après tout, il y avait encore en elle de la place pour l'amour. Elle avait fini par en conclure que tout compte fait, elle était heureuse.

En ce jour d'avril, elle savait que c'était de Ruth Fox qu'il parlait et cela ne la gênait pas. Tout Suches parlait de Ruth Fox. Aussi bien, tout Suches parlait de la rue de l'Église mais les hommes noirs de Suches parlaient plus de Ruth Yancey Fox que de n'importe qui d'autre. Dangereusement féminine, spectaculairement belle, d'une pâleur nordique presque caricaturale, née dans des circonstances encore plus cruelles que les siennes : Ruth Fox était une cible naturelle pour l'hostilité désinvolte de Jester.

« À c' qu'on dit, c't' une sorcière. » Il taquina Rip, en la faisant rouler ; la paille brisée lui piqua les fesses et elle tressauta. « On dit qu'elle a l' mauvais œil. On dit que M'ame Licia, a' s' dessèch' comme une vieille grenouil' qu'une roue d' voitur' a écrasée. À c' qu'on dit, M'ame Ruth, elle' veut avoir la grand' maison pour ell' tout' seule. »

Rip se leva. Dans sa gaucherie, elle était encore très proche de l'enfance avec ses longues jambes, sa croupe musclée et haute, ses seins fermes et pointus, son long cou, sa tête haute et petite. Il la regarda et sourit lentement. Elle répondit brusquement :

« On dit, on dit ! Mais toi, quoiqu' tu dis ? Tu vois M'ame Licia tous les jours que Dieu fait, tout com' moi. Et M'ame Ruth aussi. Alors, comm' ça, pour toi, M'ame Licia, a r'semble à une grenouille écrasée ? Et M'ame Ruth, a' t' regard' avec le mauvais œil ?

— Ça, c'est sûr qu'a m' regarde avec un aut' œil », dit-il en la dévisageant. Elle rit.

Mais Rip restait silencieuse en regagnant la Tanière du Renard. Elle remontait, dans les ombres vertes d'avril, le long sentier vers le ravin. Les bizarreries dont elle avait été témoin à son arrivée, il y a presque un an, s'étaient accumulées comme les vagues contre les récifs, les jours d'orage. Toutes avaient leur origine chez cette belle jeune femme énigmatique aux yeux d'enfant, venue pour dominer la grande maison. Au début, ces choses étranges n'avaient ni réalité, ni consistance, ni forme. Maintenant, à l'intérieur de la Tanière du Renard elle-même, c'était devenu un sujet de conversation et ces choses vagues étaient en train de se matérialiser. C'est cela qui faisait froncer les sourcils de Rip, bien plus que les ragots obscènes et oiseux de Jester Tully.

« Quoi qu'elle fait ? » avait dit Pinky dans sa cuisine, tout en faisant flamber des poulets juste après les avoir plumés. À la Tanière du Renard, Pinky faisait partie du mobilier de la cuisine depuis que, tout enfant, marchant à peine, elle avait suivi d'un pas chancelant sa mère qui faisait la cuisine pour le vieil Horacio, à l'époque où celui-ci avait amené son épouse, la future mère de Claudius. « Cette M'ame Ruth, j' veux dire et tu' l' sais bien, ma fille, quoi qu'elle a dans sa têt' blonde de héron ? T'as vu comment qu'elle' a poussé M'ame Licia hors de sa chamb' ? Pauv' M'ame Licia, laisser sa prop' chambre à cett' foutue fill'. Là où qu'elle

avait dormi avec M'sieur Claudius pendant des années. On dirait qu'
rien n' va plus dans cett' maison d'puis qu'elle a marié M'sieur
Paul. »

Rip hocha respectueusement la tête, en hommage au rang supérieur et à l'ancienneté de Pinky.

« J' m' demand' si cette fill', elle a pas j'té un sort à M'ame Licia.
J' la vois la r'garder et M'sieur Claudius aussi, avant qu'il meur'. Ell'
avait quèqu' chos' dans ses yeux bleus, comme ceux de ce poulet
mort. »

Elle lança la tête du poulet mort en direction de Rip, de l'autre
côté de la table. Rip fit un bond et recula. Les yeux de la bête la
regardaient avec une sorte de solennité laiteuse, une pellicule blanc-
bleu suintant par-dessus l'œil qui avait été noir, brillant et malveil-
lant.

« Où qu' tu crois qu'elle a appris à j'ter des sorts ? » demanda
Rip, sceptique. Elle avait écarté de son esprit les ragots de Jester
comme s'il s'agissait d'un bavardage mondain mais les paroles de
Pinky, elle ne pouvait les ignorer. Elle était sérieuse, Rip le savait.
Cependant, Rip ne croyait pas que Ruth avait le mauvais œil ; elle
savait maintenant que le véritable pouvoir de la fille était à l'intérieur
d'elle-même. Personne ne le lui avait appris, personne ne le lui avait
donné. Mais Rip voulait entendre tous les arguments. Si Ruth avait
un autre pouvoir… Si elle avait *un* pouvoir… Si elle était une
sorcière… Elle avait besoin de le savoir. Il faudrait y penser pour
préserver la petite Hebe.

« Elle l'a appris null' part, dit Pinky sans l'ombre d'une
incertitude. Elle le tient d' son père. Tout l' monde pourra te l' dire
qu' c'était un sorcier ; tout c' que t'avais à faire, c'était de l'écouter et
de l' regarder dans les yeux. Elle a les mêm's yeux. Ta grand-mère te
l'a pas dit ? Elle le sait bien qu' c'était un sorcier. C'est elle qui l'a
trouvé mort sur la route là-bas. On dit même qu'il a ouvert ses yeux
bleus de fou et qu'il l'a regardée quand elle s'est penchée sur lui.
Pourtant même un fou pouvait voir qu'il était mort et bien mort. Il
l'a regardée et a fait un clin d'œil. Elle te l'a pas dit ?

— Non » dit Rip.

Malgré elle, elle était impressionnée. Sa propre grand-mère ! Puis
elle réfléchit.

« C' n'est pas vrai. M'ame Ruth, c'est pas un' sorcière et son pèr'
n'était pas un sorcier. Ma grand-mère, elle m'aurait pas laissée entrer

ici pour travailler si elle avait été une sorcièr' ou si elle était la fill' d'un sorcier. Non, ça, ell' est forte et bien décidée, ell' veut tout avoir. Et elle est froide comme un glaçon ! Seigneur, ça j' le sais ! Ce que j' me d'mand', c'est si elle est assez mauvais' pour fair' vraiment du mal à quelqu'un ? Faudra qu' je surveille mieux la p'tite. »

Elle le savait, il y avait dans cette maison des abîmes et des abîmes, des étages et des étages de choses étranges. Rip les connaissait. Que ce soit à propos de la santé déclinante ou des nerfs de Mme Alicia, à propos des silences de plus en plus fréquents de Paul dont les sourcils étaient maintenant froncés en permanence, à propos aussi des raisons pour lesquelles Ruth et l'enfant s'étaient incrustés dans la chambre qui avait été celle de Claudius et d'Alicia Fox. Mais il y avait beaucoup de choses qu'elle ne savait pas et elle en était consciente.

Le mariage avait été célébré en 1911. Tout Sparta était présent et certains invités étaient venus d'aussi loin que New Haven dans le Connecticut. Il y avait tant de chandeliers blancs luisant dans l'obscurité doucement parfumée de la Tanière du Renard, que la moitié des enfants de Suches avaient été engagés pour cinq cents, chacun avec son seau de sable pour veiller à ce qu'il n'y ait pas d'incendie.

Pendant les trois ans qui suivirent le mariage, Ruth avait attendu son heure, en pratiquant les talents qu'elle avait appris à la perfection à l'intérieur des murs guindés, incolores et détestés de l'académie des femmes de Madison. À la Tanière du Renard, elle était la jeune fille de la maison, la jeune et gracieuse épouse de Paul, la respectueuse élève d'Alicia dans le rôle de vice-châtelaine de la Tanière du Renard. Sa manière de se consacrer à ce rôle impressionna même Alicia, qui connaissait pourtant la capacité de Ruth à s'appliquer, et sa rapidité pour comprendre et saisir les choses. De même qu'avant son mariage avec Paul elle avait totalement assimilé le catéchisme des bonnes manières, de même, aujourd'hui, appliquait-elle son intelligence froide et pratique aussi bien que sa volonté de fer à acquérir les talents de maîtresse d'une grande maison. Alicia, Claudius et Paul lui-même pensaient que cette maison serait celle où le jeune couple bâtirait son foyer à la fin de ses études de juriste. Ils ne manquaient ni d'argent ni de terre pour pouvoir construire. Il voulait, quand le temps serait venu — c'est ce que dit Paul à Ruth —, lui construire une maison plus belle encore que la Tanière du Renard. Elle se contenta de sourire.

Elle savait que la seule maison dont elle voulait devenir la maîtresse était la Tanière du Renard.

Elle n'avait cessé de travailler aux côtés d'Alicia et sur ses talons pendant les trois ans où Paul avait étudié la loi. Elle s'était quotidiennement levée à l'aube avant le réveil de Paul pour lui préparer et lui brosser ses vêtements, ainsi qu'elle l'avait vu faire à Alicia pour Claudius. Elle était déjà en bas dans la cuisine quand Pinky y entrait pour allumer le feu dans le fourneau à bois et préparer le petit déjeuner. Ruth se penchait par-dessus l'épaule de Pinky, assimilant silencieusement la fabrication des biscuits, des gaufres, des *spoon breaks* et des *grits*[1] au fromage, la manière exacte de frire le bacon pour qu'il soit croquant à point, le jambon rosé, les saucisses pour qu'elles fondent dans la bouche et la précise alchimie pour réussir les œufs. Pinky grommelait à Henry et à Rusky qu'elle ne pouvait pas faire un pas dans sa cuisine sans tomber sur Mme Ruth mais elle ne s'en plaignit ni à Alicia ni à Ruth elle-même. Quelque chose dans le regard fixe et tranquille de Ruth clouait les langues, même celle de Pinky.

Après le petit déjeuner, quand Alicia s'installait devant le petit écritoire français dans le petit salon pour faire sa correspondance et les comptes de la maison, Ruth se tenait à ses côtés. Elle regardait et écoutait attentivement Alicia lorsque celle-ci composait les menus de la journée, s'entretenait avec Pinky, classait les factures de la maison, inscrivait les chiffres dans le gros registre de cuir qui ne quittait jamais son bureau. Avec son don inné pour les chiffres, Ruth réussissait souvent à attirer l'attention d'Alicia... très poliment, et même en s'excusant... une petite erreur ou un moyen de réaliser une économie... Bientôt Alicia avait autorisé Ruth à prendre en main la comptabilité et les comptes du ménage pendant qu'elle s'occupait de sa correspondance personnelle. Cela avait plu à Alicia : elle avait ainsi plus de temps pour lire et jouer du piano. Cela avait plu à Ruth : elle avait maintenant la haute main sur le lourd registre relié de cuir, le cœur vivant de la Tanière du Renard.

---

1. Les *spoon breads* sont de petits gâteaux faits avec de la semoule de maïs, des œufs, du lait et parfois de l'eau. Les *grits* sont des croquettes de semoule faites au lait ou à l'eau.

L'empressement de Ruth aurait dû ravir Alicia Fox et se concilier les domestiques. Ce n'était pourtant pas le cas. À cause de sa détermination lorsqu'elle parcourait la maison derrière Alicia, son implacabilité dans l'accomplissement de ses taches quotidiennes, la soif de puissance pouvait se lire dans ses grands yeux bleus quand ils se fixaient sur quelqu'un du personnel de la Tanière du Renard. En présence de la jeune Mme Fox, les mains, inconsciemment et nerveusement, se mettaient à resserrer les tabliers ou les foulards ; les visages se fermaient pour l'affronter ; sous le trait de son regard bleu, les conversations, les murmures ou les chansons fredonnées devenaient bredouillements avant de mourir.

De plus en plus, en présence de Ruth, Alicia Fox prenait conscience que la déférence de Ruth était sèche, brillante, superficielle ; de même sa patience était si minutieusement mise au point qu'elle frisait la caricature et ressemblait fort à une impatience foncière. Il y avait, pensait-elle, dans la voix flûtée de Ruth, une voix qu'Alicia elle-même avait si soigneusement lavée de son argile nasale originelle, un mépris habilement dissimulé, comme celui d'un adulte qui cherche à le dissimuler devant un enfant ennuyeux. Mais si, décelant ou croyant déceler cette note de mépris dans la voix de Ruth, elle jetait un regard sur le visage de la jeune femme, visage qui avait le pouvoir d'arrêter sa respiration à volonté, elle n'y lisait que de l'intérêt, de la curiosité et un désir sans retenue de faire plaisir.

« Je m'imagine des choses ; je ne sais pas ce qui ne va pas chez moi ces jours-ci, pensait Alicia avec une détresse croissante. Ce doit être le début de mon retour d'âge. Elle est très exactement ce que j'espérais qu'elle deviendrait ; elle est aussi capable que moi de diriger cette grande baraque ; elle plaît autant à nos amis qu'aux gens de son âge ; elle et Paul sont invités presque chaque soir ; je ne l'ai jamais entendue dire un mot désagréable sur qui que ce soit ; Claudius l'adore ; et elle est très vraisemblablement une parfaite belle-fille pour moi. Je n'ai aucune raison d'éprouver ces sentiments à son égard, de penser qu'elle me traite avec paternalisme, qu'elle agit faussement avec moi. Je lui fais honte. J'espère que je ne suis pas en train de devenir une de ces belles-mères possessives, horribles et castratrices. »

Le jour où Thaddeus Hill demanda officiellement à Paul d'entrer dans son cabinet comme associé, fidèle à la promesse qu'il lui avait faite que la glace opaque de la porte de la *Sparta Bank and Trust*

88

Building pourrait porter un jour la mention « Hurlburt, Hill et Fox », il revint à la maison pour déjeuner et annonça cette bonne nouvelle à Ruth, à Alicia et à Claudius. Il ajouta d'une manière presque désinvolte : « Aussi ai-je décidé d'accepter votre offre d'un petit prêt, papa, étant donné que je serai bientôt en position de pouvoir vous rembourser. Ruth et moi, allons commencer à faire construire la maison.

— Bien, mon fils... commença Claudius, rayonnant de joie, mais Ruth l'interrompit :

— Quand ? » dit-elle. Sa voix sembla n'être qu'un souffle ténu, à peine audible mais le ton était autoritaire.

« Bientôt, mon amie. En fait, plus tôt que tu ne le penses. J'ai déjà fait tirer les plans ; à ma demande, Hamilton Hunt travaille dessus depuis la Noël. Et ce terrain que je t'ai montré, le long du fleuve, juste au nord de la filature ? Tu te souviens ? »

Elle acquiesça de la tête, sans un mot, les yeux bleus grands ouverts dans la lueur imprécise de la salle à manger.

« Voilà, j'ai versé un acompte sur ce terrain dès que j'ai vu à quel point il te plaisait. Aussi pourrons-nous commencer les travaux aussitôt que tu auras montré que tu aimes cette maison. Parce que tu vas l'aimer, ma chérie. C'est le dernier cri en matière d'architecture moderne ; Ham, c'est vraiment l'avant-garde. Cela ne peut se comparer à cette maison-ci, bien sûr... Il ne peut y avoir une autre Tanière du Renard, n'est-ce pas ?... Mais à sa manière, cela sera aussi spectaculaire. Tu veux la voir ? Qu'à cela ne tienne, j'ai les plans dans...

« Ruth, mon enfant, que se passe-t-il ? »

Les yeux d'Alicia s'étaient tournés vers le visage de Ruth en entendant les inflexions bizarres et haletantes de sa voix. Quelque chose dans l'immobilité du visage de Ruth et dans la raideur de ses épaules, la poussa à se rapprocher. Elle se leva à demi de son siège en voyant Ruth se passer la main sur le front en se renversant contre le dossier de sa chaise.

« C'est... la chaleur, je crois, maman. Je me sens juste un peu étourdie. Je vais bientôt aller mieux. »

Alicia et Paul la portèrent à l'étage. Elle protesta faiblement. Ils la mirent au lit avec des compresses froides sur le front. Alicia lui passa sur les tempes des compresses trempées dans son eau de cologne personnelle parfumée à la violette. Alicia regarda attentivement

Ruth. Elle chassa Paul de la pièce. Il sortit en poursuivant son bavardage maladroit. Elle était un peu plus blanche que d'habitude, ses mains et son menton pointu tremblaient. Mais la journée avait été étouffante, c'était la plus chaude qu'ils avaient jamais connue et Ruth avait passé toute la matinée à courir les magasins avec Pinky. Elle avait même insisté en déclarant gaiement que la seule chose qui lui restait à apprendre était à faire le marché et qu'après tout, c'était une manière comme une autre de passer le temps.

« Elle sera vite rétablie, elle a seulement eu un peu trop chaud ce matin. Et elle est rentrée trop tard pour pouvoir se reposer avant de se changer pour le déjeuner. C'est vraiment ma faute. Je n'aurais jamais dû la laisser accompagner Pinky sous un tel soleil mais je ne me suis pas rendu compte... Il faut qu'elle se repose cet après-midi. Ce soir, je lui ferai monter un plateau. Ne t'inquiète pas ainsi, Paul. Va travailler, va à ton nouveau bureau... mon chéri. Je suis si fière ! Demain matin, elle sera complètement rétablie. »

Aussi Paul Fox fut-il profondément et heureusement surpris cette nuit-là. Il était monté à l'étage sur la pointe des pieds, il l'avait regardée dormir et il était redescendu pour dîner. Quand, plus tard, il entra dans la chambre à coucher, sa jeune femme était nue dans le lit, ses bras blancs tendus dans sa direction et ses cheveux d'or répandus sur ses seins.

Il ne l'avait vue nue qu'une seule fois avant ce jour, le soir de leurs noces. Il l'avait trouvée non pas intimidée et tremblante, comme il l'avait prévu, mais impétueuse, chaude, vibrante, humide. Elle s'était abandonnée comme il n'aurait jamais imaginé que pouvait le faire une femme honnête. Elle avait d'abord émis quelques murmures puis elle s'était mise à pousser des cris. Quand il s'en souvenait, il en rougissait encore aujourd'hui. Elle lui avait procuré des sensations inconnues et l'avait entraîné dans des jeux : il s'était cabré comme une mule et il avait mugi à haute voix comme un jeune taureau. Mais il avait chassé tout cela de sa mémoire parce qu'il ne pouvait pas et ne voulait pas imaginer comment elle avait pu connaître de tels jeux. Il s'était écroulé cette nuit-là dans un sommeil profond et bienheureux, et ne s'était pas demandé une seule fois pourquoi elle n'avait pas ressenti la moindre douleur ni pourquoi elle n'avait pas ensanglanté le lit comme ses amis mariés le lui avaient raconté. Il s'était réveillé, prêt une nouvelle fois à pénétrer le corps chaud et souple de son épouse. Mais elle était complètement habillée et s'était blottie dans un fauteuil à oreillettes à l'autre bout de la pièce ; elle pleurait à chaudes larmes, le visage enfoui dans ses mains. Ses pleurs redoublèrent quand, dans son désarroi, il s'approcha d'elle. Elle hoqueta qu'elle n'avait jamais su qu'elle était capable de tels débordements et qu'il ne devait jamais plus la laisser se conduire dans le lit conjugal comme une chienne, que jamais elle ne se le pardonnerait. Il tenta de lui dire qu'aucun homme sur terre n'était digne de la conduite qu'elle avait eue et, dans l'espoir de sécher ses larmes en la taquinant, il prit ses seins à pleines mains. Il lui suggéra de recommencer, « juste pour être sûr qu'il ne s'agissait pas de quelque merveilleux coup du hasard ». Elle devint blanche comme une morte, rigide, cherchant son souffle, et elle trembla au point qu'il pensa que son cœur allait éclater.

Ce fut la seule véritable nuit de leur mariage.

À partir de ce jour, quand ils s'unirent, ce fut toujours en pleine obscurité entre des draps de toile amidonnée et une chemise de nuit la recouvrait des orteils au menton. Elle ne se refusait jamais à lui chaque fois qu'il le lui demandait. Elle ne restait pas indolente et passive comme certains de ses amis mariés depuis longtemps se plaignaient amèrement que se conduisaient leurs épouses. Elle répondait toujours à ses assauts. Elle avait le talent de le faire délirer avec ses hanches et ses cuisses en un très court instant, même quand il pensait être lent et gentil ou voulait employer une nouvelle technique qu'il avait lue quelque part. Il n'avait qu'un espoir : retrouver cette première nuit glorieuse qui l'avait asservi pour la vie tout entière. Mais il savait qu'elle ne s'engageait pas vraiment dans cet acte d'amour. Il finit par croire, misérablement, qu'au cours de cette première nuit si violente, il lui avait fait très mal, qu'il l'avait déçue et qu'il avait tué en elle toute sa jeune ardeur naturelle. En vérité, un jour, proche des larmes, horrifié de sa propre maladresse et se sentant très coupable, il lui avait demandé si c'était vrai. Elle ne l'avait pas nié. Elle avait pris le visage de son mari dans ses mains, lui avait tapoté doucement et affectueusement les joues puis avait déclaré : « Ne t'inquiète pas, mon cher, mon drôle, mon gros Paul. C'est ainsi que les hommes sont faits ; ils ne peuvent s'en empêcher et les femmes finissent par s'y habituer. Mon seul plaisir, c'est de savoir que je te donne du plaisir. Mais nous allons cependant devoir espacer nos rapports, mon chéri... Tu sais... Tu es vraiment *énorme*. »

C'est ainsi qu'après cette conversation, ils firent de moins en moins souvent l'amour. Il avait l'impression d'avoir perdu quelque chose et il en ressentait un profond chagrin en pensant à la créature sauvage depuis si longtemps disparue, celle qui avait crié et s'était tordue sous lui cette première nuit. Le regret et le chagrin s'étaient apaisés sous la pression d'une vague d'orgueil mâle.

« Tu es vraiment *énorme* », se répétait-il à lui-même.

Plus tard, après qu'ils eurent vécu dans cette chambre pendant trois ou quatre mois, il lui avait parlé des plans de son père pour la maison, de ses propres plans pour construire une maison quelque part dans la campagne autour de Sparta « où nous pourrions élever notre propre tanière de petits renards ». Ils avaient presque complètement cessé d'avoir des rapports sexuels.

« Parce que, naturellement, avait-elle dit, gentiment et tristement, nous devons attendre ce moment-là avant de penser même à avoir des enfants. Je ne veux pas prendre de risques. »

Ainsi donc, ce n'était pas seulement parce qu'il avait pensé la trouver malade et prostrée qu'il fut étonné et incrédule quand, cette nuit-là, il la vit dans leur lit, nue sous la lumière brillante. C'est seulement quand il s'approcha d'elle et qu'elle se mit silencieusement, avec le même étrange sourire illuminant sa bouche, à déboutonner son pantalon qu'il commença à croire à ce qu'il était en train de vivre.

Et tandis que cela se déroulait, tandis qu'il se cabrait comme une jeune mule et mugissait comme un jeune taureau pour la deuxième fois de sa vie ; tandis qu'elle palpitait sous lui, hurlant en de petits cris tristes et des gémissements haletants, il ne fut pas certain de bien comprendre les paroles qu'elle prononçait au moment où les cris et les gémissements s'étaient transformés en une sorte de complainte vibrante et continue : « C'est ça, mon chou. C'est bon, mon chou. T'en as une vraiment chouette, mon chou, tout juste ce qu'une femme veut... »

Et, le matin, il avait tout oublié.

Chapitre VIII

Dès les premiers jours, la grossesse de Ruth fut difficile. Quand elle s'était allongée, cette nuit-là, devant Paul heureusement surpris, elle n'avait pas douté une seconde qu'elle serait enceinte. De même, elle savait que cette grossesse serait délicate et peut-être même dangereuse. Ruth avait l'habitude de payer le prix fort pour tout ce qu'elle obtenait. Elle aurait même eu peur ou se serait méfiée d'un bienfait qui aurait été acquis facilement. Elle voulait avoir la Tanière du Renard et elle était prête à payer pour chaque mètre carré. Quelque chose ne vous appartenait définitivement que si vous l'aviez acheté et gagné ; pour les cadeaux, on est toujours à la merci des caprices du donateur. Ruth, dans sa vie, avait reçu très peu de cadeaux.

La semaine qui suivit cette fameuse nuit, elle sut qu'elle était enceinte. Elle fut éveillée tôt, ce matin-là, par une nausée qui envahit sa gorge et se transforma inexorablement en vomissements violents et incontrôlables dès qu'elle levait la tête de son oreiller. Des haut-le-cœur ininterrompus l'étranglaient et secouaient son corps tout entier, la laissant sans force, en sueur et livide. Malgré les soins d'Alicia et du docteur Hopkins, malgré les plateaux de thé et de biscuits envoyés par Pinky, ces douleurs se reproduisirent chaque matin sans exception. Contrairement à ce qu'avait dit le docteur Hopkins, elles ne disparurent pas après le troisième ou le quatrième mois. Six semaines avant la naissance de l'enfant, les nausées, les sueurs, les vomissements cessèrent et furent remplacés par quelque chose de moins douloureux mais de potentiellement plus dangereux, un œdème qui obligea le docteur Hopkins, par crainte de la toxémie, à lui imposer le lit jusqu'à la fin de la grossesse. Sa tension artérielle monta elle aussi ; jusqu'à ce que les médicaments qu'il lui prescrivit commencent à faire effet, son nez saigna fréquemment. Dès qu'elle mettait un pied hors du lit, la tête lui tournait et elle ressentait des douleurs insupportables à la base du crâne. Elle devait manger très peu, des soupes, des bouillons, du riz sans sel, des compotes de fruits. Mais, de toute façon, après ces mois de nausée constante, elle n'avait pas faim. Au début de son sixième mois, malgré le renflement petit et dur que formait le bébé, elle était si frêle qu'elle en paraissait émaciée. Ses os fins ressortirent comme des baguettes sous sa peau décolorée ; ses yeux s'enfoncèrent dans leurs orbites et furent entourés de lourds cernes jaunâtres ; ses cheveux blonds devinrent si pâles et si secs que bientôt ils se mirent à ressembler à des copeaux de bois ; les os étroits de son bassin encadrèrent le monticule du bébé comme des arceaux de croquet. À cause de ce bassin, le docteur Hopkins, à chaque fois qu'il l'examinait, se mettait à grogner. À Ruth, il parlait gentiment, tapotant ses mains gonflées pour la rassurer, croyant lire — mais il se trompait —, dans ses yeux cernés au regard fixe, la peur que peut éprouver une très jeune femme lors de sa première grossesse, mais à Paul, à Alicia et à Claudius, il avoua qu'il craignait de la voir sombrer dans la toxémie et il évoqua de plus en plus souvent la nécessité d'une césarienne.

« Elle est très étroite et sa force physique est au plus bas, dit-il. Je n'aime pas non plus son état d'esprit. J'aurais souhaité qu'elle vînt me consulter avant de concevoir cet enfant. Nous aurions peut-être pu la fortifier. Ce n'était pas le moment pour être enceinte. »

Paul rougit puis devint blanc comme un linge et baissa les yeux. Le cœur d'Alicia se serra de douleur pour lui. Il avait été si heureux de cette grossesse, mais devant la maladie de Ruth, la joie avait rapidement disparu. Elle avait été remplacée par un désarroi malheureux et un sentiment de culpabilité. La souffrance silencieuse de Paul était, aux yeux d'Alicia, plus pénible que n'importe quelle manifestation bruyante et elle l'atteignait autant que la propre maladie de Ruth.

L'espoir brillait dans ses yeux quand il regarda le docteur :

« Peut-être que si je demandais à Hamilton Hunt de commencer tout de suite les travaux de la maison ? Elle semblait y tenir beaucoup et ce serait un changement de décor... Quand l'enfant aura quelques mois, la maison sera prête et Ruth pourra emménager dans sa propre maison... elle aurait quelque chose à quoi penser...

— Peut-être, dit le docteur, peu convaincu. Si vous pensez que cela peut la rendre heureuse, n'hésitez pas, commencez les travaux de votre nouvelle maison. Mais en aucune façon, elle ne doit se sentir contrainte d'y faire une quelconque besogne. Il lui faudra rester longtemps au lit. Pendant plus d'un an, il lui faudra faire très attention... Aucune nouvelle grossesse avant que je ne le dise... Tu m'entends bien, Paul ?... »

Après le départ du docteur, Paul se précipita à l'étage pour confier à Ruth son intention de faire commencer les travaux de la maison de ses rêves. Ruth, qui n'avait pas émis la moindre plainte pendant tous les mois difficiles de nausées, de vomissements, d'étourdissements et d'œdèmes, qui avait serré les dents contre le dégoût qui menaçait de la submerger devant la rébellion de plus en plus vive de son corps malade et à la pensée de l'enfant vorace et parasitaire, premier responsable de cette situation, qui avait gardé les yeux calmes et le visage serein en s'accrochant à la vision apaisante, blanche et lointaine de la Tanière du Renard, se mit à hurler, eut une crise de nerfs dès les premières paroles de son mari et tomba en syncope.

Plus tard, dans la nuit, après le départ, pour la seconde fois ce soir-là, du docteur Hopkins, qui n'avait pas hésité à tancer Paul dont le visage pâle se couvrit de sueur tandis que ses yeux de myope se remplissaient de larmes, Paul et Alicia s'assirent dans le petit parloir derrière le salon pour discuter.

« Je n'ai jamais voulu la bouleverser, maman », dit Paul, essuyant ses lunettes et regardant tristement sa mère dont le visage cerné par le petit halo de lumière émanant de la lampe de bureau était fatigué, ridé et presque aussi émacié que celui de Ruth, mais il débordait de pitié et de douceur pour son fils.

« Bien sûr que non, mon chéri. Je croyais, moi aussi, qu'elle aurait aimé penser à cette maison. Je suppose qu'elle a été épouvantée par l'idée de transporter le bébé, et par le travail et le remue-ménage que représente l'installation dans une nouvelle maison. Même le simple fait d'y penser était trop lui demander. Les femmes sont parfois ainsi quand elles attendent un bébé. Elles ont besoin de leur environnement familier ; cela les rassure et les sécurise, en quelque sorte. Ne t'inquiète pas, mon chéri. Elle va se rétablir et nous ne ferons plus la moindre allusion à la maison jusqu'à ce que l'enfant soit ici, sain et sauf. Tu verras... À ce moment-là, elle se sentira à nouveau forte et heureuse et elle affrontera avec joie l'idée de cette maison.

« — Pensez-vous que je doive demander à Ham de commencer les travaux, maman ? Cela peut être une surprise pour elle quand elle sera rétablie. »

Avec la précision et la rapidité du vol de l'hirondelle, l'esprit d'Alicia fit spontanément un retour en arrière. Elle se retrouva le jour où, à son retour du bureau, il était arrivé à la Tanière pendant le déjeuner et où il avait parlé de la maison à Ruth. Il avait même été sur le point de lui montrer les plans quand elle avait été prise d'un étourdissement. Et c'était cette nuit-là, apparemment, que l'enfant avait été conçu… Sans savoir pourquoi, elle chassa brusquement ces images de sa pensée. Mais elles laissèrent en elle une empreinte douloureuse.

« Je ne crois pas, mon chéri. Vraiment. Ce n'est pas le genre de surprise qu'aime une femme. Nous ne devons pas risquer de la bouleverser aussi peu que ce soit, maintenant ou après la naissance de l'enfant. Pas après ce qui vient de se passer cette nuit.

— Je me sens terriblement coupable, maman… Qu'en serait-il si je lui avais *vraiment fait du mal* ?…

— Tu ne lui as fait aucun mal, mon chéri, et à partir de maintenant nous allons prendre soin d'elle mieux que personne ne pourrait le faire. Écoute, mon chéri, que penses-tu de ceci ? Il n'y a plus tellement longtemps à attendre et tu as perdu le sommeil… Je peux te le dire rien qu'en regardant tes yeux, le matin… Que dirais-tu si je faisais mettre un lit de camp dans ta chambre et si je dormais là jusqu'à la naissance du bébé ? Toi, tu prendrais la chambre jaune. Je serais si heureuse de faire ça, tu sais. Je pense qu'elle a besoin de cette sorte de présence à ses côtés et des soins légers que je peux lui donner. Quant à toi, tu dois vraiment retrouver le sommeil, la nuit. Tu ne dois pas prendre le risque de tomber malade. Ce serait très mauvais pour elle si tu tombais malade. Et tu ne dois pas non plus négliger ton travail. Qu'en penses-tu ? Tu me laisses faire ? C'est pour son bien et pour le tien aussi, vraiment. Et j'aimerais sincèrement faire ça.

— Je suis en effet un peu fatigué ces derniers temps, dit-il, plein de reconnaissance.

— Je sais que tu l'es. Nous lui demanderons, demain matin. Elle s'apercevra sûrement que c'est la meilleure solution pour tout le monde. »

Mais Ruth ne s'en aperçut pas. Les larmes jaillirent de ses yeux.

Ses mains et sa tête furent prises de tremblements. Sa maigre poitrine se souleva et haleta avec tant de force qu'elle pouvait à peine respirer.

« Paul, s'il te plaît, *s'il te plaît*, ne me quitte pas cette nuit, je fais des rêves si horribles sur le bébé qui va mourir et qui va me tuer... J'ai si peur et je veux ma maman et je ne sais même pas où elle est... Paul, *s'il te plaît, s'il te plaît...* »

C'est ainsi qu'il continua à dormir à ses côtés dans le grand double lit. Il était réveillé par ses pleurs quatre ou cinq fois par nuit, il se levait et descendait d'un pas incertain à la cuisine pour lui chercher du lait chaud afin qu'elle puisse retrouver le sommeil, il lui mettait des compresses froides sur le front et le cou pour calmer les douleurs lancinantes de son mal de tête. Au fil des jours, sa démarche fut plus pesante, les cernes sous ses yeux plus épais et son dos s'affaissa sous le poids des inquiétudes qu'elle lui causait. Alicia continua à errer, rongée par l'anxiété devant la porte de leur chambre, les regardant vivre de loin, voyant de moins en moins son fils, et, à mesure qu'elle se sentait de plus en plus impuissante et inutile vis-à-vis de son fils et de Ruth, sa vie dans la grande maison semblait de plus en plus avoir quelque chose de provisoire. Et elle était inquiète pour Claudius qui, de jour en jour, devenait plus corpulent et s'évadait de plus en plus de la réalité quotidienne. Elle était encore plus inquiète pour Paul. Pendant les trois dernières années, Alicia avait observé comment son fils unique se frayait un chemin dans le marécage visqueux de la loi. Le soir, il rentrait à la maison de plus en plus tard, l'œil larmoyant de fatigue. Sitôt le dîner achevé, il remontait dans la chambre qu'il partageait avec Ruth et il s'enterrait une fois de plus dans les volumes qui semblaient plus lourds et plus volumineux que ses livres classiques. Il était taciturne, plus taciturne qu'il ne l'avait jamais été auparavant et il devenait chaque jour plus silencieux. Comme son père avant lui, il mangeait quand il était inquiet et malheureux ; il mangeait comme s'il remplissait un trou béant que le malheur avait, en silence, creusé à l'intérieur de son corps. À mesure que la grossesse de Ruth devint évidente, Paul, qui avait été un jeune marié grassouillet mais à la mise soignée, se transforma en un être flasque, au souffle court, avec les grosses joues roses des petits personnages piqués au sommet des gâteaux de mariage et une bedaine d'homme mûr sur laquelle dansait la montre en or de son arrière-grand-père. Assis dans son fauteuil de cuir, le soir, absorbé par ses livres de loi, son pouce et son troisième doigt massant inconsciemment l'empreinte rouge laissée par ses lunettes sur l'arête de son nez, il ressemblait d'une manière poignante et ridicule à son père, en bas, dans le fauteuil de cuir de son propre bureau.

Alicia savait, sans trop savoir comment, que Paul était profondément malheureux dans sa profession. Elle savait aussi, avec une certitude égale, qu'il n'en parlerait jamais à personne, pas même à elle, qu'enfin, il lui consacrerait sa vie. Pendant les longues soirées où elle était assise, seule dans sa chambre à coucher ou dans le salon, elle pleurait sur lui, sur son enfant courageux, entêté, désorienté et malheureux. Parfois elle pleurait sur tous — elle-même, Claudius, Ruth, Paul — et se demandait pour la millième fois ce qui avait bien pu leur arriver pendant ces trois courtes années pour qu'elle pleure ainsi, désespérée, seule dans une pièce obscure.

« C'était une maison tellement heureuse. Cela l'a toujours été, pensait-elle. Je ne sais pas comment on peut y être malheureux. Je ne sais pas comment on peut être malheureux à la Tanière du Renard. »

Et elle poursuivait : « Quelle femme gâtée et pleurnicharde tu es. Pour la première fois, dans ta vie heureuse, quelque chose ne va pas dans ta maison. Au lieu de faire face et d'affronter la situation avec dignité et courage, tu t'assieds dans le noir et tu pleures comme une Madeleine. Chacun a ses difficultés aujourd'hui ; cette guerre cruelle et ces pauvres gens qui souffrent de l'autre côté de l'Océan... Tout s'améliorera quand le bébé sera né et que la guerre sera finie. »

Elle se sentait mieux après ces crises de découragement et elle s'efforçait de trouver en elle les forces nécessaires pour combattre la solitude, l'inquiétude et les difficultés plus imprécises, plus troublantes qui la tourmentaient nuit et jour.

Mais Claudius mourut en avril 1915. Il mourut subitement, un croassement de terreur dans la gorge, la main sur la tête et les yeux fixes, largement sortis de leurs orbites injectées de sang. Il était assis aux côtés d'Alicia dans son bureau après le dîner par une nuit tranquille. Il tombait une petite pluie murmurante, et une brise pleine de douceur soufflait derrière les fenêtres françaises. Le courage d'Alicia, ce courage fait du granit de la Nouvelle-Angleterre qui lui avait été si utile pendant tous les jours de sa vie dans ce pays étranger, somnolent et chaud, ce courage l'abandonna. Elle s'effondra sous le poids du chagrin et fut épouvantée par le vide qui résultait de cette perte ; et quand elle se releva, ce fut pour peu de temps et elle était chancelante. Jamais plus elle ne retrouva ses forces. Elle dut désormais se reposer sur les bras des autres.

Les gens affirmèrent que Claudius était une victime de la guerre, aussi sûrement que s'il avait combattu avec les *poilus*[1] contre les boches ou dans l'aviation avec l'escadrille Lafayette. Sur le parquet, à côté de lui, à sa mort, on trouva son bien-aimé Bulfinch[2], aux pages souillées et usées par les nombreuses lectures, mais à ses pieds, parmi le désordre provoqué par sa chute à l'heure où Claudius avait, dans les affres de la mort, essayé de se lever à demi, on pouvait voir la page de couverture de la *Sentinelle de Sparta*, avec une manchette encadrée de noir. Le journal rendait compte de l'emploi criminel par les Allemands de gaz empoisonné à Ypres. Il ne lisait pas habituellement les journaux à cette époque, mais Paul, rendu fou de rage par cette nouvelle preuve des atrocités teutones, avait ramené le journal de son bureau. Il l'avait posé sur la chaise de son père, et il espérait avoir une discussion avec lui à ce sujet après dîner comme ils avaient l'habitude de le faire aux temps plus heureux de son adolescence.

Depuis ce jour, Paul se sentit responsable de la mort de son père. Ce sentiment de culpabilité vint s'ajouter au fardeau, déjà lourd, de ses remords et de ses regrets. Pas plus les dénégations d'Alicia, dont le cœur était brisé, que l'avis du docteur Hopkins ne purent calmer sa douleur. Mais il n'eut pas le temps de s'en inquiéter car les soucis l'accablèrent. Il y eut sa mère qui, jadis, avait été si belle et qui, aussi incroyable que cela pût paraître, était en train de devenir une étrangère fragile et vieillissante. Et puis il y eut Ruth dont l'état ne laissait pas de l'inquiéter : elle avait été si bouleversée quand on lui avait annoncé la mort de son beau-père que le docteur Hopkins avait été forcé de lui faire une piqûre. Elle dormit jusqu'au lendemain matin. Ce fut Paul qui lui remonta les couvertures sur son ventre gonflé et sur ses épaules décharnées. Ce fut aussi Paul qui mit sa mère au lit dans une toute petite pièce étroite et pauvrement meublée au bout du corridor au premier étage à l'arrière de la maison. Elle ne voulait pas dormir dans la chambre qui avait été la leur, à Claudius et

---

1. En français dans le texte.
2. Thomas Bulfinch (1796-1867), fils de Charles Bulfinch, le premier architecte professionnel américain. Thomas Bulfinch est l'auteur de *Bulfinch's Mythology*, livre dont il est vraisemblablement question dans ce passage.

à elle. Ce fut enfin Paul qui demeura seul avec son père dans cet antre tranquille qu'était son bureau. Ce fut la nuit la plus longue de sa vie. Et quand l'austère Angus Cromartie vint le matin avec son nouveau corbillard automobile, Claudius Fox, pour la dernière fois, quitta la Tanière du Renard dans la douceur nacrée de cette matinée humide d'avril.

Deux jours plus tard, il était enterré dans le vieux cimetière des Confédérés. Cette nuit-là, à onze heures, Ruth ressentit les premières douleurs de l'accouchement.

Chapitre IX

Ce fut un accouchement atroce, un tunnel qui dura deux jours. Ruth se crut à l'agonie. Cela commença par de petits déchirements qui partaient du creux de l'estomac, montaient en vagues angoissantes jusqu'au moment où la douleur devenait une sorte d'absolu qui n'avait plus de fin tandis que, très loin, dans quelque région reculée, une femme poussait des cris faibles, aigus, perçants. Ruth se retrouvait alors plongée dans une mare de sueur acide avant que ne recommence le même processus. La lumière semblait changer dans le tunnel — le noir s'embrasait, devenait rouge puis tournait au gris, virait au rose flamboyant pour redevenir noir — mais au bout du tunnel, il n'y avait rien, ni porte ouverte, ni arrêt de la douleur ni l'escale intermédiaire qui lui aurait permis de tourner ses regards, diriger ses pensées. « Si j'arrive à passer cette étape, ce sera fini, j'aurai survécu. » La douleur était là, simplement. Elle existait comme un élément semblable à l'air et à l'eau : elle flottait autour d'elle et l'enveloppait. Ruth ne pensait pas qu'elle pourrait survivre à cette douleur.

Des gens allaient et venaient dans ce tunnel rouge et noir. Il y eut un instant où la douleur fut moins forte, elle reconnut le docteur Hopkins, le visage sombre, le menton pas rasé, les traits recrus de fatigue. Elle reconnut Paul, terrifié, un teint de papier mâché, bafouillant de peur chaque fois qu'il se penchait pour lui parler. Ses mains, lorsqu'il serrait les siennes, étaient froides et humides comme les mains des noyés. Chaque fois qu'il se courbait au-dessus d'elle, elle voyait briller sur ses grosses joues, à la lueur de la lampe, ou dans les rayons éblouissants de la lumière de midi qui filtraient à travers les rideaux tirés, des traces de larmes. Elle pensait avec mauvaise humeur, « Qu'est-ce qu'il a à pleurer, cet idiot ? C'est moi qui suis déchirée, pas lui. »

Le tunnel était étouffant, à la fois torride et moite avec une humidité oppressante pour un mois d'avril. Une vague de chaleur frappait violemment Sparta qui était aussi éprouvante que les vagues du mois d'août. Le corps monstrueusement gonflé de Ruth se tordait, se cambrait, s'agitait parmi les draps enchevêtrés qui devenaient rapidement humides et gris.

Ruth ne remarquait pas grand-chose sinon la douleur atroce qui l'envahissait mais elle savait, par le bout de ses doigts qui griffaient les draps et par ses pieds qui se cambraient, qu'elle était couchée dans le grand lit à baldaquin dans la chambre qui avait été celle d'Alicia et Claudius. Paul l'avait déplacée dans la grande chambre quand elle avait commencé à ressentir ses premières douleurs. Elle avait tellement pleuré, sangloté, supplié pour être transportée là qu'il n'avait pas osé le lui refuser.

« Il fait si chaud ici, Paul, avait-elle murmuré en roulant nerveusement sa tête blonde sur les oreillers entassés dans la chambre qu'ils partageaient. La grande pièce sera si fraîche et si jolie et si sombre... J'ai la certitude que daddy Claudius sera là, qu'il restera là, quelque part, assez longtemps pour savoir que maintenant il est grand-père. Oh, s'il te plait, Paul... »

Et Paul, qui, cet après-midi-là justement, avait enterré le petit homme pompeux et noble qui avait été son père adoré, fut remué jusqu'au cœur en pensant à lui. Il déborda d'amour pour Ruth : dans sa peine et sa frayeur, elle pensait encore à Claudius. Alicia, aussi, qui, depuis le début des premières douleurs, errait comme une ombre désorientée à la porte d'entrée de la chambre de Ruth et de Paul, fut également bouleversée quand elle entendit ces mots. Depuis la mort de Claudius, elle était si fragile, si brisée, si accablée de douleur que tous avaient pensé qu'elle ne se rendait pas vraiment compte de ce qui était en train de se passer. Paul, les domestiques et le docteur Hopkins notèrent avec joie et espoir le regard qu'elle jeta sur le visage de Ruth, le pauvre sourire qui se dessina sur ses lèvres craquelées et le léger rose qui lui monta aux joues.

« Oh oui, ma chérie, quelle idée splendide, souffla-t-elle. Naturellement, c'est là que tu dois aller ; je suis désolée de ne pas y avoir pensé. C'est la chambre des maîtres à la Tanière du Renard et c'est là que ton fils doit naître. Claudius aurait été si content.

— Maman, dit Paul qui oscillait entre les deux étoiles polaires

102

de sa vie, nous ne pouvons vous demander d'abandonner votre chambre. Pas maintenant. Toutes vos affaires sont là... Toutes celles de papa aussi. C'est trop. Vous devez avoir votre chambre pour vous reposer et retrouver vos forces. Ruth n'y a pas pensé. De plus, le docteur Hopkins la transportera probablement à l'hôpital avant peu...

— Non ! hurla Ruth. Non, non, non, non... »

Les veines bleues se gonflèrent dans son cou et sur ses tempes Son visage s'empourpra. Ses yeux, injectés de sang, semblaient sur le point de lui sortir de la tête. En un instant, le docteur Hopkins fut près d'elle, réclamant sa trousse à grands cris.

« Pas d'hôpital ! pas d'hôpital ! Je ne veux pas aller à l'hôpital. Je veux aller dans la chambre de daddy Claudius ! Je veux y aller *maintenant !* »

Malgré la piqûre, ils ne purent la calmer avant que le docteur ne murmure avec une certaine réticence : « C'est d'accord, Ruth, pas d'hôpital. Pas d'hôpital. » Ses larmes s'atténuèrent alors, sa tête retomba et ses yeux se fermèrent légèrement. Ils la portèrent doucement dans la chambre d'Alicia et de Claudius et la glissèrent entre les draps de linon parfumés à la lavande que Rusky avait rapidement mis sur le lit.

« Je ne sais vraiment pas, dit le docteur. C'est un vrai problème, de savoir ce qui est le pire pour elle : être ici avec une tension artérielle à chaque instant menaçante et un accouchement qui s'avérera long et difficile, ou l'emmener à l'hôpital contre son gré en provoquant une nouvelle crise d'hystérie dont le résultat sera justement un accident vasculaire. Alors, je ne sais si elle peut physiquement supporter une intervention chirurgicale au ventre. Tout compte fait, je pense que ce sera mieux de la garder ici et d'attendre de voir... »

C'est ainsi que Ruth se tordit, pleura, transpira et se plongea dans l'horreur cette nuit-là puis le matin suivant et l'après-midi et la nuit suivante. Et le bébé n'était toujours pas là...

A l'aube du second jour de l'accouchement, Pearl Steed Yancey apparut à Ruth et se tint à côté du lit de sa fille.

« Maman. » Ruth parlait d'une voix âpre à travers ses lèvres écorchées et enflées. Paul et Rusky, qui s'étaient endormis dans leurs fauteuils, se réveillèrent en sursaut et s'avancèrent pour lui venir en aide.

« Qu'y a-t-il, mon cœur ? dit Paul, prenant les mains de Ruth dans les siennes.

— Ôte-toi de ma lumière ; à cause de toi, je ne peux pas voir maman. Tu me caches la lumière », dit-elle impatiemment. Elle essaya de se redresser sur ses oreillers.

« Attends, laisse-moi t'aider », dit-il. Il lui entoura les épaules de son bras.

« Laisse-moi seule, idiot. Je veux parler à ma maman ! » dit-elle avec hargne. Il recula d'un pas, scrutant involontairement autour de lui, dans l'ombre. Il rencontra le regard de Rusky, dont les yeux, cernés de blanc à cause de la lumière sombre de cette fin de nuit, exprimaient la panique. Elle aussi avait laissé son regard se perdre sur le point que fixait Ruth.

« Al' voit des fantôm', M'sieu Paul, gémit Rusky. M'man, al dit qu' les malad's, quand y parl' à des fantôm', y vont mourir, c'est sûr.

— Descends, réveille le docteur Hopkins et ramène-le ici. Dépêche-toi, dit brutalement Paul, des larmes dans la gorge.

— Voui, M'sieur ».

Elle s'en alla. Il se retourna vers Ruth. Elle était assise, toute droite, et regardait un point au-delà du bord du lit, là où une flaque de lumière provenant d'une lampe de bridge illuminait un morceau de tapis d'Aubusson. Elle s'adressait à l'espace vide, la tête penchée sur le côté, parlant avec empressement et d'un ton plaintif comme un petit enfant. Il fit un geste vers elle, pour la recoucher sur ses oreillers puis laissa tomber les bras.

« Maman, je crois que je vais mourir, dit Ruth.

— Mais non, tu vas pas mourir, dit Pearl Steed. Pas tant qu' t'as pas fait c' que t'as à faire. Arrête de t' prélasser, Ruth, mets-toi à la b'sogne, t'as pus beaucoup d' temps.

— Qu'est-ce que je dois faire, m'man ? J'ai oublié, dit Ruth d'une voix rêveuse.

— Quoi ! Faut qu' t'accouches d' ta fille. Tu sais pas c' qu' tu fais, p'tit' garce idiote ? Tu sais pas c' qu'y t'arrive ?

— J'ai oublié, maman. Ça me fait tellement mal. Tu ne m'avais jamais dit que ça me ferait si mal, tu ne me l'as jamais dit... Maman, je crois que je *veux* mourir. Je crois que j'aimerais cela. Ce serait si facile, tout ce que j'aurais à faire serait de me laisser glisser et ça ne me ferait plus mal...

— T'es pas ma fille, alors, Ruth Yancey, et j'ai pus rien à faire

104

avec toi. J' pensais que t'avais quèqu' chose en toi ; J' pensais qu' t'avais appris ta l'çon un' fois pour toutes, j' pensais qu'une fois qu' t'avais fait le pire, tu pouvais tout faire... Écoute, Ruth, c'est *rien* à côté de c' que t'as d'jà fait, tu t' souviens pas ? T'as fait tout ça pour c'te maison et maint'nant, tu dis qu' tu peux pas mett' au monde cette gosse qui va t' la donner une fois pour toutes. N'importe quelle idiote peut ouvrir les cuisses et expulser ce môme ! T'es pas une Yancey si tu peux pas faire un p'tit truc comm' ça !

— Pourquoi ? Pourquoi dois-je faire ça, maman ? Pourquoi je ne laisserais pas tout aller ? Pourquoi je ne mourrais pas ? J'en aurais fini une bonne fois. Je sais, je *sais* que ça ne sera pas différent que d'aller se coucher. Juste aller se coucher... »

Quelque part derrière elle, Ruth pouvait entendre Paul qui, entre deux sanglots, bafouillait : « Elle parle à sa mère et il n'y a personne... Elle dit qu'elle veut mourir... Elle dit qu'elle va mourir... »

Ruth se boucha les oreilles et se concentra pour retrouver le visage de louve de sa mère et l'empêcher de disparaître. Elle sentait l'accablement et le froid grimper le long de ses jambes.

« J' vais t' dire pourquoi », dit Pearl. J' vais t' dire pourquoi et tu l'oublieras *jamais*, Ruth. Tu dois avoir ce bébé parce qu'y faut qu'y ait toujours une femme Yancey à la Tanière du Renard. Sans ça, ça vaut pas la peine. Maint'nant tu t'allonges et t'auras cette fille, bien propr' et pas malade. Tout comme un' fille doit être.

— Une fille ?

— Naturellement. Si toi et moi on s'y met vraiment, y aura pus jamais un Fox ici d'dans. Donn' nous une petite môme ! Comme ça y aura toujours une femme Fox à la Tanière du Renard. Après, tu peux mourir si t'en as envie. Comm' qui dirait qu' t'es juste assez malign' pour fair' ça, aussi. »

Le visage de Ruth s'empourpra, elle prit une profonde aspiration et, comme une énorme contraction la saisissait, elle jeta un grand cri, un cri sonnant comme celui d'une Walkyrie allant à la bataille.

La fille de Ruth naquit moins d'une heure plus tard. C'était une petite chose au teint cireux, toute ratatinée, qui poussait des cris plaintifs comme ceux d'un chaton à moitié noyé. Son poids de naissance était dangereusement bas. Ses petits poumons mal développés vibraient, sa peau était bleuâtre et n'avait aucun éclat. Elle tint aisément dans la paume des mains de Paul quand le docteur qui avait

105

encore les bras couverts de sang la lui tendit. Paul sanglota bruyamment quand il la vit. Il sanglotait encore quand il se pencha sur Ruth qui était si blanche et si menue qu'elle semblait avoir fondu dans les oreillers.

« Nous avons une petite fille, ma douce, et c'est une petite fille parfaite mais le docteur dit qu'il ne faut pas trop t'attacher à elle. Tu vois, elle est très petite et elle a dû mener un long, un dur combat... Je t'en supplie, ne lui donne pas trop ton cœur, ma douce. Elle peut si facilement nous quitter. »

Il cacha son visage dans ses bras croisés sur le lit. Elle l'étudia froidement : « Il sera chauve comme un œuf avant même d'avoir trente ans », pensa-t-elle.

Et elle dit à voix haute : « Elle ne va pas nous quitter. Elle va vivre jusqu'à cent ans, ici, à la Tanière du Renard. Elle s'appelle Hebe Pearl Fox, Hebe parce que daddy Claudius avait choisi ce nom ; Hebe l'échanson, disait-il, Pearl parce que ma maman est venue m'aider à la mettre au monde saine et sauve. Et si je t'entends encore dire une seule fois qu'elle va s'en aller, Paul Fox, je te quitte dès que j'aurai mis le pied hors de ce lit. »

Et pour la première fois en sept mois, Ruth Yancey Fox dormit de ce sommeil profond et doux qui est l'apanage des enfants, avant qu'ils aient appris à connaître toutes les terreurs du monde et que leur corps ne repose sur un matelas de certitudes.

Trois semaines plus tard, Rip entrait à la Tanière du Renard et la chétive petite Hebe Fox reposa pour la première fois dans les jeunes bras minces de celle qui allait devenir la protectrice de sa vie. Pinky, Red et Rusky, jalouses, ignorèrent la fille au teint d'acajou qui glissait comme une ombre sur les sacro-saints escaliers. Elles ne lui parlaient que brièvement et seulement quand elles ne pouvaient faire autrement. Paul la voyait rarement. Au mieux, il apercevait une mince adolescente noire qui semblait trop jeune pour s'occuper d'un bébé. Alicia était encore déboussolée et apathique, bien que son état se soit, malgré tout, un peu amélioré. Elle était terriblement absorbée par cette petite et miraculeuse chose qu'était sa petite-fille. Tout son temps, elle le passait dans l'agitation et le cérémonial qui entouraient l'enfant. Elle était gentille avec Rip mais sans bien avoir pris conscience de sa présence. Ruth, depuis qu'elle habitait à la Tanière du Renard n'avait jamais tenu compte des Noirs sinon pour jauger leurs capacités. Aussi ne lui accorda-t-elle aucune attention particulière quand Rip entra dans la chambre pour prendre Hebe et la descendre au rez-de-chaussée où la nurse l'attendait ou quand elle s'assit avec le bébé dans la nursery nouvellement décorée juste à côté de sa propre chambrette sous les toits. Elle berçait l'enfant et lui chantait :

> *Au r'voir, au r'voir, petit oiseau,*
> *Papa l'est parti chasser là-haut,*
> *Il ramèn'ra un' peau d' lap'reau*
> *Pour env'lopper son p'tit oiseau.*

Cela lui était égal d'être quelque peu ignorée dans la grande maison blanche. La pitoyable petite créature dans son beau berceau enrubanné de la Tanière du Renard et le magnifique bébé noir gazouillant dans le panier à linge de Suches suffisaient, pour l'instant, au bonheur de Rip. Les mille et un parfums à respirer, les mille et une choses à découvrir, les mille et un bruits à écouter dans l'énorme maison blanche, sans parler des complexités incompréhensibles de la vie des Blancs qui y habitaient, l'intriguaient et suffisaient à occuper ses heures de veille.

Six semaines après la naissance de Hebe, Paul, après avoir dîné, seul avec Alicia dans la trop grande et trop silencieuse salle à manger, se rendit au chevet de Ruth. Son front était blême et plissé par les soucis et la détermination. Rip, dans un coin de la pièce, se balançait tranquillement dans le fauteuil à bascule qui venait de Boston, l'enfant endormie dans les bras. Elle se leva aussitôt pour porter Hebe à son père comme elle le faisait habituellement chaque fois qu'il venait les voir, le soir, mais Ruth regarda attentivement le visage de Paul puis fit signe à Rip d'emmener le bébé. Rip s'éclipsa rapidement et silencieusement, les pantoufles de feutre qu'elle portait quand elle était à l'étage glissant sans bruit sur le tapis d'Aubusson.

Paul s'assit sur le bord du lit de Ruth et prit ses mains dans les siennes. Elle lui apparut d'une beauté ensorcelante dans le flot de lumière diffusé par la lampe de cristal d'Alicia. Le visage était encore trop maigre avec des creux trop marqués, ses yeux étaient encore trop cernés, mais ses cheveux blonds avaient retrouvé leur miroitement soyeux et sa chair l'éclat doré si particulier qui depuis toujours semblait en émaner.

« Je suis inquiet pour maman », dit-il abruptement et elle se rendit compte que c'était Alicia et non elle qui était au cœur des préoccupations de Paul. Ses sourcils dorés et soyeux se froncèrent légèrement.

« Qu'est-ce qui ne va pas ? Cet après-midi, il m'a semblé qu'elle était bien, dit-elle.

— Je ne crois pas qu'elle aille bien du tout, dit Paul. Elle maigrit de plus en plus et, la plupart du temps, elle ne semble pas... je ne sais pas, moi... vivre dans le même monde que nous... elle n'entend rien quand on lui parle et elle ne sourit presque plus jamais.

— Oui, mais Paul, tu sais, la mort de daddy Claudius ne remonte qu'à six semaines. Elle pleurera encore longtemps sur lui. Je le sais, moi-même, je le pleure encore.

— C'est plus grave que ça. Elle ne m'a rien dit mais elle a l'impression de ne plus être utile ici, comme si nous pouvions très bien nous passer d'elle. Ce n'est, bien sûr, pas possible. Moi, je ne pourrai jamais. Mais nous avons tous tellement voulu la protéger, lui éviter le moindre souci, l'obliger à se reposer, qu'elle a vécu entièrement à l'écart depuis la mort de papa. Et je pense que cette inactivité la tue lentement. Je connais maman : c'est la seule chose qui pourrait lui donner le coup de grâce, penser qu'elle ne sert plus à rien.

— Oui, je crois que tu as raison. »

Les yeux de Ruth étaient cachés par ses cils et son visage était calme.

« Tu as Rip maintenant, et Pinky s'en tire très bien sans elle à la cuisine. J'ai beaucoup réfléchi. Je sais que, pratiquement, maman n'est pas sortie de la maison et n'a reçu aucune visite depuis le début de ta grossesse. Je pense que nous devons changer tout cela. Je pense que nous devons reprendre une vie normale aussi vite que nous le pourrons. Elle a besoin de diriger à nouveau cette maison comme elle l'a toujours fait. »

Ruth resta silencieuse. Elle le regarda.

« Je pense que tu dois regagner notre chambre. Tu vas beaucoup mieux, ma chérie, vraiment, et le docteur Hopkins dit que tu es parfaitement capable de déménager à condition que nous... enfin, tu vois ce que je veux dire. J'ai demandé à Henry d'installer là-bas le lit de camp. C'est là que je coucherai jusqu'à ton complet rétablissement. Le bébé sera très bien dans la nursery avec Rip à ses côtés. Qu'en dis-tu, mon trésor ? Maman a été merveilleuse de nous laisser sa chambre mais je sais aussi qu'elle lui manque. En un sens, toute l'histoire de son mariage avec papa se trouve dans cette chambre. En plus, tu me manques terriblement. »

Son sourire se dessina dans la lumière rose de la lampe. Ruth ne bougea pas et garda le silence pendant un long moment avant de déclarer : « Naturellement, Paul, si tu penses que cela aidera maman Alicia. Je vais dire à Rip de préparer le bébé pour demain matin. Rusky l'aidera à déménager mes affaires. Je n'ai pas grand-chose.

— Merci, ma chérie », dit-il.

Il l'embrassa sur le front et sortit de la chambre. Rip, qui revenait avec le bébé, entendit — ou eut l'impression d'avoir entendu — la voix froide, claire et douce de Ruth dire : « Je n'irai pas, m'man. Je mourrai d'abord. C'est ma chambre, maintenant. C'est la mienne de droit. Il faut qu'il y regarde à deux fois avant d'agir ainsi. »

Ainsi donc, Rusky avait raison, Ruth parlait à sa mère qui n'était pas là. Rip ne s'arrêta pas à cette idée. Ses bras se resserrèrent comme pour protéger le bébé qui geignit dans son sommeil.

Le lendemain matin, quand Rip déménagea de la grande chambre à celle de Paul et de Ruth, le berceau où Hebe passait plusieurs heures chaque jour, elle entendit le bébé pousser un petit cri aigu suivi d'un hurlement prolongé, strident et régulier comme celui d'une machine et capable de durer des heures. Elle se précipita dans la chambre à coucher où Ruth était assise, appuyée contre les oreillers, berçant le bébé emmailloté qu'elle tenait dans ses bras en la regardant d'un air navré. Paul, qui venait juste de rentrer du bureau, entendit les cris et monta à l'étage pour se renseigner.

« Je ne sais pas ce qu'elle a, dit Ruth d'une voix inquiète. Elle n'a pas faim, elle n'est pas mouillée et je sais qu'elle n'est pas malade. Tout a commencé quand Rip a commencé à bouger le berceau, pour le descendre dans notre chambre. Elle s'est mise à crier à ce moment-là et ne s'est plus arrêtée. Non, Rip... » Rip, qui tendait automatiquement les bras pour s'emparer du bébé, interrompit son geste... « Laisse-moi voir si je peux la calmer. C'est comme si, en quelque sorte, elle se rendait compte qu'elle doit s'en aller de la chambre où elle est née. Elle a besoin de sa maman maintenant. »

C'est ainsi qu'ils ne bougèrent pas, ce jour-là. Ni Ruth ni le bébé. Graduellement, les cris diminuèrent et Hebe, épuisée, sombra dans le sommeil. Ruth ne la confia pas à Rip comme elle avait l'habitude de le faire mais la garda toute la journée à ses côtés dans le grand lit, enveloppée dans sa couverture d'été ou blottie dans les bras de sa mère. Pendant les jours qui suivirent, en fait, Hebe ne quitta pas le flanc de Ruth. À chaque fois qu'on tentait de l'emmener pendant son sommeil pour la porter dans son berceau, dans l'autre chambre, elle recommençait ses hurlements et Ruth la reprenait dans ses bras pour la consoler.

Rip avait ainsi beaucoup plus de temps libre. Elle le passait avec Jester Tully dans le hangar. Ces journées de juin étaient douces. Pourtant Rip était bien incapable de dire pourquoi elle n'était pas plus heureuse. Pendant tout le temps où ils étaient ensemble, c'était comme si son oreille intérieure attendait un appel, quelque chose, un signe en provenance de la grande chambre à coucher à la Tanière du Renard, un appel qui ne vint jamais. Elle était inquiète et préoccupée.

Ce fut presque une semaine plus tard que Rip, qui déshabillait Hebe pour lui donner son bain, vit sur la peau perlée de ses petites jambes des marques rouges, en forme de croissant, sept ou huit séries de marques symétriques tout le long des jambes du bébé. Elle sut alors avec certitude qu'Hebe avait été cruellement pincée.

Le soir même, Paul revint dans la chambre de ses parents et aborda de nouveau le sujet du déménagement de Ruth dans leur propre chambre.

« Mais Paul, le bébé... commença Ruth.

— Cela fait maintenant plusieurs jours que le bébé n'a pas pleuré, dit-il avec une certaine fermeté. De plus, je ne crois pas que nous devions nous prêter aux caprices de cette enfant. Le bien-être de maman est plus important que les lubies d'un bébé de sept semaines. Tiens, je t'ai apporté ta robe et tes pantoufles. Rusky a fait le lit avec tes draps suisses brodés et je les ai moi-même parfumés à l'eau de lavande. Appuie-toi sur mon bras pendant que tu enfiles ta robe de chambre et laisse-moi te ramener dans ton lit. C'est là qu'est ta place.

— Bien sûr, mon chéri », dit Ruth. Ses yeux se voilèrent. Elle se laissa glisser hors du lit et se laissa tomber en syncope sur le tapis d'Aubusson avant qu'il ait pu la rattraper.

Dans la confusion qui suivit, tandis que Paul courait dans l'escalier en criant à Henry d'appeler le docteur Hopkins et qu'Alicia, en entendant ce remue-ménage, sortait de sa chambre d'un pas incertain et restait là, immobile devant la porte, à tordre ses mains délicates, Rip s'emparait de Hebe endormie dans le berceau de la nursery et descendait les escaliers conduisant à la chambre où Ruth gisait sur le tapis. Dans ses pantoufles de feutre, elle glissait aussi silencieusement qu'un fantôme. Ruth, se croyant seule, leva la tête et jeta autour d'elle un regard froid et volontaire. Elle s'aperçut soudain qu'elle était en train de regarder le visage impassible d'une jeune fille noire qui la fixait par-dessus le bébé qu'elle tenait dans ses bras.

L'espace d'environ trente secondes, elles se mesurèrent, la femme blanche et la femme noire. Entendant les pas de Paul qui remontait les escaliers, Ruth ferma de nouveau les yeux et retomba sur le tapis tandis que Rip emmenait Hebe vers le hall et la nursery. Quand le docteur fut arrivé, il s'enferma quelques minutes avec Ruth puis eut un entretien avec Paul et s'en alla. Paul retourna quelques instants auprès de Ruth et s'assit près de son lit, lui tenant les mains jusqu'à ce qu'elle ferme les yeux et que sa tête s'enfonce dans l'oreiller d'Alicia. Il rentra alors, un peu las, dans sa propre chambre. Ruth ne quitta pas la chambre d'Alicia et de Claudius Fox et elle ne la quitta jamais plus. Alicia elle-même ne l'aurait pas voulu. Finalement, Paul fut bien obligé d'accepter...

Le lendemain matin, Ruth sonna la petite cloche d'argent sur la table, près de son lit. C'est avec cette cloche qu'elle avait pris l'habitude d'appeler Rip. Elle apparut aussitôt au chevet de Ruth avec Hebe habillée de baptiste plissée et prête à être mise dans les bras de sa mère.

D'un geste de la main, Ruth repoussa l'enfant et regarda Rip de ses grands yeux violets qui semblaient à la fois émettre de la lumière et en recevoir. Elle resta silencieuse un bon moment tout en la regardant. Rip ne se départit pas de son calme. Elle ne s'agita pas, ne ferma pas les yeux mais par-dessus la tête d'Hebe, regarda Ruth d'égal à égal.

« Si tu dis à qui que ce soit ce que tu as vu la nuit dernière, je te mets à la porte, dit Ruth.

— Oui, M'ame », dit Rip d'une voix sereine.

Elle ne bougea pas pour s'en aller. Ruth fronça les sourcils.

« Tu comprends ce que je dis ? Je te mets à la porte et je m'arrangerai pour que tu ne trouves pas le moindre travail à Sparta. Je peux le faire, tu sais ! Je dirai aux gens que tu... que tu frappais le bébé. Après cela, personne ne te donnera de travail. Je ne plaisante pas, Rip.

— Oui, M'ame », dit Rip qui ne bougeait pas mais serra involontairement Hebe sur sa poitrine.

Le geste n'échappa pas à Ruth. Elle regarda plus attentivement la

111

fille noire, comme si elle voyait pour la première fois l'élégance de son ossature, la finesse et l'intelligence du visage étroit, la grâce du corps long et svelte. Elle y vit quelque chose de plus. Ses sourcils se froncèrent de perplexité. La fille aimait, aimait vraiment, profondément, l'enfant blanc qu'elle tenait. C'était une idée nouvelle pour Ruth et cela la troubla. Elle fut interloquée plus encore par la sérénité de Rip qui lui sembla tout à fait authentique. La fille n'était ni émue ni effrayée. Elle ne se laisserait pas intimider et ne serait pas non plus son ennemie. Quelle sorte de femme était donc cette insignifiante gamine noire ? Ruth n'avait encore jamais rencontré quelqu'un comme elle.

« J'aurai besoin d'une femme, se dit soudain Ruth dans un éclair de lucidité. Si je veux obtenir tout ce que je désire, tout ce dont j'ai besoin, il me faudra une femme qui soit mon alliée dans les années à venir. Si la Tanière du Renard doit vraiment m'appartenir, il me faudra une femme qui saura ce que je suis en train de faire et qui m'aidera à le faire. Elle n'a pas besoin d'aimer cette besogne ni même de m'aimer, moi, mais il faudra qu'elle se soumette. Il faut que ce soit une femme que je peux contrôler et, grâce à mon enfant, je peux contrôler celle-ci... et je n'hésiterai pas. Oui, j'ai besoin d'une femme et ce sera Rip. »

À haute voix, elle déclara : « Tu aimes l'enfant, n'est-ce pas ? Tu aimes mon bébé. Tu en prendras toujours grand soin, n'est-ce pas ?

— Oui M'ame », dit Rip et son visage s'attendrit. C'était simplement le visage d'une femme parlant à une autre femme. « J'ai toujours bien soigné Hebe.

— Bon, si tu sais te taire, je ne te renvoie pas. Je n'ai pas besoin de te dire ce qui pourrait arriver à Hebe si tu n'étais plus ici, et nous n'avons ni l'une ni l'autre envie qu'il arrive quelque chose à Hebe. N'est-ce pas, Rip ?

— Non, M'ame, y a rien qu'arriv'ra à Hebe. »

Elles se regardèrent une fois de plus, un long regard qui reliait entre elles les crevasses, les golfes, les mondes, les générations, les espaces inimaginables. Un accord tacite se conclut entre elles ; il durerait et demeurerait valide aussi longtemps que les deux femmes vivraient.

« Bon. Tu ne dis rien et tu ne pars pas. C'est d'accord, n'est-ce pas, Rip ? »

Rip acquiesça.

De toute façon, elle ne serait pas partie.

Chapitre X

Par une lumineuse matinée saoulée de vent, à la mi-mars 1917, Rip, traînant derrière elle Hebe qui pleurnichait, entra dans la chambre où Alicia, malade, reposait. Dans le grand trait de lumière qui éclaira la chambre quand elle ouvrit la porte, Rip vit qu'Alicia était en train de mourir.

Elle n'avait pas tellement changé depuis de nombreux mois, depuis exactement l'été dernier quand elle avait dû s'aliter à la suite d'une intoxication alimentaire. Depuis, elle n'avait pas réussi à se rétablir et à se relever. Mais Rip, dans cette lumière vive qui annonçait le printemps, la vit distinctement. Mais elle vit aussi la mort glaciale qui était tapie près de son visage, sur les oreillers chiffonnés. Elle entendit son sifflement lent et silencieux. Dès lors, elle sut qu'Alicia n'assisterait pas à l'explosion du printemps nouveau.

Elle ne fut pas effrayée ni même étonnée de voir qu'Alicia Fox était couchée avec la mort à ses côtés, sur l'oreiller. Elle-même n'avait-elle pas senti, dès le jour de son arrivée, que la mort était là, à la Tanière du Renard, tapie dans un coin, en train d'attendre une de ses proies ? Elle l'avait senti tout au long des semaines et des mois, même si elle n'avait pas été capable de deviner qui la mort attendait. Elle avait longtemps craint que ce ne fût la minuscule Hebe, aussi frêle et prématurée qu'un bébé opossum avant qu'il ne se mette à ramper dans la poche de sa mère pour achever de venir à maturité. Mais Hebe avait près de deux ans maintenant. C'était une enfant légère comme une plume, babillant d'une voix aussi fluette et haletante que la plainte d'un moucheron, si pâle qu'elle en était translucide et cependant aussi dure et résistante qu'un fil d'acier. Ruth Fox, petit à petit, recouvrait ses forces. Pourtant, la mort était toujours en train d'attendre dans la maison.

113

Et maintenant elle était là, aussi nette et palpable dans l'air fétide de la pièce qu'Alicia elle-même. Rip n'avait qu'une envie et elle s'efforçait de la refréner : saisir Hebe par son bras maigre comme une allumette, l'arracher à cette pièce et claquer la porte au nez de la mort. Rip ne voulait pas que la mort tourne son visage sans yeux du côté de l'enfant, d'autant plus qu'elle savait que ses bras entouraient déjà Alicia Fox. Au lieu de cela, elle poussa légèrement Hebe dans la pièce et la suivit vivement. Elle laissa la porte du corridor ouverte afin que puisse y pénétrer l'air rafraîchissant et la lumière éclatante de la vie.

« Mam'zelle Hebe veut dir' bonjour à sa grand-mère, dit-elle, guidant l'enfant par les épaules jusqu'au chevet d'Alicia. Elle a été dehors tout' la matinée à traîner dans la poussière et elle a ramassé des jonquilles pour sa grand-mère. »

Sur les oreillers, le visage d'Alicia qui avait la couleur du suif sale s'éclaira faiblement à la vue de l'enfant, et elle sourit. Son sourire était une caricature, une farce horrible ; la maladie, la tristesse et la peur avaient dévoré la substance de la force d'Alicia et il n'en restait plus que l'armature. Elle apparaissait dans la lumière cruelle du matin, comme une lanterne d'*Halloween*[1], avec des trous béants et brûlants pour les yeux, un nez busqué d'où toute chair avait disparu, le visage dessinant une grimace qui se déployait sur les gencives découvertes. Elle tendit ses bras vers l'enfant hésitante. Elle poussa un faible cri de joie.

« Hebe, ma chérie ! Grand-maman est si heureuse de te voir. Viens et dis-moi comment tu vas ; il y a si longtemps que je ne t'ai pas vue. Laisse-moi te regarder ; comme tu as grandi, dis-moi ! Tu es une vraie jeune fille maintenant, n'est-ce pas Rip ? C'est la plus belle que j'ai jamais vue. »

Alicia se redressa sur ses oreillers et approcha la lampe de chevet. La lumière éclairait directement son visage et le haut des couvertures. Hebe, qui s'était avancée jusqu'au lit, ses jonquilles écrasées pendant de son poing fermé et l'index de l'autre main fermement planté dans son petit nez de Fox, s'arrêta brusquement, la regarda, poussa un long hurlement et courut se cacher le visage dans le tablier de Rip. Ni

---

1. Halloween : veille de la Toussaint célébrée par des mascarades et des réjouissances. Le Sack O'Lantern est une lanterne faite dans une citrouille réelle ou artificielle, sculptée pour ressembler à un visage humain.

les remontrances ni les cajoleries ne purent l'en déloger. Les cris s'accentuèrent dans l'air tranquille de la grande maison. Rip s'apprêtait à la ramener à la nursery quand Ruth apparut sur le pas de la porte. Elle était tout à fait remise de la naissance d'Hebe. De sa vie, elle n'avait jamais eu une silhouette aussi délicatement moulée et une peau aussi lumineuse.

« Rip, je sais que tu as voulu bien faire mais je t'ai dit, non pas une fois mais un bon millier de fois, de ne pas déranger Mme Alicia en amenant Hebe dans sa chambre. »

Alicia secoua la tête pour protester et elle implora Ruth en murmurant quelque chose que Rip ne put entendre.

« Non, maman Alicia, dit Ruth avec fermeté. Vous savez que vous n'êtes pas encore assez forte pour la supporter. Souvenez-vous ce qui est arrivé la dernière fois qu'elle est venue ici toute seule ? Et je vous ai répété ce que le docteur Hopkins m'avait dit lundi dernier, vous vous rappelez ? Je vous l'ai dit alors et je vous l'ai répété hier. D'après lui, vous devez absolument vous reposer jusqu'à ce qu'il n'y ait plus la moindre trace de cet affreux refroidissement que vous avez attrapé à la Noël. Sinon, vous risquez une rechute et vous pourriez avoir une nouvelle pleurésie. Il sera alors obligé de vous hospitaliser. Maintenant vous vous souvenez, n'est-ce pas ? Et il a dit qu'il valait mieux attendre que vous vous sentiez mieux, que vous contrôliez mieux vos nerfs, avant qu'Hebe ne vienne vous voir. Elle est trop jeune pour comprendre ce que sont des gens malades et j'ai peur qu'elle n'ait pas encore oublié ce qui s'est passé la dernière fois. »

Les larmes montèrent aux yeux d'Alicia et sa bouche affaissée se mit à trembler. Elle détourna la tête. Ruth poussa un nouveau soupir et rendit Hebe à Rip. Elle vint s'asseoir au bord du lit étroit.

« Maman Alicia, ne pleurez pas. Je ne vous critique pas. C'est simplement que vous ne vous rendez pas compte à quel point vous êtes malade et combien nous sommes inquiets et combien vous êtes encore faible. Quand vous insistez pour faire des choses que le docteur Hopkins vous a interdites, nous en souffrons tous, comprenez-vous ? Bientôt, si vous faites ce qu'on vous dit, votre santé s'améliorera beaucoup. En attendant, vous avez pu voir à quel point vous pouvez faire peur à Hebe alors que vous êtes si facilement épuisée et si sensible, n'est-ce pas ? Ne pensez-vous pas qu'il vaudrait mieux attendre, avant qu'elle ne vous rende une nouvelle visite, que vous soyez redevenue vous-même, la grand-mère qu'elle connaît ? Je l'ai dit à Rip. Je ne sais pas ce qui lui a pris... »

Elle jeta à Rip un regard irrité. Celle-ci la regarda sans sourciller et ne dit rien.

Alicia tenta de parler, s'étrangla dans un sanglot et essaya de nouveau.

« Ce n'est pas la faute de Rip... C'est moi qui lui ai dit de m'amener Hebe. Il y a si longtemps que je ne l'ai pas vue, elle me manquait... Parfois, j'entends ses pas et sa voix mais je ne la vois jamais. Je me sentais mieux ce matin... Je t'en prie, ne m'en veux pas, Ruth. Je me sens une vieille femme stupide et tu sais à quel point je déteste créer des ennuis. Pour rien au monde, je ne voudrais effrayer Hebe. Je ne me rendais pas compte que j'avais fait... que j'avais fait quelque chose. »

Elle s'arrêta ; sa voix se brisa et ses yeux se gonflèrent de larmes. Elle enfouit sa tête dans ses mains.

Tout en se levant, Ruth lui mit la main sur l'épaule :

« Maintenant, je vais la ramener à la nursery, maman Alicia. Vous vous êtes déjà tellement fatiguée. Ce n'est pas bon pour vous. Comme je dois sortir, Rip restera à votre chevet jusqu'à mon départ, puis Red et Rusky pourront venir s'asseoir près de vous.

— ... aimerais mieux être morte... » Les mains sur le visage, Alicia sanglotait de désespoir. « Tu ne la laisseras pas revenir et Paul ne vient jamais...

— Paul vient tout le temps. Paul était encore ici la nuit dernière juste avant que vous ne vous endormiez. Vraiment, maman Alicia, ne me dites pas que vous avez aussi oublié cela ? Calmez-vous. Vous allez vous rendre vraiment malade.

« Fais ce que tu peux, pour elle, Rip, ajouta-t-elle. Peut-être la prochaine fois me croiras-tu quand je dis qu'Hebe ne doit pas venir ici avant que je ne te le dise. Tu as vu dans quel état elle se met ?

— Oui, M'ame », dit Rip. Ses yeux ne quittaient pas le visage de Ruth. « J'ai vu. »

Elle soutint le regard de Ruth et c'est cette dernière qui baissa les yeux, fit demi-tour et sortit sur les pas d'Hebe. Rip s'avança jusqu'au chevet d'Alicia, releva la chaise à bascule et s'assit. Elle étendit les bras et prit les mains rigides d'Alicia dans les siennes après les avoir détachées délicatement de son visage. Alicia releva ses yeux noyés de larmes en direction du visage juvénile de Rip ; quelque chose, là, était

116

en train de lui parler doucement et calmement. Ses maigres épaules se détendirent et elle reposa la tête sur ses oreillers avec un pauvre petit soupir.

« Rip, il faut que tu me dises la vérité, maintenant. C'est ma tête, n'est-ce pas ? Ma tête me joue des tours. C'est pour ça que Ruth ne veut pas qu'Hebe vienne ici... J'ai dû lui faire du mal ou l'effrayer d'une manière ou d'une autre, n'est-ce pas ? Et je ne m'en souviens plus ? Et chacun a peur que je recommence ? C'est pour ça, quand Paul vient me voir, que je ne peux pas me rappeler... Parce que je ne peux pas. Tu sais, je pourrais jurer que je n'ai pas vu mon fils depuis... des mois. Et toutes ces choses que j'ai perdues, et brisées, et... les choses que j'ai... prises. Je ne m'en souviens pas plus que tout ce qui s'est passé avant ma naissance et, cependant, ces choses sont là, exactement où Ruth ou quelqu'un d'autre les trouve... cassées ou cachées, ici, dans ma chambre... Oh, Rip ! Je n'aurais jamais voulu devenir comme ça ! À qui une vieille folle peut-elle encore être utile ? Une vieille folle qui fait peur à son unique petite fille... ? »

Rip resta silencieuse, regardant le visage anxieux d'Alicia. Comment soulager ce chagrin injustifié sans mettre en péril la petite fille qu'elle s'était juré sur son âme de protéger ? Elle avait la possibilité de soulager et de délivrer Alicia Fox ; seule à la Tanière du Renard, Rip connaissait la vérité : Alicia n'était pas, en fait, dangereusement malade ; elle n'avait jamais effrayé ni fait de mal à la petite Hebe, ce n'était pas elle qui avait perdu ou caché les objets domestiques que l'on retrouvait quelques jours plus tard à des endroits inattendus, enfin, si Paul ne venait pas voir sa mère, c'est parce que Ruth affirmait qu'Alicia ne voulait pas qu'il la voit dans l'état où elle était. Elle aurait pu dire toutes ces choses à Alicia, mais en agissant ainsi, elle n'aurait plus été en mesure de protéger la précieuse petite personne d'Hebe Fox. Elle n'avait pas le choix ; son cœur généreux souffrait et, pourtant, elle faisait son devoir. Même si elle mourait le cœur brisé, terrorisée, la vie d'Alicia était derrière elle. L'avenir d'Hebe était devant elle, pas encore exposé aux coups de l'extérieur, et il reposait entre les robustes mains noires de Rip.

« M'ame Ruth, l'est mauvaise ! L'est mauvaise ! » aurait dit, un soir comme celui-là, Rip à Jester Tully avec une rage triste et impuissante en se blotissant dans ses bras comme elle l'avait fait de si nombreuses fois au cours des derniers mois. Mais elle ne pouvait plus le faire maintenant. Jester était parti.

En y réfléchissant par la suite, Rip se rendit compte qu'il était inévitable qu'il s'en aille ; il l'avait déjà quittée, très exactement le jour où elle avait plongé son regard dans les yeux bleus de Ruth Yancey Fox par-dessus la forme endormie d'Hebe et avait juré de rester à la Tanière du Renard. Jester voulait pour lui seul ce que Rip ne pouvait donner à aucun homme : tout d'elle-même. Il n'avait pas compris son attitude devant Hebe et elle ne pouvait pas le lui expliquer.

« C' que t'as b'soin, c'est d'un aut' petit, lui avait-il dit plus d'une fois quand ils étaient étendus ensemble dans l'obscurité de l'étable de Suches, les après-midi où Rip pouvait quitter la Tanière du Renard pour quelques instants.

— J'ai pas b'soin d'un aut' petit, lui dit Rip. J'ai bien assez à faire avec mamzell' Hebe. C't' une pauv' môme, Jester. Elle a b'soin d' tous les soins qu' j' peux lui donner. »

Il fronça les sourcils et se souleva sur un coude pour la regarder

« J' parlais d'un petit à toi. Mon p'tit. T'en veux pas, fillette ? Alors, faut qu' t'oublies ton bébé à toi et l'aut', l' bébé blanc.

— Pour sûr, j' veux un aut' bébé à moi. Vraiment, Jester. Mais en c' moment, c't' à miss Hebe que j' dois penser. Qui c'est qui s'occup'ra d'elle si j'ai un aut' petit ?

— Quelqu'un d'aut', j' pense. Tôt ou tard, y viendra quéqu'un d'aut'. Parce que j'accept'rai pas qu' tu t'occupes d'un bébé blanc après qu'on s'ra mariés et qu'on aura des goss' à nous.

— Qui t' dit que j' vais t' marier, nég' ? » Elle tenait pour rire sa grosse tête entre ses mains. Il se pencha sur elle et lui fit une grimace.

« Moi, je l' dis.

— J'ai jamais r'marqué qu' tu m' l'as d'mandé.

— J'ai jamais r'marqué non pus qu' tu serrais les cuisses. Qu'est-ce tu fais ici tous les jours si tu veux pas m' marier ? J' gagne bien d' l'argent et d' l'argent régulier. Avec c' que m' paye M'ame Licia, j'ai assez pour qu'on s'achète au printemps une 'tite maison bien à nous. Comme ça t'aurais pas à rester tout l' temps là-haut et à t'occuper d'un bébé blanc. Tu s'rais p't' êt' obligée d' travailler à la cuisine une demi-journée ou bien donner un coup d' main à ta grand-mèr' pour la lessiv' mais t'aurais pas à viv' avec les Blancs.

— Qu'est-ce qui t' déplaît comme on est maint'nant ? J' te vois tous les jours. J' te vois plus que si j' travaillais dans un' cuisine ou

118

si j' m'occupais d' ton p'tit. Et p't êt' bien qu' tu m'aurais pas autant dans ton lit qu' maint'nant.

— Ouais, mais ça s'rait mon lit. »

Elle soupira, s'écarta de lui et s'assit. Elle s'empara de la robe de laine que Ruth lui avait achetée pour l'hiver ; c'était un petit acte de révolte de la part de Rip : elle refusait de porter un uniforme. Elle regarda Jester intensément. Il avait sa forte mâchoire projetée en avant et son front plissé.

« J' peux pas quitter mamzell' Hebe maint'nant, Jester. J' peux pas fair' ça. Plus tard pt' êt' quand elle s'ra assez grande pour se débrouiller tout' seule.

— Dieu tout-puissant, fillette, elle a un' mère ! Qu'est-ce qui t' prend ? C'est pas une orphelin' qu'a personne pour s'occuper d'elle. Pourquoi tu peux pas la quitter ? En deux coups d' cuillère à pot, ils auront trouvé quelqu'un pour la garder.

— J' peux pas la quitter. J' peux pas t' dire pourquoi. J' veux bien t' marier et j' veux bien avoir des p'tits à toi. Mais j' peux pas en c' moment. Ni l'un ni l'aut'. Si tu continues à m' bousculer, y faut que j' te dis' non. Nous en r'parl'rons plus tard.

— Pas plus tard, Rip. J' veux pas jouer les s'conds violons derrière un' goss' blanche. Si tu veux pas v'nir dans mon lit, j' trouv'rai un tas d' fillettes qui n' demand'ront pas mieux. »

D'un bond, il se leva de la paille, s'habilla rapidement et, dans un silence rageur, s'élança dans la nuit tombante. Elle l'avait suivi lentement, le cœur lourd, sentant déjà que les liens étaient en train de se desserrer inexorablement.

Ainsi, il était inévitable qu'il la quitte, mais peut-être serait-il parti d'une manière moins subite et moins abrupte si Ruth Fox ne l'avait mis à la porte.

C'est ce qu'elle fit en septembre, un mois après qu'Alicia fut empoisonnée par une part de flan laissé inexplicablement exposé au soleil d'août au lieu d'être enfermé dans la glacière. Ruth l'avait apporté un soir à sa belle-mère avant qu'elle ne s'endorme. Ruth était descendue dans le bas du jardin de la Tanière du Renard à la recherche de Rip. On avait dit à Rip qu'elle n'était pas indispensable pendant qu'Hebe faisait sa sieste. Marchant en silence dans l'herbe épaisse avec ses mules de chevreau, Ruth était tombée sur Rip et Jester Tully : ils étaient au bord de la roseraie où Jester passait la plupart de ses journées, à la fin de l'été.

119

Il n'y avait rien de malséant dans leur tenue. Jester et Rip ne se touchaient pas. Ils étaient assis l'un à côté de l'autre, tournant le dos à Ruth. Ils regardaient à travers la brèche qui trouait la haie de buis au-delà des têtes veloutées des roses. Ils contemplaient la partie visible d'une cabane en ruines, une cabane composée de deux pièces. C'était tout ce qui restait du vieux quartier aux esclaves de la Tanière du Renard.

Par cet après-midi tranquille, Jester fit remarquer à Rip — et ce n'était pas la première fois — que moyennant quelques travaux, la maison pouvait devenir tout à fait habitable. Selon Jester, M. Paul serait si heureux d'avoir quelqu'un pour réaliser ce travail qu'il lui laisserait occuper la cabane sans lui faire payer de loyer. Ruth n'entendit pas ce qu'il disait. Il n'y avait rien dans leurs jeunes dos qui suggérait autre chose qu'un bavardage anodin, par un brûlant jour d'automne, entre la nurse de sa fille et son jardinier. Pourtant, elle frissonna. L'air autour de son visage lui apparut soudain bourdonnant de mauvais présages comme si un tremblement de terre était imminent. Elle s'arrêta calmement et sans faire de bruit, les regarda.

Un moment, Rip tourna la tête en direction de Jester. Ruth put contempler son profil. Rip sourit. Ce fut un sourire bref, fugace, mais Ruth, dans ce sourire, lut la menace d'un départ, l'affaiblissement de son emprise sur la jeune fille, la perte d'une complice malgré elle, le transfert d'influence de ses mains dans celles de ce Noir à la peau dorée.

« Rip », dit-elle sèchement. La fille tourna la tête et, impassible, la regarda. L'homme en fit autant.

« J'ai besoin de toi à la maison. Hebe est réveillée. Je pense qu'elle a un peu de fièvre. »

Ruth fit demi-tour et repartit sans se retourner en direction de la maison. Pendant un moment, elle entendit le son étouffé des pieds de Rip qui, dans ses pantoufles de feutre, la suivait à travers la pelouse. Elle n'entendit pas le grand Noir à la peau dorée qui s'avançait à travers les roses mais elle savait qu'il la regardait. Elle pouvait sentir le point précis dans son dos où ses yeux s'étaient fixés, aussi implacablement incrustés dans sa chair que les yeux des enfants qu'elle haïssait naguère dans les rues brûlantes de Sparta.

Elle le renvoya le lendemain matin.

La rage de Jester ne connut plus de bornes. Pour la première fois depuis qu'elle le connaissait, Rip eut peur en sa présence. Mais elle comprit son attitude. Jester avait été humilié. Il n'avait rien fait. L'excuse que Ruth lui avait donnée — jusqu'à ce qu'Alicia recouvre sa santé, elle désirait que la maison et les dépendances soient désertes et, si possible, vides de tout visiteur ; or, prétendit-elle, le travail de Jester dans les jardins de la Tanière du Renard était bruyant et dérangeait la femme malade — était de l'invention pure assenée à Jester avec une insouciance insolente. Quand il avait commencé à protester, elle l'avait interrompu avec des mots cinglants qui mordirent sa chair comme des coups de fouet.

Cet après-midi-là, il attendit Rip dans l'étable à vache. Marchant de long en large dans le petit espace qui avait été si pleinement le leur, balançant sa grosse tête de droite à gauche comme un taureau qu'on a attaché à un piquet et qu'on tourmente, Jester hurlait sa fureur et martelait sa paume couleur d'ivoire de ses poings dorés et sombres. Il donna à plusieurs reprises des coups contre les murs de l'étable, si bien que des morceaux de bois pourri et d'écorce tombèrent sur le foin. Rip, à ses pieds, pelotonnée sur la paille, se balançait doucement dans l'obscurité en ne sachant comment montrer sa gentillesse. Elle le suivait des yeux, sa gorge remplie de tristesse, de peur et de cette même colère abstraite et passive avec laquelle elle regardait Ruth détruire systématiquement Alicia Fox. Des larmes emplissaient ses yeux, des larmes qu'elles n'avaient pas versées pour son bébé disparu. Tant qu'il y avait un léger espoir, Rip ne pleurait pas.

Quand le crépuscule tomba sur Suches, Jester dit à Rip :

« J' m'en vais cett' nuit. Tu viens avec moi.

— Oh ! Jester ! Où tu vas aller ? Reste ici. Tu trouv'ras un aut' boulot n'importe où dans la rue de l'Église. Tous ces Blancs s'ront trop heureux d' t'avoir. T'es l' meilleur jardinier d' la ville.

— J' m'en vais. Au l'ver du soleil, je s'rai loin. J' veux qu' tu vienn' avec moi, Rip. Y a rien d' bon pour toi dans c'te maison. Cette sal'té d' putain d' femm' blanche, elle t'arrach' le cœur comme à moi et elle rigol' en l' faisant. T'as pas b'soin d' son bébé blanc ; j' vais t'emplir l' ventre de p'tits à nous. On trouv'ra une place à Atlanta et j' me trouv'rai un boulot dans un' des grandes maisons d' la ville. Tu pourras t'occuper des gosses de Blancs, just' comme ici. Titterbaby, y m' dit tout l' temps ce qu'on est payé à Atlanta avec tous ces homm' blancs partis à la guerr' pour un bon

121

bout d' temps. On s'ra bien. Va chercher tes affaires. T'es ma p'tite. Tu l' sais dans ton cœur que tu l'es. Tu s'ras toujours ma p'tite. »

Les larmes montèrent dans sa gorge, piquèrent son nez mais elle ne pleura pas.

« J' peux pas partir avec toi, Jester. J' te l'ai déjà dit. J' peux pas m'en aller. J' t'en prie, t'en va pas, pas encore. Y a rien qui t' force à partir. Qu'est-ce qu'elle est M'ame Ruth pour toi ? Jester, tu rest' ici et tu t' trouves un aut' boulot. Et on s' marie. On s' marie dès qu' tu l' dis. On s' marie d'main. Y a rien d' changé. Je f'rai tout c' que tu m' diras sauf que j' peux pas laisser tout' seule cette gosse. D'vant Dieu, Jester, j' peux pas fair' ça.

— Alors, que Dieu t' fasse brûler l'âme en enfer, espèce de négresse pour femm' blanche. Un' négresse blanch', c'est tout c' que t'es. J'espère qu'elle va t'arracher l' cœur et l' bouffer et l' dégueuler après et qu' pendant tout c' temps-là, elle rigolera. »

Il tournait autour d'elle, le visage fermé, terrible, les poings serrés. Rip courut. Elle courut, éperdue et gémissante, les larmes retenues formant une boule monstrueuse dans sa gorge, emportant avec elle son chagrin sans fin, imaginant la noirceur du temps qu'elle allait vivre maintenant sans la moindre lumière nulle part. Elle ne le vit pas quitter l'étable et elle ne devait plus jamais le revoir de toute sa vie.

Le matin, aux premières lueurs de l'aube, avant que l'enfant ne commence à remuer, dans la nursery voisine de sa chambre, Rip se glissa hors de son étroit lit de fer, s'habilla dans le noir et sortit, pieds nus, silencieuse dans l'aube chaude et brumeuse. Elle prit le chemin du ravin de Suches. Elle s'avança au milieu des cabanes endormies et croulantes, tout autour de la baraque de la grand-mère. Elle pénétra dans le rectangle sombre marquant l'entrée de l'étable. La vache osseuse à l'haleine chaude la regarda avec indifférence puis referma ses grands yeux marron et se mit à somnoler. Rip se baissa et ramassa la couverture de sa grand-mère. Elle avait projeté de la plier et de la ramener à la Tanière du Renard pour la laver pendant les heures creuses de l'après-midi. Elle la mettrait pendre à sécher avant de la rendre à sa grand-mère. Cela lui semblait une chose importante à faire.

Quelque chose tomba des plis de la couverture dans le foin avec un petit bruit sourd. Elle chercha. C'était le marron de Jester, son talisman, son porte-bonheur, son amulette contre le vaste monde qui, depuis sa naissance, l'avait houspillé et avait craché sur lui. Le marron avait été poli par des générations de mains noires qui l'avaient caressé dans les poches de leurs salopettes pendant des décennies. Il était maintenant doux et brillant comme du satin et il était enchâssé dans un filigrane d'or rose et attaché à un anneau grossier. Jester ne savait pas exactement son origine mais sa grand-mère lui avait dit que son grand-père à elle avait fait fondre cet ornement tribal reconstituant le filigrane qui existait là-bas dans les forêts de l'Afrique de l'Est où il était né. C'était dans cet ornement qu'il avait enchâssé le marron. On pensait qu'il avait de grands pouvoirs de protection. Jester l'avait dit à Rip. Il ne sortait jamais sans ce porte-bonheur dans la poche.

Il ne l'avait pas perdu, Rip le savait. Il l'avait laissé là sur la couverture où elle l'avait trouvé et il était parti sans la moindre protection dans ce monde vaste et inhospitalier, bien au-delà de Sparta, la laissant seule avec ses malédictions, le seul héritage qu'il lui avait laissé. Elle mit le talisman dans sa poche, plia la couverture et reprit le chemin de la Tanière du Renard.

Le soir même, après souper, quand Hebe fut endormie, Rip sortit le porte-bonheur et fouilla dans le vieux panier à linge en osier qui contenait ses trésors. Elle en tira un morceau de satin de couleur ivoire que sa vieille grand-mère lui avait donné quand elle était enfant, simplement parce qu'il était joli. Rip l'avait gardé de nombreuses années. Avec son aiguille, rapidement et avec beaucoup d'habileté, elle confectionna dans le satin une petite bourse solide. Elle porta le talisman à ses lèvres puis le glissa dans la bourse. Elle suspendit la bourse à une corde de soie qui lui venait aussi de sa grand-mère. Elle fit un nœud puis resta assise un long moment à le regarder sous la lumière jaune de la lampe à pétrole. Ensuite, sur la pointe des pieds, elle entra dans la nursery, souleva la légère couverture d'Hebe, glissa la bourse autour de son cou et remit la couverture.

Rip enfila alors sa chemise de nuit et se glissa entre les draps en toile de sac propre et rêche qui bordaient son lit étroit. Elle baissa la mèche de la lampe jusqu'à ce que la petite chambre soit dans l'ombre.

Puis elle pleura.

Chapitre XI

Par une nuit de la fin mars 1917, tandis que le vent soufflait en rafales sur la Tanière du Renard, Alicia Fox attendit que tous, dans la maison, soient endormis, tous à l'exception de son fils Paul qu'elle pouvait entendre remuer, inquiet et agité, dans le bureau qui avait été celui de son père. Puis elle se glissa, faible, titubante et effrayée, hors de son lit. Elle descendit alors l'escalier, ce qui ne lui était pas arrivé depuis le mois d'août précédent. Dans sa chemise de nuit de soie bleue à la coupe sévère, Alicia avait presque l'air d'une famélique enfant de douze ans ; la marche traîtresse dans la courbe de l'escalier grinça à peine sous son poids léger. Alicia s'arrêta néanmoins et s'accrocha à la rampe au bois lisse, la nausée au bord des lèvres, de petits points lumineux dansant devant ses yeux. Elle pensa un moment qu'elle allait s'évanouir mais ce ne fut qu'une fausse alerte. Elle reprit sa descente vers le rez-de-chaussée.

Paul s'était laissé tomber dans le fauteuil qu'avait longtemps occupé Claudius Fox. Si longtemps que Paul éprouvait de grandes difficultés à s'insérer dans la niche que les hanches et les fesses de son père avaient creusée dans le vieux cuir tout craquelé. La lumière de la lampe éclairait sa tête chauve et le journal qui était ouvert sur ses genoux. Paul, comme son père avant lui, haïssait cette guerre en Europe qui le désespérait. Il était révolté autant par la barbarie et l'absurdité de ce qui se passait que par les déclarations ampoulées, hypocrites, ignorantes et pacifistes avec lesquelles son propre pays gardait son corps adipeux et lisse hors du conflit. Il était captivé, cependant, sans le vouloir et en se sentant coupable, par le panache, l'éclat de la conduite de cet Anglais, à moitié fou et à moitié bédouin, T. E. Lawrence et sa campagne brillante et spectaculaire dans le désert d'Arabie sous la direction de (et souvent au désespoir de) Allenby. Ce jour-là, la Une de la *Sentinelle de Sparta* faisait un récit dramatique de la chute de Bagdad. Paul Fox pensa que Lawrence avait quelque chose d'un héros des Thermopyles, une figure d'acier digne d'Alexandre. Peut-être était-il quelque peu anormal et engagé dans une guerre pas très honorable sur cette terre que le fils de Macédoine avait si glorieusement unifiée, jadis, plusieurs siècles plus tôt. La même histoire d'amour avec le passé qui avait captivé Claudius pendant toute sa vie, le cœur délicat de Paul la vivait à son tour, sans le moindre espoir de profit. Ce vieil amour toujours vivace, il savait qu'il l'avait trahi pour le droit auquel il consacrait sans la moindre joie ses jours de travail. Il avait encore dans ses yeux, doux et éblouis, les reflets de cet amour lorsqu'il leva la tête et vit à la porte de son antre la silhouette de sa mère.

« Laisse-moi entrer », dit-elle. Sa voix tremblait. « Laisse-moi entrer et m'asseoir une minute près de toi. S'il te plaît, Paul. S'il te plaît, laisse-moi m'asseoir une minute. Je te demande simplement de m'asseoir dans mon vieux fauteuil et de te parler un moment. Chéri, cela fait si longtemps... »

Il vit que les larmes lui coulaient, bien qu'elle ne fît aucun bruit en pleurant. Elle le regardait humblement, furtivement comme un enfant qui aurait l'habitude d'être maltraité. Il savait, on le lui avait dit, qu'elle avait vieilli, que sa santé était altérée mais il fut profondément choqué de la métamorphose. Elle aurait pu être sa grand-mère.

« Asseyez-vous, maman, asseyez-vous ici près de moi. Ici. Laissez-moi vous entourer de ce châle... Là. Êtes-vous malade, ma très chère ? Quelque chose vous fait peur ? Avez-vous fait un mauvais rêve ? Permettez-moi simplement de me lever et d'aller chercher Ruth. Elle va s'occuper de vous...

— *Non !* » La voix d'Alicia était forte, presque sèche ; il la regarda, surpris et avec un certain soulagement. Elle semblait presque être redevenue elle-même...

« N'appelle pas Ruth, pas encore » dit-elle. Sa voix était ténue avec des intonations chantantes, la voix d'une enfant mourante. « S'il te plaît, ne l'appelle pas. Elle me ferait remonter dans ma chambre et j'y suis terriblement seule, Paul. Tu m'as tellement manqué. Je sais que j'ai été malade et j'ai embêté tout le monde. Je sais tout ce que j'ai fait... Toutes ces mauvaises choses que j'ai oubliées... Mais si tu me laisses demeurer à tes côtés, j'essaierai de ne plus recommencer. Je suis désolée de m'être mal conduite.

125

— Maman, de quoi parlez-vous ? Comment avez-vous pu vous mal conduire ? » Il se pencha sur elle, angoissé. Il prit dans les siennes ses mains décharnées. « Bien sûr, vous pouvez rester ici. Vous m'avez aussi tellement manqué.

— Mais tu es venu me voir, n'est-ce pas ? N'es-tu pas venu me voir toutes les nuits ? C'est ce que m'a dit Ruth. Elle m'a dit qu'Hebe et toi êtes venus me voir chaque nuit juste avant que je ne m'endorme et que, quand je serai rétablie, je m'en souviendrai. Mais, moi, j'avais l'impression de ne pas t'avoir vu depuis si longtemps, même si, en fait, c'est inexact. J'ai pensé que je pourrai descendre ici une minute et te voir. Comment vas-tu, mon chéri ? Dis-moi comment tu vas ? Dis-moi ce que tu fais ? »

Il la regarda attentivement. Il lui sembla qu'il n'y avait rien à dire devant la bizarrerie de son attitude. De quoi parlait-elle ? Pensait-elle vraiment qu'il venait la voir chaque nuit et qu'elle perdait jusqu'au souvenir de ces visites ? Ne se rappelait-elle pas avoir déclaré à Ruth qu'elle ne souhaitait pas le voir jusqu'à ce qu'elle ait recouvré la santé ? Quelles choses mauvaises imaginait-elle dans son pauvre esprit égaré, avoir accomplies ? Pourquoi ignoraient-ils qu'elle vivait ainsi, prise au piège de l'enfer qu'elle s'était forgé à l'intérieur de sa propre tête et acceptant sa « punition » avec soumission ?

C'est alors que Ruth entra dans le bureau. Son déshabillé de soie vert jade qu'elle avait enfilé à la hâte était retourné et ses cheveux blonds jaillissaient tout ébouriffés dans un désordre flamboyant. Son visage était très blanc à la lueur de la lampe basse et ses yeux bleus semblaient presque noirs. Où avait-il vu auparavant ce regard préoccupé et ces pupilles noires dilatées ?

« Oh ! Maman Alicia », souffla Ruth qui s'avança avec légèreté dans la pièce. Elle passa son bras autour des épaules d'Alicia. La vieille dame laissa retomber la tête sur sa poitrine et ferma les yeux. Elle était assise, immobile sous la poigne de Ruth, dans le fauteuil qui avait été le sien et qui était situé à côté de celui de Claudius.

Ruth leva les yeux sur Paul.

« Depuis combien de temps est-elle ici ? Pourquoi ne m'as-tu pas appelée ? Elle n'est pas assez forte, elle n'est pas bien...

— Elle vient d'arriver. J'ai levé la tête de mon journal et... elle était là...

— Oh ! La pauvre ! Pauvre maman Alicia ! Penser qu'elle a dû s'évader de sa chambre pour te voir. Je t'aurais amené chez elle dès

126

qu'elle aurait été prête à te recevoir. Elle le sait. T'a-t-elle dit ce qui n'allait pas ? Que t'a-t-elle dit exactement ?

— Eh bien, cela ne voulait pas dire grand-chose. Juste qu'elle était punie pour des choses répréhensibles et qu'elle ne se souvenait pas que je venais la voir...

— Oh, c'est horrible ! Je ne m'étais pas rendu compte qu'elle était si mal en point, mon chéri. Sinon, j'aurais demandé à Red ou Rusky ou Rip de dormir à ses côtés sur un lit de camp. Je me demande pourquoi elle s'était mise dans la tête que tu lui rendais visite alors qu'elle m'a répété et répété qu'elle ne voulait pas te voir tant qu'elle était dans cet état... Mais ne t'inquiète pas outre mesure à son sujet. Je vais la ramener à son lit. Rip s'assiera à ses côtés jusqu'à ce qu'elle soit endormie. Je redescendrai ensuite et je nous ferai un peu de café. Tu en veux ? Pinky a fait un gâteau aux pommes. Aimerais-tu en manger un morceau, mon chéri ? »

Il la regarda sans la voir puis hocha lentement la tête :

« Ce sera très bien, ma chérie, vraiment très bien. Je voudrais bien t'aider avec maman mais je ne sais pas... Elle semble si... Ruth, elle semble si sûre que... toutes ces choses horribles se sont produites... et qu'elle ne peut plus se souvenir... que nous sommes en train de la punir... Pourquoi, Dieu du ciel, pense-t-elle cela ? Qui lui a mis ces idées dans la tête ? »

Alicia leva la tête et ouvrit ses yeux bruns. Elle regarda Paul droit dans les yeux et lui dit, très clairement :

« Je ne suis pas folle, Paul. On m'a dit toutes ces choses affreuses. Je suis peut-être malade et vieille mais je ne suis pas folle. »

Il regarda attentivement sa mère et par-dessus sa tête, Ruth qui fit, de la sienne, de droite à gauche, plusieurs signes frénétiques : « Non, ne dis rien, tais-toi. »

Il ne dit rien.

« Je vais ramener maman Alicia à l'étage, mon chéri. Nous allons la remettre confortablement au lit. Je lui donnerai une de ses pilules. Elle ira mieux, beaucoup mieux demain matin. Maintenant, viens, embrasse-la et souhaite-lui une bonne nuit. Je redescendrai directement chercher le gâteau. Venez, maman Licia. Nous montons. »

Ruth aida sa belle-mère à se lever. Alicia se tint debout, silencieuse et calme, les yeux clos, le menton reposant sur le col de sa robe de chambre tandis que Paul embrassait sa joue froide. Elle ne fit aucun mouvement pour résister à l'emprise des mains de Ruth. Elle se laissa emmener hors de la pièce. Paul entendit la marche d'escalier qui grinça. La porte de la chambre d'Alicia s'ouvrit et se referma. Puis il perçut la voix de Ruth qui murmura quelques mots à Rip. Ruth, enfin, revint auprès de son mari.

« Je suis terriblement désolée que tu l'aies vue comme ça, mon chéri, dit-elle en posant la tarte sur le bureau. Je n'aurais jamais imaginé qu'elle descendrait seule les escaliers. J'aurais dû veiller sur elle avec plus d'attention. À partir de maintenant, je vais m'arranger pour qu'elle ne reste plus seule.

— Je... n'avais pas la moindre idée... je ne peux croire... savais-tu qu'elle était... comme ça ? T'es-tu rendu compte qu'elle était dans cet état ? »

Sa voix tremblait.

« Naturellement que je le savais, mon chéri. Pourquoi crois-tu que j'ai tant insisté quand tu voulais aller la voir ? Pourquoi crois-tu que le docteur Hopkins est ici aussi souvent et que j'ai éloigné les domestiques ? Je voulais t'épargner cela, mon chéri ; j'ai tant espéré que son état s'améliorerait... Naturellement, après cet incident, il n'est plus question de laisser Hebe l'approcher. Il faudra la surveiller à chaque minute de la journée... Paul, mon chéri, ne crois-tu pas qu'elle serait vraiment mieux... dans une de ces institutions ? Juste un petit moment, le temps qu'elle se remette... que son esprit soit moins embrouillé...

— Ma mère ne passera pas une seule nuit en dehors de la Tanière du Renard. Peu importe ce qu'il faut faire pour qu'elle se sente bien. C'est un sujet sur lequel nous ne discuterons plus. »

Il n'avait pas élevé la voix mais il avait parlé sur un ton que Ruth n'avait jamais entendu.

« C'est d'accord, dit-elle d'une voix douce. Si c'est ce que tu désires. Je trouverai autre chose. »

Il enfouit son visage dans ses mains et se frotta les yeux dans un geste las.

« Elle semblait si sûre de ce qu'elle disait. Ruth, elle *croit* vraiment qu'elle a oublié toutes ces choses ; elle *croit* qu'elle a fait des choses répréhensibles et qu'elle les a oubliées ; que je viens la voir et qu'elle ne s'en souvient plus. Elle pense honnêtement que tu lui as *dit* que je venais chaque nuit...

— Bien, mon chéri, c'est ce qui se passe avec... certaines maladies mentales. C'est ce que dit le docteur Hopkins. Il dit que les malades qui ont ce genre de maladies, peuvent souvent être très convaincants. Je te promets, Paul que je ne lui ai jamais dit de telles choses ; personne, bien sûr, ne lui a mis dans l'esprit qu'elle fait… euh, des choses mauvaises ou qu'elle fait peur à Hebe… Ce qui, en fait, est *arrivé* une fois mais je ne le lui ai jamais reproché. Mais si cela t'inquiète, ne me crois pas sur parole. N'hésite pas, va voir le docteur Hopkins et demande-lui de vérifier ce que je t'ai dit. Je suis sûre qu'il sera heureux d'apaiser tes inquiétudes. Je l'appellerai moi-même demain matin et lui demanderai de passer. Il te dira que je ne te mens pas…

— Oh, mon amour, *bien sûr* que tu ne mens pas ! Je n'ai jamais pensé *cela* ! » Paul tressaillit d'horreur. « Je sais que tu fais de ton mieux et même plus que ça ; personne ne pouvait être plus gentil avec maman que tu ne l'as été ; tu as tant fait pour elle, plus que quiconque pouvait en faire, jour après jour… Ne pleure pas, ma chérie. Je ne veux pas mettre ta parole en doute. Jamais je n'aurais agi ainsi. C'est simplement… Elle… Ce fut un choc de la voir comme ça, c'est tout. »

Elle s'essuya les yeux. « Bien, alors. Paul chéri, s'il te plaît, promets-moi juste une chose ? Me promettras-tu ? Juste une chose ?

— Tout ce que tu veux, tu le sais bien.

— S'il te plaît, s'il te plaît. Il ne faut pas que ça recommence. Ne va plus la voir jusqu'à ce qu'elle aille mieux. Je te le dirai. Mais promets-le-moi. C'est trop pénible pour tout le monde. Cela me fait beaucoup de mal, mon précieux Paul, de te voir si bouleversé et malheureux. Promets-le-moi.

— Je te le promets, je te le promets.

— Bien. »

Elle disparut de la porte et il s'assit, regardant dans l'obscurité son image persistante comme si elle était encore là. Il se sentait triste, las, vieilli, si vieux, et incapable d'endiguer ou de détourner les pulsions qui couraient librement dans la Tanière du Renard. Il ne pensait plus à rien. Plus tard, sa tête tomba sur sa poitrine et il s'endormit.

Pendant la nuit, le vent qui avait soufflé avec force se chargea de pluie et un orage électrique éclata au-dessus du toit plat de la Tanière du Renard. Rip s'éveilla dans la petite pièce à côté de la nursery. Elle se leva pour recouvrir Hebe qui ne cessait de se retourner en geignant sans arrêt dans son sommeil. Elle se recoucha dans son lit étroit où elle demeura éveillée, écoutant le premier orage du printemps. Elle entendit la pluie de plus en plus violente et le vent de plus en plus puissant. Elle entendit aussi la voix maintenant familière de Ruth Fox conversant avec sa mère qui, bien entendu, n'était pas là. Rip se glissa hors de son lit et alla silencieusement à la porte qui la séparait de la nursery. Elle l'entrouvrit. Elle tira la chaise à bascule près de l'entrebâillement qui laissait percer une faible lueur grise dans la petite chambre et elle s'assit pour écouter et pour attendre.

Quelques secondes plus tard, la porte du corridor s'ouvrit silencieusement. La silhouette de Ruth Fox se glissa dans la nursery où reposait sa fille. Elle resta debout près du berceau de son bébé endormi. S'imaginant que le fantôme de Pearl Steed, fantôme dont elle avait si souvent redouté l'apparition, avait finalement pénétré dans la chambre de l'enfant, Rip se leva brusquement, le cœur battant la chamade dans sa poitrine et ses lèvres entrouvertes dans un rictus qui découvrait ses dents et l'on pouvait y lire la peur comme la menace. Mais ayant reconnu Ruth et entendu sa voix, elle s'immobilisa.

« C'est une honte de la faire sortir par ce temps, maman ! » dit Ruth. Rip se sentit glacée : Ruth était seule avec Hebe.

« Plus tard, dit Pearl Steed Yancey, s'ra trop tard, Ruth. T'as plus l' temps. T'as vu la vieille, c'te nuit. Faut pus qu'a' s' sauve et qu'ell' cause à quèqu'un qui s'ra sûrement moins facile à rouler qu' ton idiot d' mari. Vas-y maint'nant. »

Ruth enleva Hebe du berceau et enveloppa la petite fille, molle et tout engourdie de sommeil, dans une de ses couvertures puis dans un grand poncho en caoutchouc que Rip reconnut comme étant celui de Claudius. Il avait été accroché pendant des années à une patère dans la petite pièce donnant sur le jardin derrière la maison. Hebe faisait des bruits secs avec sa petite bouche ronde et charnue. Elle ouvrit de grands yeux gris et regarda sa mère sans manifester la moindre surprise.

« Maman, dit-elle.

— Chut, ma chérie. Chut. Nous allons descendre et jouer à un petit jeu avec grand-maman. Juste une petite minute et on retournera dans ton lit tiède. Maman te le promet. Tu aimerais bien ça, non ? Tu n'aimerais pas jouer à un petit jeu avec grand-maman ?

— Grand-maman », dit Hebe et elle enfouit son visage dans le cou de sa mère. Elle referma ses yeux. Ruth tira le poncho sur la tête

130

de l'enfant et, Hebe dans les bras, elle sortit en silence de la pièce. Elle descendit l'escalier. Rip attendit jusqu'à ce qu'ait retenti le grincement plaintif de la marche au milieu de l'escalier de gauche. Elle se glissa alors dans le hall. Elle jeta un œil rapide sur le carrelage noir et blanc du hall juste en dessous. Elle eut tout juste le temps d'apercevoir un morceau de la traîne du poncho ainsi que le volant qui ornait le bas de la chemise blanche. En un clin d'œil, la porte matelassée de vert qui ouvrait sur la cuisine s'était refermée sur Ruth et sa fille. Rip les suivit en silence.

De même, au moment où elle pénétrait dans la cuisine, la porte mitoyenne de la véranda, derrière la maison, était en train de se refermer. Rip resta un moment dans la pièce vide, devant les grands ustensiles et les accessoires rutilants qui semblaient vivants. Elle ouvrit la porte de la véranda et les suivit, la mère et la fille, dans cette nuit que la pluie emplissait de son grand chant funèbre.

Dans le maelström hurlant qui secouait le jardin, elle les perdit un instant de vue. Elle s'arrêta sur la véranda grillagée, se dissimulant derrière l'une des colonnes de support, cherchant à percer le mur de pluie qui blanchissait le jardin jusqu'à lui donner une opacité effrayante. Elle ne pouvait rien voir ni rien entendre au sein de cette tempête quelque peu magique. C'est alors qu'un éclair semblable à une grande fleur bleue illumina le jardin. Elle retrouva la silhouette de Ruth qui était debout sous la fenêtre d'Alicia. Elle avait dans les bras Hebe qui était enfouie tout au fond d'un cocon formé par la couverture et le poncho. Rip se blottit contre le pilier : elle était en proie à une terreur atavique et involontaire. À ce moment, Ruth Yancey Fox ne semblait plus être une femme vivante et mortelle. Rip avait d'abord pensé à affronter la tempête puis à arracher le bébé des bras de Ruth et courir avec lui... quelque part, n'importe où, simplement pour être en sécurité. Mais elle restait là, clouée sur la véranda, incapable de bouger. À la lueur plus faible de l'éclair suivant, elle se rendit compte que Hebe était bien à l'abri de la pluie battante. Elle était, après tout, bien au sec et au chaud. Sa mère, elle, dégoulinait de partout. On pouvait voir la chair de son corps blanc qui scintillait à travers l'étoffe transparente de sa chemise de nuit.

Le tonnerre roula, s'éloigna et s'arrêta. Pendant un moment, on n'entendit plus que le gémissement du vent et le long soupir de la pluie. Dans ce silence, Rip perçut la voix de Ruth : « Réveille-toi, Hebe. Il est temps de te réveiller. Es-tu réveillée ? Très bien.

Maintenant, je veux que tu appelles grand-maman. Peux-tu faire ça ? Appelle grand-maman, ma chérie. Appelle fort. Fais ça pour maman. Dis : " Grand-maman ! Grand-maman ! Au secours ! " »

Le petit paquet remua. Rip entendit la pleurnicherie effrayée qu'elle connaissait bien. Rip s'écarta du pilier mais la voix de Ruth fit taire les lamentations de l'enfant.

« Appelle grand-maman, Hebe. Nous pourrons alors rentrer à la maison et aller au lit. Maman t'apportera un peu de lait et des biscuits au gingembre. Hebe ! Si tu ne fais pas ce que maman te demande, elle s'en ira et te laissera ici toute seule sous la pluie et le vieil oiseau viendra te chercher. Tu m'entends ? *Maintenant appelle grand-maman !*

— Grand-maman. »

La voix de l'enfant était un vagissement fluet, petit bruit négligeable dans la tempête. Il s'amplifia mystérieusement, atteignit la fenêtre de l'étage et se cogna contre la vitre. Un grand frisson parcourut la peau de Rip.

« Grand-maman ! » de nouveau.

Et encore : « Grand-maman ! Grand-maman ! Au secours, grand-maman... »

C'était un son faible, lointain avec quelque chose de démoniaque mais Rip ne douta pas un seul instant qu'Alicia allait l'entendre. Elle l'entendit. La petite fenêtre s'ouvrit et apparut le visage blême et un peu trouble d'Alicia. Rip entendit sa voix, une voix fêlée, vieille, effrayée mais qui n'hésita pas un instant.

« Hebe ? Hebe ? Est-ce toi, ma chérie ? »

Un murmure de Ruth fut suivi par « Grand-maman, laisse-moi entrer ! »

« Oh, mon Dieu, Hebe ! J'arrive, ma chérie. Grand-maman arrive. » La voix d'Alicia s'estompa à l'intérieur de la chambre. La fenêtre se referma avec un bruit sec. Rip s'enfonça dans la nuit tandis que Ruth, Hebe dans ses bras, grimpait en courant les marches de la véranda et pénétrait dans la cuisine obscure. Au moment où elle passa devant Rip, elle ne pense pas à regarder à gauche ou à droite. De toute façon, Rip savait que même si elle s'était trouvée directement sur son chemin, avec son visage aveuglé par l'eau qui l'inondait, Ruth ne l'aurait pas vue.

Rip entendit les pas qui s'arrêtaient quelque part dans l'obscurité de la cuisine. La nuit redevint silencieuse. Hebe ne murmura pas. À l'extérieur, on n'entendait que le chant du vent et de la pluie. Rip croisa ses bras sur sa poitrine, se balança sans bruit d'avant en arrière sur sa chaise et ferma les yeux.

Elle entendit les pas d'Alicia, rapides et mal assurés, qui descendait l'escalier puis traversait la cuisine. Elle entendit la porte qui s'ouvrait de nouveau. Elle entendit Alicia qui traversait la véranda en trottinant, qui n'hésitait pas à descendre les marches et à se plonger dans la nuit froide comme un tombeau. Elle entendit la petite voix affolée et pleine d'angoisse qui appelait et appelait sans cesse : « Hebe ! Où es-tu, ma chérie ? Grand-mère est ici. Où es-tu ? Appelle-moi, appelle grand-maman... »

Elle entendit le pas ferme et mesuré de Ruth Yancey Fox qui traversait la cuisine jusqu'à la porte vers l'extérieur et la fermait. Elle entendit le claquement sec de la clef tournant dans la serrure. Elle entendit Ruth retraverser la cuisine et le hall puis remonter l'escalier. Elle entendit, avant de prendre la fuite en courant, les mains sur les oreilles, de remonter l'escalier obscur et s'enfermer dans sa chambre, la voix d'Alicia Fox, étouffée et lointaine, qui reprenait comme une litanie : « Laissez-moi entrer ! S'il te plaît, Paul ! Holà ! Quelqu'un, ouvrez-moi ! »

Rip attendit que Ruth eût reposé Hebe dans son berceau. L'enfant s'était déjà rendormie. Ruth regagna sa chambre. Rip se glissa hors de son lit et gagna la nursery. Elle s'avança jusqu'au berceau. Hebe dormait à poings fermés. Son petit corps était chaud et sec. Elle releva les couvertures jusqu'au cou de l'enfant puis entrouvrit doucement la porte du corridor. Elle pourrait toujours déclarer qu'en allant à la salle de bains, elle avait entendu un bruit, en bas et qu'elle avait trouvé Alicia qui errait, toute mouillée et hagarde. Dévorée par l'angoisse, le corps à demi paralysé, elle s'avança tout doucement dans le corridor obscur.

Ruth Fox était debout en haut de l'escalier. Elle ressemblait à une apparition dans sa chemise de nuit blanche qui était à moitié sèche maintenant et ne collait plus à son corps que par endroits. Elle semblait accompagner les derniers éclairs de l'orage de sa propre lumière. Elle se tenait droite et immobile, l'œil fixé sur le trou noir de la cage d'escalier. La bouche de Rip était sèche et sa tête tambourinait. Elle se sentait incapable de faire le moindre geste.

Lentement, la silhouette blanc argent se tourna dans sa direction et dévisagea Rip figée dans l'embrasure de la porte de la nursery.

133

Pendant un long moment, aucune des deux ne remua. Rip rentra dans sa chambre et s'assit dans la chaise à bascule.

Ce fut Pinky, venue allumer le feu dans la cheminée pour le petit déjeuner, qui découvrit Alicia le lendemain matin. Elle la trouva semi inconsciente sur la véranda, à l'arrière de la maison, recroquevillée dans une vieille veste de chasse que Jester avait utilisée pour travailler au jardin pendant les mois d'hiver. La gelée blanche de mars avait furtivement remplacé la pluie. Alicia était toute couverte de givre, blanche comme une statue, comme une effigie de marbre arrachée à sa propre tombe. Les cris de Pinky attirèrent Paul qui sortit de son lit dans la vieille chambre où il allait dormir chaque fois qu'il s'était assoupi dans son fauteuil. Puis il descendit lourdement l'escalier. Ruth avait le visage reposé et humide de rosée de quelqu'un qui sort d'un sommeil profond. Elle le suivit en murmurant son désespoir. Rip prit dans son berceau Hebe qui s'agitait. Elle s'assit avec elle dans la chaise à bascule. Elle ne cessa de la bercer mais elle ne descendit pas l'enfant au rez-de-chaussée pour le petit déjeuner. Quand Hebe eut fini de pleurnicher et de geindre pour retourner au lit, Rip la remit dans son berceau, la couvrit et partit à son tour pour s'habiller. Quand, finalement, elle déboucha dans le corridor, Alicia avait regagné son lit avec des bouillottes et une pile de couvertures. Ruth et Red frictionnaient ses mains bleues de froid et Pinky essayait sans succès de glisser entre ses lèvres blanches et rigides une cuillerée de bouillon de poule arrosé de brandy. Paul, le visage blême et ruisselant de larmes, marchait de long en large et guettait le crissement des pneus de la voiture du docteur Hopkins sur le gravier de l'allée.

Mais elle ne reprit pas conscience. La toux qui était apparue lors du dernier Noël, non seulement ne s'était pas guérie mais avait empiré jusqu'à devenir rauque. Alicia était incapable de leur dire comment elle s'était trouvée sous la pluie, porte close, à l'extérieur de la maison. Paul fut toujours persuadé que sa mère s'était précipitée sous la pluie dans une crise de démence, que par inadvertance elle avait fermé la porte derrière elle et qu'elle en était morte. Elle fut incapable de s'expliquer. Elle ne cessait de répéter sans arrêt, d'une voix fêlée et pleine de douleur : « Hebe ! Hebe ! Ouvrez à Hebe ! » Elle mourut le 6 avril, le jour même où les États-Unis entraient dans le conflit qui devait mettre fin à toutes les guerres. Elle mourut en leur demandant d'ouvrir la porte à Hebe.

134

La nuit de son enterrement, Paul Fox quitta son bureau où il s'était enfermé au retour du cimetière et gagna la cuisine de la Tanière du Renard. Henry, Pinky, Red et Rusty qui étaient restés jusqu'à ce que le dernier invité eût mangé le dernier biscuit et la dernière tranche de gâteau, étaient partis, fatigués et accablés de douleur. Ils avaient tous, depuis toujours, profondément aimé Alicia.

La cuisine était nettoyée, reluisante et sombre. Il était tard. Tout était calme. Paul ouvrit la glacière. Il en sortit du jambon et du poulet froid, des tartes et des desserts à la crème en forme de tourelles et de flèches de fantaisie. Il fouilla sous une serviette blanche d'une grande propreté et découvrit des restes de gâteau et de biscuit. Il versa du lait dans le pichet en waterford d'Alicia et s'assit à la table de la cuisine. Avec ses doigts, il découpa des morceaux de jambon et enfourna dans sa bouche des tranches de gâteau et de tarte. Il mangea et mangea encore. Des croûtes jonchèrent la toile cirée immaculée de Pinky et se mêlèrent à de nombreuses taches de graisse luisantes. Toute la nourriture avait disparu. Paul but le reste du lait dans le pichet. Il se dirigea ensuite vers l'évier, se pencha, eut un haut-le-cœur puis commença à vomir. Il vomit longtemps. Quand il eut terminé, il se lava le visage avec un chiffon humide, s'assit à même le sol de la cuisine et, dans le noir, se mit tout au long de la nuit à pleurer sur sa mère.

Dans sa chambre à coucher, dans la jolie chambre qui avait jadis été celle d'Alicia Fox où l'on sentait encore des effluves de son parfum, Ruth Steed Yancey était couchée en rond sur le grand lit à baldaquin, les genoux repliés sur son estomac, les bras autour de sa tête blonde. Elle parlait en chantant à sa mère.

« C'est fini, Maman, dit la fille de Pearl Steed Yancey. Fini, fini, fini, fini... »

Chapitre XII

Deux semaines avant son sixième anniversaire, à la fin du mois de mars 1921, Hebe eut la première des convulsions spectaculaires qui eurent plusieurs conséquences : ses parents la retirèrent de l'école publique élémentaire et elle resta à la maison où elle suivit, pendant toute la durée de sa scolarité, des leçons particulières sous la direction d'un précepteur. Quand la crise se produisit, l'enfant était seule dans le jardin à l'arrière de la Tanière du Renard. Pinky, jetant un coup d'œil par la porte, la vit en train de se tordre sur la terre noire de la roseraie. Le temps que, de son pas pesant, elle eût rejoint Hebe pour lui venir en aide, l'enfant avait vidé sa vessie et ses intestins, s'était mordu la langue qui saignait abondamment sur son tablier d'organdi et avait mollement sombré dans l'inconscience. Ruth, qui avait quitté sa fille quelques minutes plus tôt, juste avant que n'éclate la crise, pour aller se chercher un chapeau de paille, était pâle, totalement désemparée et bien incapable de donner une explication à ces convulsions.

« Elle allait très bien. Elle courait autour du jardin, gaie comme un pinson », dit-elle au docteur Hopkins qui la pressait de questions.

Ils étaient sous la tonnelle de glycines sur la véranda devant un thé glacé. Le docteur avait examiné longuement l'enfant et l'avait laissée, l'écume aux lèvres, aux soins de Rip dans sa petite chambre juste à côté de celle de Ruth et de Paul. Le docteur ne pouvait, à première vue tout au moins, expliquer ces convulsions. Dans les heures qui avaient précédé la crise, Hebe n'avait pas eu de fièvre, n'avait souffert d'aucune blessure et ne s'était plainte ni de mal de tête, ni d'étourdissement, ni de nausée. Le docteur était déconcerté. Il ordonna qu'elle reste sous sa surveillance pendant vingt-quatre heures en observant un repos complet. Quand Hebe reprit conscience, elle était somnolente et docile et ne se souvenait de rien.

136

Dans les mois qui suivirent, Hebe fut emmenée dans un hôpital neurologique pour enfants, très réputé, à Atlanta. On lui fit subir la plus complète série d'examens médicaux. Les médecins ne trouvèrent rien. Hebe ne souffrait ni d'une tumeur au cerveau, ni d'hyperinsulinisme, ni d'hypoparathyroïdie, ni de l'une de ces maladies nerveuses qui transforment les enfants en marionnettes grotesques. Elle n'avait jamais, dans sa vie bien protégée, fait de chute et malgré son inquiétante fragilité, elle n'avait jamais souffert de fièvres fortes ou de maladies graves. Les docteurs conclurent, sans l'assurer formellement, qu'il s'agissait d'un type d'épilepsie transitoire dont l'origine aurait pu être une blessure à la tête au cours de sa longue et difficile naissance, blessure passée inaperçue. Il y avait peu d'espoir de guérison mais, à leur avis, les crises de convulsions seraient si espacées qu'elles ne présenteraient aucun inconvénient majeur dans la vie de l'enfant. D'autant plus qu'il y avait de fortes chances qu'elle n'en eût plus jamais.

Mais Ruth ne voulut prendre aucun risque. Un précepteur fut trouvé pour Hebe. À dater de ce jour, elle s'installa pour étudier — quand elle étudiait quelque chose — dans la salle où, avant elle, son père et son grand-père avaient travaillé. Dès le début, il fut évident que ce ne serait pas une intellectuelle.

Les crises d'hystérie et de convulsion se reproduisirent à intervalles irréguliers pendant cette enfance cloîtrée d'Hebe. Après chaque crise, Ruth gardait sa fille plus près d'elle et restreignait davantage ses activités sociales et physiques. Hebe devint une enfant nerveuse, agaçante, tournant sans arrêt autour des jupes de sa mère. Elle présentait un visage étrange, presque albinos, surmonté d'une chevelure pâle et légère. Le haut du visage était dominé par des yeux énormes, lumineux, de couleur grise, entourés d'un cerne bleu-blanc. En présence de sa mère ou de Rip, c'était un moustique minuscule, léger, papotant sans arrêt, racontant de sa petite voix douce, menue et bourdonnante, des choses étranges en termes souvent mystérieux. Laissée à sa solitude, loin de Rip ou de sa mère, l'enfant devenait silencieuse. Ses yeux étaient exhorbités, la peau qui entourait la base de son petit nez devenait blanche et, si elle ne les trouvait pas rapidement, ses pleurnicheries paniquées se métamorphosaient en hurlements éclatants et apeurés.

Seule, Rip, de tout le personnel de la Tanière du Renard,

137

soupçonnait que les crises d'Hebe n'étaient pas de l'épilepsie. Seule Ruth savait que c'était de la peur.

Le jour de la première crise, Hebe avait suivi dans le jardin derrière la maison sa mère qui cueillait les premières tulipes. Elle trottinait de son pas léger et vagabond au milieu des fleurs soignées maintenant par le vieux Ramah Williams de Suches aidé de son petit-fils, Fortune. Hebe était énervée à l'idée de son sixième anniversaire. Elle était excitée au plus haut point par le goûter que lui avait promis Ruth pour fêter l'événement. Il devait y avoir un gala avec une tente rayée dans le jardin si le temps était au beau, des chapeaux en papier, des ballons, des confetti, des jeux, des ice-creams et des gâteaux, sans parler du poney réservé aux petits garçons et petites filles privilégiés de Sparta, c'est-à-dire ceux qui deviendraient les camarades d'école d'Hebe après son entrée en onzième, en septembre prochain. L'école était un sujet sur lequel Hebe se révélait un intarissable petit perroquet : « Quand j'irai en classe... Quand je serai une grande fille en onzième... Quand j'aurai un bureau à l'école en face de Tommy Munro, nous serons des amoureux...

— L'école, c'est difficile, tu sais, et les petites filles qui passent leur temps à étudier deviennent en grandissant des bûcheuses qui n'ont jamais de petits amis », lui dit Ruth.

À Paul, elle expliqua qu'il était clair qu'Hebe n'était pas douée pour les succès scolaires et qu'elle essayait à l'avance de préserver son enfant des déceptions qu'elle devrait subir si elle suivait les sentiers de l'Académie.

« Est-elle vraiment si bête ? dit-il, sceptique, en regardant l'enfant qui allait fébrilement d'un jouet à l'autre, d'un sujet de conversation à l'autre. Je pense qu'elle est peut-être seulement..., comment dirais-je, impressionnable. Elle me semble à moi, au contraire, très éveillée.

— L'amour t'aveugle, mon chéri, dit Ruth. Hebe est une fille délicieuse et charmante. Je pense que ce sera une véritable beauté mais soyons réalistes, elle n'est, tout simplement, pas très intelligente. Et il n'y a aucune raison pour qu'elle le soit. Elle sera un joli ornement pour son petit monde, une femme adorable et pleine de grâce. Et qu'a-t-elle besoin d'être autre chose ? Après tout, ce n'est pas comme si elle devait se tailler un chemin dans le monde.

— Je suppose que non », dit Paul avec regret, songeant aux caisses de livres classiques bien-aimés, aujourd'hui négligés et se couvrant de poussière au grenier. Il était clair que sa fille ne les lirait

138

jamais et il commençait à penser qu'il n'aurait également aucun fils pour les lire. À vingt-huit ans, des tumeurs fibreuses s'étaient greffées sur les ovaires de sa femme délicate et adorable si bien que, disait-elle, les jours où elle avait ses règles étaient de véritables périodes de torture et que ses chances de redevenir enceinte étaient d'autant diminuées. En outre, elle lui déclarait avec tristesse que s'il lui arrivait d'être à nouveau enceinte, cela vraisemblablement la tuerait. Leurs relations intimes, qui étaient déjà assez rares, s'amenuisèrent tant qu'elles finirent par disparaître et Paul cessa de soupirer après le fils qui pourrait lire ses livres bien-aimés, qui viendrait sur ses genoux le soir après dîner, puis qui s'assierait dans le fauteuil de son grand-père à l'université et qui, plus tard, s'installerait à la tête de la grande table d'acajou dans la salle à manger de la Tanière du Renard.

« Bien, se dit-il, Hebe restera ici avec son mari, peut-être, et tôt ou tard un garçon finira bien par arriver... Ce n'est pas comme s'il n'y avait plus aucune possibilité d'avoir un autre Fox dans la Tanière du Renard. »

Au jardin, ce jour-là, Hebe interrompit soudain son babillage incessant sur l'école et sur son goûter d'anniversaire, leva les yeux et dit : « Qu'est-ce que c'est, un enfant de l'amour, maman ? »

Ruth se figea et la regarda :

« Qui t'a parlé de cela ?

— Rip. Elle a dit que le nouveau petit-fils de Pinky était un enfant de l'amour. Elle a dit que c'est pourquoi il accompagne Pinky dans un panier quand elle vient travailler. Personne d'autre ne prendra soin de lui puisque c'est un enfant de l'amour. Moi, maman, j'aimerais bien en avoir un. Est-ce que je peux avoir un enfant de l'amour ? J'en aurai un dès que j'aurai l'âge pour l'avoir. Rip dit que de tous les enfants, ce sont les plus beaux. »

Les yeux de Ruth prirent la teinte bleu-noir d'une mer en furie comme si elle venait de recevoir un coup. Hebe fit un pas en arrière et se mit un doigt dans la bouche. Ce regard, elle le craignait et le détestait. Quand les yeux de sa mère étaient comme cela, elle s'éloignait, devenait une étrangère, n'était plus là. Hebe ne la reconnaissait pas à ce moment-là. Elle laissa échapper un petit cri involontaire.

Ruth se mit à genoux et prit les épaules d'Hebe dans ses mains. Ses ongles laqués de rose avec leurs lunules blanches, labourèrent la chair rose et rencontrèrent les os délicats.

139

« Tu veux savoir ce qu'est un enfant de l'amour ? dit Ruth. Je vais te le dire. Je vais te dire comment tu peux avoir toi-même un enfant de l'amour. Tu peux avoir un enfant de l'amour quand tu le voudras, Hebe. »

La voix de Ruth devint nasillarde et c'était une voix qu'Hebe n'avait jamais entendue auparavant.

« Il faut d'abord que tu te trouves un garçon, dit Ruth. N'importe lequel fera l'affaire. Des garçons, y n'en manque pas. J' parie qu'y en a un juste derrière ce buisson. Y t'attend, Hebe. Y attend qu' j' sois partie pour arriver et t' fair' un enfant d' l'amour. Et tu sais ce qu'il va faire quand je s'rai partie, Hebe ? Tu le sais ? »

Ruth regarda sa fille avec des yeux morts.

« Non, m'man, murmura Hebe.

— Eh bien, ce garçon, il a cette vieille chose entre les jambes et ça enfle et ça devient gros et long et tout rouge et il sortira de ce buisson et te renversera sur le dos, il écartera tes jambes et il t'enfoncera cette vieille chose là, juste là où tu fais pipi et il farfouillera d'avant en arrière et bientôt, tu l'entendras hurler et il te déchargera dans le ventre sa vieille saloperie blanche, elle coulera tout au long de tes jambes et tu auras du sang, aussi. Du sang, t'en auras plein les jambes. Après ça, t'auras un enfant de l'amour. C'est comme ça qu'il faut que tu fasses, Hebe.

— Maman, maman... » Hebe commença à geindre et même à pleurer. Ses petits pieds s'agitaient et dansaient sur le sol. Ses mains, affolées, s'accrochaient à sa mère. Ruth s'en détacha. Elle regarda de l'autre côté de la roseraie vers les hauts buissons de buis qui séparaient le jardin de la Tanière du Renard de l'ancienne case d'esclave, aujourd'hui désaffectée.

« Tu vas tout de suite l'avoir, ton enfant de l'amour, cria-t-elle en montrant la haie du doigt. Parce qu'il y a un garçon là, juste derrière cette haie. Quand je partirai, y va v'nir dans la roseraie, il te culbutera et t'en fera un. C'est ça que tu veux, Hebe ? J'espère que tu aimeras ça parce que je m'en vais et le voilà qui vient. »

Elle tourbillonna et sortit de la roseraie, escalada les marches de la véranda et disparut dans la maison.

Hebe tourna en rond dans la roseraie comme un chien mortellement blessé, ses petits poings fouettant l'air vide, sa tête se balançant bizarrement. Elle hurla et hurla. Personne ne l'entendit : il n'y avait plus d'air dans ses petits poumons. Lorsqu'elle put accumuler suffisamment d'air pour articuler un son, elle fut prise de convulsions et sombra dans l'inconscience.

Quand Hebe se réveilla dans son petit lit aux draps parfumés, le visage de Ruth fut la première chose qu'elle vit. Elle se blottit dans le corsage de sa mère d'où s'échappait une douce odeur de lavande. Elle ne se souvenait pas de ce qui lui était arrivé dans le jardin mais elle se souvenait de la peur. Elle serra son petit corps contre celui de Ruth jusqu'à ce qu'elle eut l'impression que leurs chairs se confondaient. La chevelure de Ruth était coupée court maintenant. Elle couvrait son grand front blanc. Ils glissèrent et formèrent un écran devant le visage de sa fille, balayant les yeux fermés. Hebe entendit son murmure : « C'est tout, mon bébé. C'est tout, Hebe. Maman est ici. Maman ne te quittera jamais plus. Jamais. Maman restera avec toi toujours. Tu as besoin de ta maman, n'est-ce pas, mon trésor ?

— Oui, pleura Hebe avec gratitude. Oui. »

Rip avait mal et son cœur débordait de colère, de chagrin impuissant, de désespoir pour Hebe mais on ne pouvait lire la moindre surprise dans ses yeux noirs. Elle avait déjà été témoin d'autres incidents : depuis la naissance d'Hebe, Ruth plaçait alternativement sa fille dans des situations difficiles où elle risquait d'être blessée ou d'avoir peur puis elle se précipitait à son secours en la couvrant de câlins, de baisers et en lui promettant de ne plus jamais la quitter.

« Les petites filles ont besoin de leurs mamans » fut la première phrase complète qu'Hebe prononça en zézayant.

Mais Rip le savait, Ruth n'aurait pas laissé Hebe se blesser physiquement. À sa manière plutôt bizarre, pensait Rip, Ruth Fox en était venue à aimer sa petite fille ; tout au moins, son besoin de l'avoir à ses côtés n'était pas feint.

À 28 ans, Ruth traînait dans son sillage une sorte de grâce intemporelle un peu anachronique au cœur de cet âge du jazz désinvolte de l'après-guerre, à la mode dans le pays tout entier. Si l'on exceptait sa ressemblance étonnante avec Mary Pickford, coqueluche de l'Amérique tout entière, elle appartenait à une autre époque que ni ses amis ni même Paul, indulgent jusqu'à la bêtise, n'auraient su préciser. Elle était merveilleusement belle, et pourtant, elle ne donnait pas l'impression d'être à l'apogée de sa beauté. Elle semblait plutôt avoir atteint un sommet de perfection qu'elle ne quitterait jamais. Elle allait son chemin paisiblement à travers les jours avec une immense dignité naturelle et une présence qui venaient de sa volonté de fer et de son manque total d'humour. Il était aussi difficile d'imaginer Ruth Fox enfant que de prévoir comment elle deviendrait dans sa vieillesse.

Elle était fort admirée par la jeunesse dorée de Sparta même si, en fait, elle n'était pas populaire. Les jeunes Fox étaient demandés partout et, d'ailleurs, se rendaient aux invitations, mais aucune des autres jeunes femmes sudistes de son milieu ne lui fut jamais proche. Cependant on ne colportait sur elle aucun des ragots dont étaient victimes les femmes n'appartenant pas à leur petit cercle. Il y avait dans ses brillants yeux bleus qui semblaient détailler l'horizon lointain quelque chose de différent et d'inhabituel qui les hantait et clouait leurs langues.

Même parmi la vieille garde, ces contemporains d'Alicia et de Claudius Fox, spartans depuis cinq ou six générations, on entendit à propos de Ruth Yancey Fox peu de ces cancans mondains et venimeux que, dans le Sud, on permet aux aînés. Presque miraculeusement, il ne lui fut pas tenu rigueur dans les salons et les clubs du vieux Sparta de ses origines sociales et de son passé. Il y avait dans sa silhouette mince et droite et dans son visage pâle et brûlant quelque chose qui commandait le respect aux plus anciens et qui, en profondeur, même s'ils étaient peu nombreux à s'en rendre compte leur faisait plutôt peur. Lorsqu'elle se rendait en visite dans les autres maisons blanches de la rue de l'Église, on aurait été bien en peine de trouver une quelconque trace du village de la filature. Les spectres de Pearl Steed et de Cater Yancey ne l'accompagnaient pas dans ces salons.

À la veille du goûter qu'elle offrait pour le sixième anniversaire de sa fille, Ruth entra dans la chambre d'Hebe et s'assit au bord du petit lit peint de sa fille. Elle repoussa une mèche de cheveux sur le front de Hebe qui avait retrouvé son calme depuis la crise de convulsions qui l'avait saisie deux semaines plus tôt. Elle plongea son regard dans les grands yeux gris. C'est un regard semblable au sien qu'elle rencontra, mais frivole et sans ombre.

« Je crois que j'ai eu une bonne idée, ma chérie, dit Ruth. Et si on n'invitait que des petites filles pour ton anniversaire, non ? Ce soir, je

142

peux appeler les mères des garçons... Les garçons sont si méchants et si désagréables. Ils font du mal aux petites filles.

— Oh, oui, maman, faisons comme ça, dit Hebe d'une petite voix. Les garçons, c'est désagréable ! »

Ruth serra sa fille contre elle.

Chapitre XIII

Puis ce fut un temps de grâce d'autant plus intense qu'il fut plus fugace où la vie sembla se balancer comme un hamac précaire entre deux guerres. La Tanière du Renard suivit son chenal, gentiment et sans heurts, grand bateau solide flottant sur les mers dansantes des années vingt. Ruth Yancey, elle aussi, poursuivit sa route avec sérénité vers la trentaine, puis vers la quarantaine.

Ruth maintenant, par la force de sa volonté et la puissance de son charme, avait tout pouvoir sur son mari. Elle le flattait et savait le plonger dans un état de contentement béat et plein de torpeur. Elle devinait que la tristesse que la mort de ses parents continuait à provoquer en lui, la déception qu'il ressentait devant l'attitude de la frivole Hebe, enfin les désagréments que lui procuraient ses travaux juridiques, pourraient à la longue l'aigrir outre mesure et le transformer en un rebelle peut-être dangereux. Elle se souvenait de la leçon que Pearl lui avait enseignée : « Ne tiens rien pour acquis ! Ne laisse rien au hasard ! »

Elle s'acheta un tas de vêtements « fantaisie » qu'il aimait lui voir porter. Elle se pendit à ses lèvres pour l'écouter parler de son travail ou des allées et venues dans la communauté masculine de Sparta. Avec la vieille Pinky qui n'appréciait guère, elle passait des heures à composer des menus où figuraient des recettes très élaborées avec les plats riches et lourds qu'il préférait.

Les plaisirs de la table étaient presque les seuls plaisirs physiques qui restaient à Paul Fox. Ruth avait réussi à lui faire regagner son ancienne chambre et pratiquement ne partageait plus jamais son lit. Mais à mesure que son ventre s'amplifiait et que son âme se sclérosait sous les attentions multiples de Ruth, Paul se métamorphosait graduellement en un eunuque bienveillant. Il se contentait de regarder la chair blanche et le visage de cristal de sa femme quand elle

144

était assise à ses côtés, le soir, ou en face de lui quand ils dînaient à la table d'acajou ou quand ils recevaient ses amis d'enfance. L'estime et le respect avaient remplacé le désir. Les quelques moments exaltés et sauvages aux premiers temps de leur mariage, étaient devenus, avec la distance de la mémoire et la patine du temps, des nuits fabuleuses. Il les évoquait souvent dans son esprit à la manière d'un homme qui caresse des diamants parfaits. Il ressentait un sentiment de satisfaction libidineuse à l'idée d'avoir été un jour capable de provoquer chez une créature aussi extraordinaire tant d'excès de passion et il la remerciait confusément de ne plus lui demander le moindre effort.

Sous la pression de Ruth, les livres classiques avaient été descendus du grenier. Le soir, il les lisait à haute voix à Ruth et à Hebe avec une joie sans pareille. Il ne relevait jamais son crâne chauve et luisant des pages qui lui plaisaient tant. Il ne surprenait pas l'ennui qui blanchissait les yeux de Ruth et d'Hebe.

Les Fox sortirent de moins en moins. Ruth n'accordait plus la moindre importance à ces sorties. Avec les années, sa répugnance des femmes sudistes, bavardes et sûres d'elles, plus tard de leurs filles, s'était transformée en une sorte de dédain impatient, mais Ruth n'aimait pas beaucoup perdre son temps en leur compagnie : elle s'y ennuyait. Paul, solitaire depuis son enfance, ne désirait rien d'autre que sa femme, sa fille, ses livres et ses petits plats raffinés. Pendant les années folles, alors que le monde autour d'eux courait les rues, emplissait les speakeasies[1] et les stades, les Fox de la Tanière du Renard se repliaient sur eux-mêmes, composant un charmant petit cercle familial de trois personnes et cela, pour le moment, leur suffisait.

Il y avait quand même quelques ombres dans ce paradis. Le docteur Hopkins grognait d'indignation quand Paul, avec réticence, passait sa visite médicale annuelle.

« Un de ces jours, si vous ne perdez pas un peu de poids et si vous ne faites pas baisser votre tension, vous vous écroulerez sur la table de la salle à manger avant même d'atteindre quarante-cinq ans, dit-il à Paul. Vous avez vu votre père et votre grand-père mourir de cette fameuse gloutonnerie des Fox ? Désirez-vous marcher sur leurs traces et quitter votre charmante femme et votre délicieuse enfant ? Je

1. Speakeasy : saloon clandestin pendant la prohibition.

145

suis sérieux, Paul. Si votre cœur ne vous lâche pas, c'est d'une congestion cérébrale que vous mourrez. Sortez, jouez au golf, faites du tennis, de la marche à pied, montez à cheval, faites de la gymnastique, achetez un Pogo Stick[1]... N'importe quoi, mais faites quelque chose. Pour l'instant, rentrez chez vous et dites à Ruth que je souhaiterais qu'elle m'appelle ou qu'elle passe me voir : je lui donnerai une feuille de régime à votre intention. Je parierais que vous ne lui avez donné aucune de celles que je vous ai envoyées et je parierais aussi que vous ne lui donnerez pas celle-ci. Je veux vous revoir dans deux mois et je veux vous revoir plus maigre de dix kilos et ce n'est qu'un début. »

Paul rentra chez lui mal à l'aise et plein de bonnes résolutions. En vérité, il ne souhaitait pas abandonner sa femme et sa fille, sa petite vie confortable et bien ordonnée... Il commencerait dès aujourd'hui son régime basses calories et sans sel... Mais il avait sauté son déjeuner pour se rendre à son rendez-vous et, dès trois heures, les plats qui devaient composer son dîner dansaient à l'envi devant ses yeux.

Toujours discipliné, il tendit la feuille de régime à Ruth en lui répétant les déclarations du docteur. Mais sa résolution fondit comme neige au soleil lorsqu'elle lui dit : « Oh ! Alex Hopkins n'est qu'un vieil inquiet et un rabat-joie. Regarde-le ! Maigre comme un clou et à peu près aussi aimable que du vinaigre. Je parie qu'il n'a jamais pris plaisir à un seul repas dans sa vie. Chacun sait qu'un homme costaud est un homme en bonne santé et j'aime voir que tu aimes les petits plats que je te cuisine. »

Le lendemain soir, Paul se mit à table et engouffra des côtes de porc accompagnées de pommes de terre en purée, puis la vie à la Tanière du Renard reprit, inchangée. Dans le même temps, Ruth commençait avec douceur et délicatesse à imprimer sa marque sur les quelques associations charitables, civiques ou commerciales dont Paul avait encore la responsabilité. Paul entrait dans sa quarantième année. Il appartenait à un nombre respectable de conseils d'administration et de comités, aussi bien en ville qu'à l'université : il ne les avait pas obtenus grâce à son mérite mais simplement parce qu'il était

---

1. Tige en métal avec un ressort à l'une de ses extrémités. On y attache deux pédales. En tenant le haut de la tige, et en appuyant sur les pédales avec les pieds, on peut avancer par petits bonds.

gentil, conservateur, sérieux, et qu'il y avait toujours eu un Fox dans ces associations. En tant que juriste, Paul était un homme digne de confiance, consciencieux, qui avait une manière courtoise et aimable d'accueillir les clients, en particulier les vieux clients des firmes de Sparta. Dans sa position d'exécuteur et de confident, il avait dans ses petits doigts boudinés la possibilité de sentir battre le pouls et la fortune de la plupart de ceux qui représentaient la vraie puissance dans cette ville.

Il était constamment étonné par le sens des affaires et des questions financières que possédait Ruth. Quand elle commença, en hésitant et avec modestie sous ses longs cils d'or, à se risquer à quelques commentaires et quelques suggestions, Paul l'écouta avec intérêt et sans aucune trace de condescendance maritale. Quelques-unes de ses idées étaient audacieuses et innovatrices et on sentait en elles le signe distinctif d'une femme d'affaires. Il en avait présenté certaines aux réunions suivantes et on l'avait félicité pour l'originalité de sa pensée. Ces idées, il les avait prises à son compte, certes, mais pour certaines autres, son sens de l'honneur aussi bien que son admiration sincère le poussèrent à affirmer avec un ton d'onctuosité affectueuse qu'elles étaient de sa femme.

« Ruth a dit » et « Ma femme me faisait remarquer » devinrent bientôt des phrases familières dans les salles de réunion aux boiseries dorées de Sparta. On entendit plus d'un banquier ou un propriétaire terrien qui déclarait, quand Paul n'était pas dans les parages immédiats, qu'il était fort dommage que Mme Ruth ne puisse faire partie d'un conseil d'administration : il était évident comme le nez au milieu de la figure qu'elle avait autant le sens de l'argent qu'elle était belle femme.

Aussi commença-t-on à la prendre au sérieux dans les conseils et les bureaux commerciaux de Sparta. Bientôt Ruth cessa d'être un pur esprit dont les paroles flottaient dans l'air enfumé des salles de réunion pour devenir une personne en chair et en os qui faisait sentir sa présence.

Elle avait depuis longtemps la haute main sur les opérations financières de la famille Fox ainsi que sur les comptes de la maison. Paul n'était pas incompétent mais il préférait ne pas y regarder de trop près lorsqu'il s'agissait de payer des notes ou des hypothèques ou encore de savoir quelle somme disponible pouvait être investie. Ruth le persuada, juste après la mort d'Alicia, de la laisser s'occuper des questions relatives au patrimoine familial.

« Parce que, mon chéri, tu as déjà tellement de travail en ce moment, alors que moi, j'ai tous les domestiques et Rip pour m'aider avec Hebe. De plus, j'aime vraiment manier l'argent et tu dis toi-même que je m'en tire très bien. »

Elle s'en tirait en effet très bien. Utilisant les renseignements qu'elle glanait sur les comptes que ramenait Paul à la maison quand il rentrait du bureau ou juste après ses rendez-vous professionnels, Ruth commença à acheter des biens immobiliers. Elle savait avant tout le monde quel illustre Spartan, très dépensier et imbibé de bourbon, était sur le point de perdre sa demeure familiale parce qu'il n'avait pas payé ses impôts. Elle lui faisait une offre, au rabais certes, mais elle avait l'avantage de payer sur-le-champ. L'autre pouvait ainsi envoyer ses enfants au collège, continuer à se noyer dans le White Turkey et s'éviter la disgrâce d'une vente publique au milieu des crachats sur les marches de marbre du tribunal du comté de Chilton. Elle apprenait par Paul quelle vieille veuve sénile et entêtée avait insisté, à la mort de son mari, pour s'accrocher à une vieille maison aussi immense que délabrée dans la rue de l'Église. Cette veuve avait aussi laissé ses enfants exaspérés se débrouiller avec des impôts sans cesse croissants. Elle était maintenant au bout du rouleau et avait assez peu d'espoir de pouvoir assurer la prochaine échéance. Ruth allait tranquillement voir l'aîné des enfants. À la mort de sa mère, il se souvenait de l'offre de Ruth et la saisissait avec empressement. Quelques-unes des propriétés ainsi acquises, en particulier celles sur lesquelles on avait déjà construit, elle les revendit et investit l'argent dans de nouvelles terres. Bientôt, presque tout le terrain le long de la route en terre rouge, désolée et tortueuse, qui menait de Sparta à la limite du comté appartint aux Fox. Ruth n'aurait pu dire ce qui la poussait à acheter tout cela mais une force implacable au plus profond d'elle-même lui démangeait les doigts jusqu'à ce qu'elle ait apposé sa signature sur les papiers. Elle les garda pendant des années, durant toute la récession et la grande dépression et puis, un jour de 1959, l'État lui fit une offre, presque indécente dans sa munificence, de transformer la vieille route en autoroute.

Grâce aux conseils d'administration de la banque et de la filature, elle avait très tôt des informations privilégiées sur les partages d'actions et sur les nouvelles offres mais Ruth n'achetait que peu de valeurs boursières. La certitude qui s'était imposée comme un feu sacré dans les cœurs et les cerveaux de ces femmes frêles et indomptables du Sud après la guerre civile était que la terre... la terre, le sol, l'argile rouge, les maisons bâties dessus... que c'était la seule valeur importante, que cela seul comptait, que cela seul durerait. C'était la conviction que Ruth avait mise en pratique.

Aussi lorsqu'aux cris frénétiques de « Plus de couverture ! Plus de couverture ! » se produisit la grande dépression qui ravagea le Sud comme le reste du pays, Ruth et Paul Fox ne souffrirent pas matériellement. Ruth vendit quelques terres pour payer ses impôts, en acheta plus encore dans les adjudications publiques, diminua les dépenses de la maison au maximum, serra les dents et tint bon. Lorsque la Seconde Guerre mondiale tomba sur la tête des Américains et que la production de guerre permit le retour de la prospérité dans le pays, Paul Fox cligna des yeux, hocha la tête, regarda autour de lui et découvrit qu'il était devenu un homme puissant. Et Ruth était devenue une autorité à Sparta. Elle était même plus que ça. Par essence mais d'une manière obscure, elle *était* Sparta. C'était exactement ce qu'elle avait voulu devenir.

Chapitre XIV

Pour la majeure partie du pays qui s'enfonçait de plus en plus dans le désespoir, 1933 fut l'année la plus sombre d'une décennie marquée par les épreuves et les souffrances. A Atlanta, à seulement quatre-vingt-dix kilomètres de Sparta, la disette fut réelle et cruelle. Les hommes d'affaires et les commerçants, en regagnant Sparta, racontèrent des histoires horribles de gens qui faisaient la queue pour obtenir un bol de soupe, d'hommes aux yeux éteints qui, sur les trottoirs, à chaque coin de rue, vendaient des pommes, de Hobo Jungles[1] et de Hoovervilles[2] battus par le vent où, s'abritant sous de vieilles caisses et sous de la tôle ondulée, des familles entières vivaient à l'ombre des hauts bâtiments municipaux.

Ce fut aux États-Unis le temps de la désespérance. Herbert Hoover avait dit, le matin même où les banques fermèrent leurs portes : « Nous sommes au bout du rouleau. Nous ne pouvons rien faire de plus. » Pour lui, en tout cas, tout était fini. Ce fut son dernier jour à la présidence. Franklin Delano Roosevelt devait dormir la nuit suivante à la Maison-Blanche. Ce fait nouveau allait être à l'origine d'un grand changement dans la vie de ce pays en état de siège. Et aussi d'un changement fondamental dans la vie d'Hebe Fox et d'un changement définitif dans celle de Paul Fox. Ce fut sous l'égide du nouveau Civilian Conservative Corps[3] de Franklin Delano Roose-

---

1. Hobo Jungles : camp situé généralement le long des voies ferrées où se regroupaient les *hoboes* ou vagabonds.
2. Hoovervilles : nom donné pendant la Dépression par haine du président Hoover, considéré comme responsable de la crise, aux cités-taudis construites aux abords des grandes villes, et parfois même près du centre, par ceux qui n'avaient plus de maison.
3. Civilian Conservative Corps (C.C.C.), créé par F. D. Roosevelt le 31 mars 1933 avec pour mission d'enrôler un million de jeunes gens sans travail pour participer à des travaux de reboisement, à la lutte contre les inondations et à la conservation du sol.

velt qu'un jeune homme d'origine germano-irlandaise, Johnny Geiger, beau et désinvolte, vint à Sparta pour superviser l'implantation d'un projet fédéral destiné à contrôler les crues du fleuve Oconee. Il y demeura pour conquérir le cœur de Hebe Pearl Fox.

Hebe, à dix-huit ans, était sensiblement restée la même qu'à 5 ans ou à 12 ou 15 ans : petite, les os menus, la voix et l'esprit légers, maladroite, attachante et surtout, différente de toutes les filles de sa génération qu'on pouvait rencontrer à Sparta.

Dans son enfance, les cheveux impalpables et lumineux qui lui venaient de Ruth, les immenses yeux gris, cerclés de blanc, qu'elle tenait de ses ancêtres de la Nouvelle-Angleterre dans la lignée d'Alicia, les traits délicats provenant des Fox et la large bouche frémissante de Cater Yancey avaient fait d'elle une enfant bizarre, attirante à sa manière sauvage mais pas tout à fait humaine. C'était comme si le petit corps gracile, sans repos, agité, vif, léger de Hebe, était rehaussé comme celui d'une déesse égyptienne par la tête d'un petit animal.

Aux alentours de son seizième anniversaire, les caractéristiques étrangement disparates de son enfance se fondirent ensemble comme par une opération magique. Elle devint une fille aussi belle que sa mère l'avait été quoique d'une manière totalement différente. Tandis que, depuis l'enfance, il avait toujours émané de Ruth Yancey Fox quelque chose de splendide, de chatoyant et d'accompli, de même, pendant toute sa vie, Hebe donna l'impression d'être un être vulnérable et inachevé.

Hebe n'était pas une jeune fille populaire. Elle l'avait toujours su. Cela tenait autant à son comportement qu'à ses yeux gris ou à sa petite taille. Cela ne la gênait guère. Depuis toujours, Hebe avait vécu à l'intérieur de l'univers personnel créé par son propre esprit et pas le moindre événement du monde extérieur ne pouvait rivaliser avec ce territoire magique.

Elle ignorait tout du monde, de ses pouvoirs, de ses plaisirs, de ses douleurs. Parce que Ruth lui dictait sa conduite dans presque toutes les circonstances de sa vie quotidienne, Hebe se croyait incapable de choisir ses propres vêtements, de conduire une voiture, d'aller seule à Atlanta par le train, de donner une réception, de préparer un plat, d'envisager de faire des études un peu plus avancées que les rudiments de son précepteur lui avait inculqués, de réfléchir à une quelconque carrière, d'intéresser un prétendant ou d'aspirer à un mariage brillant. En fait, Hebe n'envisageait même pas de pouvoir se marier un jour.

Cela ne la tracassait pas plus que ses lacunes dans les autres domaines. Hebe pensait qu'elle vivrait probablement toute sa vie dans la chaleur et la sécurité au cœur des froufrous de sa chambre au premier étage de la Tanière du Renard. Le mariage lui semblait quelque chose de lointain, presque d'exotique et en même temps quelque chose de fastidieusement banal.

Dès qu'Hebe manifestait le plus petit intérêt ou la plus petite curiosité pour un des héritiers d'une vieille famille de Sparta, Ruth fronçait ses sourcils dorés et délicats puis riait de son petit rire de flûte en murmurant : « Oh, Hebe, vraiment ! Il y eut d'abord ce chaton égaré et dégoûtant. Et maintenant, voilà Wade Forrest ! Tu es vraiment la plus inconsciente des dindes. » Ou plus tard : « Chérie, il y a beaucoup, beaucoup de filles qui ne se marient jamais et qui sont aussi épanouies et heureuses qu'on peut l'être. Il n'y a certainement rien de honteux à choisir de rester célibataire mais j'ai toujours pensé que c'était honteux de se marier sans en avoir envie, simplement pour le plaisir de se marier. Tu es trop sensible et une fille trop spéciale pour l'un de ces garçons bornés et communs de Sparta. »

A dix-huit ans, la pensée que sa mère, son père et Rip pouvaient mourir un jour et la laisser seule n'avait jamais effleuré Hebe.

Hebe avait eu une enfance cloîtrée à l'extrême et pleine d'interdits mais, n'ayant aucun point de comparaison, elle n'en était pas mécontente. De toute façon, elle n'avait jamais été coupée complètement de la jeunesse de Sparta. Ainsi Hebe suivait-elle docilement les cours de l'école de danse, allait-elle en compagnie de Ruth et de Paul à l'école du dimanche et à l'église, était-elle conduite à Atlanta une fois par semaine : elle y suivait des cours d'histoire de l'art au musée des enfants, elle avait des rendez-vous réguliers chez le pédiatre et le dentiste et participait sous la direction experte de Ruth à de véritables expéditions dans tous les magasins. Quand elle arriva à l'âge de l'adolescence, elle fut invitée aussi souvent que la courtoisie et le nom des Fox le requéraient. Elle fréquenta les réceptions, les thés dansants à l'hôtel, les soirées dansantes au

Country Club. Sa garde-robe exquise et sa beauté étrange éveillèrent au début l'intérêt d'une foule de jeunes héritiers de Sparta et d'universitaires en renom.

Mais tous, l'un après l'autre, la laissèrent tomber. Hebe n'avait guère de conversation ni aucun sens de la badinerie ; jamais elle ne sut pratiquer l'argot désinvolte de la fin des années vingt et du début des années trente et, malgré son luxe, ses vêtements riches, on sentait autour d'elle une fragilité qui était l'antithèse de l'atmosphère qui régnait autour de la « flapper » irrespectueuse. Il s'attachait à elle, également, l'effluve aigu, acide, invisible de la peur. Le mot se répandit bientôt dans Sparta qu'Hebe Fox, malgré toute sa beauté, n'avait pas de sex-appeal, qu'elle ne voulait ni se laisser embrasser ni même se laisser peloter. Hebe se retira dans la forteresse de la Tanière du Renard, plus assurée que jamais que c'était là qu'elle devait vivre son destin. Elle se plongea dans les magazines de cinéma et dans les drames radiophoniques avec le même bonheur et la même assiduité que son père, jadis, dans ses études classiques. Elle eut ses nuits et ses jours enflammés par la passion. Mais c'était celle des autres.

Jusqu'à ce dimanche soir, en juillet de 1933, quand, à l'église, s'arrachant à son livre de prières, elle fixa sans détour les yeux marron, chaleureux, d'un étrange jeune homme qui avait subrepticement pris place sur le banc à ses côtés en époussetant encore des grains de poussière sur sa veste. Hebe Fox regarda John Geiger. Soudain, le bourdonnement sonore de l'office du soir s'éloigna de ses oreilles pour s'évanouir. Quelque chose de chaud, d'humide, de luxuriant s'épanouit en elle. Il sourit, un sourire léger, poli mais intensément personnel qui fit soudain penser à Hebe qu'il savait exactement comment son chemisier de soie moulait ses seins et comment sa culotte de dentelle écrue glissait délicatement entre ses jambes. Cette pensée détermina chez elle une bouffée de chaleur qui l'obligea à remuer sur son siège. Hebe n'avait jamais rien ressenti auparavant qui ressemblât, même de loin, à cette chaleur insinuante, à cette sensation sournoise, à ce frémissement excitant. Elle se glissa sur le banc de palissandre, s'éloignant de l'étranger et se rapprochant de sa mère.

Ruth regarda sa fille puis le jeune homme. Il lui suffit d'un battement de cils pour se rendre compte, en observant le jeune étranger puis les yeux larges et vagues de sa fille, ses narines dilatées, qu'une période venait de se terminer et qu'une autre venait de commencer : la vie allait changer à la Tanière du Renard. Elle étudia de plus près ce jeune homme... Il était assez beau, avec quelque chose d'indéfinissable qui prouvait d'une manière évidente qu'il n'était pas un homme du Sud ; ses vêtements étaient sobres, plutôt bon marché ; son sourire était facile, trop facile parce qu'il avait déjà beaucoup servi ; ses yeux brun-roux extraordinaires semblaient promettre toutes sortes de choses exquises tandis qu'il ne cessait de tripoter son livre de prières ; ses cheveux lisses, couleur de pluie, tombaient en pointe sur un front blanc et bas : tout cela était des plus communs. Docile, facile à manier. D'un appétit féroce et pressé de l'assouvir. Par-dessus tout, cupide. Pendant qu'il regardait Hebe, Ruth pouvait voir danser la cupidité dans ses yeux translucides. Il y avait certes dans ce regard du désir pour Hebe qui était ravissante dans sa robe de jersey en soie bleu clair, celle-là même que Ruth lui avait choisie. Mais il y avait plus que ça, il y avait la cupidité qui triomphait du désir comme une nouvelle oriflamme qu'on vient de planter pour remplacer un drapeau dont on a fait la conquête. Ruth savait que quelqu'un avait dit à ce jeune homme que cette Hebe était en fait l'Hebe Fox de la Tanière du Renard. Son choix du banc des Fox n'était pas un accident. Ainsi donc, ce serait lui, l'heureux élu. Oui. Ce jeune étranger avide et masqué par un vernis superficiel ferait parfaitement l'affaire. De la chair frissonnante d'Hebe naîtraient de ravissantes petites filles.

A la fin du cantique, elle se tourna vers l'étranger qui avançait aussi lentement qu'il le pouvait dans l'allée. Dans la confusion, Hebe laissa, par deux fois, tomber son sac à main.

« Je suis Ruth Fox, dit-elle. Et voici ma fille, Hebe. Nous sommes très heureux que vous vous soyez joint à nous à l'église ce soir. Est-ce juste une visite ou allez-vous rester à Sparta pendant quelque temps ? »

Plus tard, au dîner — Ruth avait dit à Paul, agacé : « Il m'a semblé, chéri, que c'était gentil et amical de l'inviter. De toute évidence, ce jeune homme ne connaît personne... » —, Johnny Geiger, tout en bavardant brillammant avec Ruth, enveloppait Hebe dans la soie caressante de ses yeux de bel animal. Il se montrait courtois et plein de respect enfantin avec Paul. Avec une insouciance ostentatoire qui ne masquait pourtant pas l'éclat appréciateur de ses yeux, il admirait la grande salle à manger décorée de boiserie et la table chargée d'argenterie. En l'écoutant, Paul pensa à un jeune faucon, un petit faucon... moins que ça, un épervier peut-être, en pleine mue, encore sur la défensive, qu'un fermier vient de ramasser et amener tout fringant dans la main d'un seigneur.

Il n'était arrivé de Washington que trois jours plus tôt, leur dit-il. Il avait quitté Johnstown où il habitait chez sa mère qui était veuve et il avait trouvé un travail grâce au nouveau gouvernement de Franklin Roosevelt. Étant donné la dureté des temps, il n'était pas allé après le collège, à l'université comme il l'avait espéré : son père était mort récemment en ne laissant à sa mère, semi-invalide, que la petite maison dans laquelle ils avaient vécu avec, pour seul soutien, Johnny et sa plus jeune sœur Deirdre.

« Je suis allé voir notre député. C'était un ami de mon père, un ami du temps jadis, à l'époque de la paroisse et du syndicat. L'U.M.V. [1] », expliqua Johnny à Paul, sans se rendre compte qu'il venait en une seule phrase d'étaler devant les yeux d'un aristocrate sudiste les deux bannières les plus provocantes et les plus rouges qui se puissent trouver — l'Église catholique et les syndicats. « Il m'a envoyé à Washington pour rencontrer quelques personnes qu'il connaissait au ministère de la Guerre. Par chance, le C.C.C. venait d'être créé et il y avait ce projet de barrage... Ils avaient besoin d'un chef de travaux. Alors me voici. Heureux d'être ici, dans le pays du coton, spécialement ce soir. » Il sourit vivement à Ruth puis à Hebe qui lui rendit son regard, la bouche à la douceur enfantine légèrement entrouverte.

« Quelle chance pour nous que l'Oconee ait besoin d'un barrage, dit Ruth en lui décochant son sourire le plus charmeur. Serez-vous des nôtres pendant longtemps ? »

Il arbora un sourire viril mais un peu crispé. « Aussi longtemps qu'il le faudra pour payer l'hypothèque sur la maison et payer les cours de secrétariat de DeeDee. Maman s'est tuée au travail pour soigner papa et, aujourd'hui, il lui faut se reposer. La banque allait presque nous saisir. Heureusement, mon premier chèque est arrivé à temps. C'est une chance pour moi d'avoir ce travail même s'il signifie que je doive arrêter mes études de droit pendant un an ou deux. Le droit ne va pas s'enfuir... Ce n'est pas votre avis, monsieur ? »

1. United Mine Workers of America.

155

Il regarda Paul comme pour solliciter son acquiescement mais à cet instant le grand souci de Paul était surtout de dévorer avec une certaine férocité son pudding à la banane. Il se contenta donc de hocher la tête. Ruth sourit doucement mais, au fond d'elle-même, elle exultait. Ce n'était pas seulement un flagorneur, un menteur et un opportuniste, c'était aussi un imbécile. Il était mieux que tout ce qu'elle avait pu espérer.

Hebe était toujours en contemplation devant lui, les yeux humides d'émotion. Le romanesque de la situation ! Ce bel étranger, sacrifiant courageusement une brillante carrière juridique pour sauver la petite maison de sa mère veuve et invalide et envoyer sa sœur à l'école, ce beau garçon, avec son visage trop pâle, son long corps vraisemblablement sous-alimenté et son regard intense.

« Vous aimerez Sparta, dit Hebe dans un grand élan précipité, sa voix étant réduite à un petit soupir. Il y a une belle salle de cinéma et une très jolie piscine au Country Club. Je peux vous faire visiter les environs. Nous pourrions peut-être aller nager demain, non ? »

Quand elle s'arrêta, elle était aussi confuse que terrorisée. Avait-elle été trop loin ? Elle lança un regard à sa mère mais Ruth se contenta de lui sourire avec indulgence. Johnny Geiger en fit autant. Paul, à l'autre bout de la table, arbora une grimace de mécontentement mais personne ne lui accorda la plus infime attention.

« Demain est un jour où je travaille, j'en ai bien peur, dit Johnny Geiger. Peut-être pourrions nous remettre ça au week-end prochain ?

— Oh, oui... murmura Hebe... le week-end prochain. »

Il prit son temps pour lui adresser un sourire étincelant mais cette lenteur masquait en fait les battements nerveux de son cœur. Tout cela était venu si vite, si vite... Cette belle enfant adorable et sans cervelle, ce grand rêve en technicolor d'une maison, ces deux trésors au creux de ses mains avant même d'avoir vidé ses valises dans la chambre à coucher à l'étage qu'il avait louée à l'autre bout de la ville. Il n'en revenait pas de ce miracle.

Mais en ce qui concernait le Sud, par-delà tout ce qu'il avait pu dire ce soir-là, il avait dit la vérité. Son univers avait toujours été celui de la neige souillée par la suie, des ruelles crasseuses, des salles de billard et des maisons de prêt ; le père syndicaliste et tuberculeux avait été en réalité un mineur toujours entre deux vins, et la mère frêle et invalide qui luttait pour garder autour d'elle sa maison et toute sa petite famille avait été en fait une grosse Irlandaise veule, noyée dans le whisky, qui pleurait et se lamentait interminablement sur sa jeunesse et ses espérances perdues. Sa sœur Deirdre était son aînée et non sa cadette ; elle avait épousé un simple agent de police du quartier et s'était enfuie de la petite maison puante avant même d'avoir eu ses seize ans. C'était aujourd'hui une matrone râleuse avec des mains déformées, qui avait cinq enfants de moins de dix ans. A côté de ce triste paysage, Sparta ressemblait à un véritable paradis.

Lorsque, trois jours plus tôt, il était descendu du train sur le quai de la gare de Sparta, ses yeux rougis avaient vu des grands chênes qui se courbaient au-dessus de routes pavées, de blanches colonnes étincelant parmi la verdure, des jolies femmes et des jeunes filles qui entraient et sortaient avec élégance des magasins. Il entendit les voix douces, les rires généreux, l'accent chantant des Noirs, il sentit l'odeur des roses, celle de la poussière brûlée de soleil, celle de l'air dégagé de toute fumée et de toute suie. Il pensa qu'il était mort et qu'il venait de faire son entrée au Paradis.

Hebe découvrit la réalité du sexe au cours du troisième soir où Johnny Geiger vint la voir à la Tanière du Renard. A partir de ce jour, elle ne put se rassasier de lui. Il était venu lui rendre visite dès le lendemain soir de leur rencontre. Ruth s'était retirée de bonne heure avec beaucoup d'élégance, emmenant Paul presque de force, et Johnny était resté seul avec Hebe. Il l'avait rapidement et habilement sortie de sa réserve grâce à ses compliments et à la courtoisie excessive de ses manières qu'il imaginait être celles des jeunes Sudistes de bonne famille. Elle avait bientôt perdu sa timidité première et jacassa avec ardeur en racontant les histoires d'amour des stars qu'elle lisait dans les magazines de cinéma sans parler des *affaires d'amour*[1] impossibles, affaires éthérées et pures dont la radio avait empli sa chambre pendant des mois. Il ne fut pas long à comprendre quelle était la tactique à adopter. Il cita quelques vers fleuris de Robert Service[2] lui tissa la merveilleuse toile de ses

---

1. En français dans le texte.
2. Robert William Service : écrivain canadien né Glasgow en Écosse en 1874 et établi au Canada. Il a écrit de nombreux vers sur la vie dans le grand Nord ainsi qu'un roman *The Trail of 98* sur la vie au Klondike. Entre 1918 et 1940, il vécut en Europe et retourna au Canada quand éclata la Seconde Guerre mondiale. Il est mort en 1958 en France, à Lancieux (Côtes-du-Nord).

nombreux projets d'avenir qui comprenaient, entre autres, une aide à l'humanité par des moyens obscurs qu'il ne précisa pas. Il fit allusion à de tragiques amours perdues, à des rêves brutalement interrompus, à des blessures au cœur qui ne se cicatriseraient jamais et il prit soin de ne pas la toucher. Le deuxième soir, il l'emmena voir Greta Garbo dans *Anna Christie* et se pencha sur elle avec sollicitude pendant qu'elle pleurait à chaudes larmes dans la salle obscure. Son souffle caressa la joue humide et il lui glissa son propre mouchoir dans la main. Mais il ne s'aventura pas à aller plus loin.

Et puis, le troisième soir, en rentrant en voiture d'une promenade au clair de lune qu'avec indulgence Ruth lui avait permise, Johnny l'installa sur la balancelle à l'ombre de la tonnelle de pois de senteur. Il l'entoura de son bras, l'attira vers lui et l'embrassa. Hebe poussa un léger gémissement d'animal angoissé, en se renversant en arrière sur la balancelle. Elle l'entraîna avec elle. Quand il se redressa, ce fut pour s'arracher, stupéfait et épuisé, du corps le plus sensuel, le plus insatiable, le plus libre qu'il eût jamais rencontré. Il la regarda, cherchant avec affolement les mots susceptibles d'endiguer l'inévitable flot de larmes, les récriminations, et le remords. Sans aucun doute, elle était vierge avant de se donner à lui. Des visions de Paul fou de rage brandissant ses petits poings furieux et peut-être même un pistolet à monture d'argent dansèrent devant ses yeux ; le visage choqué et vengeur de Ruth flotta devant lui ; les espérances dorées de la Tanière du Renard s'évanouirent à la vitesse d'un météore, ne laissant dans son cœur que le désespoir. Mais quand il dirigea ses yeux sur le visage d'Hebe, tache blanche dans l'éclat du clair de lune, il ne distingua ni recul ni horreur ni larmes, mais seulement la coloration du plaisir autour de ses yeux fermés et le début d'une nouvelle vague de désir sur sa bouche détendue. Elle se colla à lui, se serra contre lui, gémit, rit, pleura. Elle finit par rentrer, en le regardant et en souriant à travers un écran de larmes de plaisir.

Il resta étendu pendant des heures sur son lit boiteux, abasourdi par la joie et la surprise. Prudent, il devait être très prudent maintenant... Plus prudent qu'il ne l'avait jamais été tout au long de sa jeune existence. Il savait que Paul ne l'aimait pas et que jamais il ne l'aimerait, et qu'au mieux il l'aurait chassé de sa vie s'il avait pu les voir sur la véranda ce soir-là. Il ne pouvait même pas imaginer quelle serait la réaction de Ruth si elle savait...

Mais Ruth savait... Même si elle ne l'avait pas découvert, en marchant sur la pointe des pieds sur le balcon qui surplombait la tonnelle tandis que Paul ronflait sans remords dans sa chambre à coucher, elle aurait pu entendre les grincements de la balancelle et aurait deviné la vérité. Elle l'aurait su aussi par la chaleur soudaine qui s'empara du bras d'Hebe collé contre le sien à l'église, lors de l'office de ce premier dimanche, par l'expression de ses grands yeux gris lorsqu'ils regardaient Johnny Geiger de l'autre côté de la table de la salle à manger, par les réactions de son propre sang. Mais Paul ne devait pas voir, ne devait pas savoir. S'il avait entendu, s'il avait vu même, elle n'aurait pu l'empêcher de bannir Johnny Geiger pour toujours.

La nuit suivante, après le dîner, quand un Johnny manifestement énervé et une Hebe éperdue de désir eurent murmuré quelques excuses et se furent dirigés vers la véranda, Ruth emmena à l'étage un Paul stupéfait. Elle le fit entrer dans son lit pour la première fois depuis de nombreuses années et il n'en sortit plus pendant les deux semaines qui suivirent, soufflant, haletant, extasié tandis qu'en bas, ou à l'autre bout de la ville, dans le lit affaissé d'une pension de famille, ou encore sur le siège arrière de la voiture, au bord de la rivière, sa fille aussi bondissait, se tordait, hurlait dans les transports d'une passion plus forte que les barrières de méfiance ou de peur qui, depuis sa tendre enfance, la retenaient prisonnière.

Lorsqu'il revint à lui après avoir erré, engourdi et sans force, pendant presque quatorze jours, et s'être abandonné la nuit dans la chair infatigable de sa femme, Paul Fox regarda autour de lui et s'aperçut qu'il irradiait de sa fille autant de chaleur que d'un petit fourneau ; ses poignets, ses paupières, son cou étaient lourds et son pas nerveux ; ses jolis vêtements et ses cheveux légers étaient toujours un peu de travers, comme s'ils venaient d'être enfilés ou peignés, juste après que les mains de ce jeune homme mal élevé les eurent dérangés. Hebe et Johnny passaient tout leur temps ensemble.

« Il n'est pas de notre milieu ; il n'est pas du tout à la hauteur de Hebe » dit Paul, irrité, un soir à table. Hebe et Johnny étaient partis en voiture à Atlanta, dîner chez *Hart's*.

« Oh ! Paul, vraiment ! susurra doucement Ruth. Ce n'est rien de plus qu'une petite aventure d'été. Juste quelques pique-niques et quelques soirées au cinéma, peut-être une petite promenade le long de la rivière pour regarder le clair de lune. Comment peux-tu interdire cela à ta fille ? Toutes les jeunes filles ont droit à leur petite aventure d'été. Tu verras que tout sera terminé pour le Labor Day[1].

— Mais, Ruth, qu'est-ce que nous savons exactement de lui ? Aucune étude supérieure, aucune relation sociale, aucun projet... Ils n'ont rien en commun. Que peuvent-ils bien avoir en commun ?

— Rien, bien sûr, mon chéri. » Ruth le rassura : elle savait très bien ce qu'ils avaient en commun. « C'est bien pourquoi cette petite... toquade... n'a aucune chance de durer. Elle s'en rendra compte très bientôt, je pense, et tout cela s'éteindra en douceur. Je ne suis pas le moins du monde inquiète. En attendant, c'est un garçon agréable et je suis certaine que tu en conviendrais si tu étais honnête. Il est aussi doux, aussi poli et aussi inoffensif que possible.

— Eh bien ! Je ne partage pas tes sentiments, ma chère, si généreux qu'ils soient. Je pense que rien de bon ne découlera de ceci et j'ai l'intention, quand ils rentreront, de lui interdire de voir Hebe... J'aurais dû le faire depuis longtemps.

— Paul, mon chéri... » commença-t-elle, mais elle se rendit compte alors qu'il était dans un de ses rares accès d'intransigeance. Pour la première fois depuis quinze jours elle regagna, seule, son grand lit à baldaquin. Elle se tourna et se retourna, maîtrisant à peine sa fureur, échouant en définitive à choisir une ligne de conduite. Quelle mule entêtée ! Il ne fallait pas, *absolument pas*, le laisser réduire ses plans à néant. Tard dans la nuit, elle ne dormait pas encore. Elle guettait le bruit sourd de la portière de Johnny claquant dans la nuit silencieuse mais rien ne vint.

Lorsqu'elle se réveilla, la lumière du jour baignait sa chambre. Elle perçut un bavardage désagréable suivi d'un grand bruit sourd puis d'un hurlement sauvage, prolongé. C'était la voix d'Hebe, mais la voix d'Hebe quand elle était toute petite... C'était dans un jardin, là autour ?... Elle entendit au rez-de-chaussée un grand remue-ménage, des bruits de pas précipités, des meubles heurtés, des portes claquées et quelqu'un appela : « M'ame Ruth ! M'ame Ruth ! Venez vite ! M'ame Ruth ! »

Ils n'avaient pas été à Atlanta mais dans les montagnes au nord de la Géorgie chez un juge de paix du comté de Fannin et ils avaient dormi dans un camps de touristes près d'une petite rivière à l'eau

---

1. Fête du travail qui se célèbre aux États-Unis par un jour chômé le premier lundi de septembre.

glacée. Ils avaient passé la nuit dans une cabane de bois moisie et pleine d'humidité appelée Punky Vine Inn. C'était donc M. et Mme Johnny Geiger qui s'étaient présentés à la Tanière du Renard. Devant la porte d'entrée, ils avaient été accueillis par Paul Fox. Mais celui-ci n'était pas resté vivant suffisamment longtemps pour interdire à Johnny de pénétrer dans la demeure ou pour l'accueillir en fils.

Chapitre XV

À l'âge de quarante-deux ans, Rip était une femme d'une grande beauté, non seulement comme auraient pu dire les Blancs de Sparta avec réticence : « pour une Noire », mais dans l'absolu. Avec la maturité, elle avait acquis la splendeur d'odalisque que laissaient entrevoir chez la petite fille maigrelette les pommettes saillantes, le nez aquilin et les yeux en amande. Sa peau noire avait le velouté d'un fruit mûr et sain. Rip était si mince qu'elle en paraissait émaciée, mais ses os longs et fins, son crâne étroit, ses mains et ses pieds menus étaient si bien proportionnés et si solidement équilibrés qu'ils formaient une charpente vraiment élégante. Une simple épaisseur de peau suffisait à compléter le chef-d'œuvre.

« Elle est maigre comme un clou disait Ruth lorsqu'une de ses amies soulignait la beauté de Rip. Je suis sûre que tout le monde pense que je la laisse mourir de faim. Si vous connaissiez son arrogance ! Vous savez qu'elle a *toujours* refusé de porter un uniforme ? Dès demain je la mettrais à la porte si Hebe ne lui était pas, depuis si longtemps qu'elle vit ici, aussi farouchement attachée. Et puis, elle *s'occupe* bien des enfants. Mais jolie, ça n'est pas ce que je dirais… »

Le fait était que toutes les femmes, à côté de Rip pourtant fagotée dans ce qui lui tenait lieu d'uniforme, c'est-à-dire des vêtements de coton bon marché que lui achetait Ruth par correspondance chez *Sears et Roebuck*, toutes les femmes, y compris la minuscule et impeccable Ruth Fox, avaient l'air un peu grasses et déguisées.

Le petit univers de Rip savait qu'elle était depuis longtemps vouée au célibat et qu'apparemment elle avait renoncé à mettre un homme dans sa vie et dans son lit. Toute son existence était occupée par les trois enfants qui vivaient sous le toit de la Tanière du Renard, et par le petit garçon noir qui était à ses côtés dans la case d'esclave qu'elle occupait maintenant, et elle désirait avant tout que rien ni personne n'intervienne dans ses fonctions de gardienne et de sentinelle. Paul Fox II et son petit-fils Jacob Lee seraient ses seuls hommes jusqu'à la fin de sa vie.

Son petit-fils était arrivé impromptu deux ans plus tôt alors que Paul Fox II n'avait pas encore un an. C'était un enfant de quatre ans, long, mince et décharné. Il avait l'ossature élégante de Rip et un visage lisse comme un melon. On ne pouvait rien lire sur ce visage qui avait la couleur chaude du caramel fondu, cette couleur qui était celle de sa mère quand elle était enfant. Il ne pleurait pas et ne riait pas. Rip mit longtemps avant de se rendre compte qu'il pouvait parler. C'était un peu comme s'il n'avait pas eu de passé ; Rip elle-même avait eu, dans sa jeunesse, cet air indifférent et hors du temps, mais dans le cas de l'enfant cette absence apparente de mémoire était le résultat d'une vie si rude, si dépourvue de chaleur et de sécurité, qu'il avait simplement enterré la réalité. Pendant toute son existence, les quatre premières années de sa vie demeurèrent une énigme pour Rip. Il n'en parla jamais et sa mère ne resta pas assez longtemps à Sparta pour se confier — en admettant qu'elle pût s'en souvenir.

Elle était arrivée par une nuit chaude de printemps : autour de la Tanière du Renard, l'odeur enivrante des mimosas embaumait l'air tiède et les grenouilles croassaient dans le jardin sombre juste sous les fenêtres de la cuisine. Rip était à l'étage, dans la petite chambre qui était encore son seul domicile ; elle ne l'avait pas quittée quand Hebe avait épousé Johnny Geiger et emménagé avec lui dans la chambre qui avait été celle de son père. On aurait pu croire que Rip allait quitter sa petite chambre maintenant que l'enfant confiée à ses soins avait grandi, s'était mariée et que la nursery était vide depuis longtemps. Mais personne n'avait contesté son droit à l'occuper.

Et elle était encore dans cette chambre lorsque Rusky, en cette nuit d'avril, presque vingt-cinq ans jour pour jour après qu'elle y fut entrée pour la première fois, vint en trottinant frapper à sa porte et lui souffler doucement : « Rip ! Rip ! Y a quelqu'un en bas qui veut t' voir. »

La femme qui était assise sur la chaise de cuisine en se balançant et en maugréant était si évidemment étrangère à la cuisine bien rangée et rutilante qu'elle aurait aussi bien pu venir d'une autre planète. Tel un cobra, elle se balançait sur sa chaise d'avant en arrière ; elle avait les yeux fermés comme si elle était en proie à quelque extase mystique.

163

Elle souriait et chantonnait tout en se balançant. Son visage était jaune, aussi jaune que du savon mou, et il était enflé, mais sous le masque spongieux causé par l'œdème, on distinguait encore vaguement les traits purs et nets des habitants des hautes terres africaines. Elle empestait le mauvais whisky et portait une étonnante robe de satin rouge sang qui était fendue jusqu'en haut de ses cuisses noueuses et qui laissait entrevoir ses culottes de dentelle sale. Au début, Rip ne sut pas qui était cette femme mais elle l'observa en silence. C'est alors que, de son sang et de ses entrailles, jaillit comme un signe de reconnaissance et elle sut. Son cœur se serra si douloureusement qu'elle en eut le souffle coupé, puis il se mit à battre avec une telle force dans sa poitrine qu'elle eut un mouvement de recul mais elle ne dit rien. Rusky qui rôdait, curieuse, devant la porte, vit ses longues paupières lisses se fermer lentement sur ses yeux. Quand elle les rouvrit, elle regarda Rusky et lui fit un petit signe de la main. Rusky s'en alla.

« LeeAnne. »

La voix de Rip était rauque en prononçant ce nom qui n'avait pas passé ses lèvres depuis plus d'un quart de siècle.

Sa fille arrêta son balancement et ouvrit les yeux.

« Hé, m'man » dit-elle et elle rit, un rire long, joyeux, le rire d'une folle. Elle ferma les yeux et reprit son balancement en fredonnant sa terrifiante petite mélopée.

Rip s'assit sur la chaise, de l'autre côté de la table. Ses jambes qui, pendant plus de quarante ans, avaient été solides comme de l'acier, étaient soudain en coton.

« Ouv' tes yeux et r'gard' moi, LeeAnne, dit-elle de la même voix menue et éraillée. T'es pas si saoul' que tu peux pas r'garder ta maman, non ? »

Les yeux s'ouvrirent et Rip put voir que l'alcool n'était pas seul en cause. La folie. La folie et la maladie. La douleur l'envahit, une douleur insupportable, désespérée, qu'elle n'avait plus ressentie depuis le jour où le bébé doré et gazouillant qu'avait été cette femme décharnée, folle et saoule, avait disparu de sa vie.

« Quoi qu'est arrivé à mon bébé ? dit-elle en s'étranglant à chaque mot. Où t'as été pendant tout c' temps qu' t'en es arrivée à êt' comme ça ? D'vant Dieu, bébé, j' croyais qu' t'étais morte. J' pensais bien que j' te r'verrais jamais p'us dans c' monde !

— Été là tout l' temps, m'man » chantonna la femme. Là tout

164

l' temps. À 'Lanna et N'awleens[1], à Memphis et d'aut' part où j' peux pas m' rap'ler. Alors, je m' suis dit, j' crois que j' vais aller voir ma m'man qui m'a laissée tomber quand j'étais une gosse pa'c' que j'avais pas d' papa...

— Non ! »

Ce fut un cri de rage qui jaillit de la gorge de Rip comme un vomissement.

« J' t'ai jamais laissée tomber ! Y t'a emmenée, y t'a pris à moi, une nuit, comme un voleur et il a couru avec toi pa'c' qu' t'étais pas assez haut' pour marcher et pendant tout' ces années, Seigneur, tout' ces années, j'ai toujours cru qu' t'étais morte... Est-ce que ce salaud d' nèg' y t'a dit que j' t'avais abandonnée ? L'était ton papa. Y t'a volé pa'c' que je voulais pas m' marier avec lui mais j'ai toujours su que c'était ton 'pa. J'espérais qu'au moins, y prendrait bien soin d' toi pa'c' que t'étais sa môme. Et quand j' te vois... »

La femme cessa son balancement et la regarda fixement. Pendant un moment, il n'y eut plus dans son regard ni ivresse ni folie. Rip y lut l'incompréhension et la douleur.

« J'ai jamais eu d' papa. Jamais personne qui s'est occupé d' moi. Encor' moins un 'pa. Y a eu un homme qui restait avec moi la nuit quand j'étais tout' petit'. C'est lui qui m'a dit qu' j'avais une maman à Sparta qui voulait pas d' moi mais c'était pas mon 'pa. Y m' l'a dit qu'y l'était pas. Et l'est parti vit'. Après ça, j' me suis occupé d' moi tout' seule. »

Dans le cœur de Rip, la rage se mêlait au chagrin. Elle réussit à se contenir.

« Bon, tout ça, ça a p'us d'importanc' pa'c' que tout ça, c'est que des mensonges. J' suis ta maman et j' t'ai jamais laissée tomber et j' vais m'occuper d' toi maint'nant. LeeAnne, mon bébé, si tu savais tout' les nuits que j' pouvais pas dormir, avec un' gross' douleur dans l' cœur, à m' demander où qu' t'étais, si t'étais encor' vivante... Mais t'es là maint'nant. J' m'en vas t' donner un peu d' café pour te débarrasser de c'te salop'rie d' whisky et pis quéqu' chose à manger. J'irai parler à M'ame Ruth. À t' trouv'ra un coin pour dormir jusqu'à c' que j' trouve un' maison pour nous deux... »

La femme se remit à rire. Elle se leva brusquement et fit quelques

1. Atlanta et La Nouvelle Orléans.

pas en direction de Rip. Sa démarche était raide et hésitante ; ce n'était pas le pas titubant de l'ivrogne mais le vacillement incontrôlable de quelqu'un dont les jambes sont en train de se pétrifier. Rip vit alors le bras paralysé qui pendait sur le côté, les cicatrices et les ulcérations grêlant les bras et les jambes jaunâtres et la grosse lèvre épaisse qui dépassait de sa bouche lorsqu'elle riait. Cette peau qui avait la couleur de la moutarde... Rip avait déjà vu ça auparavant sur des mourants à Suches. C'était le signe des derniers stades de la syphilis avec de graves complications hépatiques. Rip était incapable de les décrire avec précision mais elle savait que cela voulait dire que sa fille avait probablement fait la putain depuis sa tendre enfance et que, bientôt, sans le moindre doute, elle serait morte.

« J'ai pas fait tout ce chemin depuis 'Lanna pour vivre dans la baraque d'une putain blanche. » Elle criait joyeusement en remuant les bras. « J'ai pas b'soin qu' tu t'occup' de moi, la vieille. J' vais mieux que t'as jamais été dans la baraque de c'te connasse blanche. J' viens just' pour t'amener un p'tit cadeau... un p'tit cadeau de ta fille que t'as laissée tomber. Rien qu'un p'tit cadeau... »

Elle partit d'un rire énorme, qui stoppa net, puis elle regarda autour d'elle dans la cuisine.

« T'aurais pas un peu d' whisky, m'man ? T'aurais pas quéqu' chose à boire pour ton bébé ? »

Rip essaya de parler mais les mots ne parvenaient pas à sortir de sa gorge desséchée. Elle essaya une nouvelle fois et sa voix ne fut qu'un murmure.

« Comment qu' t'es venue ? »

Sa fille souleva un bras jaunâtre et plein de croûtes en direction du jardin et elle faillit perdre l'équilibre.

« J' suis v'nue dans une gross' voiture, grosse comm' un piano à queue. J' suis v'nue avec mon homme qui s'occupe de moi comme s'il était ma m'man. Mieux, même ! Y m' trouve des hommes blancs pour baiser ; c'est pas moi qui irais m'amuser avec des pauv' nèg' qu'ont pas d' pognon. Y m'a donné une belle piaule dans un hôtel et y m'habille comme un' star de ciné et y m' donne tout l' whisky que j' veux. C'est lui qui m'a donné c'te robe ; est-ce que tu l'aimes, m'man ? Et ces culottes avec des dentelles... »

Elle souleva très haut sa jupe de satin et Rip vit clairement les cicatrices et les pustules. Un flot de bile monta à sa gorge mais elle réussit à l'avaler.

« Mon bébé…

— J' suis pas ton bébé !… »

La femme avait hurlé ses mots au visage de Rip et l'odeur sirupeuse et douceâtre de l'alcool se mêlant à l'haleine de ses dents gâtées la submergea.

« Mais j' t'en apport' un. »

Elle pivota sur ses talons, gagna la porte de la cuisine et disparut dans la nuit parfumée. Rip tenta de fouiller du regard l'obscurité.

La voiture était arrêtée dans l'allée baignée par le clair de lune. Le moteur tournait et les gaz d'échappement se répandaient en grosses bouffées dans l'air humide de la nuit.

C'était une grande voiture d'un jaune luisant. Elle était bizarrement ornée un peu partout de chromes qui étincelaient dans la pâle lumière de la pleine lune. Une queue de renard pendait mollement de l'antenne et quatre pneus neufs reflétaient avec insolence le clair de lune. L'homme qui était assis au volant était aussi en jaune : il portait un costume jaune avec une cravate à grosses raies jaunes explosant sous la tache noire de son visage ; jaune également était l'or de sa chaîne de montre et des deux bagues brillant aux doigts posés sur le volant. Rip ne pouvait distinguer son visage dans l'ombre mais, quand il tourna la tête, elle put saisir la blancheur de ses dents et un éclair de lumière en provenance de ses montures de lunettes ou de ses yeux enfoncés. Rip sentit ses cheveux se dresser sur sa nuque et ses lèvres se retrousser…

La lumière éclaira la fille de Rip qui tomba contre la porte arrière de la voiture puis tâtonna maladroitement pour saisir la poignée. L'homme se retourna pour lui ouvrir. Rip perçut son rire grave et, en réponse celui de sa fille, fêlé, aigu, éraillé. Elle fit demi-tour, malade, et s'appuya des deux mains contre la table de la cuisine, la tête légèrement penchée. La toile cirée était fraîche mais dure sous ses paumes. Son contact lui fit du bien.

Après le claquement de la portière arrière, l'air s'imprégna de l'odeur de chèvrefeuille : la femme était revenue dans la cuisine. Rip leva la tête et la regarda. D'abord, elle ne vit pas l'enfant qui se tenait timidement derrière la femme mais quand sa fille l'attrapa par son petit bras et le projeta dans la lumière, Rip le vit distinctement.

Au début, elle pensa qu'il s'agissait d'un jouet ou de quelque nain monstrueux que sa fille exhibait pour la punir plus cruellement. Elle roula de gros yeux sans comprendre. Il était si petit et ratatiné qu'il

167

semblait impossible qu'il pût tenir debout, encore moins marcher ; c'était comme si un petit enfant avait été enveloppé dans la peau molle, mal tannée de quelque animal de couleur jaune... peut-être une hyène... Il pendillait des mains de l'adulte comme une marionnette, ce qui lui donnait l'impression de se tenir debout et de marcher. À cause de sa peau, il n'avait même pas l'air d'un singe. Ses yeux étaient immenses et noirs de terreur mais on n'y lisait aucune surprise. Ses bras et ses jambes étaient comme des roseaux ou comme du bois calciné. La peau était si lâche que Rip aurait pu la saisir, la tendre serrée autour des membres et épingler le surplus. Sa tête était longue et étroite comme la sienne. La peau tendue de son visage était étrangement belle, douce, légèrement satinée, d'une couleur dorée, couleur qu'elle n'avait jamais vue chez quiconque sinon peut-être sur le corps de Jester Tully, bien des années auparavant. S'il n'y avait eu le nez, la bouche et les grands yeux inexpressifs, sa tête aurait aussi bien pu être un ballon ou un disque d'or. Dans le regard qu'il rendit à Rip, elle ne put y voir que le néant le plus absolu.

La fille de Rip renversa la tête en arrière et éclata de rire. Se balançant au-dessus de la table, elle poussa un hurlement d'allégresse et se donna de grandes claques sur les cuisses.

« Alors, comment qu' tu trouv' ton cadeau, m'man ? brailla-t-elle. L'est tout à toi, tu peux l' garder, à moins qu' t'en veux pas d' lui aussi. Si t'en veux pas, ça s'ra tout pareil, parc' que j' vas l' jeter dans le fossé sur' l' bord d' la route, en r'partant à 'Lanna. J'en veux plus. »

Les mains de Rip se tendirent d'elles-mêmes vers l'enfant, touchèrent l'arête fine de ses os menus qui pointaient sous son pull-over informe et sale. Il s'en dégageait une odeur âcre d'excréments, de sueur enfantine et de vieille crasse. Elle se rendit compte qu'il ne portait rien en dessous. L'enfant ne s'écarta pas d'elle mais il resta aussi raide qu'une pierre. Rip relâcha la poignée de sa main qui avait douloureusement pressé les épaules de l'enfant.

« Bonjour, mon bébé. »

Il lui sembla que sa voix venait de très loin.

« Non, c'est pas ton bébé, c'est ton p'tit-fils ! hurla sa fille. T'as pas d' bébé !

— Comment y s'appelle ? »

— Y l'a pas d' nom ! » À cette idée, la femme se tordit de rire. La folie était aussi présente à l'intérieur de la pièce que le vent léger et parfumé qui caressait les vitres des fenêtres.

— C'est son p'pa dans la voiture ?

— Merde alors ! Non, c'est pas son p'pa ! C'est lui qu'a dit qu'*y* fallait que j' te l'amène ou bien y f'ra c' qu'y faut... J' crois qu'y voulait y tordre l' cou comme à un p'tit poulet. J' sais pas qui c'est son p'pa. Ça peut êt' plein d' gars. J' crois même qu' ça peut êt' un Blanc. L'a pas plus d' p'pa qu' moi...

— LeeAnne. Rest' ici avec moi. Rest' ici avec ta maman. T'en va pas avec c' t' homme-là. J' m'occup'rai d' vous deux. J' vas t' guérir... Tu t'en vas et ça va être ta mort. Tu m'entends ? T'es un' femme mort'...

— Mais non, la vieille ! J'en ai rien à fout' de c'tit bâtard jaune... Et j'en ai rien à foutre non plus d'une vieille négresse qui tout' la journée lav' la merde des Blancs, tout ça pour seul'ment bouffer et avoir un coin pour roupiller. En r'tournant à 'Lanna, moi j'ai tout c' qu'y m' faut. J' fais du fric pour mon homme et y s'occup' de moi... »

Des larmes silencieuses coulèrent sur la joue de Rip.

« Si tu t'en vas, tu n'es pas ma fille...

— Merde ! dit gaiement la femme. Y a longtemps qu' je l' sais... »

Quand Rip releva la tête qu'elle avait enfouie dans ses mains, la porte de la cuisine claquait et sa fille avait disparu dans la nuit.

Elle prit dans ses bras l'enfant silencieux et le conduisit jusqu'à sa petite chambre. Il ne dit rien et se tint immobile dans ses bras. Il était si léger qu'elle eut l'impression de porter un ballot de plumes. Dans la pénombre, elle lui ôta ses vêtements d'une saleté repoussante. Elle tressaillit devant les côtes efflanquées de sa poitrine maigre couverte des cicatrices grisâtres de chéloïdes. Il sentait le fauve. Le lendemain matin, elle lui donnerait un bain et lui donnerait à manger mais cette nuit-là, il avait surtout besoin de dormir. Elle le coucha dans son lit étroit et tira sur lui des couvertures d'une propreté immaculée.

« Tu peux dir' quéqu' chos' à ta grand-mèr' ? » murmura-t-elle en posant légèrement sa main sur le front de l'enfant. Elle ne voulait pas l'effrayer en le prenant trop vite dans ses bras. Il serait toujours temps plus tard...

« Tu peux dir' bonn' nuit à ta grand-mèr' ? »

Il la regarda droit dans les yeux et ne dit rien.

Elle soupira et entra dans la salle qui reliait la nursery d'Hebe à sa petite chambre. Elle se contenterait, ce soir, d'enlever avec une éponge le plus gros de la crasse incrustée dans sa peau. Demain, elle

169

le nettoierait à fond et trouverait dans les vieux habits d'Hebe quelque chose qui lui conviendrait. Elle irait ensuite voir Mme Ruth et lui demanderait la permission de le garder avec elle. Peut-être pourrait-elle habiter la petite maison derrière la haie de buis dans le fond du jardin qui était vide depuis si longtemps. Cette maison où Jester et elle avaient songé à vivre un jour...

Quand elle revint dans la chambre avec une serviette humide et chaude, il n'était plus dans le lit. Affolée, elle le chercha du regard tout autour de la chambre jusqu'à ce qu'elle l'aperçoive, couché dans un coin à même le plancher, nu comme un petit poulet déplumé, ses genoux repliés sur l'estomac. Quand elle s'approcha de lui, il s'assit et leva les bras vers elle. Elle pensa qu'il voulait être relevé. Elle se pencha pour le mettre debout. C'est alors qu'elle remarqua la façon curieuse dont il tenait les mains serrées, les poings fermés, la paume à l'intérieur. Il les lui tendit avec solennité, la regardant bien en face, attendant, paumes et poignets réunis.

« Qu'est-ce que tu veux qu' je fasse, mon bébé ? » murmura-t-elle, perplexe. C'est alors qu'elle aperçut, dans la lumière émanant de la salle de bains, le cercle rouge que des liens avaient dessiné autour de chaque poignet.

Elle le prit dans ses bras et, toute la nuit, elle le tint contre elle dans le petit rocking-chair où, tant de fois, elle avait serré l'enfant privilégiée qu'avait été la petite Hebe. Toute la nuit, elle laissa couler ses larmes contre ses joues. Elle les laissa inonder la tête duveteuse de son petit-fils. Mais elle ne pleurait pas sur sa fille. Jamais plus elle ne pleurerait sur elle.

Chapitre XVI

La guerre battait son plein. Un orage soufflait sur Sparta en ce sombre jour de mars 1942. Rip s'assit dans la cuisine de la Tanière du Renard et regarda, le cœur empli de chagrin et de pitié, le visage du dernier enfant d'Hebe. C'était encore une fille. A la radio, on venait d'annoncer que le général McArthur avait quitté Coregidor. C'était un jour de tristesse et de dérision. Un peu plus tôt dans l'après-midi, Hebe avait trouvé le mot de Johnny Geiger. Il l'avait déposé sur la table de chevet, près de la petite radio de plastique avec, posé dessus comme pour l'empêcher de s'envoler, sa lourde alliance en or. Il lui annonçait qu'il les quittait, elle et les enfants, et qu'il ne reviendrait pas.

« Je sais que je suis un misérable mais la triste vérité est que je n'ai jamais eu l'âme d'un mari et d'un père, écrivait Johnny dans son style aussi enfantin que primaire. Tu es une bonne épouse et une femme charmante et tu n'as rien à te reprocher. Tout est de ma faute. Tu pourras revendre mon alliance et tu pourras obtenir le divorce quand tu le désireras car je ne reviendrai pas. Il n'y aura aucun problème avec l'Église puisque tu n'es pas catholique. Adieu, Hebe. Je ne t'oublierai jamais. Je ne m'inquiète pas pour toi car je sais que ta mère prendra bien soin de toi. »

« Je reviendrai » avait écrit le général Douglas McArthur en arrivant en Australie. Johnny Geiger n'écrivit rien de tel dans la salle de bains de la Tanière du Renard où il s'était réfugié pour écrire le message destiné à sa femme. Il attendit seulement le moment où elle se rendit à la nursery pour sa visite matinale à Yancey, à Paul et à la petite Nell. Il déposa son mot dans la chambre à coucher, descendit en sifflant jusqu'à la Chrysler de Paul Fox qu'il s'était appropriée et, comme chaque jour, il s'en alla comme s'il partait à la recherche d'un emploi.

Il ne s'arrêta pas avant Memphis. Il passa la nuit dans un hôtel bondé du côté de la gare. C'était un hôtel minable aux murs couverts de suie. Mais il souhaitait ne pas toucher à la liasse de billets dissimulée dans sa poche. Cette somme et l'argent qui résulterait de la vente de la Chrysler lui permettraient de créer sa propre entreprise lorsqu'il atteindrait la Californie qui, la guerre aidant, était en plein développement. Plus jamais, il se le jura en avalant le menu de l'hôtel, une viande un peu visqueuse baignant dans un jus insipide, plus jamais il ne travaillerait pour un autre. La Chrysler, la liasse de billets et la nouvelle carte de crédit à son nom faisaient partie du marché qu'il avait conclu avec Ruth Fox. Dieu seul savait comment elle avait obtenu la carte de crédit mais apparemment elle n'avait pas eu trop de difficultés. Son sourire, quand elle lui avait tendu l'enveloppe contenant la carte, l'argent et les papiers de la voiture, était mielleux et rayonnant. Johnny savait depuis longtemps que sa belle-mère était une femme pleine de ressources...

Rip, dans la cuisine, soupira et serra Nell contre elle. Il lui avait fallu une bonne heure pour calmer les plaintes du bébé et elle avait dû le bercer pendant presque autant de temps avant que ses grands yeux bleu ardoise ne reprennent leur éclat transparent. C'était une enfant aussi docile que belle ; depuis sa naissance au mois de décembre précédent, elle dormait tranquillement pendant la nuit et ne pleurait que lorsqu'elle était mouillée ou qu'elle avait faim. Chaque fois que quelqu'un se penchait sur son berceau, ce n'était que gazouillis souriants, roucoulements de plaisir et sourires resplendissants. Quand on la laissait seule, elle s'endormait paisiblement ou restait sagement allongée en babillant et en agitant ses mains et ses pieds. Il ne fallait pas grand-chose pour contenter Nell. C'était comme si, depuis sa naissance qui, comparée à celles de Yancey et de Paul, avait été longue et douloureuse, elle n'avait qu'un seul désir : plaire.

Rip aimait beaucoup les deux aînés d'Hebe et de John Geiger mais avec Nell, c'était différent. Dès le début, elle avait senti qu'il y avait entre elle et l'enfant un lien presque physique comme si le cordon ombilical avait été relié à son propre corps et non à celui d'Hebe Geiger. Même vis-à-vis de Jacob Lee qu'elle aimait pourtant d'un amour ardent et protecteur, elle ne ressentait pas ce lien puissant et mystique.

Le bébé remua, agita ses petits poings et Rip vit que la marque violette sur le côté du visage et du crâne était en train de pâlir. Il en resterait une ecchymose. Elle y mettrait de la *Witch Hazel*[1]. Le cœur de Rip battait à grands coups dans sa poitrine tant elle avait eu peur des conséquences de la chute du bébé. Sa vigilance avait été prise en défaut. Elle s'était montrée négligente. La disparition de Johnny Geiger n'aurait pas dû, après tout, être pour elle une surprise. Bien sûr, elle n'avait pas entendu les mots qu'avaient échangés Johnny Geiger et Mme Ruth dans le petit salon, la nuit précédente, mais elle avait vu l'argent changer de mains. Depuis longtemps, Rip passait ses nuits à surveiller la maison. Elle aurait dû être capable de se rendre compte de la situation en ne le voyant pas rentrer pour déjeuner et en voyant Hebe commencer à s'agiter...

Mais elle ne s'était rendu compte de rien et elle n'avait pas été là lorsque Hebe était entrée dans sa chambre à coucher, la petite Nell dans les bras, et qu'elle avait trouvé sur la table de chevet le mot de Johnny et l'alliance posée dessus. Quand elle avait lu le message, poussé le terrible cri qui avait bouleversé la maison tout entière, couru comme une folle pour rejoindre sa mère, personne n'avait été là pour ramasser l'enfant assommée et vagissante, la bercer et nettoyer la plaie sur sa petite tête. Rip s'était ruée hors de la nursery. Elle avait trouvé Hebe qui hurlait des mots incohérents dans les bras de Ruth qui la berçait en murmurant : « Allons ! C'est fini ! Calme-toi ! Tout va s'arranger ! Maman est là ! Maman ne va pas s'en aller ! Elle ne te quittera jamais ! Maman va bien s'occuper de toi ! »

Hebe avait alors eu une de ses crises de convulsions, une crise bénigne mais qui l'avait cependant laissée molle, hébétée, vague au point qu'elle s'était oubliée et souillée. On appela le docteur Hopkins et Rip nettoya Hebe. Ce n'est qu'après que Rip eut fait un paquet du linge sale d'Hebe que la jeune femme murmura : « Le bébé ! Oh, Rip ! Le bébé ! Je ne sais pas ce que j'en ai fait... »

Rip s'était précipitée dans la chambre de Johnny et d'Hebe. Nell était sur le plancher et venait juste de retrouver un souffle assez puissant pour exprimer sa douleur, sa peur et sa rage. Elle se mit à pousser des hurlements qui se prolongèrent bien longtemps après la visite du docteur. Il l'avait examinée soigneusement et avait constaté qu'elle n'avait rien, avant même d'aller voir Hebe, mais il avait demandé à Rip de l'emmener loin de tout ce remue-ménage, de la

1. Lotion faite avec les feuilles et l'écorce de la plante du même nom.

tenir au calme et de la veiller toute la nuit afin de détecter, le cas échéant, les signes d'une éventuelle congestion cérébrale. Rip n'avait cessé de la bercer, de lui chanter des chansons jusqu'à ce que les cris se transforment en geignements, puis en hoquets, puis en silence, et que l'enfant s'endorme.

Elle savait que d'ici la fin du jour, toute la vieille garde de Sparta hocherait la tête et parlerait de l'abandon de la pauvre Hebe Fox par cet étrange Yankee (un nazi, pourquoi pas ?) qu'elle avait épousé, celui-là même qui avait tué ce cher Paul Fox aussi sûrement que s'il avait pointé un revolver sur lui puis appuyé sur la détente. Toute leur sympathie serait pour la malheureuse Hebe Fox (personne à Sparta ne l'avait jamais appelée Geiger) qui n'avait jamais eu plus de cervelle qu'un oiseau et pour ses trois pauvres petits.

Si Johnny Geiger avait vécu dans le Sud un peu plus que les trois semaines passées à Sparta avant son mariage avec Hebe, il aurait su qu'il pourrait dormir, manger, faire des enfants à la Tanière du Renard mais qu'il ne pourrait jamais vraiment lui appartenir. Ruth Fox le savait, bien sûr. Paul Fox l'avait peut-être su pendant les trente ou quarante secondes qui avaient suivi la découverte que cet Irlandais flagorneur était son gendre ; Rip le savait par le chagrin et la peur qu'elle ressentait au fin fond d'elle-même pour Hebe ; les autres domestiques le savaient d'instinct et ils lui infligeaient tous les affronts possible quand Ruth et Hebe n'étaient pas là. Mais Ruth ne le sut jamais. Johnny Geiger, quand il se demandait pourquoi son appartenance à la Tanière du Renard ne lui gagnait pas les bonnes grâces du tout-Sparta, ne pouvait que conclure avec résignation que tous lui en voulaient de la mort de Paul. C'était vrai mais ce n'était pas exactement pour cela qu'il n'avait pas été accepté à Sparta.

Au début, il n'était jamais venu à l'esprit de Johnny de vivre à la Tanière du Renard après leur mariage. Même lui ne pouvait ambitionner d'atteindre de tels sommets. Il avait pensé louer une petite maison dans l'une des jolies rues ombragées proches de l'université où habitaient la plupart des membres de la faculté. Il avait l'intention d'y vivre en attendant que Paul Fox revînt sur sa décision et accueillît sous le toit ancestral sa fille et son gendre... Peut-être après la naissance de plusieurs enfants.

Mais la mort de Paul Fox avait changé ses plans. Pour la première fois de sa vie, Ruth Fox avait paru avoir perdu son impressionnant sang-froid et s'était laissée aller au chagrin et au désespoir. Elle avait

174

tant pleuré et crié que le docteur Hopkins, plutôt inquiet, avait dû lui faire une piqûre d'un puissant sédatif. Il l'avait arrachée au corps inanimé de Paul et il avait pu alors constater la mort de ce dernier.

Hebe avait quasiment été anéantie par le chagrin. Johnny n'avait eu qu'un désir : tourner les talons et fuir la maison de cet homme, mort en le désignant et en prononçant des paroles incohérentes. Mais il s'était trouvé obligé de rester et de s'occuper de son épouse devenue en un instant une étrangère qui hurlait stupidement et de manière incontrôlable. Elle s'était écroulée en proie à une crise bizarre : elle remuait le corps et la tête en tous sens, se mordait la langue, mouillait sa culotte avant de perdre complètement conscience. Rip et le docteur l'avaient transportée au premier, suivie de Ruth qui ressemblait étonnamment à une poupée trébuchante. Ce fut Johnny qui s'assit, silencieux et l'air coupable, auprès de Paul Fox, dissimulé sous un drap, dans le hall de la Tanière du Renard. C'est lui qui attendit patiemment l'arrivée du corbillard de chez Cromartie pour l'enlèvement du corps.

Après cette nuit tragique, la question ne se posa même pas de savoir s'ils allaient vivre à la Tanière du Renard. Ruth était inconsolable : personne d'autre qu'Hebe ne pouvait lui apporter un réconfort. Elle ne voulait personne d'autre dans sa chambre obscure que Rip et que Hebe, sa fille totalement inefficace dont elle avait toujours été le rempart et la forteresse. Que Hebe, elle-même en larmes et prostrée, ne lui fût d'aucun secours, lui semblait sans importance. Pendant toute cette première journée, elle s'était accrochée à Hebe en sanglotant et en gémissant : « N'abandonne pas maman, bébé ! Promets à maman que tu ne l'abandonneras pas ! »

Hebe avait fini par se souvenir qu'elle était mariée et qu'elle avait un époux qui errait, embarrassé, quelque part dans les couloirs. Elle s'était levée pour le rejoindre mais Ruth avait hurlé et dit d'une voix sifflante : « Avec tes fornications et tes escapades dans la nuit comme une chatte en chaleur, tu as fait de moi une veuve ! Tu peux au moins rester avec moi ! » Hebe s'était effondrée à nouveau, accablée par le remords, le désespoir et le chagrin. Elle était restée au chevet de sa mère. Johnny Geiger passa la seconde nuit de son mariage dans une petite chambre qu'il avait découverte au bout d'un couloir, à l'arrière de la maison, chambre qui avait l'avantage d'être très loin des pleurs et des récriminations des femmes ou des yeux horrifiés des domestiques. Il ne sut jamais que cette chambre était celle où Alicia Fox était

175

morte. En fait, pendant les huit ans qu'il passa à la Tanière du Renard, jamais on ne prononça devant lui le nom d'Alicia Fox.

Ils enterrèrent son fils, Horatio Paul Fox, au sein de l'élégant mausolée de marbre des Fox dans le vieux cimetière des Confédérés. Il reposa à côté d'elle et de Claudius. Johnny Geiger eut l'impression que tout Sparta était au cimetière, que tout Sparta pleurait avec beaucoup d'emphase et que tout Sparta le fixait avec des yeux froids, lointains et accusateurs. Étaient là, précisément, les gens qu'il avait espéré pouvoir rencontrer. Il s'était imaginé en train de plaisanter avec les hommes et de badiner avec les femmes. Il n'était plus qu'un intrus qui s'agitait misérablement sous leurs regards. Les choses commençaient mal.

Par la suite, Johnny était revenu à la Tanière du Renard avec sa femme et sa belle-mère. Rip s'était profilée à la porte et avait emmené Hebe dans les étages de la maison. Johnny était resté seul, un peu à la dérive dans le sillage de Ruth tandis que celle-ci, au retour du cimetière, se glissait gracieusement dans la foule des gens affligés entrés pour prendre une collation : des plats de jambon, de dinde, de poulet, des gâteaux, des ragoûts et des salades en gelée décoraient la table de la salle à manger Hepplewhite. En ces temps de dépression, cet étalage de nourriture était surprenant. Johnny savait que, depuis la mort de Paul, deux jours plus tôt, le ravitaillement n'avait cessé d'arriver. En différentes occasions pendant que Robert était parti en courses avec la Chrysler, Johnny était allé lui-même ouvrir la porte. Parmi les inconnus qui se tenaient devant lui, les bras chargés de plats ou de paniers, quelques-uns semblaient avoir épuisé les ressources de leur basse-cour ou de leur garde-manger. Johnny trouva qu'il était à la fois étrange et stupide pour quelques-uns de ces visiteurs manifestement désargentés d'apporter leur humble contribution dans une maison qui regorgeait de tout. Il remarqua aussi que Ruth hochait la tête à chaque nouvelle offrande sans même qu'un de ses cheveux ne bougeât. Il garda le silence. Il y avait beaucoup de choses, en conclut-il, qu'il ne comprenait pas chez ces fascinants Sudistes.

Après une période de deuil convenable, la vie à la Tanière du Renard entra dans une nouvelle phase qu'Hebe appela toujours, par la suite, le « bon temps ». Ruth reprit sa vie mondaine. Veuve, elle sortit infiniment plus qu'à l'époque où elle était mariée, encore que plus jamais elle ne franchit le portique de la Tanière du Renard au bras d'un homme qui n'était pas un membre de la famille. Progressivement, à mesure que ce temps de deuil s'estompait dans la mémoire collective de la ville, elle se mit à prendre une part de plus en plus active dans les affaires civiques et charitables. En fin de compte, elle fit partie d'autant de conseils d'administration que Paul. En fait, certains étaient les mêmes. Les autres membres de ces conseils d'administration en vinrent à se reposer sur ses intuitions financières et sur son manque aussi entier que surprenant de sensibilité féminine. Bientôt, ce furent ces qualités-là qu'ils se mirent à admirer, bien plus que sa beauté épanouie, le timbre argenté de sa voix ou son sourire sensuel. « Si vous voulez que quelque chose soit fait à Sparta, adressez-vous à Ruth Fox » devint un slogan à Sparta. L'influence de Ruth eut tôt fait de s'étendre des affaires de la Tanière du Renard à celles de la ville tout entière.

Tout au long de cette période, elle se montra vis-à-vis d'Hebe plus aimante et plus attentive qu'elle ne l'avait jamais été pendant son enfance, lui consacrant de longues heures et faisant preuve de beaucoup d'affection maternelle. Petit à petit, l'empreinte de Johnny Geiger s'estompa. Elle organisa de petites réjouissances, promenades en Chrysler, shopping dans les magasins, déjeuners en ville, séance au cinéma l'après-midi... Elle ramena d'Atlanta un grand nombre de robes froufroutantes ainsi que de la lingerie de soie. Elle refit entièrement la décoration de la chambre de Paul Fox qu'occupait le jeune couple. Elle en fit une véritable bonbonnière avec des plissés, des ruchés, des rubans et des volants. Hebe se retrouva une fois de plus comme un bébé dans une nursery modèle.

Mais Johnny Geiger ne pouvait respirer dans cette chambre. Ses pieds et ses mains s'empêtraient dans ces volants qui étaient autant de toiles d'araignée. Il craignait de poser ses semelles sur les surfaces soyeuses et de s'asseoir sur les fauteuils et les canapés fragiles. Il ne trouvait pas la moindre place dans les placards pour ranger sa garde-robe pourtant assez mince, la générosité de Ruth ne s'étendant pas jusqu'à son gendre.

« Un homme refuse que sa belle-mère lui choisisse ses vêtements ou lui donne de l'argent » disait-elle à Hebe lorsque celle-ci, ouvrant un carton de chez Rich, regrettait que Johnny n'eût pas de cadeau. Elle lançait un grand sourire à Johnny qui le lui rendait aussi généreusement mais il était obligé de faire tant d'efforts que sa bouche en devenait douloureuse. Ce point d'honneur qu'elle assumait allégrement en son nom lui était complètement étranger. Il avait tendance à trouver qu'elle était méchante et pingre de le négliger alors qu'elle couvrait sa femme de robes exquises. C'est en grinçant des dents qu'il lui souriait. Mais il n'osait rien lui dire. C'était parce qu'il était presque toujours au chômage qu'il était dans l'impossibilité de s'acheter des vêtements convenables.

Hebe ne se rendait pas compte de son amertume. Un an après son mariage, elle était encore la fille dorlotée par Ruth Fox. Elle était même bien plus dorlotée qu'elle ne l'avait jamais été en étant enfant. Pendant cet âge d'or, Hebe eut tout ce qu'elle pouvait désirer, l'attention exclusive d'une mère belle et adorée, des piles de vêtements ravissants, des journées pleines de petits plaisirs, des magazines de cinéma, des feuilletons radiophoniques. La nuit, elle se livrait à des ébats passionnés avec son jeune et bel époux au cœur d'un lit à baldaquin recouvert d'organdi. Pour Johnny Geiger, noyé dans les froufrous et les parfums féminins, coucher avec Hebe était le seul plaisir spontané et authentique qu'il avait dans sa vie. Mais ce plaisir lui-même commençait à s'émousser : Hebe était véritablement insatiable et il était épuisé. Heureusement, Hebe se retrouva enceinte de Yancey.

Tout au début, en fait jusqu'à la naissance de son deuxième enfant, Paul, Johnny espéra que la vie parfaite et idéale qu'il avait imaginée pourrait devenir, même en l'aménageant quelque peu, réalité. Ruth s'était efforcée de lui venir en aide et de faire en sorte qu'il se sentît chez lui. Pas une fois, ni par un geste ni même par un battement de cil, elle ne lui avait fait sentir qu'il était responsable de la mort de son mari. Le seul blâme qu'il recevait provenait des yeux des serviteurs et des habitants de Sparta. Au bout d'un an, ces yeux semblèrent l'accepter plus facilement et se firent moins accusateurs.

Mais ils ne se montraient pas chaleureux à son contact et ne s'animaient guère quand ils le rencontraient. Johnny Geiger avait beau se donner du mal, il semblait dans l'impossibilité de toucher le cœur des habitants de Sparta. Il ne savait pas pourquoi. À son avis, ce n'était pas l'aversion traditionnelle et féroce des Sudistes pour le gouvernement fédéral et ses représentants car moins d'une semaine après le mariage de Johnny et d'Hebe, Ruth avait fait en sorte de le tirer de cet embarras.

« Mon cher Johnny, lui avait-elle dit un matin au petit déjeuner en entourant de ses mains son menton pointu et en se penchant vers lui, très séduisante dans la lumière qui inondait la petite pièce. Êtes-vous très intéressé par votre travail ? Je veux dire, vous tient-il tellement à cœur ? »

Johnny qui, depuis son mariage et son installation à la Tanière du Renard, n'avait pas eu la moindre pensée pour la vallée inondée de l'Oconee, retomba brutalement dans les réalités de la vie quotidienne. Il n'était pas retourné à la pension de famille, même pour y chercher son courrier. Il pouvait facilement se faire une idée du ton des lettres et des télégrammes qui avaient dû s'accumuler. Par-dessus la table, il se pencha vers sa belle-mère et lui décocha son plus fascinant sourire en plissant ses yeux couleur de vin de Xérès.

« Pas tellement, comme vous avez pu vous en apercevoir, dit-il gaiement. Qu'avez-vous en tête, Mom ? »

La « Mom » fit grincer des dents Ruth, et la familiarité du ton la fit bouillir intérieurement, mais elle sourit en inclinant de côté sa tête aux cheveux soyeux.

« Bon, je pensais que je pouvais vous aider si vous vouliez bien accepter un petit coup de main de votre belle-mère. Chiles Davenport me disait l'autre jour, lors de la réunion du conseil d'administration de la banque, qu'il avait besoin d'un assistant puisque son ingrat de fils a décidé d'entrer au séminaire baptiste. Ce ne sera pas grand-chose pour le moment : il n'y a pratiquement personne qui achète ou vende des terrains mais cela vous rapportera un petit revenu régulier et vous occuperez un bureau agréable. Les Davenport habitent Sparta depuis presque aussi longtemps que les Fox, et Chiles était le meilleur ami d'enfance de mon cher Paul. Il serait heureux d'avoir mon gendre parmi ses employés. Les perspectives d'avenir sont intéressantes si vous faites preuve de patience et si vous montrez que vous voulez travailler dur ; de plus, les relations que vous pourriez vous faire en ville... Voilà qui pourrait être très utile à Hebe comme à vous... »

Le cœur de Johnny fit un bond. Si le charme et le mariage ne suffisaient pas pour s'introduire dans leurs rangs, il tenterait sa chance avec le travail. Petit à petit, la complicité en affaires se transformerait en une véritable amitié virile. Johnny chasserait, pêcherait et jouerait au golf avec les hommes de la rue de l'Église (encore que dans sa vie de citadin pauvre et sans relief, il n'ait jamais tenu ni fusil de chasse ni canne à pêche ni club de golf), boirait avec eux dans le vestiaire des hommes ou au bar du Country Club. Il les accueillerait devant la grande porte de la Tanière du Renard, un verre

179

à la main et peut-être en smoking lorsque, avec Hebe, il les recevrait à dîner ou dans les cocktails. Ruth bien entendu resterait la grande dame de la maison mais comme il y serait le seul homme, chaque fois qu'on évoquerait la Tanière du Renard, on y penserait comme étant « la maison de Johnny Geiger »...

Ces images embuèrent son cerveau. Il regarda Ruth sans se rendre compte qu'il avait les yeux quelque peu vitreux et les lèvres humides et légèrement ouvertes. Elle pensa qu'il avait l'air d'une alose échouée...

« Eh bien ! Que pensez-vous de ma petite idée ? » demanda finalement Ruth entre ses dents serrées.

Il revint à la réalité.

« Je vous suis sincèrement et humblement reconnaissant, Mom, dit-il d'un ton sérieux. Je vais travailler dur et je vous ferai honneur, à vous et à Hebe. Je n'oublierai pas votre générosité. Je vais appeler M. Davenport... Chiles. Juste après le déjeuner.

— J'ai pris la liberté de le faire pour vous, dit-elle en le regardant de côté à travers ses cils. Il vous attend à onze heures. Mon cher Johnny, pardonnez-moi si je vous parais une vieille femme indiscrète et une belle-mère plutôt encombrante. C'est parce que, pour vous, je ne souhaite que le meilleur et aussi pour Hebe, bien sûr. Il serait stupide de ne pas utiliser le peu d'influence que j'ai acquise afin de rendre les choses un peu plus faciles à mon gendre.

— Je ne pourrais jamais penser cela de vous, Mom », dit-il avec chaleur. Il se leva de sa chaise, fit le tour de la table et il s'apprêtait à lui donner un rapide baiser sur la joue lorsqu'elle se recula. Johnny, surpris, embrassa le cou. La chair était froide, les muscles et les tendons du cou ressortaient comme des bas-reliefs. Il la regarda, troublé. N'avait-il pas été trop familier ? Mais elle eut un sourire engageant et dit : « Maintenant, dépêchez-vous de vous habiller pour votre premier jour dans votre nouvelle carrière. Allez jusqu'au bureau du télégraphe pour annoncer à ces idiots de Washington que vous avez trouvé dans votre filet un poisson plus gros à faire frire. Vous en kaki ! Quelle idée ! »

Il descendit les escaliers en sifflotant d'un air dégagé. Il croisa Hebe qui descendait pour aller prendre son petit déjeuner. Elle était encore en chemise de nuit. « Tu as l'air bien pressé », lui dit-elle. Où vas-tu comme ça ?

180

« — Je sors pour attraper la ville par la queue et lui montrer qui est le patron ! » répliqua-t-il joyeusement.

Johnny n'attrapa pas Sparta par la queue. Ce fut même le contraire. Sparta eut vite fait de s'emparer de Johnny et d'appuyer solidement le pied sur sa nuque. Progressivement, Johnny sut qui était le patron. C'est avec des discours creux et fleuris que Johnny fut accueilli dans le cabinet immobilier de Chiles Davenport (qui, à l'insu de tous sauf de Ruth et de son avocat, se débattait comme un beau diable pour faire face aux échéances de la dette qu'il avait contractée envers elle), et bientôt un carton discret, gravé selon les usages, fut envoyé à tous les gens importants de Sparta pour leur annoncer que Johnny appartenait désormais à la vieille firme. C'est avec une joie proche de l'extase que Johnny Geiger passa ses doigts sur l'inscription en relief. Qui, à Sparta, pourrait lui refuser l'entrée de sa maison alors qu'il était celui qui achetait et vendait ces mêmes maisons ?

Mais une année passa au cours de laquelle il ne fit pas la moindre affaire. Il fallut se rendre à l'évidence : il était naturellement et totalement inapte pour ce travail, n'ayant pas la moindre idée de la toile émotionnelle complexe qu'avaient tissée ces Sudistes inconstants autour de leurs terres et de leurs maisons. Ils ne placeraient pas plus leurs propriétés entre les mains blanches d'un citadin du Nord qu'ils ne confieraient leurs enfants à une quelconque pauvre femme blanche au teint blafard.

Yancey, la fille de Johnny, naquit en 1935. C'était une enfant longiligne qui avait les yeux bleus de Ruth Fox, de beaux cheveux dorés et un petit visage aux traits nets et plutôt dominateurs. Dès son entrée dans le monde, elle exigea… et sut retenir l'attention de tous dans la maison. Ses cris étaient puissants, clairs, perçants et incessants. Elle n'était ni malade ni chétive. Elle voulait seulement qu'on s'occupe d'elle. Ruth avait été extraordinairement heureuse de la naissance de sa première petite-fille. Quand elle se rendit pour la première fois au chevet d'Hebe à l'hôpital, elle arracha l'enfant des mains de l'infirmière et la tint à bout de bras, étudiant le petit visage rouge et en colère, écoutant ses cris persistants.

« C'est une grande fille robuste », dit-elle à Hebe qui remarqua le son étrange de la voix de sa mère mais ne sut pas se rendre compte qu'il s'agissait d'un accent de triomphe. Rip, qui avait accompagné Ruth pour voir le nouveau bébé, fixa attentivement

181

Ruth Fox pendant qu'elle tenait l'enfant, mais elle garda le silence.

« On l'appellera Yancey du nom de ma famille » dit Ruth en tendant le bébé à Rip et en se tournant vers Hebe.

— Oh non ! dit nonchalamment Hebe. Je vais l'appeler Greta. À cause de Greta Garbo. C'est après avoir vu *Anna Christie* que j'ai su que je voulais épouser Johnny. Greta Geiger. Vous ne trouvez pas que ça sonne bien ?

— Je trouve que ça fait penser à une coiffeuse qui vient de débarquer aux États-Unis », dit Ruth. Le ton de Ruth était glacial. Hebe garda le silence. Il y avait dans les paroles prononcées par sa mère un accent âpre, presque teuton...

« Mais Johnny et moi avions décidé..., se hasarda-t-elle à dire d'une voix à peine audible.

— Johnny est un homme raisonnable qui souhaite ce qu'il y a de mieux pour sa fille, dit Ruth en lui décochant un sourire radieux. Il sait que, dans le Sud, dans certains milieux, il est de bon ton de donner aux enfants les noms de leurs familles. Surtout s'il s'agit de noms aussi anciens et respectés que Yancey ou Fox. »

Johnny, appréciant la sagesse de cette déclaration, s'empressa d'approuver Ruth et, à l'instant même, abandonna l'exotique « Greta ». Il ne savait pas et ne saurait jamais que sa fille allait porter le nom d'un ivrogne fou. Au fil des ans, l'existence de Cater Yancey avait complètement changé de nature. Hebe elle-même savait seulement que son grand-père était un ministre du culte venu à Sparta des lointaines régions de la Géorgie du Nord. Quand par hasard elle pensait à lui — ce qui n'était pas fréquent —, elle l'imaginait comme un vieillard distingué aux cheveux blancs, au verbe éloquent, prêchant dans une vieille église sombre semblable à celle où elle se rendait quand elle était petite. Rip, seule dans la maison, savait pour qui et pour quoi le premier petit-enfant de Ruth Fox se prénommait Yancey et ce nom hurla longuement à ses oreilles. Yancey : ce patronyme sonnait maintenant comme un présage. Rip, une fois de plus, devait se montrer vigilante.

Quand Hebe revint de l'hôpital, la petite Yancey lui fut confiée. Avec un nouveau bébé dans la vieille nursery, les jours et les nuits de Rip à la Tanière du Renard furent bien remplis. C'est avec reconnaissance qu'Hebe abandonna à Rip le soin de s'occuper de sa fille tandis qu'elle rejoignait avec empressement le lit de son mari. La petite Yancey devint la véritable fille de Rip, comme Hebe l'avait été avant elle.

Johnny n'était pas mécontent d'avoir un enfant. Il avait l'impression que, maintenant, sa condition d'homme marié et de père de famille allait améliorer son image de marque dans le monde des affaires à Sparta. On allait le regarder avec un œil nouveau, comme s'il était revêtu de sa dignité paternelle. Quand il retourna à son bureau, après la naissance de Yancey, ce fut avec une énergie et des espérances nouvelles. Ses collègues le félicitèrent chaleureusement, lui tapèrent dans le dos, firent quelques remarques un peu salaces sur ses prouesses maritales. Deux ou trois d'entre eux l'invitèrent même à venir, après le travail, prendre un verre au club. Mais il n'en résulta rien de bien concret. Il se retrouva bientôt à son point de départ comme lors de son entrée dans la firme, feuilletant des papiers sans importance sur son bureau bien ciré, arpentant les routes poussiéreuses le long des quartiers de Sparta les plus touchés par la dépression, au cœur de propriétés dévastées par la sécheresse ou sur le point d'être saisies.

Morceau par morceau, fragment par fragment, son rêve se désintégra. Il finit par conclure, non sans amertume, qu'il n'appartenait pas à la société de Sparta et qu'il ne lui appartiendrait jamais. Le Nord et le nom de Geiger, un nom aussi rêche qu'un abrasif, étaient attachés à son cou. Il lui vint un fils le 16 décembre 1939, à deux heures du matin après une course folle sur la route glissante d'Atlanta : Hebe avait amené Johnny Geiger pour qu'il la conduise, contre toute sagesse, voir *Autant en emporte le vent*. Elle avait été transportée de joie et s'était mêlée imprudemment à la foule compacte qui se pressait autour du Loew's Grand Theater illuminé et pavoisé. La foule, voyant l'état avancé de sa grossesse, lui avait ouvert un chemin. Johnny s'était battu pour la rejoindre, terrorisé à l'idée qu'elle pourrait accoucher sur place. C'est ainsi qu'ils se retrouvèrent au bord du trottoir et qu'il purent voir passer devant eux, en chair et en os, dans toute leur splendeur, les stars qui avaient brillé un peu plus tôt sur l'écran et depuis toujours dans la tête d'Hebe. Le ravissement la saisit quand ses doigts touchèrent ceux de Leslie Howard. Elle tomba en extase et plia les genoux lorsque Clark Gable, apercevant son joli visage émerveillé par-dessus son ventre débordant, lui prit la main et lui posa un baiser.

Hebe affirma toujours que le choc de ce baiser avait provoqué l'accouchement. Un fait est indéniable : l'enfant, un petit garçon, naquit rapidement après leur arrivée à l'hôpital de Sparta, au terme de leur course folle en voiture.

« Il faudra l'appeler Rhett, dit Hebe sans réfléchir quand on lui apprit qu'elle était mère d'un garçon. Il faut *absolument* qu'il s'appelle Rhett. C'est clair comme le jour. C'était un présage. Rien qu'un présage.

— Ridicule, trancha Ruth d'un ton cassant. Rhett Geiger ? Qu'est-ce que c'est que ce nom aussi vulgaire que ceux des acteurs de cinéma ? Il s'appellera Paul Fox Geiger. Exactement comme nous l'avions décidé. Seigneur Dieu ! que diraient les gens si ton fils aîné ne portait pas le nom de son grand-père maternel ? À moins que... » Elle se tourna, souriante, vers Johnny... « À moins que vous ne vouliez lui donner le nom de *votre* pauvre père... »

Johnny hocha la tête sans dire un mot. Le nom de son père était Padraic. Il s'était entêté à en conserver l'orthographe originelle. Même Johnny était conscient que Paddy Geiger ne pourrait jamais franchir les mêmes portes que Paul Fox Geiger. Et ce qui était plus grave, il savait que Ruth savait qu'il le savait. Une part de la joie qu'il avait ressentie cette nuit en apprenant la naissance de son fils s'évanouit et il entendit le bruit familier et lointain de grandes portes qui se referment sèchement et définitivement.

Mais cette fois, elles ne se rouvrirent pas. Le monde entra en guerre et, tandis que les États-Unis restaient une fois de plus timidement à l'arrière, il ne faisait aucun doute pour personne que, très bientôt, les jeunes Américains traverseraient les eaux grises de l'Atlantique pour se battre aux côtés des jeunes Britanniques contre le Hun ressuscité et barbare. À cette époque, il ne faisait pas bon être allemand aux États-Unis. Il ne faisait même pas bon, à cette époque, d'avoir un ancêtre allemand sur une quelconque branche de son arbre généalogique. Johnny Geiger était aussi irlandais que le cochon de Paddy comme on disait dans les rues de Johnstown où il avait grandi, mais son brave arrière-grand-père autrichien lui avait légué en même temps que ses yeux étranges et clairs un patronyme qui allait peser d'un certain poids. Dans la provinciale et féroce Sparta, son nom devint sa malédiction finale. La rudesse des syllabes, désagréables aux oreilles sudistes habituées aux voix traînantes et mélodieuses, avait jusqu'ici passé comme allant de soi chez un Yankee. Maintenant on trouvait qu'il parlait comme un étranger et son accent sinistre était comme une lourde massue qui martelait leur sensibilité exacerbée par la guerre.

« Geiger, qu'est-ce que c'est que ce nom-là ? » Un jour, lors d'une réunion des Kiwanis, Johnny entendit cette réflexion qui avait été prononcée par un vénérable vieillard.

« On dirait bien que ça sonne comme un nom nazi. Dieu seul sait ce qu'il va faire toute la journée tout seul sur nos routes de campagne. Dieu seul sait qui il rencontre et à qui il parle... »

On se moqua du vieillard et on le fit taire rapidement mais il n'échappa pas à Johnny qu'en sa présence les gens avaient baissé la voix et, pendant quelques instants, il sentit dans son dos le poids de leurs regards.

Il ne retourna pas aux réunions du Kiwanis Club ni à celles du Rotary ou de la Chambre de commerce. Et il commença à alléguer un surcroît de travail quand Ruth, ou Hebe, proposait une sortie au Country Club. Ruth avait entendu les rumeurs et avait gardé le silence. Un seul coup de pouce de sa part serait maintenant suffisant : elle pouvait attendre son heure...

Son troisième et dernier enfant vint au monde par un dimanche doux et grisâtre de décembre. L'accouchement avait duré près de vingt heures et avait laissé la mère sans force et hébétée pendant des semaines. Johnny avait passé la journée dans le jardin derrière la maison à installer une balançoire pour Yancey alors âgée de six ans. Ruth lui avait interdit l'entrée de l'hôpital. Hebe ne voulait pas qu'il la vit dans l'état où elle se trouvait, lui avait-elle expliqué. Cela lui convenait fort bien. Les hôpitaux, avec leurs chuchotements mystérieux et leur odeur de mort, l'effrayaient et l'intimidaient.

Il avait découvert récemment qu'il appréciait la compagnie de sa fille aînée. Bien plus qu'il aurait pu l'imaginer. Plus qu'une enfant, Yancey était une femme en miniature. Comme chez sa splendide grand-mère naguère, il y avait en elle une perfection raffinée qui attirait et retenait les regards. Elle avait accompagné son père pour jouer avec lui dans le jardin derrière la maison. Yancey éprouvait pour Paul alors âgé de deux ans, une passion presque alarmante mais elle ne voulait pas d'une petite sœur.

« Je suis ta seule petite fille » dit-elle à son père.

Il était à cheval au-dessus de la branche basse à laquelle il était en train d'accrocher la corde de la balançoire. Ses chaussures blanches et marron se balançaient au rythme de la chanson qu'il sifflait.

« Tu l'es », dit-il gaiement en prenant conscience qu'elle deviendrait très belle en vieillissant. Mais elle n'avait pas grand-chose des Geiger : c'était une Fox jusqu'au bout des ongles. Son fils aussi. Johnny se rendit compte que cela n'avait plus d'importance.

« Et si maman ramène une autre petite fille ?

— Alors, elle sera la petite fille de maman parce que j'en ai déjà une. Et c'est toi, dit-il.

— Toujours ?

— Toujours. »

Moins d'une heure après avoir appris par un appel de l'hôpital qu'Eleanor Steed Geiger était venue péniblement au monde à l'issue d'une césarienne, Johnny entendit à la radio, dans le petit salon, que les Japonais venait de bombarder Pearl Harbor à Hawaï et que les États-Unis d'Amérique étaient enfin entrés en guerre.

En mars de l'année suivante, Johnny apprit que ses pieds plats l'avaient écarté du dernier refuge de l'homme : la Seconde Guerre mondiale. Lorsqu'il revint de sa visite médicale d'incorporation et pénétra dans le hall de la Tanière du Renard, le visage sombre et les yeux éteints, Ruth sut, en le regardant, que son heure était enfin venue. Après le dîner, les domestiques étant partis, Hebe bordée dans son lit d'organdi, les deux aînés endormis dans la nursery et Rip, dans la cuisine, occupée à bercer la nouvelle venue, Ruth lissa sa jupe sur ses hanches minces, humecta ses lèvres et monta l'escalier qui menait à la petite chambre où dormait Johnny Geiger en attendant qu'Hebe se sentît suffisamment bien pour le reprendre dans son lit. Il en était venu à ne plus se soucier de savoir quand viendrait ce moment. Johnny Geiger ne se souciait plus de grand-chose. Quand Ruth entra, il était couché sur le dos sur son étroit lit de fer, les bras croisés derrière la tête et regardant fixement le plafond. Horace Heidt et ses Alemie Brigadiers braillaient dans la radio posée à son chevet mais Johnny n'avait pas l'air d'écouter. Ses yeux couleur de vin de Xérès étaient aussi fixes et vides que ceux d'un écureuil mort.

« Mon cher Johnnie, dit doucement Ruth Yancey Fox. Pourriez-vous descendre une minute dans le petit salon ? J'aimerais vous parler de quelque chose... »

Installée dans la cuisine de la Tanière du Renard, le jour suivant, Rip contemplait dans la lumière dansante qui venait du mur et du plafond, le bébé qu'elle serrait dans ses bras. La marque rouge avait disparu et la joue de Nell était maintenant aussi blanche, pure et lisse qu'elle l'avait été à son retour de l'hôpital. Grâce à la césarienne, Nell avait été, dès le premier jour, un adorable bébé.

Rip commença à balancer le bébé d'avant en arrière, d'arrière en avant. Elle fredonnait dans un souffle un chant indistinct. Le bébé la regardait avec gravité. Tout était calme et silencieux dans la cuisine. Ruth et Hebe, désormais mère et fille et rien d'autre, étaient serrées l'une contre l'autre dans cette grande maison de femmes. Carrie était montée porter de la crème à la vanille à Yancey et à Paul qui étaient gardés dans la nursery par Rusky. Il n'y avait personne dans le vaste rez-de-chaussée sonore de la Tanière du Renard. Personne sinon Rip et la petite Nell Fox. Intérieurement, Rip se corrigea : Nell Geiger.

À haute voix, elle dit au bébé : « Pauv' tite fille qu'a pas d' papa. Pauv' ti bébé. Rip, elle va t'aider. Rip, elle' s'ra toujours là. Dieu, y va m'aider avec tous ces p'tiots qu'ont pas d' papa pa'cque, dans c'te maison, y a person' qui va le faire... »

Troisième partie

NELL

Chapitre XVII

Derrière la maison, sous l'escalier de bois qui menait de la véranda au jardin, se trouvait un petit espace entouré d'une cage de treillis peinte en vert. C'était une cave humide et close qui sentait le moisi et qui abritait les compteurs d'électricité et d'eau. Le releveur des compteurs y avait accès par une porte, découpée dans le treillis, d'une taille suffisante pour permettre à un homme de passer le bras. Quand elle eut quatre ou cinq ans, Nell Geiger découvrit qu'en se hissant sur un bloc de béton, elle pouvait atteindre la porte, se faufiler à travers l'ouverture comme un serpent et se laisser tomber sur le sol en terre battue. Dans cette petite maison quelque peu magique, seul endroit qu'elle pouvait vraiment revendiquer dans l'immense demeure, elle pouvait observer à travers le treillis tout ce qui se passait à l'arrière de la Tanière du Renard.

Personne d'autre n'y venait. Aucun adulte n'aurait pu s'y introduire. Même si elle en avait connu l'existence, sa sœur, la grande et arrogante Yancey, était bien trop absorbée par sa petite personne pour s'y intéresser. Quant à son frère Paul qui était gentil mais distant, perdu dans l'univers de ses livres ou dans ses activités avec Jacob Lee, le petit-fils de Rip, il ne l'avait jamais découverte. La cage était une sorte de cadeau que seul un enfant solitaire et rêveur pouvait recevoir, un enfant qui avait besoin d'ombres, de recoins et de secrets. Nell passa une grande partie de son enfance à observer le monde à travers le quadrillage magique des treillis. Les murs de la cage, tout proches, l'entouraient aussi sûrement que des bras. Ils lui apportaient l'amour et la sécurité. Telle une souris admirant de son trou le monde plus vaste des gros chats fabuleux, Nell n'aima jamais autant le monde de la Tanière du Renard, cet Olympe habité par les dieux, que lorsqu'elle le voyait de son repaire secret, sous les marches de l'escalier, derrière la maison. Enroulée dans de vieux couvre-pieds sales qu'elle avait fait glisser à travers la petite porte le jour où elle avait découvert la cage, grignotant des pommes et des petits gâteaux sortis du four de Carrie, elle avait l'impression d'être l'un de ces êtres beaux et puissants qui habitaient la Tanière du Renard. Il lui semblait qu'elle n'était là que pour un bref instant privilégié et qu'elle s'en retournerait bientôt rejoindre les autres pour partager leur vie quotidienne marquée au coin de l'héroïsme. Elle pensait que lorsqu'elle les rejoindrait, elle serait aussi grande, aussi belle et aussi rayonnante qu'eux. Ils la reconnaîtraient alors comme leur semblable et l'accueilleraient comme telle.

Mais pour l'instant, celle qui se glissait hors de la cage pour pénétrer dans la véranda en clignant des yeux à cause de l'insupportable lumière du soleil, n'était encore que la petite Nell Geiger, au corps mince, à la voix fluette, sans la moindre force ni le moindre pouvoir, contrainte de renverser très en arrière sa tête aux cheveux bruns soyeux et de lever ses grands yeux topaze vers les immenses piliers lumineux qu'étaient Gamma[1] et Yancey, vers le totem de bronze rayonnant qu'était Rip, vers le feu follet qu'était maman. Même Paul qui semblait avoir, dans ses yeux, pris au piège la lumière du soleil, même Paul qu'elle aimait de tout son cœur, il lui fallait lever la tête pour le voir. Hors de sa cage, les grands vents de Dieu semblaient souffler avec force autour d'elle et elle n'était plus que la petite Nell, une enfant sans importance.

Par un après-midi glacial de janvier 1951, Nell, alors âgée de neuf ans, était pelotonnée dans le nid douillet qu'elle s'était installé à l'intérieur de la cage et, à travers ses larmes, regardait le jardin couvert de givre. Elle pressait fort ses mains contre ses oreilles pour ne pas entendre les voix qui répétaient inlassablement : « Nell ! Nell ! Viens ici, jeune fille ! Où es-tu, Nell ? »

Trois voix composaient ce chœur, celles de Gamma, de maman et de Rip. Ce matin, elle n'en avait entendu qu'une seule, celle de Rip. Il n'y avait dans cette voix ni menace, ni détresse ni exaspération. C'était une voix qui la cherchait avec douceur. Il n'y avait ni colère ni indignation dans la voix de Rip, simplement le chagrin qu'elle pouvait ressentir dans son cœur. Même pour Rip qu'elle aimait autant que Paul, Nell n'était pas sortie de sa cachette : ce qui s'était passé le matin était trop horrible pour qu'elle puisse le supporter à

---

1. Contraction de Grandma : grand-maman.

l'extérieur de l'abri. Pendant longtemps, seule la voix de Rip appelant la plus jeune des Fox résonna à travers la Tanière du Renard.

Pendant un long moment, les autres ne s'étaient pas aperçus qu'elle avait disparu. Elles avaient pensé qu'elle dormait dans sa chambre, au premier, juste à côté de celle de Rip. Elles avaient conduit, dans l'aube brillante et glaciale, Yancey à la gare, et des heures avaient passé avant leur retour. Gamma conduisait elle-même la Chrysler — ce qui, déjà, était assez insolite. Elle se gara dans l'ovale, derrière la maison. Nell la vit et l'entendit quand elle rentra avec maman. Elle entendit les sanglots et les cris de maman, sanglots et cris qui ne manquaient jamais de la terrifier. Elle entendit la voix douce et chantante de Gamma s'efforçant de la consoler. Elle entendit le murmure indistinct de Rip et reconnut son propre nom. Elle entendit la réponse sèche de Gamma, agacée et inquiète. Enfin, elle entendit le hurlement de maman : « Oh, Mon Dieu ! Dois-je aussi perdre mon bébé ? »

Elle les vit aussi s'arrêter, jeter un coup d'œil sur le jardin nu et glacé puis grimper les marches de la véranda et pénétrer dans la maison. Commença alors la longue litanie de son propre nom : « Nell ! Nell ! Où es-tu, Nell ? » Il était maintenant quatre heures et les reflets dorés de la lumière filtrant à travers les treillis commençaient à s'ombrer. Nell, engourdie par le froid, ne sentait plus ni ses pieds, ni ses doigts ni les larmes sur son visage. Elle était dans sa cage depuis sept heures, ce matin.

Le départ de Yancey avait été pour Nell un coup terrible qui l'avait révoltée et bouleversée. Mais maintenant, recroquevillée de froid sous ses couvre-pieds, elle était bien obligée d'admettre que cela n'avait pas été tout à fait une surprise. Il y avait déjà eu un départ au printemps dernier, celui de Paul. C'était un matin, dans l'aube emplie des senteurs de mimosa : Paul avait été emmené, presque traîné de force jusqu'à la Chrysler. Ses hurlements de rage et de colère impuissante avaient rapidement été étouffés par les lourdes portières capitonnées de la voiture qui s'étaient refermées sur lui. Ce jour-là, Nell était endormie et n'avait pas vu Paul partir. Elle s'était réveillée plus tard après le retour de la gare de Gamma et de Robert le chauffeur. Paul avait disparu et sa chambre était aussi nue, aussi vide et aussi nette que si personne ne l'avait jamais habitée. Là-haut, dans sa chambre, Yancey hurlait comme une hystérique. Nell, ce jour-là, s'était enfuie et avait trouvé refuge dans sa cage sous l'escalier. Elle y était lorsque Jacob Lee avait, de son pas lourd, descendu les marches, au-dessus de sa tête. En reniflant et en murmurant des mots douloureux, il s'était éloigné à travers le jardin. Il avait gagné la petite maison derrière la haie. C'est là qu'il avait vécu avec Rip avant d'emménager dans l'appartement au-dessus du garage où il étudiait avec Paul et qui était une sorte de havre réservé aux garçons. Aussi étonnée qu'inquiète, Nell vit qu'il pleurait. De grosses larmes qui laissaient sur ses joues lisses des traces comme celles d'un escargot. Son visage avait quelque chose de grotesque...

Jacob Lee avait quatre ans de plus que Paul et à peine six mois de plus que Yancey mais il était grand comme un homme. Sa douleur était celle d'un homme : il pleurait avec âpreté et à contrecœur. Ses sanglots avaient un son métallique, inhabituel et qui semblait étrange aux oreilles habituées aux pleurs de l'enfance. Nell n'avait jamais pensé à lui comme à quelqu'un ayant un âge particulier. Il était, bien sûr, bien plus grand qu'elle mais Paul aussi, et puis... tous les autres. Il avait le visage clair et lumineux, des yeux d'enfant doux et paisibles, un sourire vif et agréable. Il riait, chantait et gambadait autour de Paul avec une énergie de jeune animal contrastant avec la fragilité et la gravité aimable de Paul. Leur amitié était profonde, simple, spontanée.

Paul, depuis sa naissance, avait été un enfant fragile. À dix ans, les crises d'asthme qui l'avaient confiné à la maison une grande partie du temps avaient certes presque entièrement disparu mais, en revanche, n'avaient pas disparu cet amour de la lecture et cette propension à la solitude qui lui avaient permis de supporter toutes les années de sa maladie. De même, il ne devait jamais perdre la gentillesse de son caractère qui avait sa source dans la compagnie constante de femmes indulgentes à la voix douce. Yancey, de quatre ans son aînée, adorait son petit frère, grave et tranquille, avec une ferveur qu'elle n'eut jamais pour Nell. En sa présence, elle freinait et adoucissait ses manières arrogantes et sa vitalité débordante de peur que ne se déclarât une de ses terribles crises d'étouffement. Pendant les premières années de la vie de Paul, elle le traita avec précaution, attendant le moment où elle pourrait entièrement se consacrer à lui. Paul se plongea avec délices dans ses chers livres et nul, à la Tanière du Renard, ne vint jamais le troubler. Enfin, il réussit à s'arracher aux griffes de la maladie et il put se tenir debout dans le soleil, ébloui, affamé d'aventures, prêt à vivre sa véritable enfance. La première personne que rencontrèrent ses yeux bleus au moment où ils s'ouvrirent sur le monde fut Jacob Lee, souriant et bouillonnant de vie.

Dès lors, les deux enfants furent requis et ravis par leur amitié. Que Jacob Lee fût presque un adolescent ne changea rien à la qualité de leurs relations. Au contraire, cela les renforça. La supériorité présumée de Paul, né blanc dans un milieu favorisé par la fortune, le rang et la culture, était compensée par la taille et l'âge de Jacob Lee, par ses prouesses athlétiques et par une connaissance intime des bois, des ruisseaux et des chemins écartés de Sparta. De même que nombre d'enfants noirs et blancs d'un certain Sud, ils se quittaient seulement lorsque Paul suivait ses cours et que Jacob Lee fréquentait, contraint et forcé — mais de manière intermittente —, la petite école communale de Suches. Quand ils n'étaient pas partis pour une expédition mystérieuse dans les bois ou dans la jungle de kudzu — les jours de grande pluie par exemple ou lors des tempêtes de neige de février —, ils se terraient dans la chambre de Paul qui racontait à un Jacob Lee émerveillé les histoires de ses livres de mythologie et d'aventures, les embellissant de détails sortis tout droit de son imagination créatrice. Ou encore il faisait pénétrer son aîné dans les arcanes de ses jeux de construction, de ses collections de timbres ou de papillons, de son élevage de fourmis ou de son chemin de fer électrique dont les rails s'entrecroisaient à travers sa chambre comme les fils d'une toile d'araignée.

En les voyant ensemble au grand soleil ou sur le tapis de cheminée de la chambre de Paul, Rip souriait de son rare sourire illuminé d'un rayon doré. Hebe riait d'entendre leurs éclats de rire rauques. Nell s'attachait résolument et inutilement à leurs pas, brûlant d'entrer dans le monde brillant et parfait qu'ils avaient créé et dans lequel ils évoluaient. Nell ne fut jamais admise à l'intérieur du cercle enchanté mais l'idée ne lui vint jamais d'en tenir rigueur à Jacob Lee. Bien au contraire. Il devint l'un de ces dieux géants qui peuplaient la Tanière du Renard et jamais elle ne l'oublia dans ses dévotions.

Mais Yancey s'irritait de la présence de Jacob Lee à la maison et dans la vie de Paul. A la fin de son enfance, vers l'âge de sept ans, il avait semblé que Paul découvrait Yancey pour la première fois et qu'avec gravité il concentrait intensément son attention sur elle. A cet appel, Yancey avait répondu comme si elle avait attendu pendant toute sa jeune vie pleine de fièvre cet événement susceptible de la mobiliser totalement et même de l'engloutir. On aurait dit qu'en quelque sorte, elle n'existait plus que par les yeux de Paul. Ils devinrent inséparables d'une manière que Paul et Jacob Lee ne connaîtraient jamais, que Nell et Paul non plus ne connaîtraient jamais même si la petite fille vénérait son frère aîné et partageait avec lui la passion des livres et de la lecture. L'attachement qui reliait ces deux enfants d'Hebe Fox Geiger, tous deux grands, minces et beaux, était presque aussi fort que celui qui aurait uni deux jumeaux. Il n'était pas rare que l'un d'eux lût dans les pensées de l'autre et finisse une phrase commencée par l'autre.

Souvent, dans le petit salon où, après le dîner, elles aimaient s'asseoir sur le tapis devant le feu, Hebe et Ruth virent Yancey lever la tête puis bondir sur ses pieds et quitter la pièce. Quand on lui demandait où elle allait, elle se contentait de répondre : « Paul a besoin de moi ». Hebe et Ruth se regardaient mais gardaient le silence. C'était le même regard qu'échangeaient maman et Gamma lorsque Paul, assis dans le vieux Bulfich en cuir fatigué de son grand-père, levait soudain le nez de l'écritoire de sa grand-mère Alicia et affirmait : « Yancey va certainement avoir des ennuis ». Ce que Yancey confirmait, quelques minutes plus tard, à son retour.

« Je me demande comment ils font, Rip » avait demandé Nell un jour. Elle enviait à Paul et Yancey cette communion de pensée qui leur permettait de communiquer à des kilomètres de distance à travers les murs. Elle enviait aussi l'attention silencieuse de maman et de Gamma que leur valait ce pouvoir.

« Ils font ça avec des oreilles dans leur tête », dit Rip tout en poursuivant son repassage. Il semblait évident que le phénomène n'avait pour Rip rien d'extraordinaire — ce qui ne manqua pas d'intriguer Nell.

« Tu as des oreilles dans la tête, Rip ?

— Bien sûr que j'en ai. J'ai aussi des yeux à l'intérieur. Comment tu crois qu' j' sais quand tu fais d' travers ?

— Est-ce que tu es une sorcière, Rip ?

— Qu'est-ce qui faut pas entend' ? C'est Carrie, j' parie, qui t'a dit ça. Elle va en entend' pour ses quat' sous. J'ai rien à voir avec un' sorcièr'...

— Alors, comment tu sais quand je fais mal ? Et comment tu

196

sais pour Paul et Yancey ? Si c'est pas de la sorcellerie, pourquoi je ne peux pas le faire ?

— Mais si, tu peux...

— Non, je ne peux pas, j'arrête pas d'essayer.

— Tu peux pas parc' que t'as pas trouvé çui qui va à l'aut' bout d' toi. Paul et Yancey, y vont l'un au bout d' l'aut'. Alors, y peuv' s' parler et s'entendre mêm' quand y sont loin. Y faut qu' tu trouves qui c'est qui va au bout d' toi. »

Nell était ravie. « Et quand le trouverai-je ?

— Ça, j'en sais rien. Y en a qui trouv' tout d' suite. Y en a qui trouv' jamais... mais tu trouv'ras Nell. Pas dans c'te maison, j' pens' pas mais un jour tu l' trouv'ras. »

Yancey sentait que Paul lui échappait à mesure que ses activités avec Jacob Lee l'absorbaient. Elle se mit à haïr Jacob Lee. Lui qui était d'ordinaire si prudent ne comprit pas très bien et en resta muet de stupéfaction. Elle déchargea sa colère et sa jalousie sur Paul lorsqu'elle était devant lui, et sur Nell quand il n'était pas là.

« Quel manque de goût ! Quel manque de goût ! Tout le monde dans cette maison en est victime ! dit-elle un jour à Paul avec cet accent froid et cassant qui semblait calqué sur celui de Gamma. C'est lamentable de passer autant de temps avec ce grand nègre stupide et vulgaire ! Tu ne vaux pas mieux qu'un nègre toi-même et je refuse d'aller avec toi au cinéma. Moi, je ne me commets pas avec des nègres.

— Comme tu voudras », dit Paul d'une voix sereine. Il la laissa bouder, claquer les portes, s'enfermer dans sa chambre à la manière d'un animal qui se terre pour lécher ses plaies.

Yancey n'était pas la seule à la Tanière du Renard à déplorer le resserrement des liens entre Paul et Jacob Lee. Souvent, le matin, alors qu'elle était dans sa chambre occupée à dresser les comptes de la maison, tandis qu'Hebe dormait ou somnolait en écoutant la radio, Ruth Fox s'interrompait et se rendait sur le balcon. Appuyée contre la balustrade blanche, elle regardait les jardins de la Tanière du Renard où les deux garçons étaient en train de jouer. Si elle songeait à une autre femme, tout de blanc vêtue qui, bien des années auparavant, se penchait sur ce même balcon pour regarder des enfants, rien sur son visage grave ne le laissait deviner. Ses yeux bleus s'assombrissaient et se rétrécissaient à cause du soleil et elle pensait que vraiment il n'était pas convenable de laisser le jeune Paul Fox jouer à *mumbletypeg* [1] dans l'allée, au vu de tout le monde, juste devant la maison, avec un grand nègre qui n'était autre que le petit-fils d'une domestique. Il faudrait vraiment qu'elle en parle à Paul et à Rip...

Mais elle pensait aussi que cette amitié ne différait en rien de celle qu'une douzaine de jeunes garçons blancs de la rue de l'Église entretenaient avec des jeunes Noirs de Suches. Et personne dans ces grandes familles n'y trouvait à redire. De plus, quelque chose au fin fond d'elle-même lui interdisait de reprocher à Rip une situation où elle n'était pas certaine d'avoir totalement raison. Puisqu'elle avait l'impression que cette amitié ne représentait pas une menace pour la Tanière du Renard ou pour elle-même, elle pouvait aussi bien laisser les choses aller.

Jusqu'à ce jour de 1949 où elle souffrit d'une crise de coliques hépathiques aussi soudaine que douloureuse. Si l'on exceptait sa grossesse, c'était la première fois qu'elle était malade depuis le jour de son arrivée à la Tanière du Renard lorsque Pearl Steed Yancey avait disparu et qu'elle avait contracté une pneumonie. Le jour où elle fut victime de cette crise, une fois que le docteur Hopkins eut établi son diagnostic et calmé la douleur qui la broyait et qui la laissait sans force, elle décida de se rendre au plus tôt au cabinet de Stuart Hill, le fils du vieux Thadeus Hill, avec qui son mari avait été associé. Elle pourrait mettre au point la rédaction finale de son testament. C'est ainsi que prit fin à la Tanière du Renard la longue période de calme et de paix...

1. Jeu de garçons dans lequel un couteau de poche est lancé dans diverses positions mais qui doit toujours retomber en se plantant dans le sol.

Chapitre XVIII

Dès qu'il lui eut exposé les clauses du testament de son mari, Stuart Hill crut bien que la belle et farouche Ruth Yancey allait se trouver mal dans son bureau et s'écrouler sous ses yeux. Il sonna avec énergie sa vieille secrétaire qui se précipita avec une carafe d'eau. Elle était même sur le point d'appeler le docteur Hopkins lorsque Ruth reprit ses esprits.

« Mais, miss Ruth », protesta le doux et patient Stuart Hill. Il penchait sur elle sa tête en forme de poire tout en massant machinalement ses poignets blancs. « Vous avez eu un malaise. Vous m'avez dit vous-même que vous aviez dû consulter un médecin il y a moins de deux jours pour soigner votre crise de coliques hépatiques...

— Ça va très bien maintenant, je vous remercie, dit Ruth. Ne vous tracassez pas à cause de moi. J'ai été stupide de faire le trajet à pied au lieu de me faire conduire en voiture par Robert. Il fait plus froid que je ne le pensais. Vous me disiez donc que mon mari, dans son testament...

— Oui. J'étais persuadé que vous étiez au courant. Le jour de. Euh... votre décès, la Tanière du Renard reviendrait au fils aîné de miss Hebe, ou à l'université si votre fille n'avait pas d'enfant... Ce qui n'est pas le cas puisque le charmant Paul, miss Yancey et la petite Nell sont vivants et bien vivants. Mais Paul, votre mari, ne pouvait pas le savoir quand nous avons rédigé son testament : c'était avant... Euh... que miss Hebe n'envisage de se marier. Cela n'a rien d'exceptionnel, miss Ruth. La plupart de nos vieilles demeures reviennent au fils aîné de la lignée, vous savez. Votre mari, n'en doutez pas, a agi en ce sens pour vous protéger. Il ne voulait pas que vous puissiez connaître le moindre souci à cause de cette maison.

— Mais vous m'avez dit, à la mort de Paul, que la maison était à moi... que je pouvais y demeurer quelles que soient les circonstances, que je n'avais aucun souci à me faire... Je vous avais posé la question et c'est ce que vous m'aviez répondu...

— Mais bien sûr. Tout cela est exact. Cette maison est à vous jusqu'à votre mort : cela ne pose aucun problème. Vous n'avez aucun souci à vous faire, miss Ruth. Et par la suite, bien entendu, elle restera dans la famille. Ce n'est pas comme si La Tanière du Renard passait dans des mains qui ne la méritent pas. Quand nous avons... euh... rejoint nos ancêtres, le toit que nous avons au-dessus de nos têtes, c'est le cadet de nos soucis, n'est-ce pas... Du moment qu'il ne quitte pas la famille. Mais je suis certain que vous étiez au courant...

— Non. Paul ne m'en avait pas parlé. »

Ruth se tut mais, à cause de cette trahison, la colère la dévorait. Comment avait-il pu ?... Elle qui avait accompli tout le travail qu'exigeait la Tanière du Renard tandis que lui restait assis, gras, obséquieux, bête et si stupidement... oui, si stupidement amoureux... En même temps, pendant tout ce temps, ce truc monstrueux... cette *ruse*, cette *trahison*, qui était en train de dévorer son cœur comme une araignée venimeuse... Une rage folle l'envahit. Pourtant elle réussit à rester calme et impassible dans son grand fauteuil, juste en face de Stuart Hill. Elle n'osait ni parler ni même le regarder. Une voix à l'intérieur d'elle-même la convainquit que, pour l'instant, l'essentiel était de ne montrer ni sa surprise ni sa fureur à ce petit homme de loi bedonnant. Aucun homme, en aucun cas, ne devait se rendre compte qu'elle pouvait être vulnérable.

Quelques instants plus tard, elle se sentit capable de lever les yeux et de dire : « Et s'il arrivait, Dieu nous en préserve, s'il arrivait quelque chose au petit Paul ?

— La maison reviendrait alors à l'enfant de miss Hebe qui choisirait d'y vivre et de l'entretenir. Ce serait donc miss Yancey et, si elle ne souhaitait pas en faire le lieu de sa résidence, miss Nell. Si aucune de vos petites filles n'en voulait, l'université en hériterait.

— Mais pas Hebe ? Pas ma fille ?

— Eh bien... » Il hésita, mal à l'aise. « Je suis certain que votre mari avait la conviction que n'importe lequel des enfants de miss Hebe la laisserait disposer de la maison jusqu'à sa mort. Nous en avions parlé, je me souviens, ou plus exactement, j'étais dans le bureau quand mon père et M. Fox en discutaient. M. Fox... votre mari... avait l'impression que miss Hebe était peut-être trop...

200

comment dirais-je, fragile et vulnérable... trop peu au fait des questions matérielles... pour porter sur ses frêles épaules le poids d'une maison comme la Tanière du Renard. Vous savez, miss Ruth, à quel point M. Fox adorait miss Hebe. Et naturellement il ignorait à ce moment-là qui elle épouserait. Ainsi, il était sûr que la Tanière du Renard serait toujours réservée à miss Hebe comme il le sera pour vous sans que vous ayez la charge de vous soucier des ultimes dispositions. Le mari de miss Hebe n'aurait pas été forcément aussi... soucieux de la Tanière du Renard qu'il l'aurait été lui-même... » En pensant à Johnny Geiger, le pauvre homme devint écarlate de confusion.

« ... C'est pourquoi il a pris ses dispositions pour protéger à la fois votre fille et la maison, conclut-il piteusement. Je ne doute pas un instant qu'une femme intelligente et compétente comme vous l'êtes, n'ait très bien compris ses intentions.

— Oh, oui, dit Ruth qui se rendait très exactement compte du gouffre béant qui venait de s'ouvrir devant elle, le même gouffre qui séparait les Yancey du village de la filature et les Fox de la Tanière du Renard. Oui, j'ai très bien compris ses intentions. »

Puis elle dicta à Stuart Hill les clauses maintenant sans importance de son propre testament et repartit chez elle. Elle arpenta les rues de briques curieusement biseautées, celles-là même qu'elle avait foulées près d'un demi-siècle plus tôt. Elle avait alors les pieds nus. La honte et la colère impuissante les contractaient douloureusement. Ils étaient noircis par la poussière du village de la filature. C'étaient les pieds d'une étrangère, d'une intruse.

Aujourd'hui, quarante-cinq ans plus tard, elle marchait avec les mêmes pieds.

Lorsque Ruth atteignit la Tanière du Renard, elle s'était définitivement convaincue qu'elle venait de pénétrer dans la maison d'un étranger et que le garçon pâle et studieux qui, jusqu'à cet instant, n'avait occupé ses pensées que superficiellement, que ce garçon était son véritable ennemi.

Lorsqu'elle s'éveilla au lendemain de sa visite à Stuart Hill, son plan était entièrement au point. Elle s'attarda quelques instants dans le grand lit à baldaquin qui avait été celui d'Alicia. Elle contemplait les jolis dessins du ciel de lit mais elle ne voyait rien. Elle fignola une dernière fois son plan : il était solide. Rien n'avait été laissé au hasard. Chaque détail était prévu.

« J'ai pensé à quelque chose » dit-elle aimablement aux Fox rassemblés autour de la table du petit déjeuner. Même Hebe qui, habituellement ne se levait jamais avant midi, avait, à la demande de sa mère, fait un effort. Rip aussi avait été convoquée par Ruth. Elle était calme et attentive : elle savait qu'en ce matin éclatant dans la lumière brillante du soleil pénétrant par la baie, elle allait devoir affronter un nouveau danger.

« Je pense depuis longtemps que nous devrions vraiment faire quelque chose pour Paul... » Tous les yeux se détournèrent de son visage pour se fixer sur celui de Paul qui était sérieux et lointain. L'appréhension avait assombri ses yeux bleus. Gamma laissa se prolonger le silence puis son regard fit le tour de la table et elle les observa tous, l'un après l'autre. Puis elle sourit d'un sourire radieux qui sembla déclencher cette aura cristalline qui l'enveloppait parfois comme celle qui entoure une allumette lorsqu'elle vient d'enflammer un jet de gaz. La famille tout entière, soulagée, lui rendit son sourire. C'était l'un des rares sourires taquins de Gamma et on pouvait être sûr qu'il annonçait quelque chose d'agréable.

Mais c'est un rictus que vit Rip dont le cœur se mit à battre à grands coups dans la poitrine.

« Je pense que nous devrions transformer la chambre qu'occupe le vieux jardinier au-dessus du garage en un appartement pour Paul et Jacob Lee. Nous engagerons le meilleur professeur que nous pourrons trouver afin que tous deux puissent avoir une instruction poussée. J'observe Paul depuis quelque temps et il est évident qu'il est d'un niveau nettement supérieur à celui des autres enfants de notre petite école de Sparta. J'ai peur que cela ne lui soit très préjudiciable. J'ai aussi observé Jacob Lee. Naturellement, il n'est pas au même niveau que Paul mais je pense qu'il a un don authentique d'expression artistique... C'est dans ce sens qu'il doit s'épanouir. Mais si, Rip, ne sois pas modeste ! Ses dessins pourraient tous illustrer une histoire. Nous pourrions dénicher un précepteur qui sache dessiner et qui, en même temps, pourrait enseigner le grec, le latin et toutes ces matières dans lesquelles Paul se complaît. Il pourrait s'occuper de Paul le matin pendant que Jacob Lee vaquerait à ses occupations et il pourrait faire travailler Jacob Lee à ses dessins, l'après-midi. Les deux garçons seraient libres le soir de chahuter comme bon leur semblerait. Je crois beaucoup aux vertus des leçons particulières. Le cher grand-père de Paul fit ses études dans cette maison sous la direction d'un précepteur ainsi d'ailleurs que son arrière-grand-père. Tous deux étaient des hommes fins et cultivés. Eh bien... » Tous restaient silencieux... « Qu'en pensez-vous ? Aimez-vous ma petite idée ? Ou suis-je en train de me fourvoyer ?

— ... Je... Je ne sais pas, Gamma. » Paul ne réussissait pas à penser clairement. Ses yeux étaient éblouis par la lumière qui émanait de sa grand-mère. Passer en un laps de temps aussi court du pêcheur inconscient qui attend une punition inimaginable à celui de fils favori de la maison était trop pour lui. Il clignota des paupières en direction de Ruth. Personne ne parlait. Ils la regardaient tous stupidement.

« J'ai pensé que cela te ferait plaisir, Paul, dit-elle d'une petite voix mourante qui signifiait que quelqu'un venait de la blesser profondément. J'ai pensé que tu aimerais passer le plus de temps possible dans tes vieux gros livres et je croyais vraiment que tu aimerais vivre au-dessus du garage surtout si Jacob Lee partageait l'appartement avec toi. Nous pourrions en faire quelque chose de vraiment joli. »

Il la regarda avec circonspection. Qu'est-ce que cela cachait ? C'était là la réalisation presque parfaite d'un vieux rêve d'enfance. Paul ne pouvait croire qu'on ne lui demanderait pas en échange quelque chose qui était essentiel, quelque chose d'une valeur infinie. Mais il n'y avait rien dans les trésors qu'il possédait dont elle pouvait avoir envie.

« Est-ce qu'on pourrait avoir un hamac, là-bas ? » demanda-t-il au bout d'un moment.

Elle sourit. « Tu pourras avoir cinquante hamacs si tu le désires. C'est entièrement à toi, à toi et à Jacob Lee. La seule condition est que vous gardiez cet appartement suffisamment en ordre pour que votre pauvre précepteur puisse avoir accès à ses livres et au tableau noir. Beauty ou Salome le nettoiera une fois par semaine mais, pour le reste du temps, je vous fais confiance.

« Il y aura quand même l'extinction des feux... Par exemple, ne plus parler ou écouter la radio après neuf heures, non ?

« J'ose espérer que tu auras assez de bon sens pour te coucher à une heure raisonnable mais, de toute façon, qui serait là pour vous entendre pousser, la nuit, des cris de Sioux si l'envie vous en prenait ? Je considère qu'un garçon assez grand pour vivre seul est aussi assez grand pour aller se coucher à une heure raisonnable. À toi de prendre tes responsabilités. Tu crois en être capable ? »

203

Un sourire éclatant de bonheur illumina le visage étroit de Paul. Ainsi, c'était bien vrai. Ce n'était pas un piège pour le prendre en flagrant délit de péché mortel. Même par omission. Il semblait n'y avoir aucune restriction...

« Oh ! Gamma ! Bien sûr que je m'en sens capable ! Et Jacob Lee aussi. Nous allons nous mettre sérieusement au travail. Vous pourrez être fière de nous... Puis-je aller le dire à Jacob Lee ? Je reviens tout de suite mais je veux d'abord aller lui dire...

— Dépêche-toi d'aller lui dire mais reviens vite. Nous avons quelques arrangements pratiques à décider. »

Il eut un sourire éblouissant, fit un petit geste timide et brusque qui aurait pu être l'amorce d'une caresse mais il s'en alla. Les autres Fox suivirent des yeux sa silhouette sautillante puis les reportèrent sur Gamma sans se départir de leur silence fasciné.

« Eh bien ? on dirait que le chat vous a tous mangé la langue... dit-elle en souriant mais avec un brin d'impatience dans la voix. Ne trouvez-vous pas que c'est une idée de génie ? En grandissant, il est bon que des garçons aient un endroit à eux et nous ne les aurons plus dans les pieds. On peut à peine s'entendre penser, en ce moment. Et ils seront moins distraits dans leurs études. Hebe ? Qu'en penses-tu ?

— Eh bien ! Maman ! C'est encore un petit garçon... Vous ne pensez pas qu'il est encore un peu jeune pour vivre seul ? On ne l'entendra pas s'il est malade ou s'il a peur, ou je ne sais pas, moi...

— Quelle absurdité ! Jacob Lee pourra venir prévenir Rip s'ils ont besoin d'elle. Je pense au contraire, Hebe, que cela lui fera le plus grand bien. Par moments, je me demande si Paul n'est pas en train de devenir... disons, si l'on veut, une poule mouillée.

— Si vous pensez qu'il est assez grand, je crois que c'est une merveilleuse idée, maman » dit Hebe vivement. Elle ressentait un soulagement si profond de n'avoir plus à se préoccuper de l'éducation future de Paul qu'elle se mit à glousser de joie. « Jamais l'idée ne m'en serait venue. Mais vous êtes si intelligente... et si *bonne*, maman, de laisser Jacob Lee vivre là-bas avec lui et de lui permettre de faire des études. Pensez aux avantages qu'il va en tirer ! Vous êtes la plus merveilleuse...

— Vous n'avez pas demandé à Rip si elle était d'accord pour Jacob Lee », dit d'une voix flûtée Nell installée sur sa petite chaise d'enfant. Elle avait suivi les débats avec une attention profonde. Ils semblaient sortir tout droit des pages d'un conte de fées. Elle ne se rendait pas compte que ce projet fabuleux concernant son frère Paul et Jacob Lee, qu'elle vénérait en silence allait se concrétiser à un moment donné. C'était son sens inné de l'ordre qui la poussait à mettre les points sur les « i ». Si l'on n'obtenait pas la permission de Rip et si l'on n'embrassait pas trois fois son propre coude, la chose merveilleuse ne pourrait devenir réalité.

Ruth, se méprenant sur les intentions de la benjamine de ses petites-filles, lui lança un regard sévère : « Ce n'est pas à toi à me rappeler ce que j'ai à faire, Nell » commença-t-elle, et les yeux de Nell se remplirent de larmes.

« Moi, j' suis d'accord, Nell » dit Rip. Elle était juste à côté de la porte de la cuisine. « M'ame Ruth, al' fait là, quequ'chose d' drôl'-ment généreux, y m' semble à moi. »

Sa voix était rude comme si les mots s'étaient gelés dans sa gorge et qu'elle dût les extirper de force. Ruth Fox la regarda attentive-ment. Rip soutint son regard. Elle hocha la tête mais ne sourit pas.

« Il ne va pas te manquer, Rip ?

— Oh ! J' s'rai toujours là, t'en fais pas. J' le surveill' qu'y soit chez moi ou ailleurs. J'aurai toujours l'œil sur eux partout où y s'ront. »

Elle parlait à Nell mais ses yeux ne quittaient pas le visage de Ruth qui soutenait toujours son regard. Quelque chose passa entre les deux paires d'yeux, électrisant l'air autour d'elles. Nell se tortilla sur sa chaise, mal à l'aise.

« Je pense que c'est la chose la plus vulgaire que j'aie jamais entendue », dit soudain Yancey. Tous tournèrent la tête de son côté. Son visage était si blanc qu'il en paraissait presque bleu. Ses yeux s'étaient élargis au point qu'un mince cercle blanchâtre les cernait. Elle était livide et son visage avait quelque chose de fantastique, quelque chose d'hideux comme si c'était celui d'une albinos.

« Yancey... commença Hebe.

— Je pense que c'est tout simplement... répugnant ! Paul, *Paul*, ce vieux bébé maigre et pâle, vivant là-bas dans la maison des domestiques avec ce grand nègre horrible, cet idiot souriant comme s'il était sa nurse ou son gardien ou quelque chose dans ce genre ! Comme s'il était un pauvre Blanc qui ne peut même pas s'offrir une maison pour lui tout seul ! Comment pouvez-vous agir ainsi, maman ? Bon Dieu, que va-t-on penser de nous ? Au mieux, on dira de nous que nous sommes de vulgaires amis des nègres ; au pis...

205

— Yancey ! Maintenant, ça suffit ! » La voix de Gamma était cinglante comme un fouet. « Je n'admettrai jamais un tel langage sous mon toit. S'il y a quelqu'un dans cette maison dont le comportement est vulgaire, c'est toi. Monte *immédiatement* dans ta chambre et restes-y jusqu'à ce que je te dise d'en sortir, mais d'abord, tu vas faire tes excuses à Rip. À sa place, je ne te le pardonnerais jamais. »

Le visage de Yancey devint encore plus blanc et elle cacha sa bouche sous ses longs doigts. Elle tourna un visage misérable vers Rip.

« Oh ! Rip, murmura-t-elle, je suis désolée ! Je ne voulais pas… Je ne pensais pas… »

Elle sanglota à gros hoquets, se leva précipitamment de sa chaise, sortit de la petite pièce et grimpa en courant les escaliers. Elles entendirent ses pleurs se transformer en cris déchirants avant que ne se referme la vieille porte sculptée.

« Je t'en prie, pleurnicha Hebe. Ne sois pas fâchée contre elle, Rip. Elle t'aime autant que nous tous…

— J' suis pas fâchée, dit Rip sans s'émouvoir. Yancey, elle a just' peur de perd' Paul.

— Elle n'a pas la moindre excuse, dit Gamma d'un ton tranchant. Je te promets qu'elle sera punie.

— Non, M'ame. J' veux pas qu'ell' soit punie. J' la comprends. J' sais c' qu'elle voulait dire… »

Il y eut un silence. Les deux femmes s'affrontèrent du regard une fois de plus. Cette fois, c'est Gamma qui baissa les yeux. Rip fit demi-tour et retourna dans la cuisine.

En définitive, cela ne prit que sept mois. Le logement du vieux jardinier fut rénové et, le premier décembre, tout était prêt. La veille de Noël 1949, les deux garçons emménagèrent. Ce jour-là, Yancey resta dans sa chambre. À aucun moment, durant les mois où Paul et Jacob Lee vécurent au-dessus du garage, elle n'entra dans leur appartement.

Peu de temps après le premier janvier, le jeune universitaire que Ruth avait engagé comme précepteur pour les garçons vint leur donner leur première leçon. Ils s'adaptèrent si bien à leur nouvelle manière de vivre qu'on aurait pu croire qu'ils n'en avaient jamais connu d'autre. La famille vit Paul de moins en moins. Bientôt, il n'apparut plus qu'aux heures des repas. Jacob Lee continuait de

206

manger avec sa grand-mère dans la petite maison derrière la haie de buis. Les deux garçons étaient très heureux.

« Que peuvent-ils bien *faire* là-bas ? » dit un soir Hebe après dîner. Un regret perçait dans sa voix. Peut-être enviait-elle les garçons de vivre dans leur forteresse, là où les filles n'étaient pas admises.

« Ils se bagarrent », dit Nell d'un ton important. Elle avait pris l'habitude de se rendre furtivement dans leur repaire, le matin de bonne heure, soi-disant pour les réveiller. Paul s'était laissé circonvenir et il avait accepté qu'elle reste là pendant que Jacob Lee et lui allaient s'habiller à tour de rôle dans la modeste salle de bains juste avant le petit déjeuner. Il n'aurait, en effet, jamais toléré sa présence mais quelque chose, dans son petit visage pointu et dans ses yeux caramel toucha le cœur de l'adolescent qui se souvenait de sa propre solitude. Il décréta que, tôt le matin, Nell serait autorisée à pénétrer dans le repaire.

« Mais seulement jusqu'au petit déjeuner, dit-il. Aucune fille ne sera admise après. Tu nous dérangerais. »

Nell avait accepté cette condition avec empressement.

« Ils se bagarrent ? dit Gamma en reposant sa tasse de café pour regarder Nell. Que veux-tu dire par là ?

— Vous savez bien. Ils se battent. Chaque fois que je vais chez eux, ils se roulent par terre en caleçon et dans les bras l'un de l'autre. Oh... » Elle saisit le regard étrange et paisible de Gamma... « ... Ils ne se battent pas vraiment. Ils jouent, vous savez, ils jouent à se battre. Ils ne se font pas de mal. Ils rient tout en se prenant à pleins bras.

— Mais... C'est... *dégoûtant !* » hurla Yancey. Elle quitta précipitamment la table et sortit.

« Oh ! Mon Dieu ! J'espère au moins qu'ils sont prudents, soupira Hebe. Jacob Lee est beaucoup plus vieux et tellement plus grand que Paul. Maman, j'aimerais que tu leur en dises un mot. »

Gamma ne répondit pas. Elle ne dit rien. Elle vida sa tasse mais ses yeux étaient vagues et lointains.

Rip non plus ne dit rien. Elle regarda Gamma puis sortit de la salle à manger et rejoignit la cuisine.

C'est le lendemain que Gamma, le visage effrayant et des éclairs pleins les yeux, vint rendre une visite aux deux garçons. Nell ne comprit rien sinon que Paul et Jacob Lee avaient fait quelque chose de si terrible qu'on ne pouvait même pas en parler, quelque chose de

207

si inimaginable, de si affreux que Jacob Lee avait été banni de la maison et Paul envoyé en pension dans un collège militaire en Virginie. Il ne partit pas tout de suite. Il y eut, auparavant, un intermède de cris et de pleurs au premier, dans la chambre de Gamma, avec maman et Rip. Puis Paul réintégra sa vieille chambre. Il en avait fermé la porte et n'en était pas ressorti. Rip lui portait des plateaux qu'elle laissait devant la porte sur le sol. Beauty et Salomé, le regard inquiet, les reprenaient un peu plus tard et les redescendaient à la cuisine. Rip lui apportait des vêtements propres, reprenait les sales mais jamais elle n'essaya d'entrer dans la chambre ou, par quelque douceur, de l'attirer à l'extérieur. Nell n'ignorait rien de tout cela : elle n'avait cessé de rôder sur le palier, devant cette chambre depuis que Paul s'y était enfermé. Elle l'avait même à plusieurs reprises appelé à travers la porte.

« Hé, Paul, tu veux que je t'apporte des biscuits ? Carrie vient d'en faire.

— Va-t'en, Nell. Tu m'ennuies. Je ne veux pas te voir ici.

— Bon... » Un grand geste, à la fois de défaite et d'apaisement. Puis aussitôt : « Alors, je vais chercher Yancey. O.K. ? O.K. Paul ?

— Je ne veux pas d'elle non plus ! Je ne veux personne. Va-t'en et laisse-moi seul, Nell. Tu n'es qu'une petite peste ! »

Après cet échange de répliques, Rip trouva une fois de plus Nell en larmes. Elle l'entraîna en bas dans la cuisine et la réconforta en lui offrant une assiette de gâteaux et un verre de lait.

« Je ne sais pas ce qui ne va pas dans cette maison, gémit Nell. Je ne sais pas pourquoi maman pleure tout le temps et pourquoi Gamma erre comme si elle allait mourir. Je ne sais pas pourquoi Paul ne veut pas sortir de sa chambre et je ne sais pas ce qui est arrivé à Jacob Lee. Personne ne me le dira. Yancey ne veut même plus me parler.

— Nell, y a des chos' que toi, tu dois pas savoir. Ça c'en est une. Tout c' que t'as b'soin d' savoir, c'est qu' tout l' monde, y va aller mieux bientôt, qu' tout va s'arranger. Tu laisses Paul tranquil' pour un moment, Paul et Yancey et Gamma et maman. Après, tu verras, tout s'ra oublié. Jacob Lee, y travaille en vill' et y gagne plein d' sous. Y est content. Y était pas fait pour êt' un artiste. C'est mieux comm' ça. Paul, y fait just' la tête. Y sortira quand il aura faim. »

C'est ainsi que, pendant quelques jours, elle se sentit moins triste bien qu'elle n'ait toujours pas compris ce qui s'était passé l'autre matin. Elle pensait seulement que ça avait quelque chose à voir avec la bagarre : juste avant que la porte de Gamma ne se referme sur eux, elle avait entendu la voix de Paul qui s'était transformée en un cri d'humiliation, d'incompréhension et de désespoir. Et ce cri se hissa jusqu'au suraigu avant de se briser lamentablement.

« On ne faisait rien d'autre que de la lutte ! Gamma, on ne faisait rien d'autre que de la *lutte !* » Il y avait dans le ton suraigu et désespéré de ce dernier mot, une note de terreur, elle en fut absolument certaine. Mais pourquoi le fait d'avoir été surpris en train de pratiquer la lutte avec Jacob Lee terrifiait-il Paul à ce point ? Nell l'ignorait et dans les profondeurs marécageuses de son ignorance s'agitaient des monstres et des choses terribles. Pourtant, Rip avait dit que tout allait s'arranger, Rip avait dit que Paul allait sortir de sa chambre...

Mais quand il sortit, c'était l'aube. Elle dormait encore ainsi que Yancey. Il ne descendit pas l'escalier à pas feutrés pour se rendre à la cuisine. Il fut entraîné, en proie à la terreur, la colère et l'incompréhension, à l'arrière de la Chrysler aux côtés de Gamma et conduit par Robert à la gare. Il fut confié aux bons soins du conducteur et emmené sur les rails cliquetants en direction de la prison dorée de l'école de Virginie : un commandant, raide comme un piquet, les cheveux gris et les traits comme taillés à la hache l'attendait.

Ce matin-là, quand Nell s'éveilla, la chambre de Paul était aussi vide et aussi triste que si n'y avait jamais vécu un jeune et mince garçon aux yeux bleus. Maman sanglotait, gémissait et parfois criait comme si, derrière sa porte close, quelqu'un lui versait des charbons ardents sur les pieds. Gamma déambulait dans la grande maison avec un air si tragique et si étrange que Nell aurait préféré interroger un fantôme. Rip s'était repliée dans son monde intérieur, tranquille et silencieuse. Enfin, Yancey, enfermée ivre de rage dans sa chambre, insultait Gamma de sa voix flûtée, de l'autre côté de la porte fermée à clef. Les choses n'allaient pas mieux. C'était même pire que ça l'avait jamais été, pire que tout ce qu'elle aurait pu imaginer. Sous le poids de ces choses horribles et mystérieuses qui emplissaient la maison, quelque chose en Nell se refroidit, s'immobilisa puis mourut. Elle passa un long moment dans sa cage, sous sa pile de couvre-pieds sales. Elle ne posa pas la moindre question et n'écouta pas aux portes.

Pour Nell, son souci essentiel, pendant cette période, fut de rester tranquille, de ne pas faire de bruit et de ne pas attirer l'attention de quelqu'un : on ne savait pas ce qui, dans cette maison, était susceptible d'amener la catastrophe et l'horreur sur votre tête. Tout pouvait maintenant se produire puisque Rip avait dit que tout allait s'arranger et que ce n'était pas vrai.

Une fois, alors qu'elle passait devant la chambre de maman, Nell entendit la voix chantante de Gamma qui dominait le gémissement de maman, ce même gémissement qui, depuis deux jours, était le seul bruit qui émanait de cette chambre. Elle s'arrêta, prête à s'enfuir et écouta. Elle entendit les paroles de Gamma :

« C'était la seule chose à faire pour son bien, ma chérie. Des hommes fermes et vigoureux, une discipline stricte. Plus ils seront fermes et plus la discipline sera stricte, mieux cela vaudra. Aussi longtemps qu'ils voudront le garder. Pas de femmes. Pas de femmes du tout. Il a été entouré par trop de femmes et on voit où ça l'a mené. Peut-être n'est-il pas encore trop tard. Bien entendu, si son père ne s'était pas enfui... Mais ça ne servirait à rien de lui téléphoner, de te plaindre et de le faire revenir. Il ne *doit pas* revenir — au moins tant que Jacob Lee est là — et je me refuse à demander à Rip de l'envoyer au loin. Ce pauvre être malade, où pourrait-il aller ? Non. Paul est au mieux là où il est et tu ne *dois pas* lui parler, surtout pour lui dire de revenir. Allons, arrête de pleurer. Est-ce que ta maman n'a pas toujours eu raison ? »

Nell, toute raide, le cœur gros, descendit les escaliers de la Tanière du Renard en sachant que Paul ne reviendrait pas de sitôt à la maison et que, d'une certaine manière, il n'y reviendrait plus jamais. Le jeune Paul Fox, le petit garçon qui n'avait pas tellement compté jusqu'à ce jour et qui, à présent, obsédait tant la « châtelaine » de la Tanière du Renard, demeura en captivité dans la forteresse aride. Et entre Ruth Fox et la grande maison blanche, seule lumière qui éclairait son âme, le temps restait maintenant la seule menace.

Chapitre XIX

Par la suite, Yancey ne fut plus jamais la même. L'absence de Paul sembla accélérer le changement dont on percevait déjà quelques signes avant son départ. À l'été de 1950, quelques semaines seulement après que son frère eut quitté la Tanière du Renard, Yancey était devenue un être complètement différent. Personne ne parut apprécier la métamorphose qui s'était opérée mais chacun la remarqua.

A quinze ans et demi, la chrysalide qu'était Yancey se transforma en papillon, apparemment en l'espace d'une seule nuit de printemps. À l'aube, elle était devenue femme et même une très belle femme. Mais ce n'était pas une beauté que Nell, Hebe, Ruth ou simplement le petit cercle de ses amies pouvaient spécialement admirer. Au lieu d'être petite, délicate, féminine, bien élevée ou tout simplement pleine de santé, Yancey jaillit de son lit un matin, et assembla ses longs membres aux os pointus. Elle était devenue un être aussi exotique et séduisant qu'un paon, un griffon ou une licorne. Elle avait atteint sa taille définitive. Sa tête était petite et rectangulaire et son cou long et gracile lui aurait donné l'apparence d'une girafe s'il n'y avait eu la masse splendide de ses cheveux couleur de lune. Par la suite, ils ne devaient jamais brunir. Ils ne voltigeaient plus autour de son visage comme un nuage mais tombaient, luxuriants, sur ses minces épaules. Son menton et ses pommettes, saillants sous la peau blanche et lumineuse des Fox étaient en parfaite harmonie avec le nez aristocratique qui était le sien depuis son enfance. Ses yeux très bleus, maintenant que son visage était bien proportionné, ne semblaient plus aussi fous ni aussi fiévreux. Sa bouche restait la seule chose à qui on pouvait appliquer le qualificatif de doux : elle ressemblait à une rose délicate, meurtrie, infiniment vulnérable et même plutôt sensuelle. Quand Yancey se pourléchait les lèvres — ce qu'elle faisait souvent —, on disait dans son lycée que la moitié des garçons devait gagner le gymnase pour prendre une douche froide. C'était la bouche d'Hebe et c'était aussi celle de Nell qui devait, plus tard, la retrouver sur le visage de sa propre fille Abigail. Mais dans la splendeur majestueuse de Yancey, elle était l'élément décisif qui lui donnait son étonnante beauté.

Parce que sa beauté était justement... étonnante et n'avait rien de la joliesse mutine, désordonnée et espiègle mise à la mode au début des années cinquante par la M.G.M. et le magazine *Seventeen*... Elle avait comme première conséquence de déranger ceux qui la contemplaient. Dans l'entourage de Yancey, on en était profondément perturbé. Ruth Fox fronçait les sourcils en un geste de désapprobation silencieuse lorsqu'elle voyait Yancey traverser une pièce à grands pas avec ses longues jambes lisses qui sortaient de shorts roulés si haut qu'ils laissaient apparaître le pli minuscule et délicat de ses fesses.

« Va passer un quelconque vêtement si tu dois te faire voir dans le jardin, Yancey, disait-elle. Tu as tout simplement l'air, dans ce short, d'une barbare sauvage qui vit toute nue. Je te le dis comme je le pense : tu as l'air d'une rien du tout.

— Mais tout le monde les porte aussi courts, Gamma. »

Yancey répondait avec assurance sans même s'arrêter ni tourner la tête pour regarder sa grand-mère.

« Yancey sera sûrement une beauté mais elle ne connaîtra pas pour autant le bonheur », disait Ruth, rendant hommage malgré elle au rayonnement extraordinaire qui émanait de sa petite-fille, rayonnement qu'elle détestait. Il ne lui vint jamais à l'esprit que cette aura étrange qu'elle admirait et redoutait chez sa petite-fille était aussi la sienne et avait été celle de Cater Yancey, son cinglé de père. Hebe soupirait. Rip était la seule qui avait l'air d'aimer et d'apprécier cette nouvelle et éclatante Yancey.

« Tu sais quoi ? dit un jour Nell après avoir regardé Yancey puis Rip. Yancey te ressemble. Si elle était noire au lieu d'être blanche et si elle se mettait la tête dans un chiffon, elle serait *exactement* comme toi, Rip. Je parie que c'est pour ça que tu la trouves aussi jolie. »

Rip lui sourit. « C't' un sacré beau compliment, Nell. »

En dehors de Rip, Yancey était la seule qui semblait se réjouir de sa subite métamorphose. Mais cela ne provoqua pas chez elle une attitude analogue à celle qu'ont généralement les jeunes filles dont la beauté vient brusquement d'éclore. Elle ne flirtait pas, ne posait pas, ne prenait aucun air avantageux devant les miroirs, n'étudiait pas ses gestes, ne minaudait pas, ne s'enfermait pas dans sa chambre pendant des heures avec des crèmes, des lotions et tout l'arsenal parfumé du nouveau drugstore *Rexall*. La métamorphose de Yancey s'était faite en un clin d'œil sans passer par une période intermédiaire de doutes, de tâtonnements et de recherches. Elle était belle et sûre de l'être. Cette assurance était pour les hôtes de la Tanière du Renard aussi déconcertante que la beauté elle-même. Sa douleur et sa colère ressentie devant le départ de Paul hâtèrent son passage brutal de l'enfance à une maturité perverse, un bond énorme qui lui épargna les expériences et les timidités de l'adolescence.

Dès l'instant où elle fut consciente de sa beauté fraîchement éclose et du pouvoir que celle-ci lui donnait, Yancey vit clairement qu'elle pouvait l'utiliser comme une arme. Les Fox vécurent dès lors dans une atmosphère de sexualité vénéneuse même si personne, à la Tanière du Renard, n'en eut vraiment conscience. Yancey, pour son compte, entreprit d'empoisonner l'existence de Ruth Yancey Fox tout en faisant jaser Sparta. La réserve, la déférence et toutes les jolies manières que Ruth s'était efforcée d'inculquer à ses petites-filles semblaient s'être évanouies en même temps que son enfance. Ses notes, en classe, firent une glissade vertigineuse et les reproches de Gamma provoquèrent chez elle des éclats de rire. Avec sa bande de jeunes voyous, elle s'attira de nombreux ennuis au lycée. Quand Hebe pleura en recevant la convocation du principal qui désirait l'entretenir de la dernière incartade de sa fille, Yancey se contenta de hausser les épaules.

Elle commença à sortir la nuit avec un groupe de jeunes gens que personne ne connaissait. Ils étaient plus grands et plus vieux que ses amis de la rue de l'Église. C'était une bande de jeunes gens anonymes, des ombres silencieuses qui s'entassaient dans des voitures dont les moteurs gonflés vrombissaient le long du trottoir. Les avertisseurs cornaient bruyamment pour appeler Yancey. Ils n'étaient pas de son monde. Elle leur était aussi étrangère qu'elle l'était à sa propre famille. Mais où était la place de Yancey ? Nell posa la question à Rip.

« Pourquoi tient-elle à sortir avec ces gamins de la filature ?

— Comment tu sais qu'y sont d' la filature ?

— Ils en ont l'air. Ils sont bêtes et vulgaires. Ce sont des pauv'
Blancs. »

Rip la regarda en silence. Des trois femmes adultes qui vivaient à
la Tanière du Renard, elle était la seule qui n'ait pas grondé Yancey,
qui n'ait pas pleuré sur elle, qui ne l'ait ni menacée ni flattée pour
qu'elle change de conduite.

« Qui qui t'a dit qu' c'était des pauv' Blancs ?

— Eh bien ! C'est Gamma. Du moins, c'est ce que je l'ai entendu
dire à Yancey la nuit dernière. Elle lui disait que ces gosses avec qui
elle sortait, ce n'était rien d'autre que de la racaille blanche. Elle a dit
que c'était un scandale, que tout le monde en ville parlait d'elle. Elle a
dit que Yancey amenait la honte sur la Tanière du Renard.

— Yancey fait seulement la mauvaise tête. Ell' veut montrer à
Gamma qu'elle n'est pas la seule à commander. Y a des gens qui
veulent pas obéir à personne. Yancey est comme ça, j' suppose. Elle
est têtue et ell' sait c' qu'elle veut. A c't' heure, ell' cherche à
s' conduir' mal. Ça va pas durer. Ça ira mieux quand ell' s'ra mieux
dans sa peau. »

Quand elle quitta Rip, Nell était quelque peu réconciliée avec
l'étrangère méprisante qui occupait la chambre de sa sœur. Après
l'automne, on s'enfonça dans le froid sec de l'hiver et Yancey n'avait
pas cessé son manège à la Tanière du Renard. Elle avait été renvoyée
de l'équipe des supporters du club sportif pour avoir fumé et juré.
Pendant les matches, elle se vautrait dans une des voitures d'où elle
sortait la jupe de travers. Elle exhalait souvent l'odeur du bourbon de
mauvaise qualité.

Au lycée, Yancey était le sujet de toutes les conversations. Ses
professeurs non seulement n'en tiraient rien mais ils n'essayaient
même plus. Le principal lui-même renonça à envoyer des notes à
Hebe et à Ruth, leur demandant de passer le voir « pour discuter du
petit problème que nous avons avec Yancey ». Aussi furieuse fût-elle
contre Yancey — et à la Tanière du Renard, elle ne se faisait pas faute
de laisser éclater sa colère —, Ruth ne supportait pas la moindre
critique de la part d'étrangers. Elle rappela donc au principal — et lui
demanda aimablement de le rappeler aux professeurs — que les
membres du conseil d'administration du lycée l'avaient engagée
avant tout parce qu'ils l'estimaient capable de diriger l'établissement
sans avoir à réclamer l'aide de qui que ce soit. Comme Ruth
appartenait au conseil du lycée et comme elle avait de sérieuses

214

chances pour le présider un jour prochain, les notes cessèrent d'arriver à la Tanière du Renard.

Mais en ville aussi, on jasait. Nell le savait parce que les enfants savent toujours ces choses-là. Mais la plupart de ceux qui chuchotaient et cancanaient le faisaient sans méchanceté. C'était le simple goût du racontar, péché mignon du Sudiste qui se divertit d'un rien. La malveillance avait déserté la Tanière du Renard depuis que Ruth Yancey Fox avait pris les rênes des mains de son mari. Dès le début, elle avait veillé à se maintenir, en quelque sorte, à une distance olympienne des pairs de la famille Fox. De ce fait, plus aucun cancan ne pouvait la toucher ni toucher la Tanière du Renard. Elle avait d'ailleurs, sur un autre plan, besoin de toute son énergie.

Car le véritable péril fermentait à l'intérieur de la Tanière du Renard. Yancey attaquait sa grand-mère au plus profond d'elle-même avec un plaisir sadique. Ruth gardait la tête haute mais elle était en proie à la rage et à quelque chose qui ressemblait fort à de la peur. En même temps, elle savait que, pour Yancey, le jour d'expiation était proche. Elle le savait comme elle avait toujours su toutes les choses qu'elle devait savoir.

C'est Yancey elle-même qui se porta le coup fatal au moment de Noël.

Dans la maison, tout le monde préparait fiévreusement la réception annuelle de Ruth. C'est le moment que choisit Yancey pour descendre deux soirs de suite en titubant et en laissant dans son sillage une odeur puissante de bourbon. Gamma, occupée avec ses listes et son téléphone, était restée dans sa chambre où on lui avait monté un plateau. Elle ne vit donc pas l'état de sa petite-fille. Tout le monde était horrifié. Rip ne lui cacha pas son irritation et la ramena les deux fois de force jusqu'à sa chambre, avant de la plonger dans un bain d'eau froide. Ce fut l'une des rares fois où Nell vit Rip vraiment furieuse contre Yancey.

Trois jours avant la réception — c'était un soir où une véritable tempête de neige fondue s'était abattue sur Sparta — Yancey monta dans la vieille bagnole gonflée qui attendait le long du trottoir. Elle ne revint pas de la nuit.

Il n'était plus question de prétendre qu'il ne se passait rien. Les femmes attendirent Yancey dans le petit salon. Rip et Gamma, le visage de marbre, restaient silencieuses. Hebe ne cessait de renifler et de jouer avec les rubans et les lacets de son déshabillé de mousseline.

À deux heures du matin, Nell descendit à son tour dans son peignoir de bain et en pantoufles. Elle les regarda en face comme si elle les mettait au défi de la renvoyer dans sa chambre.

Il était trois heures lorsque Gamma se leva sans dire un mot et écarta les épais rideaux pour regarder la neige et la pluie mêlées qui frappaient avec force les vitres de la véranda. Elle resserra autour de sa taille fine la ceinture de sa robe de chambre en satin bleu puis sortit dans le hall pour appeler Gérald Minnich, le chef de la police de Sparta :

« Gérald ? Ici Ruth Fox. Je suis désolée de vous réveiller à cette heure mais ma petite fille est sortie... avec un jeune homme que nous ne connaissons pas. Il était sept heures et demie et elle n'est pas encore rentrée. Il semble que la tempête redouble de violence. Inutile de vous dire que nous sommes très inquiètes... Cette... personne... qui l'accompagne a l'habitude, je crois, de traîner dans ces endroits... vous savez... sur la vieille route. J'ai aussi entendu dire qu'il se saoulait souvent... Je serais très heureuse si vous pouviez vous y rendre et voir si Yancey, par hasard, ne serait pas en sa compagnie. Si elle y est, ramenez-la à la maison immédiatement. Si elle n'y est pas, j'aimerais que vous vous mettiez à sa recherche. Elle a peut-être été victime d'un accident. J'aimerais porter plainte contre ce jeune homme... Pour détournement de mineure ou pour une tout autre charge : vous en trouverez bien une qui fera l'affaire... Je vous demande donc de l'arrêter. J'attends de vos nouvelles. »

Il y eut une pause.

« Oh non, Gérald, demain, ce n'est pas possible. Pas du tout possible. Ma petite fille n'est pas « un tas de filles » et sa manière de vivre dans le passé ne vous regarde en rien, n'est-ce pas ? »

Une autre pause. Nell s'était glissée hors du salon. Elle se tenait dans l'encadrement de la porte du hall et elle vit le visage de Gamma qui pâlissait. Ses yeux flamboyaient comme si on venait d'allumer une bougie à l'intérieur d'une lanterne. Nell, effrayée, regarda sa grand-mère.

« Je vous rappelle, Gérald, dit-elle, comme je le rappellerai la semaine prochaine aux autres membres du conseil municipal, lors de notre réunion, que ma petite-fille n'a que quinze ans. Elle est mineure aux yeux de la loi et, de ce fait, n'est pas responsable de ses actes. S'il lui arrive malheur, je n'aurai aucune difficulté à souligner que vous vous êtes montré peu disposé à quitter votre lit et à sortir par un vilain temps pour aller à sa recherche. Ce n'est pas le genre de choses que les parents oublient facilement. Je m'arrangerai, faites-moi confiance, pour que personne ne l'oublie. »

Nouvelle et très courte pause.

« Merci, Gérald. » Elle raccrocha. Nell remonta dans sa chambre au premier.

À six heures quarante-cinq, Yancey revint dans une voiture de la police de Sparta conduite par Gérald Minnich lui-même. Elle était pelotonnée sur le siège arrière, enveloppée dans son manteau d'hiver rouge. Sur ses genoux, ses dessous étaient roulés en boule. T. C. Coggins, le mécanicien de la *Royco Transmission Shop* avec qui elle était sortie, avait été enfermé, tempêtant et jurant, dans l'une des cellules rarement utilisées de la prison, juste derrière la place Ford. Il attendait qu'un de ses frères aînés vienne l'en délivrer.

Gérald Minnich les avait trouvés à six heures du matin dans le dernier bungalow du *Red Rose Motel* sur la route verglacée menant de Sparta à Titusville. Il les avait embarqués avec tant de précipitation que Yancey n'avait pas eu le temps de finir de s'habiller. Quand Minnich et le gérant de l'hôtel avaient fait irruption dans le bungalow glacé, Yancey dormait. Coggins était couché à ses côtés dans le lit humide et froid. Il était ivre mort. Tous les deux étaient nus.

Ce qui effraya le plus Nell dans tout ce drame fut l'inertie de Gamma. Dès qu'elle eut entendu claquer dans le froid de l'aube la portière de la voiture de police, Nell se hissa jusqu'à sa fenêtre, gratta un rond sur la vitre couverte de givre et vit Yancey qui avançait dans l'allée en titubant. En apercevant ses jambes blanches et ses pieds nus dans ses chaussures de daim noir, en découvrant la boule de lingerie qu'elle tenait au creux de sa main, en suivant sa démarche incertaine et en voyant la massive silhouette bleue du chef de police Minnich qui marchait derrière elle, Nell sentit son cœur se soulever. Elle se glissa hors de son lit et gagna le palier d'où elle put voir et entendre sans risquer d'être remarquée et renvoyée dans sa chambre. Elle se pencha : la voix monocorde et traînante du chef de police était en train d'expliquer ce qui s'était passé en utilisant, pour atténuer le choc, un langage des plus officiels. Elle perçut le cri de douleur d'Hebe et elle la vit enfouir son visage écarlate dans ses mains avant de courir se réfugier dans les bras de Rip. Rip la repoussa gentiment puis se dirigea vers Yancey qui vacillait sur le sol de marbre à damiers noirs et blancs, les cheveux défaits, le visage livide, les yeux étincelants, la bouche meurtrie et gonflée s'étirant en un sourire quelque peu effrayant. Nell pouvait sentir l'odeur douceâtre et écœurante du whisky qui montait en bouffées jusqu'à elle. Mais Gamma ne dit rien. Elle se tenait immobile en regardant Yancey avec dans les yeux la marque du plus grand intérêt.

Nell vit le chef de police qui faisait demi-tour et sortait de la maison. Tous se tournèrent et regardèrent Yancey puis Gamma qui ne disait toujours rien. Tout le monde était silencieux. Ce fut Yancey qui parla. Ou plutôt qui cria. Elle s'approcha en vacillant de la petite silhouette rigide de sa grand-mère et lui hurla au visage :

« Alors, Gamma, maintenant, elle vous plaît bien votre petite fille ? Vous aimez ma tenue ? Vous aimeriez sentir mon parfum, j'en suis sûre. Il s'appelle « Baise-moi bien », Gamma. Vous devriez l'essayer. Moi, je crois bien que j'ai pas fini de m'en mettre partout. Chaque fois que je pourrai, je l'utiliserai. Et je vais vous dire une bonne chose, Gamma, plus jamais je n'aurai peur de vous. Parce que je sais tout de vous, espèce d'horrible vieille femme ! *Je sais qui vous êtes.* »

Nell se boucha les oreilles. Elle ne pouvait croire ce qu'elle entendait. Gamma allait réagir. Gamma allait faire quelque chose, devait faire quelque chose. Quelque chose de terrible, de définitif allait se produire maintenant.

Effectivement quelque chose se produisit. Telle une panthère noire, Rip bondit de l'ombre, jaillit de sous l'escalier, plus rapide que Nell ne l'avait jamais vue, saisit Yancey brutalement par les épaules, la fit pivoter et la poussa dans l'escalier. Yancey monta les marches en trébuchant. Son manteau s'ouvrit. Nell put se rendre compte que sa jupe froissée n'était pas fermée et que son sweater en angora était relevé si haut qu'un de ses seins blancs sautillait dans la lumière sale de l'aube. Rip poussait Yancey devant elle et la réprimandait d'une voix que la colère rendait suraiguë, une voix que Nell ne lui connaissait pas.

« Mont' là-haut ! Mont' là-haut tout d' suite ! Te conduir' comme ça, comme une rien du tout, rentrer ici comme une putain qu'a fait l' trottoir ! Avance ! » Nell s'aperçut que le visage de Rip était tordu par la colère au point d'en être méconnaissable. Sur sa colère se superposait un autre sentiment : la terreur absolue, incontrôlable. Nell se mit à pleurer. Yancey, le visage blanc, sans la moindre expression, passa devant elle dans l'escalier. Elle était suivie de Rip. Toutes deux disparurent dans le corridor. Nell savait qu'aucune des deux ne l'avait vue.

En bas, Hebe étreignit le pilastre de la rampe d'escalier et se mit à sangloter sans pouvoir s'arrêter.

Là encore, Gamma ne réagit pas.

La réception devait avoir lieu trois jours plus tard. Après la terrible scène qui s'était déroulée dans le hall de la Tanière du Renard, toutes avaient regagné leurs chambres. La maison s'était installée dans une parodie de vie normale. Pour Nell qui avait imaginé des répercussions dramatiques, ce calme était effrayant. Sa détresse était si grande qu'elle en était gênée. Elle avait honte de sa propre peine, peine qu'elle avait déjà ressentie à la suite d'une quelconque insuffisance ou d'une action répréhensible. C'était comme si elle devait la porter autour du cou jusqu'à la fin de son expiation. Elle se faisait toute petite quand elle croisait quelqu'un dans l'escalier, souriait humblement, courbait l'échine comme un roquet battu et elle se haïssait de sa lâcheté : les grands lions dorés de la Tanière du Renard ne courbaient pas l'échine. Ils ne l'en mépriseraient que davantage. Mais elle ne pouvait s'en empêcher. De toute façon, ça n'avait pas d'importance : ils ne la remarquaient pas. À l'heure de la réception, quand elle eut pris son bain, revêtu une nouvelle robe de velours topaze qui mettait en valeur ses yeux et ses cheveux couleur de pluie, elle se sentit beaucoup mieux.

Bannie du rez-de-chaussée afin de ne pas gêner les préparatifs de dernière heure, Nell se glissa jusqu'à la chambre de Yancey. Elle fut surprise de trouver la porte ouverte pour la première fois depuis trois jours. Elle passa la tête dans l'embrasure. Il n'y eut pas la moindre réaction : Yancey ne se mit pas à hurler, ne lui lança rien à la tête. Aussi fit-elle un pas en avant. Toutes les lampes étaient allumées et Yancey était assise devant sa coiffeuse. Elle tournait le dos à Nell et ses longues jambes étaient enfouies sous le juponnage de broderie anglaise empesée. Elle brossait ses cheveux qui ruisselaient sur ses épaules comme une pluie d'or. Nell adorait regarder Yancey quand elle se brossait les cheveux. Elle se risqua à faire un pas de plus dans la chambre. Yancey n'avait sur elle qu'un slip, un porte-jarretelles de satin bleu et un soutien-gorge sans bretelles. Nell admira la longue ligne de son dos avec les petites bosses veloutées de sa colonne vertébrale qui pointaient sous la peau nacrée. Elle devait s'habiller pour sortir. Elle n'assisterait donc pas à la réception et cela déplairait certainement à Gamma.

Nell entra et s'assit sur le lit de Yancey. Elle regarda autour d'elle. Une robe de taffetas vert d'eau sur un cintre de satin rembourré était accrochée au-dessus de la cheminée. Nell ne l'avait jamais vue. C'était une des robes-chemisiers de Yancey, de coupe sévère, impeccable mais adoucie par un rucher délicat qui courait le long du profond décolleté en V. Le long cou et la petite tête de Yancey, dans cette robe, auraient la délicatesse et l'élégance d'un perce-neige jaillissant hors de son feuillage.

« Tu sors ?

— Non... Je m'apprête à me mettre au lit. C'est ma nouvelle chemise de nuit. » La brosse à cheveux vola. Les cheveux de soie crépitèrent comme un feu. Nell ne savait pas quoi dire. Elle craignait de prononcer une phrase qui soit aussi stupide que sa première question. Elle resta silencieuse.

« Je suis désolée, ma vieille.

— Hein ? » Nell leva la tête. Était-ce vrai que Yancey lui adressait la parole ?

« Je t'ai dit que j'étais désolée. Écoute... » Il y avait dans le visage de Yancey qui la regardait dans le miroir un étrange mélange d'impatience et de désespoir. Puis elle pivota sur son pouf, se leva, traversa la pièce, perchée sur ses hauts talons et s'assit à côté de Nell sur le lit. Plus étrange encore, elle passa son bras nu autour des épaules de Nell et la serra brièvement contre elle. Nell se figea tant elle se sentait gênée. Elle plongea son visage écarlate dans le col de dentelle de sa nouvelle robe.

« J'ai été absolument ignoble avec toi, ces temps derniers, n'est-ce pas, mon petit ? dit Yancey. Avec tout le monde d'ailleurs, mais les autres ne comptent pas. Enfin... Rip compte mais, elle, elle comprend tout... Mais c'est pour toi que je suis désolée... C'est seulement que... Je crois que Paul me manque terriblement mais à toi aussi, non ? Et tout ce merdier... Tout ça, c'est la faute à Gamma, ma vieille. Tu es trop jeune pour t'en rendre compte. Moi, je viens tout juste de commencer à ouvrir les yeux... Tout ça, c'est la faute à Gamma...

— Qu'est-ce que tu veux dire quand tu dis que tout ça c'est la faute à Gamma ? » murmura Nell qui, d'effroi, se planta l'index dans le nez. Elle sentait que quelque chose de terrible, d'inévitable allait

220

lui être confié, quelque chose qu'elle aurait dû toujours savoir, quelque chose qu'elle ne pourrait jamais oublier. Yancey lui enleva le doigt avec gentillesse.

« Je ne sais pas... Pourtant, d'une certaine manière, je *sais*... Je veux dire que je sais presque. Je crois que très bientôt, je *saurai* vraiment...

— Savoir *quoi* ? pleurnicha Nell.

— Savoir tout sur Gamma. Savoir ce que... je dois savoir ce qu'il y a à savoir. Tout. Du moins si je ne fais pas de conneries et si je ne me fais pas foutre à la porte comme elle l'a fait avec Paul. J'ai été vraiment stupide. J'ai complètement fait son jeu en fumant, en buvant et tout... et tout le reste... On dirait que je *cherchais* vraiment à me faire mettre à la porte. Mon Dieu, j'ai bien cru que ça y était l'autre nuit. Je pense maintenant qu'elle s'en·lave les mains. Grâce à Dieu ! C'est seulement hier qu'il m'est venu à l'esprit que je ne saurai jamais la vérité si je la pousse à bout au point qu'elle me flanque à la porte. J'ai failli vomir en me rendant compte à quel point j'ai frôlé la catastrophe. Alors, j'ai décidé de m'acheter une conduite. À partir d'aujourd'hui, je vais être la plus exquise des saintes nitouches de la Tanière du Renard que tu auras jamais vue. »

Une pensée traversa soudain l'esprit de Nell.

« Tu ne sors pas ? Tu viens à la réception ?

— Exactement. Je vais à la réception et je sourirai comme un opossum au milieu d'une bouse de vache. Jusqu'au bout, je ferai la révérence, je sourirai, je roucoulerai. Personne ne va me reconnaître.

— Je suis bien contente », dit simplement Nell. Il y eut comme un chant d'allégresse qui s'éleva dans son cœur. Yancey perçut sa joie et la serra une fois encore dans ses bras.

« Je suis vraiment désolée de la façon dont je t'ai traitée, ma vieille. À partir de maintenant, ça va changer, je te le promets. Maintenant que Paul est parti, nous, les filles Fox, nous devons nous serrer les coudes, n'est-ce pas ? Dis-moi que tu ne m'en veux pas...

— Oh ! Non, je ne t'en veux pas. De toute façon, ça m'était égal.

— Dans ce cas, c'est parfait. Lève-toi que je te regarde. Eh bien, ma vieille, qu'est-ce qui t'est *arrivé* en si peu de temps ? Tu es *ravissante*. Ce teint et ces yeux et ces cheveux... Et puis tu as grandi. Tu vas être une fille superbe. Tu ne le savais pas ? Viens ici et regarde-toi dans la glace. Tu ne trouves pas que tu as grandi et embelli ?

— Gamma dit que je ressemble à une petite souris. » La voix de

221

Nell était presque inaudible mais c'était la joie qui sonnait à ses oreilles. Une fille superbe! Une grande fille! Yancey avait un pouvoir magique qu'elle pouvait utiliser à volonté. Pendant quelques instants, la petite Nell Geiger devint la grande Nell Fox, sûre d'elle-même, fière et invincible, descendant lentement les marches de l'escalier en colimaçon pour accueillir à la Tanière du Renard ses admirateurs qu'elle avait invités à une « party ». Nell rougit violemment et dissimula à nouveau son visage dans son col de dentelles. Gamma entrait dans la chambre.

Les deux sœurs se figèrent devant la glace, leurs visages parfaitement immobiles. Elles regardèrent, effrayées, Ruth Fox qui les contempla avec un froid amusement. Elle était vêtue d'une robe de satin noir, ornée d'un col énorme qui encadrait ses épaules de marbre et mettait en valeur son triple rang de perles... les perles Fox comme elle aimait à les appeler. Ses cheveux étaient remontés sur sa petite tête en un chignon lumineux et ses yeux luisaient avec intensité. Elle portait un petit plateau de tôle recouvert d'une serviette de toile blanche.

« Bonjour, mes petites poulettes, dit-elle comme si les dernières paroles qu'elle avait adressées à l'aînée de ses petites-filles n'avaient pas été terribles, déchirantes, humiliantes, comme si, en fait, les écarts de conduite de Yancey ne s'étaient jamais produits.

— Bonjour Gamma », bredouilla Nell. Yancey ne dit rien mais elle sourit pour voir quelle serait la réaction : Gamma leur adressa à toutes deux un sourire lumineux.

« J'ai une petite faveur à demander à quelqu'un, dit-elle. À Yancey, je pense : Rip disait tout à l'heure qu'elle devait encore donner un coup de fer à la ceinture de Nell. Chérie, veux-tu mettre ton manteau et courir jusqu'à la maison de Rip? Tu porteras ce plateau à Jacob Lee. Inutile d'enfiler une robe. Passe simplement ton manteau par-dessus. D'ailleurs, *ta* robe aurait elle aussi besoin d'un petit coup de fer. Je vais le dire à Rip pendant que tu cours chez Jacob Lee. C'est une bien jolie robe, non? Tu seras vraiment très jolie, ce soir.

— Jacob Lee? » demanda stupidement Yancey. Elle ne fit pas un geste pour s'emparer du plateau.

« Jacob Lee », dit Ruth. Son sourire était encore plus lumineux. « Tu sais comme il aime les sucreries. Il me semble que ce ne serait pas gentil de le laisser attendre Rip : elle ne pourra lui apporter des gâteaux qu'à la fin de la réception. Et puis, je sais qu'il n'a rien eu au dîner. Rip a été occupée à la cuisine toute la journée. Tu serais un amour si tu voulais bien aller jusque-là...

— Je... Mais bien sûr, Gamma », dit Yancey en regardant fixement sa grand-mère. Nell savait ce qu'elle ressentait. Personne ou presque, dans la maison, n'avait vu Jacob Lee depuis le départ de Paul, ni même mentionné son nom. Gamma moins que quiconque. Qu'elle s'inquiétât de lui tout à coup et en particulier cette nuit, était incroyable. Mais il faut bien dire qu'il s'agissait d'une nuit incroyable.

« S'il te plaît, ma chérie », dit Gamma — ce qui était encore plus incroyable.

« Oui, bien sûr », dit Yancey en prenant le plateau. Ses yeux bleus reflétaient la perplexité. Nell, en les regardant toutes deux de profil tandis qu'elles se faisaient face, se dit que Yancey et Gamma auraient pu sortir du même moule. Cette pensée la troubla.

« *Merci,* ma biche », dit Gamma. Elle quitta la chambre dans un bruissement de satin noir et un léger staccato de talons aiguilles

« Eh bien... Ça alors », dit Nell pour dire quelque chose. Devant le silence de Yancey, il lui sembla qu'elle devait dire quelque chose.

« Oui. Ça alors ! murmura Yancey les yeux fixés sur la porte par où Gamma avait disparu. Je me demande... »

Elle enfila son manteau rouge et serra fermement la ceinture. Elle aurait pu être complètement habillée en dessous alors qu'en fait, elle était presque nue.

Immobile, Nell s'attarda : la nuit venait de changer d'atmosphère.

Yancey attrapa le plateau, poussa Nell hors de sa chambre et sortit à son tour.

Elle descendit les escaliers dans un glissando de talons hauts, ses cheveux flottant dans le dos comme un nuage de feu, le plateau en équilibre dans ses longues mains fines.

Cinq minutes plus tard, Ruth enfilait à son tour son manteau, un vison tout neuf, ramassait un autre plateau, plus petit et sortait par la porte de la cuisine, à la suite de Yancey.

« J'ai oublié de mettre du cake au fruit pour Jacob Lee, dit-elle à Rip en trottinant à travers la cuisine. Et c'est ce qu'il préfère. J'en ai pour une seconde, Rip. »

Nell était juste à côté de la planche à repasser où Rip repassait à la pattemouille la longue ceinture de velours de sa robe. Soudain, elle regarda autour d'elle tandis que l'odeur de tissu mouillé se métamorphosait en une puanteur de velours de soie brûlé. Elle vit sur le visage de Rip une expression de terreur. Ses yeux qui étaient restés fixés sur la porte que Ruth venait de refermer derrière elle, reflétaient une peur si intense que Nell se retourna pour regarder la porte à son tour, le cœur battant à tout rompre. Quel monstre inimaginable se tenait là derrière la porte en cette nuit de décembre ? Mais il n'y avait rien dehors. Pendant un long, un très long moment où Nell ne sentit que l'odeur du velours brûlé, tandis que son cœur martelait toujours sa poitrine, rien ne se passa. Puis il se passa quelque chose...

Gamma était là. Elle se tenait immobile dans le chambranle de la porte, le visage défait, livide, et vraiment effrayant, celui d'une femme qui a vu des fantômes, le diable, le Mal invisible. Le vent cinglait derrière elle. Malade, incapable de respirer, Nell attendait que quelque chose, n'importe quoi, surgisse sur la véranda derrière Gamma. Mais il n'y avait rien sinon le jardin vide, baigné par le clair de lune et les chaudes lumières de la maison de Rip brillant à travers la dentelle délicate de la haie de buis. Yancey n'était nulle part.

Gamma, qui tenait toujours son petit plateau recouvert d'un linge, avança lentement dans la cuisine. Elle la traversa tout entière, poursuivit sa marche dans la salle à manger. C'est alors seulement qu'elle se mit à parler. Elle ne tourna pas la tête et sa voix leur parvint avec une étrange netteté.

« Rip, viens immédiatement dans ma chambre. En chemin arrête-toi et dis à miss Hebe que je veux la voir aussi. Quant à toi, Nell, va dans ta chambre et restes-y jusqu'à ce que je te dise d'en sortir.

— Mais Gamma...

— Va !

— Rip ! » Nell était affolée. Sa voix s'étranglait dans sa gorge. Elle ne pouvait plus la contrôler. Elle ne pouvait même plus respirer tant son cœur, à l'intérieur de sa cage thoracique, battait douloureusement.

« Rip, que se passe-t-il ? Qu'est-ce qui ne va pas ? Où est Yancey ? Rip...

— Va dans ta chambre, Nell », dit Rip d'une voix méconnaissable. Nell ne dit plus rien et s'enfuit en courant jusqu'à sa chambre.

Chapitre XX

Ce fut le 2 janvier 1951 que partit Yancey. Cette fois, Nell ne fut pas surprise. Les mêmes signes qui avaient présidé au départ de Paul s'inscrivirent dans l'atmosphère de la maison avec autant de précision que si on les avait lus dans les entrailles des animaux sacrés ou dans le marc de café. Il y eut même, cette fois, un présage supplémentaire qui fut en ces jours de fêtes aussi violent que le cri d'un oiseau de nuit : le départ de Jacob Lee. Car il partit au lendemain même du drame. Contre tout bon sens, la réception s'était déroulée comme si Gamma n'avait pas surgi de la nuit avec le visage d'une femme qui avait vu la mort. Comme si Yancey, à son retour en fredonnant de la maison de Rip, n'avait pas été empoignée par Gamma, entraînée, stupéfaite et furieuse, dans l'escalier, puis enfermée dans sa chambre sans autre forme de procès. Comme si Rip et Gamma, après une dernière séance de chuchotements et de sanglots dans la chambre de Gamma, n'en étaient pas sorties avec des visages morts et vieillis sur lesquels elles plaquèrent ensuite des sourires de circonstance aussi effrayants que les sourires des cadavres. Comme si, enfin, maman ne s'était pas évanouie et n'avait pu descendre à la réception.

Jacob Lee était parti. D'après ce qu'en dit Rip à Nell, il était parti à Detroit au chevet d'une grand-tante qui, en tombant, s'était brisé le col du fémur et qui avait besoin d'un bras fort pour l'aider. Nell n'interrogea pas Rip. Seul lui importait maintenant le traintrain quotidien dans cette grande maison hostile où son premier souhait était de n'être remarquée par personne.

Pendant les quelques jours effrayants qui suivirent la réception, il ne lui fut pas très difficile de se rendre invisible à la Tanière du Renard. Comme après le départ de Paul, maman s'enferma dans sa chambre mais les pleurs et les gémissements qui s'en échappaient parurent à Nell, lorsqu'elle passa dans le corridor du premier, superficiels et sans conviction. On aurait dit qu'elle n'avait pas encore récupéré tous ses moyens après sa performance de virtuose lors du départ de Paul. Ce fut la première pensée cynique de Nell et, sur le moment, elle n'en fut pas consciente. Elle n'en froissa pas moins son intégrité enfantine et laissa une petite cicatrice.

Il est vrai que Gamma, qui ne traversait pas toutes les pièces de la maison, n'était pas toujours là pour remarquer Nell. Quand elle ne s'enfermait pas avec maman, elle passait l'essentiel de son temps dans sa chambre. Elle parlait à peine à Rip et ne disait pas le moindre mot à Nell qui, de toute façon, préférait rester dans sa propre chambre ou dans la cage sous l'escalier derrière la maison. Nell ne vit personne pénétrer dans la chambre de Yancey. Elle entendit la porte s'ouvrir et se refermer de temps en temps pendant la nuit. Elle en conclut qu'elle n'était pas enfermée à clef mais Nell ne l'avait pas revue depuis la réception. La dernière image qu'elle avait d'elle était Yancey hurlant son indignation et son incompréhension tandis que sa grand-mère l'entraînait dans l'escalier. Cette nuit-là, lorsque tous les invités furent partis, que Rip eut regagné sa petite maison et que Gamma fut montée à sa chambre, silhouette sévère dans son ensemble de satin noir et blanc, Nell entendit sa sœur qui criait dans sa chambre. Elle se souvenait de sa voix brisée par la fureur et la révolte : « Mais, *pourquoi* ? Je ne comprends pas pourquoi elle a fait cela ! »

Plus tard, en cette même nuit, de la chambre de maman lui parvint la voix de Gamma, vibrante de sincérité : « Hebe, ma biche, j'aurais préféré me tromper mais c'est arrivé juste au moment où je passais devant la fenêtre. Ils étaient à moins de deux mètres et la pièce était éclairée comme en plein jour. Je sais ce que j'ai vu. Toi et moi, nous savons ce que nous devons faire. Nous avons laissé aller les choses pendant trop longtemps. J'ai essayé de t'avertir mais tu ne voulais pas écouter. »

Mais si elle les entendit, elle les vit à peine. Bien que Rip se tint à la cuisine comme à l'accoutumée, elle s'était retirée si profondément en elle-même qu'il était impossible de la découvrir. Ni dans ses yeux d'obsidienne ni dans son visage qui avait toute l'apparence du vide. Elle ne chantait ni ne fredonnait selon son habitude et lorsqu'elle passait, elle n'appelait plus Nell de sa voix grave. Ses pas étaient lents et mesurés et ses yeux ne semblaient pas voir le travail que ses mains accomplissaient. Nell savait que pour cette Rip-là, elle n'existait pas. Elle ne s'en préoccupait, du reste, pas. La seule chose qui importait, maintenant, était de se retrouver seule et d'attendre.

Elle choisissait soit de rêver en silence dans sa cage, enveloppée dans ses couvre-pieds, soit de rester dans sa chambre, plongée dans un livre. Aussi ne vit-elle et n'entendit-elle aucun des préparatifs qui entourèrent le départ de Yancey. Des malles furent descendues du grenier et portées dans la chambre de Yancey sans que Nell s'en aperçût. Des vêtements furent lavés, repassés et transportés par Beauty et Salomé. Elle supposa plus tard que des coups de téléphone avaient été échangés entre la Tanière du Renard et la coûteuse pension de Virginie. Près de Paul ? Par la suite, Nell s'interrogea à ce sujet mais sans lui accorder une réelle importance. Si Yancey était près de Paul, elle s'arrangerait pour le rencontrer. Sinon, elle trouverait bien un moyen pour être à ses côtés. En un sens, ils seraient toujours ensemble ainsi qu'ils l'avaient toujours été. Cette pensée la réconforta quelque peu.

Mais tout ceci traversa la petite tête bouclée de Nell sans même qu'elle s'en rendît compte car elle avait choisi de s'enfoncer dans un univers totalement étranger à son enfance.

Pourtant, le matin où Yancey fut emmenée à la gare de Sparta, Nell aurait dû dormir tranquillement dans son lit. Personne ne sut qu'elle s'était réveillée, s'était agitée et avait entendu un remue-ménage dans le corridor puis dans l'escalier. Elle se rendit compte aussitôt que Yancey Geiger, comme son frère, quittait la Tanière du Renard et n'y reviendrait jamais vraiment. Quand la Chrysler eut tourné le coin, elle sortit de son lit, enfila son blue-jean et un vieux maillot rayé de Paul. Au-dessus, elle revêtit le sweater de supporter de Yancey avec un grand S bleu imprimé dans le dos. Enfin, elle se couvrit de ce manteau d'hiver en lainage bourgogne à col de velours qu'elle détestait. Puis elle dévala les escaliers au grand galop et se rendit dans sa cage. Elle y resta jusqu'à ce que le soleil fut bas et rouge sang. Le froid de janvier lui gerça le nez et les joues couvertes de larmes, après lui avoir engourdi les mains et les pieds. Elle n'en bougea pas malgré leurs appels et leurs cris. Quand la maison devint silencieuse, elle attendit plus d'une heure avant de se décider à sortir. Quand elle se glissa, tout engourdie, hors de sa cage de treillis, elle resta debout, seule dans le jardin obscur et ne ressentit rien sinon un vide indifférent et les premiers symptômes d'une grippe.

Ce fut Rip qui la découvrit. Elle lui jeta un rapide coup d'œil, mit ses bras autour d'elle et la serra au creux de son cou. Au moment où maman et Gamma descendirent les marches et lui demandèrent où elle avait été, Nell pleurait franchement et à gros sanglots. Elle regarda sa grand-mère dans les yeux et lui cracha au visage. Ce n'était qu'un pauvre petit jet de salive qui tomba loin des mules à talons hauts de Ruth Fox mais l'effet en fut énorme. Ruth pâlit, eut un hoquet et regarda sa petite-fille comme si elle avait brandi un pistolet fumant.

« Je ne vous dirai pas où j'étais, cria Nell. Je ne vous dirai jamais où j'étais. Je vous déteste. J'espère ne plus jamais revoir votre vieux visage affreux. »

Ruth ne cilla ni ne baissa les yeux. La rage qui avait raidi les jambes de Nell la quitta brusquement.

« Cela peut se faire, dit doucement Gamma. Et cela se fera sûrement si tu répètes une seule fois ce que tu viens de dire. »

Nell ne le répéta jamais.

Elle se retrouva seule dans la maison des femmes Fox. Elle resta repliée sur elle-même. Tout au long de ses années, Rip fut la seule personne qui vécut dans le petit cœur desséché mais fervent de Nell Steed Geiger. Mais Rip était plus vieille, plus lente, plus silencieuse depuis le départ de Jacob Lee et dès qu'il devint évident que Paul et Yancey ne reviendraient jamais à la Tanière du Renard. Sans doute venaient-ils pour de courtes visites entre chaque trimestre et après le camp d'été mais ils étaient devenus deux étrangers lointains, cérémonieux, indifférents, qui venaient dormir quelques jours dans leurs anciennes chambres, des étrangers beaux et longilignes qui parlaient poliment de choses banales avant de s'en retourner dans leurs écoles respectives dès que la bienséance le permettait. Mais Rip était toujours là. Son sourire éclatant était plus rare et on ne l'entendait plus chanter devant sa planche à repasser. Mais ses bras fins comme des lianes étaient toujours là pour consoler Nell quand celle-ci se mettait à pleurer après les visites de Paul et de Yancey ou quand la discipline de Gamma lui pesait trop. Rip était là. Rip était toujours là. Dans l'esprit de Nell, la Tanière du Renard c'était d'abord l'éclat bleuté de Gamma puis le bronze rayonnant de Rip.

Malgré l'isolement dans lequel elle avait vécu sa petite enfance, Nell n'était pas, tant s'en faut, une petite fille solitaire. Son monde devint rapidement celui, bruyant et banal, de l'école primaire puis du lycée qui desservait Sparta et les environs. Nell avait des amis. Elle était aussi populaire que jolie mais sa beauté n'était pas suffisamment flamboyante pour provoquer des jalousies comme cela avait été le cas pour Yancey. À la différence de cette dernière, Nell était et resta toute sa vie totalement dépourvue de vanité. Il s'agissait moins chez elle d'une qualité foncière que du résultat des frustrations qu'elle avait subies pendant son enfance. Il n'empêche que ce trait la rendait sympathique : mais aussi bien Nell l'enfant que, plus tard, Nell la femme apparurent souvent comme des êtres vulnérables qui attiraient la sollicitude des autres, parfois à son corps défendant. En effet, cette sollicitude se transformait parfois en tentative de domination et rien dans sa vie ne l'avait préparée pour y résister. Aussi, malgré sa timidité, eut-elle de nombreux amis.

Ruth, aussi sereine et gracieuse que si elle n'avait pas mis les deux aînés de ses petits-enfants à la porte de la Tanière du Renard, dirigeait son petit monde de femmes, apaisait et dorlotait sa fille vieillissante tout en soignant sa dernière petite-fille comme une fleur. Elle veilla à ce que Nell apprît le piano, la danse, le dessin et l'aquarelle, elle lui fit prendre, chaque semaine, des cours de mode et de maintien dans le plus important magasin d'Atlanta. Ruth choisissait ses vêtements, des vêtements chics, très féminins, des répliques parfaites de ses propres vêtements.

Mais Nell avait une véritable passion pour laquelle elle était douée. Elle avait une facilité spontanée, riche, brillante, de jouer avec les mots qu'elle assemblait avec une sensibilité étrange et originale... Ruth, subtilement, la décourageait. Cette voie qui permettrait à Nell de s'affirmer et de quitter la Tanière du Renard, cette voie, il fallait la barrer. Ruth savait aussi qu'il ne fallait pas la dynamiter, simplement l'écorner. Aussi avança-t-elle lentement, prudemment. Elle avait tout le temps devant elle...

C'est ainsi que les premières tentatives de Nell, des essais pleins d'invention ou des poèmes un peu bancals, furent rejetés avec un vague sourire ou un léger froncement de sourcils.

« Tu dessines si bien, ma chérie, disait Ruth. Je déteste te voir gâcher tes dons et perdre ton temps avec quelque chose qui ne te mènera nulle part. »

Nell, déjà travaillée par les affres du doute, puis par la colère, puis par le remords que cette colère provoquait, commença à réagir différemment. Elle se révolta, même si sa révolte fut minuscule.

Elle suivit sans effort ses cours au lycée. Ruth et Hebe avaient convenu qu'elle pourrait fréquenter le lycée du comté au lieu d'être mise en pension dans un collège ou de faire ses études sous la direction d'un précepteur : « Le lycée, depuis la nomination du précepteur, est de premier ordre. Et puis nous ne pouvons nous passer de notre bébé. » À l'insu de Gamma, Nell continua d'écrire.

Tranquillement, elle laissa tomber ses cours de dessin facultatifs pour consacrer plus de temps à la littérature anglaise et au journalisme. Sans en souffler mot chez elle, elle se porta candidate au poste de rédacteur du journal du lycée : c'est elle qui fut choisie. Elle commença à passer ses après-midi avec sa conseillère en journalisme, une jeune femme du New Hampshire que la pesanteur du Sud n'avait pas encore découragée. Elle avait su discerner les dons de Nell et elle était ravie de lui venir en aide en conversant longuement avec elle et en l'aidant à se préparer à sa carrière. Sous sa direction, Nell prépara le concours d'entrée à l'école de journalisme de l'université Columbia, à New York.

« Mon frère est à cette université, dit Nell. Lui aussi veut devenir journaliste. Un vrai, je veux dire. Il a énormément de talent. »

En fait, Nell ne savait rien de l'univers de Paul sinon qu'il était en première année à Columbia et qu'il partageait un appartement à New York avec Yancey qui, aussitôt après avoir obtenu son diplôme de Wellesley, avait choisi de travailler pour une agence de publicité où elle grimpait allégrement les échelons de la hiérarchie.

« Columbia est l'université qu'il vous faut, à vous aussi, dit la jeune conseillère. Avec les notes élevées que vous obtenez, et en tenant compte de toutes vos activités, vous ne devriez rencontrer aucune difficulté pour y entrer. Ce serait la meilleure chose qui pourrait vous arriver : vivre quelque temps dans le monde réel.

— Ici aussi, c'est le monde réel, dit Nell, interloquée.

— C'est à peu près aussi réel que chez Rudolf Friml[1] », répliqua la conseillère. Nell sourit.

Sous la direction du jeune professeur, elle s'inscrivit pour un

_____

1. Compositeur américain d'origine tchécoslovaque, auteur de comédies musicales.

concours national d'essais. Elle le remporta. La joie qu'elle ressentit lui fit presque mal. Elle courut chez elle pour l'annoncer.

Ruth eut le soir même une grave crise de palpitations. Ce fut une nuit supplémentaire d'appels, de chuchotements, de pleurs, de bousculades. Le docteur Hopkins fut appelé d'extrême urgence. Quant à Hebe, malgré la présence apaisante de Rip, ses gémissements rappelaient ceux de la fée Banshee[1]. Au lieu d'être immobilisée, Ruth garda le lit, grave et silencieuse, pendant quinze jours. Elle refusa sèchement de subir les examens que le docteur Hopkins avait ordonnés. Hebe se révélant incapable de faire face à la situation, il n'était plus question pour Nell de se rendre à Washington pour recevoir son prix. On le lui envoya par la poste. Elle le reçut des semaines plus tard.

À la suite d'une visite discrète de Ruth Yancey Fox à la jeune conseillère, Nell se retrouva écartée des cours facultatifs de journalisme et de littérature anglaise. À la mort de Paul, Ruth avait hérité de sa place au sein du conseil d'éducation du comté. Elle en assurait maintenant la présidence. La jeune conseillère avait à sa charge une mère souffrant d'emphysème et deux jeunes frères qui vivaient dans un village misérable du New Hampshire. Elle n'avait nulle part où aller pour se replier et poursuivre le combat. Pendant l'année où Nell fut rédactrice au journal du lycée, Ruth fut tour à tour légèrement méprisante et affligée de voir sa petite-fille négliger ses cours de dessin. Hebe, agacée de voir les réactions que son dernier enfant déclenchait en se dérobant devant tout conflit, prit le parti de sa mère. Nell ne se sentit pas heureuse pendant toute cette année : son travail s'en ressentit. Elle ne connut guère de succès et le doute s'insinua plus profondément dans son esprit.

« Peut-être ont-elles raison ! se dit-elle tristement. Quoiqu'en pense miss Henderson, je ne suis pas faite pour écrire. »

En tout cas, il semble que la compétence de la jeune femme ait été mise en doute : son contrat ne fut pas renouvelé. Elle ne revint pas au lycée pour la dernière année de Nell. La jeune femme ne sut jamais pourquoi. Elle dut se contenter de soupçons. Ruth, elle, savait.

Ruth et Rip.

---

1. Personnage de folklore irlandais et écossais. L'apparition et les cris de la fée Banshee sous les fenêtres d'une maison présagent la mort de l'un de ses habitants.

Pendant toutes ces années, Rip fut la seule qui encouragea Nell.

« Lis-moi quèqu' chose que t'as écrit », disait-elle quand elles étaient ensemble dans la cuisine, l'après-midi. Elle lui coupait une tranche de pain d'épice tout frais puis elle s'installait pour écouter.

« Ça m' semb' rud'ment bien, disait-elle en hochant la tête, les yeux fermés, quand Nell avait fini. Les mots, avec toi, on dirait d' la musique. J' crois bien qu'un d' ces jours, tu vas dev' nir un fameux écrivain. »

Mais comme Rip, d'une part l'adorait, d'autre part était illétrée, Nell ne faisait guère attention à ce qu'elle disait.

Elle était populaire parmi les garçons mais elle n'avait aucun flirt attitré : « Vraiment, Nell, ne crois-tu pas qu'il est un peu... Tu sais, ma chérie, ses parents, il n'y a pas si longtemps, travaillaient à la filature. Attends d'aller à l'université. Tu y rencontreras des tas de jeunes gens très bien et toi, tu *es* quelqu'un de si particulier. Pourquoi te presser ? »

Et c'est ainsi que Nell, au cours du dernier automne de sa dernière année, cessa d'écrire. Elle fut très assidue aux cours d'anglais et de dessin. Elle se rendit aux matches de football[1], aux *pep rallies*[2], aux thés dansants, aux *slumber parties*[3]. Toujours en bande, elle participa, avec les filles de sa promotion, à plusieurs sorties à Atlanta. Chaque fois elle rentra pour le « couvre-feu ». L'approbation de Gamma et de sa mère lui réchauffait le cœur.

Mais toujours, quelque part dans son esprit, brillaient comme des diamants cachés dans une grotte, Columbia et New York.

1. Il s'agit de football américain.
2. Réunion spontanée ou organisée au cours de laquelle orateurs, chefs des supporters et étudiants cherchent à soulever l'enthousiasme pour une équipe.
3. Les étudiantes se réunissent pour la nuit chez l'une ou chez l'autre. Bien qu'en tenue de nuit, elles bavardent plus qu'elles ne dorment.

Chapitre XXI

À Noël, cette année-là, pour la première fois depuis quatre ans, Paul et Yancey revinrent à la Tanière du Renard. Nell s'aperçut que pendant leur séjour dans l'Est, quelque chose leur était arrivé qui les avait métamorphosés. C'était au point que plus jamais elle ne pourrait être leur intime. Certes, ils avaient déjà subi plusieurs métamorphoses. Au cours de leurs brèves visites alors qu'ils étaient en pension en Virginie, Nell avait pu se rendre compte des changements que les années et le monde différent dans lequel ils évoluaient avaient opérés. Sans parler de cette distance qu'ils avaient mis entre eux et Gamma pour se protéger.

Mais là où, auparavant, on sentait la force presque tangible de leurs liens, semblables à ceux de jumeaux, la profondeur de leur confiance réciproque, il n'y avait plus rien. Ils semblaient maintenant complètement étrangers. Seule subsistait, intacte, leur beauté physique. Nell, tout en s'interrogeant sur leur séparation, ne pouvait s'empêcher d'être en admiration devant leur beauté, leur blondeur, leurs membres longilignes et racés. Elle avait oublié à quel point ils avaient été à la fois semblables et séduisants. Mais, à Noël, cette année-là, Yancey avait les yeux caves. Elle était nerveuse et amère. Elle passait son temps à parcourir la maison en fumant cigarette sur cigarette, interpellant Paul d'un ton cassant. Au bout d'un moment, on sentit qu'il prenait ses distances en rongeant son frein. Il fit face aux sarcasmes de Yancey avec une sorte d'excitation secrète qui éclaira ses joues et son regard.

Le matin de leur départ pour New York, ils furent en retard pour le petit déjeuner. Yancey, qui s'était couchée tard, était pâle et avait la paupière lourde. Elle tortillait d'une main nerveuse et impatiente ses cheveux derrière ses oreilles. Paul semblait absorbé par la contemplation de son bol de café mais tressautait à chaque sonnerie du

233

téléphone. Hebe bavardait avec eux ingénument comme s'ils avaient été des gens du monde venus d'un univers sophistiqué et totalement étranger. Elle ne se lassait jamais d'entendre les détails sur le travail de Yancey, les études de Paul et leur vie à Manhattan. Gamma, silencieuse, souriait et les étudiait.

« Dieu, que je me sens mal ! dit Yancey, en écrasant sa cigarette dans sa tasse de café. J'avais oublié les effets de l'*eggnog*[1]. Je me suis trop habituée aux martinis.

— Tu es rentrée bien tard, la nuit dernière, non ? dit Gamma avec beaucoup d'amabilité. Je t'ai entendue rentrer vers cinq heures. Voilà comment vous êtes, vous, les New-Yorkais... T'es-tu bien amusée au moins, avec Sykes Claiborne ? Je suppose que tu ne l'avais pas vu depuis sept ou huit ans...

— Je n'étais pas avec Sykes Claiborne, dit Yancey en étirant ses longs bras. Sykes Claiborne est mortellement ennuyeux. Sykes Claiborne est un buveur de bière. C'est un *Jaycee*[2]. J'ai laissé tomber Sykes Claiborne sur ses grosses fesses et j'ai passé la soirée au *Wagon Wheel* avec ce vieux T. C. Coggins. Vous vous souvenez sûrement de T. C. Coggins, Gamma ? Celui qui travaillait dans cet atelier de transmission ? La dernière fois que je l'avais vu, il était à l'arrière d'une voiture de police devant le *Red Rose Hôtel,* en route pour la prison avec Gerald Minnich. Et vous savez, il n'a pas changé d'un poil... »

Nell regarda Yancey. Était-elle folle de chercher ainsi noise à Gamma ? Elle était vraiment d'une humeur massacrante. Hebe jeta un coup d'œil autour de la table comme si elle attendait que quelqu'un lui dise comment réagir. Paul buvait tranquillement son café. Le visage de Gamma resta impénétrable. Elle sourit à Yancey.

« Peu importe avec qui tu étais ! Je suis contente que tu te sois bien amusée, dit-elle. C'est toujours agréable de revoir de vieux amis, non ? Et toi, Paul, as-tu passé une bonne soirée avec Molly Longshore ? Une si jolie fille et d'une si bonne famille ! Tu as été gentil de l'emmener à cette soirée pour faire plaisir à ta vieille grand-mère. Maintenant, dis-moi la vérité, n'y a-t-il pas eu entre vous la moindre étincelle ? Quand j'ai rencontré Molly, j'ai pensé que vous

---

1. Boisson traditionnelle de Noël faite avec du lait, de la crème, des œufs et du whisky.
2. *Junior Chamber of Commerce :* club pour jeunes businessmen.

étiez faits l'un pour l'autre. Je sais que Yancey est trop préoccupée par sa passionnante carrière pour songer à se marier en ce moment mais ta maman et moi, nous espérons entendre sonner les cloches de ta noce avant que nous ne soyons trop vieilles pour les entendre sans Sonotone. Peut-être bien que tu seras le premier... Tu ne peux quand même pas vivre toute ton existence avec ta sœur dans ce minuscule appartement ? »

Il y eut un silence. Puis Yancey éclata d'un grand rire sonore. Le visage de Paul était doux et tranquille. Il avait fermé les yeux.

« Excusez-moi, dit-il. Il me faut joindre Jean avant qu'il ne sorte. Le loyer n'est pas payé et il l'oublie toujours. »

Il se leva de table et quitta la pièce. Ses mouvements étaient pleins de grâce. Yancey riait toujours mais son rire n'était pas gai.

« Désolé de vous apprendre une mauvaise nouvelle, Gamma, bredouilla-t-elle enfin. Mais il vous faudra attendre longtemps avant d'entendre sonner les cloches du mariage de Paul. Ne cherchez pas à savoir pour qui sonneront ces cloches, Gamma. Elles ne sonneront pas pour Paul.

— Décidément, dit Gamma avec indulgence, je ne vous suis pas du tout, tous les deux. Pour l'amour du ciel, qui est Jean ?

— Oh, Jean, dit Yancey d'une voix traînante. Jean-François de Valery ou un nom dans ce goût-là. Jean et Paul partagent un appartement. Jean est professeur de vieux français ou de quelque chose d'aussi rare à Columbia. Il a douze ans de plus que Paul et il est français jusqu'au bout des ongles. Il est *très* joli garçon et *complètement* dingue. En fait, j'irai jusqu'à dire qu'il est fou à lier. *Un homme dangereux, c'est Jean*[1].

— Quand Paul a-t-il emménagé avec ce... Jean ? dit Gamma avec douceur. Je croyais qu'il était confortablement installé avec toi. Vous avez été ensemble si longtemps qu'il me semblait que cet arrangement vous convenait à tous les deux : partager le loyer et tout et tout...

— Oui. Eh bien, il est confortablement installé avec Jean depuis septembre dernier. Et ça marche très bien pour lui parce que Jean paie toutes les factures, dit Yancey d'une voix sucrée.

— Comme c'est gentil à lui, dit Hebe.

1. En français dans le texte.

— Oh oui, maman, c'est vrai que c'est très gentil, dit Yancey. Il fait un tas de choses gentilles pour Paul. Il prend bien soin de lui. Il le protège comme s'il s'agissait des joyaux de la couronne. Tenez, par exemple, un jour, j'avais organisé une sortie. Il y avait Paul, une fille avec qui je travaille, un copain et moi. Le cher Jean nous a suivis jusqu'au restaurant et il a fait une scène terrible. Il a dit que Paul aurait dû être à la maison en train d'étudier. Il a crié, hurlé, tempêté.

— Mon Dieu, comme cela a dû être ennuyeux ! dit Hebe. Qu'a fait Paul ?

— Il s'est levé et l'a suivi, dit Yancey. Nous avons ramené la fille chez elle. Cela l'a très fâcheusement impressionnée. Si vous voulez connaître mon opinion, je vous dirais que je crois que Jean est vraiment dangereux.

— Sottises que tout cela, Hebe, dit Ruth. Les Français sont gens très émotifs. C'est dans leur tempérament. Paul est un adulte maintenant. La dernière chose qu'il souhaite est que sa mère et sa grand-mère se mêlent de sa vie privée.

— Bien. » Et se tournant vers Yancey : « Tu peux toujours garder un œil sur lui. Il t'a toujours écoutée.

— N'y comptez pas », dit Yancey. Elle était livide et paraissait souffrir. « Jean ne me laissera pas l'approcher. Il pense que j'ai une mauvaise influence sur lui. Il ne lui transmet même pas mes messages téléphoniques.

— Après tout, où est le mal ? » Gamma se leva de table. « Je suis plutôt assez satisfaite qu'un homme plus âgé s'intéresse au bien-être de Paul. New York est une très grande ville et une ville dangereuse. Viens, Hebe. Il est temps, maintenant, de prendre ton bain. Nous devons être chez Fancy Cobb à onze heures et il est déjà presque dix heures. »

Quand elle quitta la pièce, son visage rayonnait d'enthousiasme comme si elle venait d'apprendre un merveilleux secret. Nell éprouva une soudaine appréhension. Elle aurait voulu en parler à Yancey mais sa sœur se leva et sortit précipitamment. Nell resta seule dans la douce lumière. Rip. C'est Rip qu'elle irait trouver à la cuisine et à qui elle parlerait...

Paul passa la tête dans la pièce.

« Dis-moi, ma vieille ? Pourrais-tu venir une minute dans le bureau de grand-père ? Il y a une ou deux choses dont j'aimerais te parler. »

Elle le suivit dans le bureau. Les volets étaient fermés et la pièce était obscure. Il referma la lourde porte à panneaux et s'assit dans le vieux fauteuil en cuir de son grand-père. Il tendit les bras vers Nell qui courut le rejoindre sur le fauteuil. Il l'enlaça et attira sa tête contre son épaule. Il posa son menton contre la tête de sa sœur comme il le faisait quand, enfant, il avait quelque pulsion d'affection.

« Tu m'as beaucoup manqué ces dernières années, dit-il. Tu as réellement grandi et tu es si jolie. Je regrette de n'avoir pu être là pour te voir grandir et pour veiller un peu sur toi.

— Je n'ai pas besoin que l'on veille sur moi », dit Nell. Il y avait l'odeur de Paul, une odeur nette, propre, et il y avait aussi la chaleur de son bras autour de ses épaules et cela lui rappelait son enfance. « Gamma me donne tout ce dont j'ai besoin et même le superflu. Et puis, j'ai Rip.

— Bien sûr, il y a toujours Rip... Dis-moi, quels sont tes projets ? Comptes-tu entrer dans une école des beaux-arts quelque part ?

— Je n'ai encore rien décidé. Gamma et maman veulent que j'aille à l'université, ici. Il paraît que la faculté des beaux-arts y est excellente...

— Et toi, qu'est-ce que tu veux ?

— Eh bien... J'avais pensé à Columbia, dans la section journalisme...

— C'est exactement ce que j'allais te proposer », dit-il. Il la tint à distance et la regarda. Son visage était grave et attentif. « Tu écris vraiment bien. Toute cette éducation artistique est une perte de temps. De plus, tu as vraiment besoin de t'évader d'ici et Columbia serait parfait pour ce que tu veux faire. C'est une idée formidable. Il faut que tu fasses ta demande d'admission dès que les classes reprendront.

— Mais je n'ai aucune chance d'y être admise, dit Nell. Gamma et maman se sont mises en tête que j'irais à l'université, ici. Et je n'ai pas le moindre sou. Et puis Columbia peut très bien ne pas m'accepter.

— Ils t'accepteront, dit Paul. Tu es plus brillante que moi et ils m'ont accepté. Et moi, j'ai un peu d'argent. C'est d'une autre chose dont je voulais te parler.

— Qu'est-ce que c'est ? » Elle osait à peine respirer.

« J'aimerais payer tes cours à Columbia. Maintenant que je partage un appartement avec Jean, j'ai assez d'argent. J'en aurai même plus l'été prochain lorsque je commencerai à travailler. Et j'aimerais te trouver un petit studio dans notre immeuble. Ils ne sont pas extraordinaires mais ils sont propres et on y est en sécurité. Je pourrais veiller sur toi et Yancey habite tout à côté. En fait, j'ai déjà touché un mot au gardien à propos d'un studio au même étage que mon appartement. Il sera libre en septembre et je peux facilement arranger cela. Si tu es d'accord, je verserai une caution pour le retenir.

— Qu'est-ce que... Jean... va dire ? Je veux dire... il n'aime pas beaucoup que Yancey soit tout le temps sur ton dos... » Nell ne le regardait pas.

« Jean trouvera que c'est une idée excellente. C'est un garçon charmant. Tu l'aimeras. Je suppose que Yancey en a dit quelques mots après mon départ, non ? Ne fais pas attention à ce qu'elle dit. Yancey a toujours été très possessive. Maintenant, qu'en dis-tu ?

— Oh, Paul. Oh, Paul. » Columbia semblait devenir une réalité tangible. « Si vraiment je pouvais... C'est exactement ce que je voulais faire mais je ne savais pas du tout comment j'allais m'y prendre. Je te promets que je ne t'embêterai pas...

— Tu sais bien que tu ne m'embêtes jamais, Nell... Rappelle-toi bien ça, quoi qu'il arrive. Dès janvier, je te ferai savoir comment nous allons procéder. Entre-temps, tu fais ta demande d'admission et tu vas jusqu'au bout. Pour l'amour du ciel, tu ne dis pas un mot ni à Gamma ni à maman jusqu'à ce que tout soit réglé. Plus tard tu leur diras, mieux ça vaudra. Tu as plus de dix-huit ans, n'est-ce pas ?

— Le sept de ce mois.

— Bien. Il n'y a pas de problème.

— Je crois que je mourrai si Gamma m'empêche de partir.

— Gamma ne pourra rien faire. Elle peut te rendre les choses difficiles mais elle ne peut t'en empêcher si tu y tiens vraiment. Rappelle-toi ça, tu as vraiment besoin de partir d'ici.

— Oh ! *Comme je t'aime !* » Nell le serra violemment dans ses bras. Elle sentit les os solides de son dos et de ses épaules. Lui aussi l'étreignit. Son sourire lorsqu'il lui ouvrit la porte à panneaux était franc et joyeux. C'était le sourire d'un enfant. Malgré les larmes de joie qui l'étouffaient, Nell éclata de rire en voyant son sourire.

À deux pas du bureau d'Horacio Fox, dans la niche en ogive sous l'escalier, là où se trouvait le téléphone, Ruth Fox souriait, elle aussi, mais il n'y avait personne pour la voir, pas même Rip et, de toute façon, ce n'était pas un sourire susceptible de faire rire qui que ce soit.

Le 7 janvier, tard dans la soirée, un médecin appela de l'hôpital Bellevue à New York. Paul Fox Geiger avait été tué d'un coup de feu, probablement par l'homme avec qui il partageait son appartement. Celui-ci avait ensuite retourné l'arme contre lui. Le gardien de l'immeuble avait entendu des coups de feu et, ne recevant pas de réponse lorsqu'il avait frappé, il avait ouvert la porte avec son passe-partout. Les deux hommes étaient morts à leur arrivée à Bellevue.

Pour la première fois de sa vie, Nell fut incapable de pleurer. À partir du moment où Gamma reposa le téléphone et entra dans le petit parloir où elles regardaient l'émission d'Ed Sullivan, elle pâlit et une sorte de cloche de verre parfaitement étanche descendit sur elle, cloche qui ne la quitta plus. À l'intérieur, Nell s'aperçut qu'elle pouvait faire tous les gestes qu'on attendait d'elle. Ce fut elle qui alla prendre le brandy dans le buffet quand sa mère poussa un hurlement et s'évanouit, elle qui appela le docteur Hopkins et sa seringue, elle qui alla d'un pas ferme jusqu'à la petite maison derrière la haie de buis pour annoncer à Rip que Paul était mort.

Après la première crise de sanglots et de gémissements, sa mère aussi cessa de pleurer. Ses larmes étaient taries. Mais son esprit se perdit dans le vague, la confusion et l'incertitude. Il lui arriva d'oublier que la mort, une fois de plus, venait de la frapper ou bien, lorsqu'elle s'en souvint, elle était incapable de dire qui était mort. Cet homme-enfant un peu lointain qui était venu lui rendre visite et qui lui avait semblé charmant, n'était plus mais quel était le rapport entre ce garçon et son propre fils ? Par la suite, Nell prit conscience que c'est à cette époque que l'esprit de sa mère commença à se détériorer.

Gamma ne pleura pas non plus. Après une nuit de recueillement dans sa chambre, volets clos et rideaux tirés, elle se leva dans l'aube brillante de janvier, revêtit l'un de ses exquis déshabillés de chez Norell et se mit en devoir de remettre de l'ordre après le départ précipité de son petit-fils pour l'autre monde. Elle appela d'abord le vieil Angus Cromartie, des pompes funèbres, et lui demanda de s'occuper de faire revenir le corps de Paul, de l'incinérer et de choisir une urne convenable. En raison des circonstances, expliqua-t-elle à

Rip qui était immobile dans le couloir pendant son coup de téléphone, il était impossible de lui organiser des funérailles. Rip, qui avait été la seule femme de la Tanière du Renard à avoir versé quelques larmes sur Paul, s'apprêtait à protester mais voyant le visage de Nell, livide et sans expression, les yeux fixes, elle garda le silence. Rip se disait que malgré sa vigilance, elle n'avait pas été capable de protéger Paul mais qu'elle pourrait au moins veiller sur les deux autres enfants Fox, comme elle avait juré de le faire.

« J' pen's que c'est mieux » dit-elle à Ruth qui s'apprêtait à téléphoner au rédacteur en chef de l'hebdomadaire de Sparta pour lui demander de ne pas souffler mot de la tragédie. « Qu'est-ce qu' vous allez dire à mam z'elle Yancey ? »

En découvrant sur le visage grave et pâle de sa grand-mère, le regard soudain désorienté, Nell se rendit compte qu'elle avait oublié Yancey.

« Oh ! Mon Dieu ! C'est vrai ! Il faut que quelqu'un le dise à Yancey. La pauvre enfant ! Cela va la tuer. »

Le devoir pénible d'appeler sa petite-fille, lui fut épargné car le téléphone sonna juste à cet instant. Lorsqu'elle décrocha, elle eut à l'appareil une collègue de Yancey à l'agence de publicité. Elle lui dit que son patron, inquiet de l'absence inhabituelle de Yancey, avait téléphoné chez elle à plusieurs reprises. Comme il entendait constamment le signal « occupé », il s'était précipité à l'appartement, et avait déniché le gardien de l'immeuble. Il l'avait trouvée assise au bord de son lit, en chemise de nuit, le téléphone à la main, aussi immobile, blanche et froide que si c'était elle et non son frère qui était morte. Plus tard, elles apprirent par le docteur de l'hôpital Bellevue qu'il avait trouvé le nom et l'adresse de Yancey dans l'agenda en cuir de Paul en même temps que ceux de Ruth. Il l'avait appelée aussitôt après avoir téléphoné à Sparta. Autant qu'on puisse le savoir, son « allô » endormi fut la seule parole qu'elle prononça pendant quatre mois. Yancey se laissa couler naturellement — peut-être pour se protéger — dans un état de catatonie à la manière d'un voyageur frigorifié qui se glisse dans un bain bouillant.

Rapidement et sans le moindre énervement, Ruth Fox s'arrangea avec le patron de Yancey pour que sa petite-fille soit confiée à son propre psychiatre et soignée dans une maison de santé de l'East Eighties, une maison d'une élégance discrète et d'un prix prohibitif. Le soir même, Stuart Hill, du cabinet juridique de son défunt mari, prit l'avion pour le Nord « afin de voir ce qui se passe avec cette petite Yancey ». Il emmena Rip avec lui. « Parce que, avait expliqué Ruth à Nell, j'ai pensé qu'ils pourraient peut-être ramener notre petite chatte avec eux et Rip est la seule d'entre nous qui ait jamais su s'y prendre avec elle. » Rip, qui pendant toute son existence, ne s'était jamais éloignée de plus de vingt-cinq kilomètres de Suches, fit le voyage avec le même calme et la même grâce impassible que si elle se rendait chez l'épicier ou si elle avait pris un billet pour la lune. Le seul commentaire qu'elle eut jamais sur New York, c'est « qu' c'était pas tell'ment différent de Sparta ».

Le patron de Yancey, homme gentil et, de plus, quelque peu épris de la jeune fille, avait mis son petit appartement de l'East Side à la disposition de Stuart Hill et de Rip. Il les attendait à l'aérodrome de La Guardia et c'est lui qui fit office de chauffeur. Ils passèrent un jour et une nuit à New York. Rip dormit sur un sofa de brocart. Stuart discuta avec les docteurs et prit toutes les dispositions indispensables. Tous deux observèrent attentivement Yancey qui ne s'aperçut pas de leur présence. Elle regardait seulement un carré de ciel couleur d'eau sale à travers sa fenêtre grillagée. Pendant leur séjour à New York, un jeune homme de chez Cromartie vint sonner au portail de la Tanière du Renard : il apportait, discrètement enveloppée, l'urne contenant les restes de Paul Geiger Fox. Nell, bien à l'abri dans sa bulle intime, lui ouvrit, prit le paquet, ôta le papier et plaça l'urne sur la cheminée. Elle n'était pas si différente du trophée d'argent qu'elle avait reçu lorsqu'elle avait gagné le concours d'essai. Le lendemain, Stuart Hill et Rip rentrèrent à Sparta sans Yancey.

« Elle n'est pas en état de revenir à la maison, Nell chérie, dit Gamma ce soir-là. Très franchement, je ne sais pas si elle se rétablira jamais. Je ne veux pas être brutale mais il nous faut regarder la situation en face. Tu es assez grande, maintenant, pour que je puisse te parler ouvertement. Nous avons besoin de toi pour nous aider à supporter tout cela. »

Elles se tenaient dans le petit salon où Gamma l'avait amenée dans le but d'avoir « une conversation sérieuse ». Nell ne s'était pas assise sur le canapé ou sur le tapis de l'âtre — ses places favorites — mais dans le fauteuil de sa mère, semblable à celui de Gamma, de l'autre côté de la cheminée. Elle ne pensait à rien, sinon que Gamma semblait dans une forme éblouissante. Ses yeux étaient brillants et ses joues étaient roses comme si elle venait de rentrer du dehors après avoir fait des exercices physiques dans le froid de janvier.

« Nous savons depuis longtemps que Yancey n'est pas très... équilibrée, n'est-ce pas, ma chérie ? » dit Gamma. Elle se pencha en avant pour enfermer les longues mains froides de Nell dans les siennes qui étaient douces et chaudes. « J'ai toujours pensé que cet attachement fanatique qui la liait au pauvre Paul chéri n'était pas très sain si tu vois ce que je veux dire. » Nell ne voyait pas.

« Toi, tu es une bonne fille, une fille saine, Nell, et je sais que tu seras forte parce que nous avons besoin de toi, ta pauvre mère et moi. Nous devons tous être forts en ce moment. »

Nell regarda sa grand-mère mais ne dit rien. Gamma tapota ses mains puis se leva et monta voir Hebe.

Gamma *était* forte. Elle les tenait tous à bout de bras, Hebe brisée et hébétée, Nell muée en zombie, Rip silencieuse et désespérée. Nell la voyait et l'entendait aller et venir dans la maison, faisant cesser les litanies et les gémissements de Carrie, de Robert, de Beauty et de Salome, dans la cuisine, commandant les repas — c'était à n'y pas croire, elles continuaient à prendre leurs repas dans la grande salle à manger —, fredonnant et chantant pour sa fille, là-haut, dans la bonbonnière froufroutante qui lui servait de chambre.

« Je ne peux laisser aller les choses, disait-elle aux gens qui téléphonaient. Si j'agissais ainsi, ce serait rapidement l'écroulement. Nous sombrerions bientôt dans le désespoir. »

Yancey se rétablit. Un jour d'avril, son médecin appela de la clinique et, d'une voix vibrante de joie, leur annonça que Yancey s'était réveillée, ce matin-là, aussi naturellement que si elle avait été dans son propre lit. Elle s'était assise, étirée, avait froncé les sourcils en voyant entrer l'infirmière qui venait lui faire sa toilette et avait dit d'une voix claire : « Quelle heure est-il ? J'ai un rendez-vous à dix heures que je ne peux manquer... » Il ne faudrait plus longtemps avant qu'elle puisse reprendre son travail et sa vie à Manhattan.

« C'est comme si elle s'était enfermée quelque part, le temps que sa blessure se cicatrise. Maintenant elle vient d'ouvrir la porte et elle est sortie », dit le jeune docteur. Il était stupéfait, mais Nell, qui avait pris la communication, ne fut pas surprise.

Sans doute, la Yancey qui sortit de la clinique n'était-elle pas la jeune femme vive et brillante qui y était entrée mais elle était néanmoins en bonne santé. Elle ramassa les débris qui restaient de sa vie et les recolla avec une énergie et une détermination étonnante chez un être qui était aussi jeune et qui sortait d'une grave maladie. Elle se souvenait parfaitement de Paul et des circonstances de sa mort mais elle n'en parlait plus. Elle refusa de suivre le traitement recommandé par les médecins de l'hôpital et regagna son appartement le jour même où on lui en donna l'autorisation. Elle rejeta toutes les offres, tant celles de Gamma que de ses amis de l'agence de venir habiter quelque temps chez eux. Elle se plongea dans le travail avec passion. Elle travaillait tard le soir et pendant les week-ends, emmenant du travail chez elle, toujours volontaire pour faire des heures supplémentaires. À l'agence, tout le monde s'accorda à penser que c'était pour elle une thérapie. On lui confia tout le travail qu'elle était capable d'accomplir. En moins d'un an, on lui donna la responsabilité de quelques affaires importantes. En moins de deux ans, elle accéda au poste d'assistante de direction chargée du contrôle de la gestion pour la publicité. Sur Madison Avenue, le nom de Yancey Geiger devint synonyme d'un certain style, brillant, désinvolte, audacieux et doté d'un panache certain. Elle n'avait pas franchi la trentaine, mais il était clair qu'elle était destinée aux plus hautes responsabilités.

Pour Nell, qui n'avait pas bougé de Sparta, Yancey était un personnage que la distance rendait encore plus mythique. Yancey ne revint jamais à la Tanière du Renard. Il y eut de nombreux échanges téléphoniques entre New York et Sparta et quelques lettres mais surtout, Yancey avait définitivement coupé les racines qui relient tant de réfugiés à leur terre du Sud. Elle avança seule dans sa vie nouvelle. Mais plus jamais, à partir du jour où elle quitta la petite chambre grillagée de l'hôpital, plus jamais elle ne dormit seule.

À la fin du mois d'avril de sa dernière année de lycée, Nell reçut une enveloppe de l'université de Columbia. Elle ne l'ouvrit pas. Elle la plia soigneusement en deux puis en quatre et la jeta dans la boîte à ordures de la cuisine. Elle ne sut jamais si elle avait été admise...

Chapitre XXII

Nell entra à l'université de Sparta en septembre. Ainsi que sa grand-mère l'avait souhaité, elle choisit les Beaux-Arts comme discipline principale et abandonna toute idée d'écrire ou de faire du journalisme. En un sens, elle était presque contente que ses ambitions eussent été contrecarrées et que les décisions ne lui appartinssent pas. Désormais, Columbia et New York lui apparurent comme des réalités inimaginables. L'Est était devenu une étoile froide et lointaine. On ne pouvait en revenir. Ni Paul ni Yancey. Ni, bien sûr, elle-même.

Ruth et Hebe en furent enchantées.

« Tu es née dans cette maison, dans cette ville, tu es faite pour cette vie, dit Gamma d'un ton protecteur quand Nell lui annonça qu'elle s'était inscrite. Tu la comprends comme Yancey jamais ne l'aurait comprise. Bien entendu, même si tu fréquentes l'université, tu vivras ici. C'est ta maison. C'est à elle que tu appartiens.

— C'est à elle que tu appartiens » répéta doucement sa mère comme un perroquet. Elle sourit vaguement à Nell.

Du reste, après la souffrance paralysante de son année de terminale au lycée, l'université lui sembla très agréable. Elle se rendit compte qu'elles n'oseraient pas la cloîtrer parce qu'elles risquaient de la voir se réveiller et s'enfuir de la Tanière du Renard. Ruth consentit donc à ce qu'elle habitât sur le campus dans la résidence réservée aux jeunes filles de son club universitaire. Nell en devint quelque chose comme la reine. Il y avait aussi des hommes : des étudiants séduisants, sûrs d'eux, dont le cerveau ne s'encombrait d'aucune pensée sérieuse.

Elle se réjouissait de l'approbation de Ruth et d'Hebe, des sourires doux et satisfaits que les hommages de ces jeunes gens lui valaient. En même temps, elle se dérobait avec force aux inévitables séances de pelotage à l'arrière des voitures. Elle refusa donc systématiquement de se consacrer à un seul d'entre eux. Elle acquit la réputation d'être une allumeuse aussi fuyante que désirable. Cela accrut encore sa popularité. Pour elle, se lier à un homme ne signifiait qu'une chose : souffrir.

Nell avait des notes excellentes. Elle était très occupée. Les activités du campus et de son club universitaire absorbèrent tout son temps libre. Elle se désintéressa des manifestations du mouvement des droits civiques qui s'agitait beaucoup en Alabama et au Mississippi. Elle aimait décidément énormément la vie universitaire.

C'était très différent du lycée. On ne pouvait l'empêcher de suivre les cours d'anglais qui étaient obligatoires même pour les étudiants qui suivaient les cours des Beaux-Arts. Dans cette classe, son esprit et son cœur qui s'étaient anesthésiés se réveillèrent lentement et timidement. Elle prit des cours supplémentaires d'anglais et de journalisme. Mais, cette fois, elle n'en dit rien chez elle. Elle travailla durement sur ses exercices littéraires et montra un goût particulier pour les cours de littérature. Elle commença à rédiger son journal intime jusqu'à une heure avancée de la nuit.

Elle ne chercha à collaborer ni au magazine littéraire de l'université ni au journal des étudiants. Mais cela ne l'empêcha pas d'écrire. Les remords l'assaillaient parfois quand elle se disait qu'elle trahissait Gamma et, lorsqu'elle prenait la plume, le chagrin l'envahissait parce qu'elle ne pouvait faire autrement qu'évoquer Paul.

Et pourtant, elle continua d'écrire.

C'est en septembre 1961, au début de sa quatrième année universitaire, qu'elle rencontra Phillips Jay pour la première fois. Elle pénétra dans la classe de littérature contemporaine. Elle crut voir, avec effroi, Paul, debout devant le tableau noir. Il écrivait la liste des livres indispensables. Puis il se retourna vers la classe et elle le découvrit : c'était un étranger blond, mince, avec la tête étroite de Paul, son ossature longiligne et sa grâce nonchalante. Il portait une veste de tweed garnie de cuir aux coudes et de courtes bottes. Nell pensa qu'il devait avoir environ vingt-huit ou vingt-neuf ans.

« J'ai le regret de vous apprendre, dit ce jeune homme blond, que le docteur Oakes a fait, la semaine dernière, une mauvaise chute dans son chalet à la montagne et qu'il s'est brisé le col du fémur. Il ne sera pas en mesure de donner ses cours de littérature contemporaine pendant tout le trimestre. »

Nell entendit l'accent monotone et nasal de la Nouvelle-Angleterre et l'on pouvait reconnaître en lui le produit des écoles préparatoires chic de cette région et de Harvard. Sa voix était incroyablement basse pour un homme de sa hauteur et de sa minceur.

« C'est pourquoi nous sommes condamnés à passer ce trimestre ensemble. C'est probablement une malchance pour vous mais, sur un plan personnel, laissez-moi m'en féliciter : je ne suis pas titulaire et, il y a trois jours, je n'avais encore jamais mis les pieds sur cette belle terre du Sud. Je viens d'un collège de jeunes filles de la Nouvelle-Angleterre, un collège si petit et si fermé que ses anciennes élèves oublient régulièrement son nom lorsqu'elles doivent rédiger un chèque pour faire une donation. Je m'appelle Phillips Jay et je suis de Boston. J'ai fait un séjour à Harvard. La situation étant ce qu'elle est, essayons d'en tirer le meilleur parti. Vous êtes d'accord ? »

On entendit dans la classe des petits rires étouffés et gênés. Avec ses cheveux blonds, son hâle léger, résurgence de l'été, sa veste de tweed qui n'était pas tellement de saison et sa chemise d'Oxford bleue, il était séduisant et les mentions de Boston et d'Harvard lui donnaient un air exotique et cultivé. Mais, en même temps, il portait en lui la morgue de mauvais augure du Yankee. Toute la classe qui s'apprêtait à se plonger dans les méandres de la littérature du XXe siècle au son de la voix mélodieuse et familière du docteur Oakes, se sentit soudain mal à l'aise. Seules les filles décidèrent, avec un ensemble touchant, de faire confiance à ce jeune professeur...

Nell n'était pas remise du choc qu'elle avait subi en croyant apercevoir Paul et de la déception que ce ne fût pas lui. Elle ne ressentait pour l'instant que du désappointement. Sans y prendre garde, elle fronça légèrement les sourcils. Phillips s'en aperçut parce que cette attitude n'était pas de mise au milieu des yeux écarquillés des autres filles. Il n'en pensa rien de particulier mais le visage de Nell se grava dans sa mémoire.

Deux semaines plus tard, il la rattrapa au moment où elle quittait la classe et lui demanda si elle avait le temps de prendre un café avec lui chez *Guido*, de l'autre côté de la rue. Après l'avoir installée dans un box, il partit chercher deux tasses de café brunâtre et quelques beignets rassis. Il s'assit en face d'elle et la regarda

longuement de ses yeux bleus pénétrants. Nell y lut du mécontentement car ses sourcils clairs étaient froncés et sa grande bouche
intelligente n'était plus qu'un trait.

Le cœur serré, elle pensa qu'il allait vraisemblablement lui
suggérer d'abandonner son cours et d'en choisir un autre, moins
difficile. Comme ses étudiants l'avaient craint, il avait l'esprit critique
et la langue acérée. Ses sarcasmes avaient fait pleurer plus d'une
douce étudiante sentimentale. Il n'avait pas parlé sèchement à Nell,
ni en classe ni hors des classes. En fait, il ne lui avait pas parlé du tout.
Cependant les trois dissertations qu'elle lui avait remises étaient
revenues avec deux C et un B-moins[1]. Elle avait beau travailler
jusqu'à une heure avancée de la nuit, il semblait qu'elle ne réussirait
jamais à lui plaire. C'était là pour Nell une expérience nouvelle, du
moins en ce qui concernait ses cours d'anglais. Elle se reprit à douter
d'elle-même comme elle l'avait fait si souvent pendant ses années
de lycée. Nell était, en outre, extrêmement intimidée par Phillips
Jay.

« J'ai sorti votre dossier de l'administration, ce matin, et je l'ai lu,
dit-il. J'ai vu que vous prépariez votre diplôme des Beaux-Arts
depuis trois ans. Mais qu'est-ce qui vous prend, bon Dieu ? Ignorez-
vous que vous êtes un écrivain-né ? Pourquoi perdre ainsi votre
temps ? Oh, pour l'amour du ciel, ne pleurez pas. Je ne voulais pas
crier... Allons, prenez un beignet. Je vous en prie, mademoiselle
Geiger. Jusqu'à présent, j'avais la certitude de connaître quelque
chose aux femmes, mais vous, jeunes femmes du Sud, vous allez me
rendre fou. Je vous en prie... »

Nell qui, de soulagement et de joie enfantine, avait éclaté en
sanglots, se mit à rire d'une voix plaintive et consternée. Elle leva la
tête et, le regardant à travers les nuages de vapeur s'échappant de
leurs tasses de café, elle en tomba amoureuse.

Phillips Jay était un nouveau venu à Sparta, dans toute l'acception
du terme. Il appartenait à cette nouvelle génération de jeunes
professeurs d'universités qui sont apparus dans le Sud au cours de la
décennie qui a suivi la Seconde Guerre mondiale. Cette seconde

---

1. Aux États-Unis, les devoirs sont notés A B C D E F, à quoi s'ajoutent plus et
moins pour les notes intermédiaires.

vague de *Carpetbaggers*[1] avait abordé les rivages de Dixie, autant pour profiter des occasions favorables que par défi. Jay et ses pairs étaient, en un sens, de drôles de phénomènes. Ils étaient avant tout des idéalistes à une époque où l'honneur de l'Amérique gisait, déchiqueté, sur les plages des Gilberts et des Salomons, ou réduit en cendres dans les fours crématoires européens ou enfin volatilisé dans le charbon incandescent d'Hiroshima. Ils n'hésitaient pas à militer sur une terre où les aspirations populaires se réduisaient à une maison bon marché, deux voitures dans chaque garage et un hula-hoop pour chaque enfant.

Et ils étaient idéalistes et militants comme seuls peuvent l'être les jeunes princes des sanctuaires chics, chers et prestigieux de l'Est. Les collèges et les universités du Sud, envahis, grâce au G.I. Bill[2] par les jeunes vétérans de la guerre, leur apparurent comme une sorte de dernière frontière à conquérir, celle qui imposerait l'éducation classique. Phillips Jay était à la fois l'un des meilleurs représentants que l'Est pouvait envoyer dans cette nouvelle Jérusalem qu'était le Sud et l'un des pires. Par sa naissance, son éducation et les privilèges dont il avait toujours joui, il était l'incarnation si parfaite d'un jeune patricien que cela en était presque caricatural. Plus tard dans la décennie, lui et ses pairs se signaleront en marchant dans le Sud aux côtés de Noirs stoïques. Ils déferleront sur de petites villes brûlantes aux noms imprononçables, au langage incompréhensible, à la population blanche haineuse qui les attaquera avec des gourdins, des chiens et des lances d'incendie. Et Phillips Jay et ses pairs resteront fidèles à leur choix : en n'ayant manqué ni d'honnêteté ni d'honneur ni de courage, seulement de bon sens et de force.

À la différence de nombre de ses collègues, Phillips n'avait pas l'intention de se limiter à un séjour de quelques années dans le Sud meurtri avant de retourner dans le Nord et l'Est pour occuper une chaire dans les départements d'anglais et de lettres classiques des vénérables universités d'où ils étaient issus, à moins qu'ils n'optent

1. Après la guerre de Sécession, le Sud fut envahi par des aventuriers du Nord qui vinrent pour dépouiller le pays. On les appela des *Carpetbaggers*.
2. Loi votée par le Congrès en juin 1944. Elle donnait aux vétérans, outre des allocations de chômage pendant un an et un prêt pour construire une maison ou s'établir dans les affaires, une somme d'argent proportionnelle à la durée de leur service. Cette somme était destinée à payer une grande partie de leurs études universitaires.

pour un poste important dans un important empire commercial. Phillips avait décidé de lier son sort au Sud avant même de s'être mis en route pour Sparta. Il avait quitté la demeure ancestrale dans une atmosphère lourde d'amertume et d'acrimonie. Son père, en particulier, parla de trahison, d'irresponsabilité, de stupidité, de désespoir, de libéraux sentimentaux et de sales nègres. C'était la première fois que Phillips entendait cette dernière expression dans la bouche de son père. Cela donna à son entreprise sudiste l'éclat de la noblesse et la force d'un engagement. Il arriva à l'université de Géorgie bien décidé à faire sa carrière et sa vie dans le Sud.

L'accueil qu'il reçut des membres de l'université de Sparta fut chaleureux et flatteur. Il les trouva étonnamment courtois, cultivés et charmants. Cela le rassura : il allait rencontrer parmi eux des compagnons agréables avec qui il pourrait avoir des conversations enrichissantes. L'université elle-même était belle : c'était un ensemble d'élégants bâtiments néo-classiques perchés au sommet d'une colline boisée. Dans la lumière oblique et irréelle de septembre, ils semblaient couverts d'or. La ville, ou tout au moins ce qu'il avait pu en voir, lui parut également belle avec sa patine rassurante qui évoquait une autre époque, plus lente et plus douce. L'appartement où il logeait près de l'université, appartenait à une veuve, Mrs. Bondurant. Il occupait une partie d'une vaste maison blanche à colonnes donnant sur une route bordée d'arbres immenses. Les pièces étaient grandes, les plafonds étaient hauts et les meubles massifs étaient passés au citron par une vieille femme noire pétulante et marmonnante qui semblait faire partie de l'appartement. Phillips n'avait guère aimé l'idée de cette pauvre femme noire obligée de s'occuper de ses deux pièces et de sa salle de bains. Il avait proposé de faire lui-même son ménage. Mrs. Bondurant avait paru tellement scandalisée qu'il n'avait pas insisté...

Lorsque Nell Geiger lui rendit sa première dissertation sur Sinclair Lewis, il avait constaté avec plaisir qu'elle avait un réel don d'écrivain mais qu'elle manquait totalement de discipline. Il pensa d'abord qu'elle était tout simplement paresseuse. Il ne faisait aucun doute dans son esprit qu'une étudiante douée d'un aussi grand talent d'écrivain préparait une licence d'anglais et qu'elle avait au moins trois ans d'université derrière elle. Il ne lui trouva aucune excuse à son laisser-aller dans la forme et la syntaxe, son flou dans son argumentation quelles que fussent par ailleurs l'originalité de sa pensée et sa sensibilité. Aussi la nota-t-il sévèrement.

Mais il ne cessa de l'observer. Il remarqua sa perplexité et sa contrariété devant les appréciations qu'il portait à ses devoirs. Il s'aperçut qu'en classe elle prenait énormément de notes, qu'elle écoutait attentivement, allant même jusqu'à se pencher en avant pour mieux entendre, qu'enfin, elle le regardait de ses grands yeux de lynx. On aurait dit que son plus grand souhait n'était pas, comme les autres filles, de posséder son corps mais simplement d'en aspirer toute la matière grise. Elle l'intriguait. Les yeux de Nell s'embuèrent lorsqu'il lui remit la dernière de ses dissertations mal notées. Il se rendit, après la classe, au bureau des admissions et sortit son dossier : si elle était en effet en dernière année de licence, elle se spécialisait en fait dans le dessin publicitaire et n'avait pratiquement pas fait d'anglais. Elle s'était contentée de suivre quelques classes facultatives. Il découvrit aussi que, bien que demeurant sur le campus, dans un club universitaire, elle était originaire de la ville. Ce jour-là, au cours du déjeuner dans la salle à manger réservée aux membres des facultés, il avait demandé à un vieux professeur, grand spécialiste de Shakespeare, lui-même originaire de Sparta, s'il connaissait une étudiante nommée Nell Geiger.

« Oh oui ! dit le vieux professeur. Nell Fox. Enfin, Geiger, je suppose. Bien entendu que je la connais. Je connais toute sa famille depuis la naissance de sa mère. Une famille intéressante. Aristocratie de la ville et tout et tout... Ils vivent dans cette grande maison depuis... sûrement avant la guerre de Sécession, je suppose. Beaucoup de tragédies dans la famille. Le père s'est enfui, les abandonnant tous. Nell était encore un bébé. Son frère a été tué — accidentellement bien sûr — il y a quatre ou cinq ans à New York. A la suite de ce drame, la sœur aînée est restée plusieurs mois dans une sorte de maison de santé. Elle et sa mère vivent dans la maison avec la grand-mère. Du moins, Nell y vivait-elle avant d'entrer à l'université. Miss Hebe y est toujours ainsi que miss Ruth Fox. Voilà une femme qui vous intéresserait. Belle comme le jour encore aujourd'hui — ils sont nombreux à penser que la fille et les petits-enfants ne lui arrivent pas à la cheville —, elle fait partie de tous les conseils d'administration de la ville et occupe toutes sortes de postes honorifiques. Surtout, c'est elle qui dirige la grande maison. Vous ne pourrez manquer de la rencontrer si vous restez quelque temps à Sparta. Miss Ruth Fox est une des ressources naturelles de la ville. Pourquoi me demandez-vous ça ? Oh ! Je vois ! Nell est une jolie fille, non ?

« — Oui, dit Philipps Jay, l'air absent. Mais la raison qui m'a poussé à vous poser cette question, dit-il au vieux professeur, est qu'elle possède un vrai talent d'écrivain. Un don inné. Mais je n'arrive pas y croire : c'est une licence des Beaux-Arts qu'elle prépare ! Quel gâchis ! Je me demande : dans la famille, sont-ils collectionneurs d'art ou quelque chose comme ça ?

— Pas que je sache et, croyez-moi, je le saurais. Mais, en revanche, les livres font partie de leur patrimoine. Ils ont une immense bibliothèque qui contient quelques spécimens de tout premier ordre. En fait, leur maison est superbe, c'est l'une des plus belles dans le style *néo-classique*. Vous devriez essayer de vous y faire inviter.

— C'est bien mon intention », dit Phillips Jay. Quand, plus tard dans la journée, il lui apporta son café — ce qui provoqua les larmes de Nell —, il s'aperçut avec autant d'exaltation que d'inquiétude que l'amour était en train de naître dans les yeux qui le regardaient à travers la vapeur s'échappant du café bouillant... Profondément troublé, il se sentit fondre sous ce regard... Il se rendit compte alors que ce n'était pas seulement d'une jeune fille nommée Nell Geiger qu'il était en train de tomber amoureux mais d'une maison appelée la Tanière du Renard.

À partir de cet instant, ils passèrent ensemble le plus de temps possible. L'université avait une ligne de conduite très stricte concernant les relations entre professeurs et étudiants. Normalement, une liaison était un événement impossible. Phillips n'aurait pas été long à recevoir l'ordre du chef du département d'anglais de rompre immédiatement. Nell aurait également reçu la visite de quelques dames responsables des étudiantes. Mais, en un certain sens, même pour la présidente des étudiantes, sensible d'ailleurs au charme du jeune homme, le cas de ce gentil M. Jay du département d'anglais et de la douce petite Nell était différent.

En fait, leurs relations étaient surtout celles d'un professeur et de son élève. Phillips la faisait durement travailler — et elle en était ravie. Pendant des heures, chaque jour, dans les salles de classe désertées de Pressley Hall ou dans un coin du Student Union Lounge ou dans un box de *Chez Guido*, il la faisait répéter comme bien plus tôt, une de ses compatriotes de la Nouvelle-Angleterre, Alicia Fox, avait fait répéter la grand-mère de Nell. Seules les matières avaient changé.

Ils n'étaient pas amants. Nell se serait enfuie en courant si Phillips avait essayé d'aller au-delà d'une inoffensive étreinte et de baisers moins inoffensifs qui les perturbaient tous les deux et leur coupaient le souffle. Il le savait et ne cherchait pas à la bousculer. Elle lui avait tout raconté, d'une voix étouffée par le chagrin, sur la mort de Paul… sur celle de Jean, sur la dépression de Yancey. Il s'était rendu compte, bien mieux qu'elle ne l'avait fait elle-même, des cicatrices qu'avait laissées dans son cœur et dans son âme, ce terrible hiver.

Mais vint un temps, au cours de ce merveilleux mois d'octobre où ils surent pertinemment que, si les circonstances avaient été différentes, leurs relations auraient, elles aussi, changé de nature. Si elle n'avait pas été connue de toute la ville. S'il avait eu un appartement plus discret pour la recevoir. Mais aussi si la crainte de se lier affectivement n'avait pas été aussi puissamment ancrée en elle. Tous deux savaient aussi qu'il leur faudrait discuter un de ces jours de leur avenir mais pour le moment ils se contentaient d'être heureux en se laissant flotter sur la vague paisible de cet automne enchanteur. Nell travaillait, étudiait, écrivait, riait. Elle était amoureuse — totalement et de la manière la plus conventionnelle. Phillips avait la joie au cœur. Elle occupait la première place dans ses préoccupations. Il était obsédé par le désir violent de la posséder, et il avait été, dans l'ensemble, plutôt conquis par la jeune fille. Plus que par son amour, Nell s'était rapidement transformée en une de ses propres créations et il y avait dans les sentiments qu'il éprouvait à son égard, quelque chose de la fierté d'un Pygmalion. Durant tout cet automne, Nell ne lui proposa jamais de venir à la Tanière du Renard en sa compagnie pour rencontrer sa famille. Lui-même n'en parla jamais. « Il sera temps lorsqu'elle sera plus sûre d'elle et de moi, pensa-t-il. C'est à elle de choisir le moment. »

En fait, cette pensée n'avait même pas effleuré Nell.

C'est à Noël que l'occasion se produisit. L'initiative n'en revint pas à Nell mais à Ruth Fox. Il était arrivé, à plusieurs reprises depuis que Nell s'était installée à son club universitaire, que deux ou trois semaines s'écoulent sans qu'elle quitte le campus pour passer une soirée ou un week-end avec sa mère et sa grand-mère à la Tanière du Renard. Elle ne voyait pas Ruth pendant tout ce temps. Le matin de son dernier jour d'examen, juste avant les vacances de Noël, elle était assise avec Phillips dans un box de chez *Guido* lorsque, levant la tête de sa tasse de café, elle vit, dans l'embrasure de la porte d'entrée, sa

252

grand-mère qui l'observait en souriant. Pendant quelques instants, Nell la regarda, les yeux écarquillés. Ruth Yancey Fox chez *Guido*, c'était pour elle aussi inimaginable que Guido lui-même, avec sa chevelure exubérante, sa tête en forme de melon dans le salon de la Tanière du Renard.

Il y eut quelque chose dans son immobilité qui imposa le silence à Phillips. Il était en train de lire à haute voix une lettre de son ancien ami de pension à propos du *Domaine* de William Faulkner. Leur correspondance était toute teintée d'ironie. Tous deux, songeait Nell au bord de l'irritation, écrivaient pour la postérité comme s'ils étaient persuadés qu'un jour quelqu'un écrirait leur biographie. Les lettres qu'ils échangeaient montraient la communion profonde et aiguë pouvant exister entre deux jeunes intellectuels isolés sur une terre de sauvages.

Phillips se tourna à demi sur sa banquette pour regarder en direction de la porte. C'est ainsi que, pour la première fois, il découvrit Ruth Yancey Fox, nimbée de lumière chatoyante et drapée dans un somptueux vison foncé. Entre les murs suintant sur la peinture verte écaillée de chez *Guido*, elle ressemblait à une création de Fabergé oubliée dans le coin d'une chaufferie. Son sourire était aussi étincelant qu'une batterie de scalpels. Tous les étudiants avaient levé la tête de leurs livres et s'étaient tournés vers elle. Le silence qui tomba était celui d'une volée de moineaux à l'approche d'un aigle royal. Phillips se sentit envahi par une sensation étrange. Il y vit un présage : cette femme comptera pour moi, chuchota une voix dans sa tête.

« Dieu ! Qu'elle est belle ! » murmura-t-il involontairement. Il se tourna aussitôt, un peu penaud, vers Nell pour ajouter que la beauté de sa grand-mère ne pouvait être comparée à la sienne — ce qui était complètement faux. Mais Nell n'y prêta aucune attention.

« Il doit y avoir quelque chose qui ne va pas à la maison, Phillips. Sinon, elle ne serait jamais venue chez *Guido*. Je ne savais même pas qu'elle savait où c'était. Ho ! Gamma ! venez par ici... » Elle leva la main et lui fit signe.

Mais il n'y avait pas le moindre problème à la maison. Ruth se dirigea vers le box où ils étaient assis, apparemment indifférente au silence et aux regards. Elle se glissa à côté de Nell sur la banquette de faux cuir. Il émanait d'elle une délicieuse odeur de Joy et de fourrure froide. Elle adressa un sourire enjôleur, d'abord à sa petite fille puis à Phillips.

253

« J'avais quelques minutes à perdre avant d'aller chez Sally Flicking. J'étais au coin de la rue, à la réunion du conseil administratif de la banque et je me suis dit : " On dirait que ma petite biche a négligé sa mère et sa grand-mère ces temps-ci. Pourquoi ne pas aller voir si elle est chez ce fameux *Guido* dont j'ai tant entendu parler ? " Et te voici ! Et je parie que ce monsieur est le jeune et beau professeur d'anglais dont j'ai aussi beaucoup entendu parler... »

Elle sourit à Phillips qui la regarda pendant quelques instants, suffoqué comme un poisson rouge échoué à côté de son bocal. Une fois de plus, il eut l'impression d'avoir été manœuvré par le charme ambigu d'une femme du Sud. Mais il n'en était pas certain. Peut-être était-ce seulement le charme tout court. Philips détestait que ses certitudes soient ébranlées. Il ouvrit la bouche pour lui répondre mais aucun mot n'en sortit. Les fossettes de Ruth se creusèrent davantage. Il fit une nouvelle tentative.

« Comment allez-vous, miss Fox ? Vous ne pouvez être que la fabuleuse grand-mère de Nell. On ne parle que de vous. Je pense que je vous aurais reconnue n'importe où. Je suis Phillips Jay, le professeur d'anglais de Nell et l'un de ses bons amis. Puis-je me permettre de vous dire que je sais maintenant d'où elle tient sa beauté ?

— Je vous y autorise, M. Jay. Mais c'est très gentil à vous de me le dire ! Je suis la Gamma de Nell, mais appelez-moi Ruth. Je crois que nous pouvons nous appeler par nos prénoms, non ? »

Nell observait Ruth avec une certaine appréhension. Il y avait quelque chose de trop suave dans sa voix. Nell l'avait déjà entendu ce trémolo mélodieux. Comme le murmure joyeux de l'eau courante, il masquait les rochers et les trous profonds. Mais Phillips souriait, les épaules décrispées.

« Je suis très heureux de vous rencontrer. Oui, je pense aussi que nous devons nous appeler par nos prénoms. Je me demandais quand Nell allait m'inviter chez elle pour que je puisse faire connaissance de sa famille. »

Nell rougit jusqu'à la racine des cheveux. Les mois avec Phillips, les jours et les semaines de paix, de certitude, de joie, tout s'écroula d'un coup. Une fois de plus, elle était la petite Fox perdue au milieu des demi-dieux, impuissante et mélancolique dans sa cage sous l'escalier.

« J'avais l'intention de vous le présenter au trimestre prochain,

Gamma, dit-elle. Pendant les vacances, il doit regagner Boston. J'ai préféré attendre. »

Elle avait parlé d'une voix neutre pour leur montrer qu'elle considérait leur bonne humeur comme tout à fait déplacée.

« Vraiment ? Comme c'est dommage ! Je songeais justement à organiser un petit dîner en famille samedi prochain... C'est la veille de Noël, n'est-ce pas ? Mais, c'est certain, j'aurais dû y penser : vous souhaitez passer les fêtes en famille, monsieur... Jay.

— Appelez-moi Phillips. Et... » On aurait dit qu'il enflait... Il lança à Ruth un regard suffisant qui accrut la colère de Nell. « J'adorerais venir. Je peux rendre visite à ma famille n'importe quand...

— Nous sommes enchantées que vous puissiez venir, dit Gamma. Nous vous attendons vers six heures. Nell vous montrera le chemin. Sinon n'importe qui vous renseignera. Maintenant, je me sauve. Cette petite idiote de Sally va encore m'abreuver de reproches et je suis déjà très en retard. Au revoir, monsieur Jay. Au revoir, ma chérie. »

Elle embrassa la joue empourprée de Nell — la sienne était fraîche et délicieusement parfumée —, tapota la main de Phillips et partit dans une envolée de vison et un staccato de talons hauts. Toutes les têtes se tournèrent vers le box de Nell et de Phillips. Nell baissa la tête, et ses cheveux, en glissant en avant, lui masquèrent le visage. Elle but le reste de son verre d'eau jusqu'à la dernière goutte. Les glaçons cliquetèrent. Elle reposa brusquement le verre mais ne regarda pas Phillips.

« Nell ?

— Oui ?

— Veux-tu me regarder. Je ne peux pas te parler si tu te caches derrière tes cheveux. Que se passe-t-il ? »

Elle ne répondit pas.

« Nell ?

— *Quoi ?*

— Veux-tu *me regarder ?* Tu te conduis comme une enfant.

— Et toi, comme un imbécile. »

Elle releva brusquement la tête. Il vit les lignes blanches qui allaient de son nez à sa bouche et le minuscule cercle blanc autour de ses yeux dorés. Son visage n'était pas seulement marqué par la colère. Il y lut aussi la peur. Sa voix se fit plus douce.

« Pourquoi es-tu tellement bouleversée d'avoir vu ta grand-mère ? Trouves-tu que j'ai été trop familier avec elle ? Je n'ai fait qu'entrer dans sa conversation. Elle m'a invité à dîner, tu sais. Et je suis sûr qu'elle s'en serait dispensée si elle ne voulait pas vraiment que je vienne. C'est plus que toi tu n'as fait. J'en étais à me demander si tu n'avais pas honte de moi... ou de ta famille. Maintenant que j'ai rencontré ta Gamma, je sais que ce n'est pas des tiens que tu as honte.

— Tu lui as *fait la cour*. C'était dégoûtant, dit Nell, au bord des larmes.

— Bon Dieu, Nell, *ce n'est pas vrai*, dit-il. Je me suis contenté d'adopter le ton qui était le sien... Elle est plutôt... aguicheuse, peut-être, comme d'ailleurs la plupart des femmes du Sud. Je l'ai trouvée totalement charmante.

— Mais, bien sûr, tu l'as trouvée charmante. Tout le monde la trouve charmante. » Nell savait qu'elle se conduisait comme une petite fille de huit ans, méchante et entêtée mais elle ne pouvait s'en empêcher. Le cocon chaud et invulnérable dans lequel Nell-et-Phillips avaient connu la paix et la sécurité au cours du dernier trimestre avait brusquement crevé, la laissant une fois de plus solitaire, vulnérable et glacée. Elle rentra dans sa coquille. Une pensée lui vint clairement à l'esprit : « Il me faut Rip. » C'était la première fois depuis deux ans. Elle n'en fut pas surprise.

« Tu te conduis en enfant gâtée », dit-il. Son accent de Boston était plus apparent comme à chaque fois qu'il était vraiment contrarié. « Je pensais que tu serais heureuse de me voir rester à Sparta et faire la connaissance de ta famille. Si tu préfères que je ne vienne pas, n'hésite pas à me le dire. Tu sais, il y a un tas de gens de chez moi que j'ai vraiment envie de voir... »

La gorge de Nell se resserra autour d'un bloc énorme et glacial de désespoir. Des images défilèrent devant ses yeux : Phillips marchant dans des allées enneigées, bourrées de congères empilées contre des murets de pierre ; Phillips faisant, de ses longues mains gantées, des signes à des jeunes filles blondes au visage sérieux, aux yeux bleus, aux lèvres douces sans le moindre maquillage, des jeunes filles dont l'allure s'accordait à la sienne. Ils parlaient de Smith, de Wellesley, de Harvard et de Groton[1], des étés de leur enfance passés dans le

---

1. Collèges et universités prestigieuses de la Nouvelle-Angleterre.

Maine, à Cape Cod et à Martha's Vineyard. Elle perçut le claquement sec de mondes semblables qui s'emboîtaient sans effort les uns dans les autres tandis que résonnait le clapotis régulier des communautés d'intérêt et de sang se mariant harmonieusement. Elle se retrouvait minuscule, meurtrie, misérable. Les larmes lui montèrent aux paupières avant de ruisseler sur son visage et dans les coins de sa bouche.

« Je t'en prie, ne rentre pas chez toi, Phillips, murmura-t-elle, désespérée. Je souhaite que tu restes. Je te l'aurais jamais demandé moi-même. Je craignais trop que tu ne veuilles pas. Je suis vraiment désolée. »

Il aurait dû se pencher par-dessus la table et la prendre dans ses bras. C'était la seule chose à faire et Nell attendait ce geste, les yeux baissés sur la table. Mais il ne bougea pas.

Cette nuit-là, il l'emmena au bord de l'Oconee, à un endroit fréquenté par les étudiants qui souhaitaient trouver un peu d'intimité. À l'arrière de la voiture, elle essaya en tremblant et en geignant de faire l'amour. Mais ses jambes et ses fesses nues étaient raides de froid et de peur tandis que lui était pressé et maladroit. Il lui fit si mal qu'elle hurla de douleur et d'un coup de rein, se dégagea. Il était mortifié : ce genre de péripétie ne pouvait tout simplement pas arriver à Phillips Jay. Il la reconduisit en silence à son club universitaire. Elle se rendit compte que les quelques mots d'excuse qu'il prononça étaient des paroles de commande.

« Phillips, c'est ma faute, tu n'y es pour rien », murmura-t-elle.

Elle reçut sa récompense en retrouvant un peu de chaleur dans le regard de Phillips. Il l'embrassa et la tint serrée contre lui, le visage enfoui dans sa parka. « En m'excusant, je peux toujours le reconquérir, se dit-elle. C'est vraiment très simple. »

Mais dans le tréfonds de son être, elle était habitée par la colère.

Le lendemain, elle rassembla ses vêtements et reprit le chemin de la Tanière du Renard. Elle ferma derrière elle la porte de sa vieille chambre, se laissa tomber au cœur de son petit lit à baldaquin et dormit pendant quatorze heures sans bouger ni rêver.

Chapitre XXIII

Rip était inquiète. Le dîner de la veille de Noël ne se passait pas très bien.

« Pour c' que ça a l'air d' leur plaire, j'aurais bien pu faire d' l' opossum et des patates douces », grommela Carrie en remuant le *syllabub* [1] au-dessus de son fourneau. Ses lèvres boudeuses et son regard noir trahissaient la rancune qu'elle éprouvait à passer la veille de Noël en cuisinant pour les Fox. D'ordinaire, Robert, Beauty, Salome et Carrie avaient congé ce soir-là. Ils ne revenaient à la Tanière du Renard que le lendemain après-midi pour préparer et servir le grand dîner traditionnel de Noël. Carrie savait que c'était à cause de ce Yankee au visage pâle et pointu, assis à la grande table Hepplewhite à la place du vieux monsieur Paul qu'elle-même et les trois autres domestiques étaient obligés de passer cette nuit sainte à s'affairer autour d'une dinde farcie aux huîtres, de soufflés de patates douces cuits dans des oranges, de pois anglais, de petits oignons à la crème, de sauce aux airelles, de petits pains chauds et de ce *syllabub* diabolique et écœurant. Il devait accompagner les tranches de l'énorme pudding aux fruits et au whisky qui, depuis le mois d'octobre dernier, avait fermenté sous un voile de mousseline, sur la véranda, derrière la maison.

Carrie se tourna vers Rip qui, assise dans le rocking-chair de la cuisine, près du fourneau, était occupée à raccommoder le linge en assez mauvais état de Nell.

« J' crois bien qu' c'est l' prétendant de mam'zelle Nell, grommela-t-elle. J' vois pas pourquoi, sans ça, y s'rait assis à la place du

---

1. Le *Syllabub* est une boisson ou un dessert fait avec du vin de Madère ou du cidre, de la crème fouettée, du sucre, un zeste de citron, le tout étant battu jusqu'à ce que le mélange forme une mousse.

vieux monsieur Paul, à la veille de Noël. L' a l'air de rien, non ? Maig'
comme un clou et l'air d' quelqu'un qu'a pas été bien nourri. Et faut
l'entendre causer... Une bell' fill' comm' ça, elle doit pouvoir trouver
mieux qu'un pauv' Yankee tout maig'. Ouais... Encor' un Yankee
dans la maison. Tu crois qu'ell' va l' marier, Rip ? »

Rip ne quitta pas des yeux son raccommodage. Elle avait vu la
flamme brûler sur le visage de Nell et constaté que la voix de la jeune
fille s'était adoucie lorsque, à table, elle avait adressé la parole au
mince et pâle jeune homme. Depuis longtemps déjà, elle attendait ce
regard dans les yeux de Nell et cet accent dans sa voix. Rip
connaissait Nell aussi bien qu'elle connaissait son propre cœur. Elle
soupira. Un froid soudain la pénétra jusqu'à la moelle et elle
frissonna.

« J' crois bien qu' oui, dit-elle.

— Ouais... » gloussa Carrie. Il y avait dans son expression une
grande sympathie qui invitait à la confidence. Elle s'installa plus
confortablement dans les vieilles pantoufles de feutre du vieux
monsieur Paul qu'elle avait l'habitude de porter quand elle était dans
la cuisine. Elle s'y sentait bien parce qu'elle les avait fendues sur le
côté pour laisser place à ses oignons. Mais Rip n'en dit pas plus. En
fait, elle ne dit plus un mot de la soirée. Carrie dut se contenter
d'observer furtivement par la porte battante le pâle jeune homme que
la conversation mielleuse de miss Ruth désarçonnait. Elle enrageait
de ne pouvoir entendre ce qui se disait et se refusait à demander des
détails à Robert en présence de Rip, assise dans la cuisine, immobile
et droite comme un jeune arbre. Bon. Il lui faudrait attendre jusqu'à
demain et coincer Robert. Rip n'allait pas traîner continuellement
dans la cuisine, immobile comme une statue de basalte !

Rip, non plus, ne pouvait entendre les paroles qui étaient
échangées dans la salle à manger mais, de toute façon, elle n'en
tiendrait pas compte : ce jeune homme était important pour Nell,
donc dangereux pour Ruth Fox. Il était temps pour Rip de reprendre
sa garde...

Phillips Jay ne comprenait pas pourquoi tout allait de guingois
La soirée avait bien commencé. Il avait même retrouvé, pendant les
premières minutes, cette aura de romantisme flamboyant dont il avait
rêvé quand il était seul dans sa chambre. En roulant dans l'allée
bordée de buis et en rangeant sa voiture sur le parking de gravier, il

avait eu le souffle coupé par la beauté de la Tanière du Renard qui se dessinait dans le crépuscule délicat de décembre. En trois mois, il s'était habitué à la symétrie élégante des colonnes, des frontons, des péristyles et des toits plats de Sparta mais cette maison qui, avec ses bougies de Noël et les douces lumières jaillissant des hautes portes-fenêtres, derrière la véranda, étincelait à travers un immense cèdre dans le bleu Della Robbia du crépuscule, cette maison était une véritable symphonie de grâce et d'équilibre. Il écarquilla les yeux et le sifflement désinvolte et nerveux qu'il allait émettre fut stoppé net. Pourtant, il était accoutumé à la majesté des demeures de son monde d'origine, le Massachusetts.

« Sainte Mère de Dieu », murmura-t-il respectueusement. Robert lui ouvrit la porte d'entrée. Un parfum délicieux, mélange de sapin, d'épices et de cire au citron, si particulier à la Tanière du Renard au moment de Noël, lui chatouilla l'odorat.

Ruth Fox, en longue robe de velours bourgogne, ses cheveux remontés en chignon, des diamants scintillants à ses oreilles, sur sa gorge et sur ses doigts, descendait lentement un magnifique escalier, ses petites mains blanches tendues dans sa direction, sa tête blonde légèrement inclinée sur le côté. Derrière elle, dans une longue robe de velours topaze curieusement surannée qui lui était inconnue, venait Nell, si grande et si mince qu'avec son visage radieux et ses yeux voilés, elle ressemblait à un cierge allumé. Rien qu'à la regarder, le cœur de Phillips bondit de joie.

« Tout cela a été fait en mon honneur, chuchota une voix près de son cœur. Cette fille, cette maison... et aussi, cette autre femme. Ce sont les pièces d'un même ensemble, d'un tout. C'est ce qui, depuis toujours, m'attendait ici, dans le Sud. »

« Bienvenue à la Tanière du Renard, monsieur Jay » dit Ruth.

Ce fut à peu près la seule chose agréable qu'il entendit de toute la soirée.

Oh, elles ne furent pas ouvertement impolies. Cette nuit-là, étendu dans son lit à baldaquin chez Eloise Bondurant, Phillips se remémorait cette soirée. Il devait admettre honnêtement qu'il était dans l'impossibilité de relever une seule phrase prononcée par l'une de ces femmes dont on aurait pu dire : « Cette phrase a été prononcée pour blesser, pour faire mal. » Mais Phillips était certain de ne pas se tromper : Ruth Fox, la belle, la gracieuse et souriante maîtresse de la Tanière du Renard avait cherché à le détruire aux yeux de sa petite-fille. Il savait aussi qu'elle avait en partie réussi.

Ruth avait commencé son travail de pilonnage presque immédiatement après l'avoir, avec beaucoup de cérémonie, installé en face d'elle, à table, là où « mon cher Paul... le *grand* Paul, vous savez, mon mari, s'asseyait toujours. Vous lui ressemblez un peu, Phillips, à la lueur des bougies. Du moins, quand il était jeune, avant qu'il ne prenne de l'embonpoint.

— Nell dit que je lui rappelle Paul, mais je pense qu'elle veut parler de son frère », dit-il avec empressement. Il se rendit compte aussitôt qu'il venait de faire une énorme gaffe et il se tut. C'est avec quelque appréhension qu'il regarda les trois femmes autour de la table mais aucune ne manifestait la moindre émotion. Il se risqua à leur faire un sourire. Ruth fit signe à Robert de remplir son verre de vin. Il but à longs traits. C'était un bordeaux moelleux. Parfait, pensa-t-il, et parfaitement adapté à la dinde farcie encore que la farce ne fût autre qu'un délicieux mélange de semoule de maïs, d'oignons, de sauge, de céleri, d'huîtres et de quelques épices savoureuses sur lesquelles il était incapable de mettre un nom. C'était le genre de vin que son père aurait pu choisir. Phillips en but en abondance. Il se rendit bientôt compte qu'il commençait à s'enivrer mais cette impression ne déclencha en lui qu'un profond rire intérieur. Il eut très vite la certitude que, malgré la fausse note au sujet de Paul, il ne pourrait plus faire la moindre gaffe.

« C'est vraiment ce qu'elle pense ? dit Ruth Fox en regardant Nell. Comme c'est étrange ! Si l'on excepte que vous avez comme lui des cheveux du même blond, je ne découvre pas la moindre ressemblance. Vous êtes typiquement du Nord et mon pauvre Paul était sudiste jusqu'au bout des ongles. C'était un doux Géorgien... »

La lumière se refléta dans ses yeux, leur donnant l'éclat du saphir miroitant dans le soleil. Il y eut un moment de silence que Nell rompit en murmurant : « Je ne l'ai pensé que la première fois où je l'ai vu, Gamma. » C'est alors que le climat de la soirée se transforma.

Ruth posa sa fourchette et pencha légèrement son buste en avant dans la direction de Phillips Jay : « Dites-moi ce que vous pensez de notre Sud. Maintenant que vous avez appris à nous connaître, avouez que nous ne sommes pas vraiment les ogres que vous autres, gens du Nord, voyez en tout Sudiste ? Vous ne croyez quand même pas toutes ces histoires idiotes que l'on raconte sur la manière dont nous traitons les Noirs ? Mais peut-être êtes-vous venu ici pour les sauver de nos griffes ? »

Elle le gratifia d'un sourire si enjôleur qu'il oublia complètement que Robert était à ses côtés avec son plat de dinde.

« Je n'en ai pas trouvé un seul qui semble vouloir être sauvé », dit-il d'un ton blagueur. Il se souvint soudain qu'il avait très souvent chapitré Nell sur la cause des droits civiques et sur ses ramifications nobles et grandes pour le pays et pour le monde. Il avait été heureux de constater qu'elle répondait à cette manière de penser nouvelle pour elle avec l'ardeur presque naïve d'une conscience récemment éveillée. Il glissa un regard vers elle. D'évidence, elle ne l'avait pas oublié car elle le regardait avec étonnement. Aussi, s'empressa-t-il de dire sur un ton pompeux : « J'ai sur le problème quelques idées avec lesquelles je ne peux transiger même devant une personne aussi charmante que vous, miss Fox. Ruth. Je pense sincèrement que le Noir a été victime d'une grave injustice... »

Il s'interrompit. Le Noir dont il aurait pu être en train de parler venait de sortir avec ostentation par la porte battante en indiquant par son attitude son indignation et sa peine. Phillips prit conscience qu'il venait de se rendre coupable d'une action contre laquelle il s'était toujours élevé avec véhémence dans son milieu privilégié de Boston : parler en leur présence des domestiques à la troisième personne. Et qui plus est, ce domestique était un Noir... l'homme même qu'il avait décidé de défendre, pour qui il était venu dans le Sud. Il ne faisait aucun doute que ce Noir-là était bien soigné, bien traité et content de son sort.

Aussi, ajouta-t-il aussitôt : « Je ne doute pas que vos domestiques soient heureux et bien traités. Je ne voulais, bien sûr, pas dire que vous, *personnellement*, maltraitiez les Noirs... Il y a aussi des domestiques noirs, dans le Nord, vous savez. *Nous* n'en avons pas, mais la plupart des amis de mes parents en ont. Je n'ai jamais vu dans cet état de fait quelque chose de *répréhensible* ; simplement, il s'est toujours trouvé que nos domestiques ont été blancs. Irlandais pour la plupart. Ce qui n'a rien d'étonnant, n'est-ce pas, dans ce bon vieux Boston. Même nos cuisinières. Je dois cependant avouer qu'à mon avis, les Noirs sont vraiment les meilleurs cuisiniers. Après le dîner de ce soir, il n'y a plus le moindre doute dans mon esprit. Mais me voilà en train de présumer que votre cuisinière est noire alors que peut-être elle ne l'est pas... »

Il pouvait entendre sa propre voix qui résonnait lugubrement à ses oreilles. Ce genre de conversation idiote lui était totalement inhabituelle et il était aussi difficile d'y mettre un terme que de s'expliquer vraiment. Il s'aperçut que tous le regardaient : Ruth avec le sourire doux et ironique qui l'avait tant séduit l'autre jour chez *Guido,* Hebe avec un plaisir tout simple, Nell aussi abasourdie que si des bois lui étaient poussés sur la tête. Ses joues s'empourprèrent d'embarras. Il baissa la voix puis se tut.

« Non. Carrie est noire, dit Ruth avec beaucoup de sérénité. Je crois que je serais très mal à l'aise avec une Blanche dans ma cuisine. De plus, comme vous l'avez fort bien souligné, c'est nous, Blancs du Sud, qui nous chargeons de l'amélioration des conditions de vie de nos Noirs. Plus nous en aurons à notre service, mieux cela vaudra, vous ne trouvez pas ? Si j'engageais du personnel blanc, c'est à nos Noirs que j'ôterais le pain de la bouche. »

Le visage de Phillips était en feu.

« C'est évident, marmonna-t-il.

— Vous avez dit " nos cuisinières ", continua Ruth gaiement. Mon Dieu, combien en avez-vous ?

— Quatre », dit-il rapidement. Il était heureux de changer de conversation et de pouvoir montrer que sa famille, aussi, était également coupable d'avoir des domestiques. Soudain, il lui importait de montrer à cette belle femme et à sa famille que les Jay de Boston étaient aussi vulnérables, humains et bourrés de défauts, de faiblesses que n'importe quelle famille sudiste. En fait, du ton de celui qui cherche à rassurer un invité qui vient de renverser du café sur le tapis en disant : « Oh, ce n'est rien, la semaine dernière, j'ai renversé de la mélasse », Phillips se mit avec délectation à donner une image plutôt chargée de la domesticité familiale.

« Il y a Jane, la principale cuisinière, dans notre maison de Boston. Elle est à notre service depuis des années. Il y a Deirdre qui l'aide. Mary Ellen, dans notre maison de Cape Cod, fait la cuisine quand nous sommes là et garde la maison le reste du temps. Manuelo... C'est vrai, j'oubliais, c'est un Philippin qui n'a rien d'irlandais... C'est lui qui s'occupe de notre appartement de New York.

— Juste ciel, *trois* maisons, dit Ruth Fox avec dans la voix beaucoup d'admiration. Votre mère doit être une personne vraiment remarquable. Je deviendrais folle s'il me fallait tenir *trois* maisons. Déjà cette vieille demeure suffit à me faire perdre la tête.

— Oh, mais pour l'aider, elle a plus de domestiques qu'il ne lui en faut, dit-il vivement, cherchant à faire descendre la mère modèle de son piédestal pour la mettre à la portée de cette dame aux grands yeux ingénus. Elle a des femmes de chambre, des femmes de charge, des jardiniers. Il y a aussi Selfridge, le maître d'hôtel, Jeffries, le chauffeur. Papa a O'Keefe à son service *exclusif* tandis que Ryan est son chauffeur personnel. Dans les deux autres maisons, le personnel est réduit. Sans doute y a-t-il bien trop de personnes au service d'une petite famille, mais nos maisons sont très vastes et quelques-uns de nos domestiques étaient déjà dans la famille du temps de mon grand-père, au début de l'entreprise. On se sent une certaine responsabilité...

— Vous avez raison. *Noblesse oblige*[1]... » murmura Ruth.

Il lança un coup d'œil à Nell. Elle avait le nez dans son assiette et ses cheveux tombaient en avant : de son visage, il ne pouvait voir que le front. Il était écarlate. Elle coupait, avec beaucoup d'habileté et de méticulosité, sa dinde en tout petits morceaux.

« Dans quelle branche travaillait votre grand-père ? » demanda Ruth Fox. On pouvait remarquer dans son regard l'intérêt et l'attention. Il y avait aussi quelque chose d'autre. Mais quoi ? Il se rendit compte soudain qu'elle avait des yeux étranges. Il répondit avec empressement. Il y avait là matière à exciter sa curiosité. Il avait entendu dire par quelqu'un que la famille de Nell avait eu jadis des liens avec la *Dixie Rag and Cotton Manufacturing*.

« Le textile. Une filature de coton. Ou plus exactement, des filatures. Seneca Mills, là-bas à Framingham. Papa s'en occupe toujours et je suppose que mon frère Charles reprendra le flambeau un de ces jours. C'est une coïncidence, n'est-ce pas, que nos deux familles aient eu des intérêts dans l'industrie textile... ? »

Il y eut un autre silence. Les yeux de Ruth Fox se glacèrent. Le sourire de Phillips se figea sur ses lèvres.

« Je croyais... Quelqu'un m'avait dit que le grand-père de Nell... ou quelqu'un de la famille... C'était peut-être votre père... avait quelque chose à voir avec la filature ici ? Ou peut-être me suis-je trompé...

— Mon père était pasteur, dit-elle. Je pense que vous avez été mal informé, M. Jay. »

---

1. En français dans le texte.

Dans la cuisine, Rip qui avait entendu cet échange de répliques, frissonna et se frotta les bras pour réchauffer le sang glacé qui y circulait.

« Maint'nant, ça va r'commencer », murmura-t-elle entre ses dents. Et, en elle-même : « Mon Dieu, donnez-moi assez de force, c' coup-ci. Je d'viens vieill'. »

« Et vous avez décidé d'enseigner l'anglais plutôt que de vous occuper de la filature », dit Ruth. Dans sa voix ne résonnait que l'intérêt mais la réponse de Phillips sut être prudente et neutre.

« Je... Oui. J'ai toujours aimé l'anglais. Je ne pense pas qu'il y ait une vocation plus belle que celle d'écrivain. Il n'y a rien à mes yeux de plus précieux qu'un livre, tant pour celui qui l'écrit que pour celui qui le lit. C'est une des premières choses que j'ai remarquée chez Nell. J'ai très rarement rencontré quelqu'un d'aussi naturellement doué pour écrire. Je pense qu'en travaillant, elle pourrait devenir un véritable écrivain. Elle a travaillé pour moi comme un petit démon et elle a déjà écrit plusieurs choses qui mériteraient d'être publiées. D'ici peu, vous aurez toutes les raisons d'être fière de Nell... »

De l'autre côté de la table, Nell fit entendre un petit cri, un simple soupir de désespoir. Il la regarda. Son visage était toujours caché par ses cheveux mais il pouvait voir à son front qu'elle avait pâli. De nouveau, il se tut. Au nom du ciel, qu'est-ce qui *n'allait pas* dans cette belle maison pleine de pièges ?

« Nell écrivain, ça, par exemple, dit Ruth Fox. J'ai toujours su que c'était une fille intelligente mais je pensais que c'est dans l'art qu'elle se distinguerait. Elle a un réel talent d'artiste, vous savez. J'ai toujours cru que, pendant tout ce temps, elle travaillait durement sur *cette matière*. Eh bien ! Balivernes que tout cela ! De toute façon, que peuvent savoir les vieilles grand-mères ?

— Les qualités artistiques de Nell sont *nulles* à côté de son talent d'écrivain, dit-il, se sentant de nouveau sur un terrain solide. J'ai peur qu'elle n'ait perdu beaucoup de temps avec cela. Je voudrais qu'elle travaille plus son anglais, qu'elle écrive un peu plus mais c'est en ce sens que nous travaillons, actuellement. C'est pour moi une très grande chance de travailler à ses côtés.

— Je crois, en effet, dit Ruth, qu'un écrivain est sur ce plan le meilleur des juges. Et je suis sûre qu'elle a beaucoup de chance de vous avoir rencontré. Dites-moi, je suis un peu confuse de vous demander cela mais vous comprendrez que la question émane de

265

quelqu'un de totalement ignorant en ces matières et qu'il ne s'agit en aucun cas d'une critique... Qu'avez-vous écrit ? Je me ferais un plaisir de me procurer quelques-uns de vos livres à la bibliothèque et, même mieux, de les acheter. »

Phillips la regarda. Il vit la petite flamme brûler dans ses yeux bleus avant qu'elle ne les baisse et ne fixe le fond de son assiette. C'était l'éclat du triomphe. Il fut envahi par un sentiment d'humiliation et de rage. Elle avait trouvé son talon d'Achille, le seul endroit vulnérable de sa brillante armure d'intellectuel. Écrire, publier des romans qui changeraient la face du monde était ce que Phillips désirait le plus. Il pensait sans cesse à ces romans. Il pouvait les voir, imaginer leurs couvertures élégantes et colorées en rangs dans une bibliothèque, près d'une cheminée, dans une maison qu'il aurait un jour, et il sut à cet instant même qu'il ne les écrirait jamais.

« Je n'ai... encore rien publié, dit-il. Il est très difficile d'enseigner et d'écrire en même temps, bien que je compte m'y mettre dès que ma situation sera plus stable. J'ai déjà le brouillon d'un premier livre. Il est difficile de trouver un éditeur susceptible de publier le genre de choses que je souhaite écrire... Ce sont des textes ésotériques, destinés à des spécialistes... à des universitaires. Pour ce genre de littérature, le marché est très restreint... Mais je pense que cela en vaut la peine...

— Mais j'en suis sûre, dit doucement Ruth. Bon ! Si vous le voulez bien, nous allons passer maintenant au petit salon où nous prendrons le dessert afin que Carrie et Robert puissent rentrer chez eux. Je crois que Carrie a fait du syllabub. Dans le Nord, fait-on aussi du syllabub, M. Jay ?

— Heu... Je ne crois pas, non...

— Vous ne connaissez pas le syllabub ? Je pourrais en avaler un seau entier. » Hebe gloussa de joie et frappa dans ses mains. Phillips la regarda, abasourdi. C'était une vieille gamine qui s'était affublée d'un costume de soie grise.

Nell fut debout avant même que Ruth n'ait donné le signal de la fin du dîner. Son visage était tiré, ses yeux rivés au tapis. Il se rendit compte à quel point il pouvait facilement la perdre. Si une telle éventualité se produisait, il ne pourrait s'en prendre qu'à ses propres paroles.

« Je crois bien que je ne pourrais rien avaler d'autre », dit-il. Ses oreilles bourdonnaient au point de s'entendre à peine parler : « Je vous remercie mais je crois que je ferais mieux de rentrer. J'ai promis à mes parents de les appeler ce soir et ce sera bientôt l'heure de leur coucher.

— Si vous le pensez... dit Ruth Fox. Nous avons été vraiment ravies de vous avoir avec nous pour cette merveilleuse veille de Noël. Nous nous verrons demain, bien sûr ?

— Bien sûr, murmura-t-il.

— Je te reconduis à la porte », dit Nell.

Ils se tinrent sur la véranda, dans l'ombre froide, loin des lampes de la porte d'entrée et des bougies électriques de l'arbre de Noël. Au début, Nell ne dit rien. Il vit qu'elle ne pouvait se résoudre à lui adresser la parole. Elle se contentait de se tenir à ses côtés, se frottant machinalement les bras pour les réchauffer, regardant fixement les carreaux sur le sol. Il crut qu'il allait l'embrasser chastement sur le front et la quitter avec calme et dignité mais le sentiment d'injustice qui l'étouffait était trop puissant pour qu'il pût le contenir long-temps. Un cri lui monta à la gorge et jaillit de ses lèvres avec âcreté. Il ne pouvait pas plus s'arrêter maintenant qu'il n'avait pu s'empêcher de raconter ses fanfaronnades de collégien.

« Bravo ! Quelle jolie petite famille d'aristocrates sudistes ! Ta merveilleuse, ta précieuse Gamma est la plus belle garce que j'aie jamais rencontrée. Elle a tout fait pour m'enferrer, elle m'a provoqué et m'a tout simplement fait passer à tes yeux pour un parfait imbécile. Je suis sûr qu'elle pense qu'aucun professeur yankee ne sera jamais assez bien pour sa précieuse petite Nell. Et elle voulait te le prouver, n'est-ce pas ? Et ta mère est complètement cinglée. On la croirait sortie d'une pièce de Tennessee Williams.

— Ce n'est pas vrai ! » cria Nell, furieuse. Mais en vérité, sa mère était parfois vraiment cinglée et il y avait déjà un bon moment que Nell le savait. Le chagrin et la honte qu'elle ressentait à cause de sa mère la submergea. Des larmes ruisselèrent sur ses joues et, comme une enfant, elle les lécha. Ce petit geste ne fit qu'accentuer la colère de Phillips. Il la saisit par les épaules et la secoua.

« Mais si, c'est vrai... Vous êtes tous une collection de monstres... Tous tant que vous êtes, des monstres gothiques du Sud, ta Gamma, ta mère et sans aucun doute ta tarée de frangine, et aussi le cher disparu, ton pédé de frangin. Le Sud tout entier est un lit de monstres. Je me demande vraiment pourquoi j'ai pensé à un moment que ce n'était pas vrai. Arrête de chialer, Nell, tu te conduis comme un bébé, comme la vieille gamine qu'est restée ta mère. C'est exactement ce que ta chère Gamma voudrait faire de toi, est-ce que tu t'en rends compte ? Une gamine comme ta mère. Afin que tu sois liée jusqu'à la fin de tes jours à la ceinture de son tablier, exactement ce que tu es actuellement et ce qu'est ta maman. Comme ça, tu ne quitterais jamais ce fameux tas de briques pourrissantes et tu garderais la flamme du foyer, un parfait petit rejeton Fox...

— Ce ne sont pas des monstres ! Mais enfin, Phillips, ce soir, tu t'es conduit comme un imbécile. Pourquoi t'es-tu laissé faire ? Pourquoi l'as-tu laissée te pousser à te conduire comme un idiot ? Et *je ne suis pas* une gamine liée à la ceinture du tablier de Gamma. Je suis *moi*, Nell. J'ai ma propre personnalité...

— Dans ce cas, épouse-moi !

— Je... Comment ?

— Je t'ai dit, épouse-moi ! Bon Dieu, Nell, on dirait que tu viens d'apercevoir un fantôme ! Tu sais très bien que nous allons nous marier un de ces jours, non ? Mais bien sûr que tu le sais ! Alors, ne pleure pas ! Et si tu as ta propre personnalité, tu n'hésites pas, tu m'épouses ce soir. Tu vas chercher ton manteau, tu m'accompagnes, tu montes dans la voiture et nous partons nous marier dans le nord de la Géorgie.

— Phillips, je ne peux pas faire ça ! Demain, c'est Noël !

— Et alors ? Allons, viens, Nell. Si tu es sincère quand tu dis que tu m'aimes... Si tu es sincère quand tu dis que tu as ta propre personnalité... Alors, n'hésite pas ! Dis-moi la vérité : est-ce que tu m'aimes ?

— Euh... Je crois que oui. Oui, je t'aime, mais, Phillips...

— Partirais-tu avec moi ce soir pour m'épouser ?

— Non, Phillips, je ne peux pas faire ça. Cela tuerait maman. Je ne sais pas ce qui s'est passé pour le mariage de maman, mais...

— Alors, j'avais raison et tu n'es qu'une gamine. Exactement comme ta mère. Et tu resteras toute ta vie pendue à la ceinture du tablier de Gamma. Bonne nuit, Nell. Et comme dit la chanson, profite bien de ton joyeux petit Noël. »

Il lui tourna le dos et se dirigea vers sa voiture que Robert avait amenée dans l'allée, juste devant la maison. Il avait laissé le moteur tourner pour la chauffer. Phillips se mit au volant et démarra. Nell le regarda s'éloigner. Elle regagna la maison et gagna directement sa chambre. Elle pleura jusqu'aux heures bleuâtres de cette aurore de

Noël. Jadis, c'était à cet instant qu'elle se levait et qu'elle se glissait dans le salon illuminé pour découvrir ce que le Père Noël lui avait apporté.

Au petit déjeuner, Nell s'assit en face de sa grand-mère. Ruth, dans un kimono de satin rose pâle, avait le visage lisse et reposé. Dans la pièce, seule Rip qui versait silencieusement le café dans les bols, assistait à l'entretien. En regardant le visage blême et les yeux gonflés de Nell, elle comprit que Ruth Fox avait déjà porté un premier coup : ses veines brûlaient de vaine fureur.

« Je pensais que vous l'aimiez, dit Nell sans préambule à sa grand-mère. Vous avez fait tout le chemin jusque chez *Guido* l'autre jour et pratiquement vous avez fait sur la table un pas de danse devant lui. Vous l'avez non moins pratiquement supplié de venir hier soir. Alors, pourquoi l'avez-vous agressé ? Vous l'avez fait passer pour un imbécile et vous savez très bien que ce n'en est pas un.

— Je ne sais pas exactement qui il est. Mais je sais qu'il n'est pas possible de faire passer pour un imbécile quelqu'un qui ne l'est pas, Nell, dit Gamma en regardant sa petite-fille avec une compassion très étudiée. J'ai simplement peur que ton jeune ami yankee ne se soit présenté sous son véritable jour. C'est tout. Il vaut mieux le voir tel qu'il est aujourd'hui plutôt que dans un proche avenir. J'en suis désolée, ma chérie. »

Hebe entra dans la pièce, tout ébouriffée et rose de sommeil. Ses cheveux, sur son crâne, ressemblaient à du duvet de canard.

« Joyeux Noël, maman, joyeux Noël, Nell. » Elle mit un doigt dans le pot de confiture de fraises et le porta à sa bouche. « Ma chérie, je disais à maman, hier soir, que j'aimais beaucoup ce jeune homme. Il ressemble à ton père. Vous ne trouvez pas, maman ? Très yankee... J'ai toujours aimé cela. »

Nell ne dit rien. Elle regarda sa mère.

« Il lui ressemble beaucoup, en effet, Hebe », dit d'une voix douce Ruth Fox. Elle avait le visage torturé d'une madone en souffrance. « Toi, plus que quiconque, devrait savoir ce que cela signifie. Je voudrais épargner à Nell et à nous toutes l'épreuve douloureuse d'un autre Geiger. Mais Nell est adulte et c'est elle qui prendra sa décision. J'espère seulement que nous aurons assez de force et de cœur pour la supporter. »

Le visage d'Hebe s'assombrit. Sa petite bouche se pinça et se mit à trembler. Ses yeux allèrent de Nell à sa mère puis revinrent se poser sur sa fille qui regardait toujours sa grand-mère.

« C'est vrai, pensa Nell. Phillips a raison. Elle essaie de faire de moi ce qu'elle a fait avec maman. Elle veut que je reste ici, dans cette maison. Toujours. Elle veut que, toute ma vie, je sois une des femmes Fox de la Tanière du Renard. C'est le but qu'elle s'est fixé depuis toujours. C'est l'aboutissement de tout ce qu'elle a jamais dit et fait pour moi. »

À la fin de la matinée, pendant que Phillips Jay dormait encore d'un sommeil agité, Nell s'habilla et se rendit chez la veuve Bondurant. Elle demanda à la vieille femme noire qui vint lui ouvrir la porte de prévenir M. Jay que miss Geiger l'attendait en bas dans le salon. La vieille femme était de méchante humeur et assez rébarbative. Mais d'une part sa maîtresse était à l'office de Noël de la première église méthodiste de Sparta. D'autre part, elle connaissait la petite Nell depuis sa naissance. Elle monta donc lourdement l'escalier et frappa en grommelant à la porte de Phillips jusqu'à ce qu'il répondît.

« Est-ce que ta proposition tient toujours ? » lui dit Nell lorsqu'il apparut dans le salon, les cheveux hérissés et encore humides.

Ils se marièrent l'après-midi dans la même petite usine à mariages de Géorgie du Nord où, vingt-huit ans plus tôt, Hebe Fox s'était rendue pour épouser Johnny Geiger. Mais, sur le moment, l'ironie de la situation échappa à Nell. Elle imaginait sa grand-mère qui, avec le visage sombre des mauvais jours, garderait un silence pesant tandis qu'Hebe serait en proie à la même crise d'hystérie que les conséquences mortelles de son propre mariage avaient provoquée naguère. Rip, les traits tirés, vint à la rencontre des jeunes mariés sur la véranda de la Tanière du Renard, une valise à la main. Tremblant, elle étreignit Nell sans mot dire et serra cérémonieusement la main de Phillips.

« Vaut mieux qu' vous pa'tiez chercher un endroit pour habiter avant d' voir vot' maman et vot' Gamma, mamzell' Nell, dit-elle. Vot' maman, ell' s' conduit toujours comme une enfant mais j' peux la calmer quand ell' s' rend compte qu'elle y peut rien. J' peux aussi v'nir à bout d' vot' Gamma. Ça sert à rien d' retourner les sangs d' tout l' monde aujourd'hui. Vous vous installez que'que part et vous

270

m' faites savoir où vous êtes. J' vous dirai quand vous pourrez v'nir. »

Nell eut un serrement de cœur. « Oh, Rip... Est-ce que maman est malade ? A-t-elle une vraie crise ? ou Gamma ? Je ferais peut-être mieux d'entrer une minute...

— Mam'' zell Nell, vous êt' une femme mariée maint'nant. C't' à vot' maison avec vot' mari qu' vous d'vez aller. C'est à lui d' prend' soin de vous, juste comme j' l'ai fait. Maint'nant, moi j' vais m'occuper d' vot' maman. Et d' vot' Gamma... Mais, vous savez, vot' Gamma, elle a b'soin d' personn' pour prend' soin d'elle.

— Oh, Rip, qu'est-ce que je ferais sans toi !

— Vous n'avez pas b'soin d' moi, maint'nant, mamz'ell' Nell. Du moins, pour un bout d' temps. »

Elle se tourna vers Phillips Jay qui se tenait silencieusement derrière Nell.

« Faut qu' vous preniez bien soin de mamzell' Nell, m'sieur Phillips. Ell' va avoir b'soin de bras costauds, à c't' heur'.

— Ne vous inquiétez pas, Rip, dit-il. Je veillerai sur elle. Je suis sûr que tout cela va s'arranger et ne sera bientôt plus qu'un mauvais souvenir. »

Rip les regarda qui regagnaient rapidement la voiture encore toute grise de la poussière de la Géorgie du Nord.

Phillips et Nell Geiger Jay passèrent leur première soirée de mariage dans le salon de Mrs. Eloise Bondurant. Celle-ci exultait. Ils se retirèrent pour leur nuit de noces dans la chambre d'ami qui venait juste d'être refaite. Nell découvrit cette nuit-là qu'après tout faire l'amour était quand même moins pénible qu'elle l'avait cru au cours de la première et fugace tentative au bord de l'Oconee. Ils s'endormirent comme deux enfants et ne se réveillèrent que le lendemain 26 décembre 1961 vers midi.

Nell passa presque une semaine dans sa maison, sa première maison de femme mariée, à l'ouest du campus. Mais Ruth eut une crise de palpitations qui la contraignit à s'aliter, livide et épuisée. Malgré les protestations véhémentes de Rip, elle fit téléphoner par Hebe qui sanglotait dans l'appareil en demandant à Nell de revenir à la maison. « Elle te réclame tout le temps, Nell. Et elle pleure. Qu'est-ce que je vais devenir s'il arrive quelque chose à maman et si toi tu n'es pas là ?... »

271

Nell, qui avait épuisé dans son acte de défi toutes les ressources de sa volonté, se précipita à la Tanière du Renard, accablée de remords. Elle n'en bougea pas pendant trois semaines : elle soigna sa grand-mère et calma sa mère. Son mari, resté seul dans son cottage de lune de miel, ne décolérait pas. Ruth Fox, tout d'abord, avait été furieuse contre elle-même pour avoir trop cru à son pouvoir : ses palpitations, contrairement à l'habitude, ne furent pas feintes. Elle s'aperçut rapidement que, pour retenir Nell à la Tanière du Renard, il était préférable de jouer avec le complexe de culpabilité de la jeune femme. Nell chercherait à tout prix à se racheter : cela créait des liens bien plus forts que ceux que pourrait forger Ruth.

Chapitre XXIV

Nell eut toute sa vie l'impression qu'à partir de ce jour-là, sa grand-mère ne se rétablit jamais complètement. Elle n'était pas vraiment malade. Simplement, pour la première fois de sa vie, le flot de vitalité qui bouillonnait dans les veines de Ruth Fox diminua, perdit de son impétuosité. Elle semblait pourtant ne pas vieillir. Nell ne pouvait détecter chez elle le moindre signe de décrépitude. Elle ne perdit rien de son éclat. Ses yeux bleus étaient toujours aussi brillants et éclairaient son visage. Par instants, l'air autour d'elle semblait brûler comme la flamme d'une torche. On aurait plutôt dit qu'elle avait rétrogradé à une vitesse inférieure comme si quelque moteur dissimulé à l'intérieur de son être avait décidé de ralentir imperceptiblement et inévitablement. Elle restait de plus en plus tard au lit, le matin, alanguie contre une pile de coussins avec son livre de comptes et sa correspondance. Elle se faisait de plus en plus souvent porter des plateaux dans sa chambre ou dans le petit salon. Autour d'elle, Hebe ne dissimulait pas son anxiété. Ruth réduisit ses activités civiques, sociales et charitables. Elle finit par y mettre un terme en restant définitivement enfermée à la Tanière du Renard.

Nell consacrait l'essentiel de son énergie à résister aux pressions de sa mère et de sa grand-mère. Elle terminait sa licence. Elle avait l'intention ensuite de rester chez elle à s'occuper de sa maison en se consacrant entièrement à l'écriture. Phillips l'encourageait vivement, mais écrire, pour l'instant, ne l'intéressait plus guère. C'était une activité qui faisait partie d'une autre Nell, celle qui avait complètement disparu. Pourtant, pour lui faire plaisir, elle persévéra et elle finit par se rendre compte qu'il était plus agréable d'étudier seule dans la petite maison. Cependant, cela l'agaçait d'abandonner son travail pour faire les courses incessantes qu'Hebe et Ruth lui demandaient sous n'importe quel prétexte. Elle s'irritait puis elle se sentait coupable de s'être mise en colère et il lui était de plus en plus difficile de se remettre à étudier.

Phillips ne voulait sous aucun prétexte mettre les pieds à la Tanière du Renard et il interdisait à Nell d'inviter sa grand-mère chez lui. Nell savait que Ruth Fox tenait un compte très précis des invitations qu'elle n'avait pas reçues.

La Tanière du Renard n'était plus ce qu'elle avait été. Lorsqu'elle y réfléchissait, Nell ne pouvait s'empêcher de ressentir un certain malaise. L'équilibre des choses vacillait. Ce n'était pas très sensible mais cela n'était pas sans conséquences : on sentait une sorte de réalignement délicat et funeste comme si s'était ouverte une petite fissure, modifiant légèrement mais irrévocablement ce qui gisait à la surface. Était-ce à cause de la santé de Gamma ? Sa grand-mère, pour la première fois de sa vie, possédait-elle moins de vivacité ? Ou bien l'énergie qui animait la grande maison s'était-elle imperceptiblement ralentie ?

« Qu'arrive-t-il à Gamma, Rip ? demanda un jour Nell. Est-elle plus malade que nous le pensons ? Quand j'appelle le docteur Hopkins, il m'envoie promener. Il se débarrasse de moi en disant qu'elle a juste besoin d'un peu de repos et qu'en un rien de temps elle sera de nouveau elle-même. Il affirme qu'elle est en parfaite santé. Mais qu'elle a adopté ce comportement... depuis mon mariage. J'ai pensé que le docteur était tellement habitué à se débarrasser de maman qu'il me traitait automatiquement comme elle.

— C'est lui qu' vous d'vez écouter. Y a rien qui va pas chez M'ame Ruth. Vous pensez bien que j' vous l' dirais si y avait quequ' chos' qu'allait pas. J' sais quand elle est malade et quand elle va bien. Elle a pas été malade depuis qu'elle a eu des calculs. Z'étiez encore un bébé...

— Mais elle semblait si faible quand elle a eu tous ces ennuis de cœur. Elle avait l'air si malade. Elle ne pouvait même pas lever la tête, Rip. Depuis ce jour-là, elle n'a plus jamais été bien. Je ne sais pas. Quelque chose a changé... Je ne réussis pas à mettre le doigt dessus... Les choses ne sont plus pareilles... Elle *prend de l'âge*, tu sais, même si on ne s'en aperçoit guère. Si je dois un jour m'occuper de cette maison et la remplacer, il faut bien que je sache...

— Mam'zelle Nell, y faut pas, pour rien au mond', qu' vous prenez soin d' vot' maman ou de vot' Gamma et de c'te vieil' maison quand vous avez un' maison à vous et un mari. Écoutez-moi, mam'zelle Nell. Personne ici est malade et personne a b'soin d' vous. Un jour peut-être mais pas pour l' moment. Vous v'nez ici beaucoup trop souvent. La prochaine fois qu' vot' maman ell' téléphone, vous lui dites qu' vous avez des chos' à faire. Moi, j' m'arrang'rai. Y a rien ici que j' peux pas fair' mais elles, ce qu'ell' veul' c'est vous entortiller vot' vie et tout gâcher. Faut pas vous laisser fair'. Fait' moi confiance, mamz'elle Nell. J' sais tout de c'te maison et tout sur tout l' monde ici. Mieux qu' vous l' saurez jamais. »

Peu à peu on vit moins souvent Nell à la Tanière du Renard. Elle apaisait ses scrupules en se disant que Rip était toujours là. Quand vint le temps du premier anniversaire de leur mariage, Nell n'allait plus à la Tanière du Renard qu'une ou deux fois par semaine. La présence de Ruth Yancey Fox se fit de moins en moins sentir à l'intérieur de son ménage.

Nell était heureuse. Elle aimait son mari. Le moment de doute qu'elle avait ressenti et les reproches qu'elle avait pu lui faire lors de cette fameuse veille de Noël, tout cela avait disparu sans laisser la moindre trace d'amertume. Elle en avait même perdu le souvenir. Loin de la présence destructrice de Ruth Fox, Phillips Jay redevint ce qu'il était aux yeux de Nell, le jeune prince de l'Est, énergique, intelligent et exotique qui l'avait préférée à toutes les autres femmes, toutes celles qu'il aurait pu avoir dans une vie privilégiée, vie qu'elle ne pouvait même pas imaginer. Et, ce qui était encore plus incroyable, il lui avait rendu le goût d'écrire ; mais le comble de l'incroyable était qu'il l'avait épousée.

Il lui faisait l'amour avec une fréquence et une ardeur qui la laissait pantelante, indolente et somnolente. Cela se produisait toutes les nuits et parfois aussi dans la journée. Il rentrait brièvement à l'heure du déjeuner. Il la poussait sur le lit ou la renversait sur le tapis moelleux du joli salon. Il relevait d'un geste bien précis ses jupes par-dessus sa tête, laissait tomber son pantalon jusqu'aux chevilles. Il la pénétrait rapidement et profondément, lui fermant la bouche quand elle voulait protester. À la longue, elle apprit à s'ouvrir à lui, dans le lit ou sur le tapis, elle apprit à cambrer les reins, à projeter ses hanches plus haut pour qu'il puisse la pénétrer plus profondément, elle apprit à remuer au même rythme que lui, sous lui, jusqu'à ce qu'elle soit envahie par une sensation brûlante qui l'enveloppait, se multipliait et culminait en une explosion, en un frémissement de tout son être.

La seule fausse note dans le duo harmonieux de ce début de vie conjugale restait l'animosité que Phillips ne cessait de nourrir à l'égard de Ruth Yancey Fox. Contrairement à ce qu'avait prévu Nell, son ressentiment n'avait pas diminué avec le temps. Elle pouvait comprendre sa répugnance à lui faire confiance après l'humiliation et la blessure qu'il avait subies le soir de sa première et unique visite. Ce n'est pas pour cela qu'elle le blâmait. Quand elle se souvenait de l'accueil de Ruth, son indignation montait dans sa gorge comme un jet de bile. De plus, leur fuite avait été pour Gamma un coup très dur. Nell pouvait comprendre que Phillips ne serait jamais à l'aise devant la désapprobation muette de Ruth et que, de ce fait, il préférait l'éviter. D'un autre côté, la réconciliation ne pourrait jamais avoir lieu si Nell continuait à se rendre seule à la Tanière du Renard. C'était à lui de prendre l'initiative.

« Quand elle m'invitera elle-même, nous aviserons », disait-il et il s'en tenait là. Nell savait que, s'il ne faisait pas le moindre petit geste, cette invitation ne viendrait jamais. Les quelques rares fois où elle se sentit obligée de parler de sa grand-mère et de la Tanière du Renard, elle crut déceler dans la voix de son mari et dans son attitude une note de respect et... aussi incroyable que cela puisse paraître, quelque chose qui ressemblait à de la peur. Pourtant, cela ne lui sembla pas possible. Phillips avait une parfaite maîtrise de lui-même. Elle était certaine que, dans son univers personnel, il ne craignait rien. Elle attribua donc cette impression aux caprices de ses propres antennes qui devenaient plus sensibles que des tympans percés dès qu'il s'agissait de sa grand-mère.

Elle n'aurait pu dire pourquoi cette brouille la troublait si profondément. En fait, Nell était essentiellement et sans réserve, une créature du Sud. À ses yeux, la famille et les liens du sang et de la naissance étaient primordiaux.

Nell finit ses études et, avec sa promotion, elle passa sa licence à la fin du premier printemps de leur mariage. Elle obtint une mention en art. D'un commun accord, ils avaient conclu qu'il était trop tard pour changer de spécialité : cela n'aurait pas eu de sens. Phillips affirma que, sous sa tutelle, elle avait fait suffisamment de progrès pour se lancer, seule, dans un texte de fiction. Son diplôme était joli et il fut pour elle un stimulant. Ils l'accrochèrent au-dessus de la cheminée à côté des diplômes de Phillips qui portaient les noms des établissements les plus prestigieux de l'Est où il avait étudié.

« Cela nous met vraiment en valeur, tu ne trouves pas ? » dit-elle en se blottissant au creux de son bras tandis qu'ils admiraient leur mur couvert de ces témoignages de leur talent. « Le parfait mariage de l'art et de la littérature. Tu sais quoi, Phillips ? Ouvrons un salon. Je te vois très bien, installé devant le feu, brillant et profond devant Evelyn Carras et autres déesses de la fertilité post-benningtonienne[1] assises en adoration à tes pieds. Et je me vois peindre des sujets abstraits, audacieux, près de la fenêtre, en adressant de temps en temps un sourire énigmatique à chacun. Nous serons célèbres sur tout le campus. Tout le monde voudra être invité à nos petites soirées. Mais notre choix sera sévère et seuls seront invités ceux qui nous plairont. Tu ne trouves pas mon idée extraordinaire ?

— Notre Bloomsbury personnel[2]. » Il lui sourit avec indulgence. « Comme tu es romantique, Nell ! Il n'y a pas deux personnes dans tout Sparta, y compris dans mes propres classes, qui a ne serait-ce qu'une petite idée de ce que peut être un salon. Ne parlons pas de le fréquenter... Mencken[3] avait raison.

— À quel propos ? Je pensais que tu aimais le Sud. Tu m'as dit l'automne dernier que c'était la seule région des États-Unis qui faisait encore preuve d'une quelconque vitalité, qui avait en elle quelque chose de stimulant pour un professeur.

— Mencken a dit que le Sud était le Sahara des beaux arts, dit-il. Et le fait que vous, ma charmante femme privée de culture, n'ayez jamais entendu parler de ce jugement, ne fait que confirmer mon affirmation. C'est l'une des plus fameuses citations qui nous restent des années vingt. *Et* si j'ai dit autre chose l'automne dernier, c'était parce que je croyais à cette époque que j'allais

1. Le Bennington College, fondé dans le Vermont en 1932, est un établissement réservé aux jeunes filles. Il dispense des cours de danse, d'art dramatique, de littérature, de musique et de science.
2. Le Bloomsbury Group fut une sorte de phalanstère composé de divers talents qui se réunit à Londres de 1905 à 1939. L'écrivain le plus éminent de ce groupe fut Virginia Woolf mais des intellectuels comme Aldous Huxley ou Bertrand Russell ne manquèrent pas de le fréquenter. Au début, le groupe se rassemblait à Bloomsbury le jeudi soir.
3. H. L. Mencken (1880-1956), écrivain, journaliste et critique qui joua pendant l'entre-deux-guerres un peu le rôle d'éminence grise des lettres américaines. En l'occurrence, Phillips Jay se réfère à un pamphlet qu'il écrivit sur le Sud intitulé : *The Sahara of the Bozart.*

devenir dès le mois de mars un professeur à part entière, au moment exact où Courtenay devait partir pour Sweet Briar ou Dieu sait où... »

La joie de Nell tomba. Les yeux bleus de Phillips étaient cachés derrière ses cils blonds. Il lui sembla que les petites rides de mécontentement qui avaient crispé son visage de chaque côté de la bouche s'étaient creusées. Quand ces rides étaient-elle apparues ? Quel acide secret les avait creusées pendant qu'elle regardait ailleurs ? L'angoisse lui contracta l'estomac.

« Phillips, tu n'es ici que depuis neuf mois, dit-elle. Il faut parfois des *années* pour passer de la position de maître de conférence à celle de professeur titulaire. C'est toi-même qui l'a dit.

— Oui, mais je parlais alors de n'importe quel maître de conférence. Je ne veux pas me jeter des fleurs mais je suis leur meilleur maître de conférence et ils le savent pertinemment. Il n'y a personne dans cette crèche sudiste qui peut me battre sur le chapitre des contemporains et plus d'un me l'a dit. Le docteur Crandall lui-même me l'a répété quand... Et puis, merde... »

Son irritation ne cessait de croître. Nell aurait pu se mordre la langue pour avoir mis la conversation sur ce sujet.

« Alors, tu veux retourner dans l'Est ? Nous pouvons y aller quand tu le désires. Je sais, tu dois penser que ce sera dur pour moi de quitter maman, Gamma et le Sud mais c'est faux, Phillips. Vraiment, je te jure que c'est faux. Je pars à la minute, si tu veux. Tu pourrais enseigner dans n'importe quelle école de l'Est, c'est à toi de choisir. Et tu sais bien que c'est vrai...

— Non. » Il haussa impatiemment les épaules et elle s'écarta de lui. « Je suis venu ici pour faire ce que j'estime être bien et pour améliorer certaines choses. Je ne suis pas prêt d'abandonner. Je te l'ai dit, il n'y a plus de place pour moi à l'Est.

— Est-ce... à cause de cette brouille avec ton père ? Vous pourriez vous réconcilier à la minute, Phillips. Tu n'as qu'une chose à faire : décrocher le téléphone. Et je souhaite que tu le fasses. Cela t'ouvrira d'autres portes pour ta carrière. Cela te donnera des possibilités qui te sont interdites aujourd'hui. De plus, il faudra bien qu'un jour je rencontre tes parents. Je ne peux quand même pas passer toute ma vie sans connaître mes beaux-parents.

— Je ne vais sûrement pas aller me rouler aux pieds de mon père et lui demander sa bénédiction ou son sale fric, dit-il sèchement. S'il

278

veut me voir et rencontrer ma femme, il peut décrocher le téléphone lui-même. Maman l'aurait déjà fait s'il ne l'en avait empêchée. Je sais donc ce qui m'attend dans l'Est. Si toi, tu t'intéresses à mon fameux héritage, Nell, c'est *toi* qui iras ramper aux pieds de ce vieux salaud et lui lécher les bottes. De toute façon, c'est ce qu'il pensera... que tu m'as épousé parce que tu es persuadée qu'un jour je serai riche comme Crésus. Je ne veux pas de sa saleté de fric. Je n'en ai pas besoin. Je dois faire vivre ma famille avec ce que je gagne.

— C'est injuste, dit Nell, les larmes aux yeux. Tu sais très bien que je ne t'ai pas épousé pour ton argent. Tu *sais* que je savais que tu avais renoncé à l'argent de ta famille bien avant de me rencontrer. Si ton père pense cela de moi avant même de m'avoir rencontrée, alors, je ne souhaite jamais le connaître. C'est une chose affreuse à dire, Phillips, et je ne pense pas avoir mérité cela.

— Ah ! et puis merde ! » répéta-t-il. Il sortit de la maison en claquant la porte et se rendit à son bureau. Nell attendit, la mort dans l'âme, qu'il lui téléphone, qu'il rentre à la maison ou qu'il s'excuse mais il ne fit rien de tout cela. Elle s'assit, malheureuse, sur le petit canapé de chintz, dans le living-room et elle se mit à pleurer. Lorsqu'il rentra, elle avait tant pleuré qu'elle s'était endormie d'épuisement sur le canapé. Lorsqu'elle se réveilla, il était dans la cuisine, préparant des verres et fredonnant *La Moldau*. Il était d'humeur joyeuse. Il proposa d'aller jusqu'à Atlanta pour s'offrir un bon repas français. Elle ressentit un tel soulagement devant sa bonne humeur qu'elle se précipita pour prendre une douche et s'habiller. Il n'y eut pas la moindre allusion à leur querelle. Ce fut un scénario qui se répéta de nombreuses fois tout au long de leur mariage. Nell finit par abandonner toute discussion ayant trait aussi bien à la famille de Phillips qu'à sa carrière.

Cet été-là, elle s'occupa de sa maison. Il commença à écrire le roman qu'il avait interrompu trois ans plus tôt, s'étant rendu compte, selon ses propres dires, qu'il n'était pas prêt. Maintenant, il l'était sûrement, d'autant qu'il avait l'été entier devant lui et aucun projet de vacances à la mer ou à la montagne, aucun voyage en Europe — le salaire d'un maître de conférence dans une université du Sud étant loin d'être impressionnant. Il s'enferma dans son bureau pendant plusieurs heures chaque jour.

Nell organisa soigneusement ses petits travaux domestiques et, de tout l'été, ne changea rien à son emploi du temps. Elle éprouvait une sensation très agréable de continuité et de persévérance à se lever chaque matin à la même heure, à accomplir avec beaucoup de plaisir et de minutie les travaux qu'elle avait prévus. Il y avait dans ce rituel un rythme presque hypnotique, vieux comme le monde : c'était comme une formule magique. Fais les choses parfaitement et la chance sourira. Marche sur la fissure et tu briseras les reins de ta mère.

Mais, à la longue, sa petite routine perdit inévitablement de son charme. Lorsque l'été prit fin et que Phillips rangea la mince liasse de papiers qu'il avait accumulés dans son petit bureau surchauffé de la faculté, elle se morfondait et ne tenait plus en place.

« Je perds vraiment mon temps, lui dit-elle. Il faut que je fasse quelque chose d'autre. Mais quoi ? Retourner à l'université et commencer une maîtrise ?

— Non, dit-il. Il est temps pour toi de te mettre à écrire. Écris-moi quelques nouvelles, Nell. Achète plusieurs magazines féminins et vois ce qu'ils publient. Écris-m'en deux. Tu es un écrivain plus intéressant que les trois quarts de ceux qui sont édités.

— Oh ! Phillips, je ne pourrai pas ! Tu crois que je pourrais ? Que je devrais ?... »

Nell acheta une rame de papier à machine au drugstore et dépoussiéra la vieille machine à écrire mécanique qu'elle avait utilisée pendant ses années de lycée et de faculté. Elle installa une table de bridge devant la fenêtre de la salle à manger et se mit à écrire. Pendant tout l'automne, elle fut en proie à une sorte de blocage. Ces premiers essais dans le domaine de la fiction ne ressemblaient à rien de ce qu'elle avait essayé d'écrire auparavant.

« On dirait que tout ce que j'essaye de faire n'est qu'un préliminaire, dit-elle un soir à Phillips. Je suis si impatiente. Je souhaite aller jusqu'au bout mais je ne sais pas exactement ce que je dois faire. Dieu sait à quel point c'est difficile d'écrire une nouvelle comme je voudrais qu'elle soit. Si seulement j'avais l'illusion d'être un grand écrivain américain !

— Ciel ! J'espère bien que non ! Les textes que tu écris actuellement sont pleins de charme et d'invention, Nell. Même s'il y a encore des maladresses. Mais ne me parle surtout pas des grands écrivains américains... »

Le 1er avril 1963, Nell se leva pour préparer le café et courut vomir. Elle sut immédiatement et sans aucun doute possible qu'elle était enceinte. « Avant de l'annoncer à qui que ce soit, pensa-t-elle, je vais envoyer la nouvelle que je viens de finir à *Redbook*. De cette manière, s'ils la publient, ce ne sera pas parce que je suis enceinte. Ce sera simplement parce que c'est une bonne histoire. Je vais le faire aujourd'hui même. »

À partir de ce jour-là jusqu'à ce qu'elle ait une réponse de *Redbook*, elle se leva une demi-heure plus tôt pour tenir compte des vomissements qui la prenaient chaque matin avec une régularité d'horloge, et qu'elle masquait avec le bruit de la douche. Personne ne sut jamais rien au sujet du bébé.

La lettre arriva sept semaines plus tard alors que Nell commençait à s'inquiéter : sa taille était en train d'épaissir, légèrement mais sûrement, sa peau était de plus en plus tendue et des veines bleues étaient apparues sur sa lourde poitrine. Elle savait que bientôt elle ne pourrait plus cacher sa grossesse à Phillips. Pourtant elle s'entêtait à croire qu'il était important de recevoir des nouvelles du magazine, quelle qu'en soit la teneur, avant de lui parler de tout cela.

La lettre affirmait qu'ils avaient beaucoup aimé la nouvelle et qu'ils la publieraient dans leur numéro spécial de juillet. Elle méritait les plus sincères félicitations et il lui était demandé une photo d'elle-même ainsi qu'une courte biographie. Enfin, elle toucherait 250 dollars.

Pendant le reste de la journée, Nell resta assise sur le petit canapé, la lettre entre les mains, engoncée dans ses pantalons trop serrés. Un peu comme si elle s'était enfermée dans une bulle de plastique et comme si elle avait laissé ses sensations à l'extérieur, attendant le moment où elles pourraient leur offrir la liberté.

« J'ai vendu une histoire à *Redbook*, dit-elle à Phillips quand il revint dans l'après-midi. Et je suis enceinte de trois mois. »

Nell se mit à pleurer.

Ils annoncèrent la nouvelle aux parents de Phillips mais ils ne reçurent aucune réponse. Phillips en fut très affecté. Nell n'accorda aucune importance à l'incident. Pendant le second trimestre de sa grossesse, elle ressentit une impression de bien-être extraordinaire, une sensation de santé et de bonheur qui la faisait rayonner. Elle flottait sur un lac de sérénité. Son seul désir était de lire des romans idiots et sans importance. Elle pouvait rester étendue pendant des heures à rêver sur le petit canapé du salon ou sur la chaise longue du patio, dans la chaleur parfumée du printemps. Et elle dormait. Elle dormait pendant des heures. Un sommeil profond, sans rêve, qui la prenait soudainement, la submergeait totalement. Elle en sortait fraîche et dispose, prête à replonger dans le sommeil quelques heures plus tard.

En s'épanouissant à la fois de corps et d'esprit, Nell impressionna Phillips. Lorsque, plus avant dans sa grossesse, elle lui dit qu'elle ne se sentait pas d'humeur à écrire, il se hâta de l'assurer qu'elle devait se reposer et faire exactement ce qu'elle avait envie de faire. Il serait toujours temps d'écrire : écrire pouvait attendre.

Nell se rendit à la Tanière du Renard au début de juin pour annoncer qu'elle attendait un bébé. On ne l'avait pas beaucoup vue au cours des dernières semaines. La chaude lassitude qui l'envelop-pait l'avait retenue chez elle : elle rêvait dans son patio ou dans l'obscurité fraîche de sa chambre climatisée. Elle leur annonça la nouvelle sous la tonnelle de glycine de la véranda. Toutes étaient assises dans la lumière pommelée, se balançant dans les vieux rocking-chairs d'osier peints en blanc que Nell avait toujours connus. Maman, bien entendu, répandit aussitôt un flot de larmes et renversa sur ses genoux son verre de citronnade. Gamma sonna pour que Beauty ou Salome viennent avec des serviettes humides et un nouveau pichet de citronnade. Elle regarda Nell en silence pendant un long moment par-dessus la tête de sa fille. Puis elle sourit. C'était un sourire étrange. Exquis comme tous les sourires de Gamma mais curieusement triomphant comme si c'était elle qui avait provoqué cette grossesse et en était heureuse.

« Bien, bien, dit-elle d'une voix claire. Ainsi, avant de mourir, je pourrai au moins voir un arrière-petit-enfant. J'aurais dû savoir, ma biche, que tu ne nous laisserais pas tomber. Voilà notre cher bébé Nell maman à son tour ! Et une nouvelle petite fille pour la Tanière du Renard, n'est-ce pas merveilleux, Hebe ? »

Tout en continuant à regarder Nell avec intensité, elle caressa sa fille qui pleurnichait toujours.

« *Ou* un petit garçon, Gamma, dit Nell, vaguement ennuyée. Il y a autant de chances que ce soit un garçon et le bébé n'est pas destiné non plus à la Tanière du Renard. Il est à Phillips et à moi. Il est destiné à *notre* maison.

— Bien sûr, ou un petit garçon, dit sa grand-mère en baissant les yeux. J'imagine que Phillips souhaite avoir un petit garçon, non ? Allons, tais-toi maintenant, Hebe. Voici Rip avec de la citronnade. À

282

t'entendre pleurer aussi fort, petite sotte, on pourrait croire que c'est toi qui attend un bébé. »

Rip regarda Nell. Un lent sourire illumina son visage d'acajou.

« Eh ben, mam z'elle Nell.

— Qu'est-ce que tu en dis, Rip ? Un bébé. Et c'est *mon* bébé. Tu t'imagines, *moi* avec un bébé. Je ne saurai même pas par quel bout le prendre. Il faudra que tu m'aides. Ça ne te surprend pas ?

— Non, ça m' surprend pas. Vous avez c't' air-là depuis un bon bout d' temps déjà...

— Ne dis pas ça, Rip. Ça commence tout juste à se voir.

— Oui, mais moi, je savais. D'puis quèqu' temps, vous nous r'gardez plus beaucoup. Vous r'gardez c' qui s' passe en vous. Et moi, j' sais tout c' que vous voyez...

— Est-ce que tu m'aideras à m'en occuper ? Je ne peux imaginer un bébé Fox... *Écoute-moi.* Je veux dire un bébé Jay... sans que tu sois là pour l'aider à grandir.

— Oui, j' s'rai là. Ma vie, c'est d' prend' soin des bébés Fox J' veill'rai sur elle pour vous.

— « Elle » dit Nell, exaspérée. Qu'est-ce que vous avez, toi et Gamma ?

— Y m' semble chaq' fois que j' vous r'garde que j'vois une tit' fill' sur votre épaule, mam'zell' Nell. Mais la lumière dans cette tonnelle, l'est bizarre. On peut pas s' fier à c' qu'on voit.

— J'espère bien que non. » Nell frissonna dans la lumière dorée. « C'est effrayant. Tu es une sorcière, Rip. Je ne veux pas savoir tout de suite.

— Bon, eh bien, c'est réglé, Nell, dit Ruth gaiement. Nous allons célébrer l'événement. Un vrai repas avec du champagne et un dessert original. Peux-tu me redire ce que Phillips avait tant aimé la dernière fois que vous êtes allés chez *Rémond* ? De la crème...

— *Crème brûlée*[1] » dit automatiquement Nell en retenant son souffle. Sa grand-mère avait-elle vraiment l'intention d'inviter Phillips à dîner ? Si seulement c'était vrai ! Si seulement il voulait bien mettre de côté son orgueil têtu de la Nouvelle-Angleterre et accepter... « Ce n'est qu'à ce moment-là, que je pourrai, je crois, être heureuse, pensa Nell. Gamma *est* insupportable et maman aussi dans

1. En français dans le texte.

283

un autre genre, mais je n'ai d'autre famille qu'elles et, en fait, Phillips aussi n'a qu'elles comme famille. Si seulement, il voulait bien s'en rendre compte. Je ne veux pas que mon bébé grandisse dans une famille déchirée... »

« *Crème brûlée,* c'est bien ça, dit Ruth Fox. Cela a peut-être trop grande allure pour nous mais, en partant, si tu veux bien t'arrêter à la cuisine et donner la recette à Carrie, on fera un essai... Pouvez-vous venir vendredi soir ? Oh, je sais ce que je vais faire, j'appellerai Phillips à son bureau. Ce sera mieux, non ?

— Ce serait formidable, murmura Nell. Ce serait merveilleux, Gamma. »

Nell ne sut jamais ce que sa grand-mère dit à Phillips au téléphone mais elle savait à quel point elle pouvait être persuasive lorsqu'elle voulait s'en donner la peine, surtout lorsque c'était un homme qu'il s'agissait de persuader. Aussi ne fut-elle guère surprise lorsque Phillips lui annonça d'un ton détaché : « Ta grand-mère m'a appelé. Elle nous invite à dîner... en l'honneur du bébé, je suppose. J'ai dit que nous irions. Est-ce que huit heures te convient ?

— Huit heures me convient très bien, dit Nell en l'étreignant. Oh ! Oui. Huit heures, c'est parfait ! »

Ce fut un dîner agréable. Ce fut même mieux que ça. Un dîner détendu, rassurant et qui devait se faire un jour. Aux yeux de Nell, c'était comme s'ils avaient dîné avec sa mère et sa grand-mère autour de la grande table Hepplewhite chaque semaine depuis leur mariage. Il se dégageait de cette soirée une impression de continuité plutôt que de commencement. Gamma portait un ensemble bleu et mauve de chez Pucci. Nell ne le lui avait jamais vu. Il donnait à ses yeux la couleur de ses pensées et à ses joues lisses un éclat fiévreux. Elle riait et remuait la tête, faisant balancer dans la lumière du lustre les perles qui pendaient de ses petites oreilles roses. Elle se penchait vers Phillips qu'elle avait installé comme l'autre soir, à la place de Paul Sr., à l'autre bout de la table. Mais tout était différent maintenant. Elle roucoulait et manifestait son intérêt à chaque fois qu'il parlait en poussant des exclamations d'une voix flûtée. Peu à peu, il capitula, souriant d'abord aux absurdités qu'elle proférait puis finissant par rire aux éclats. Contrairement à son attitude du désastreux premier repas, il ne jacassa pas nerveusement, ne prit aucune pose, ne se vanta pas et n'enjoliva rien. Il répondit aux excès d'amabilité de Ruth Fox avec une courtoisie gravement ironique et fit à Nell des sourires qui voulaient dire : « Elle est vraiment très drôle. » Nell sut ainsi qu'il était content et, devant son comportement, elle était emplie de fierté et de gratitude. « Vous voyez tout ce que vous avez raté pendant tout ce temps ? C'est mon mari et voici comment il est vraiment ! » disait le sourire qu'elle adressait à sa grand-mère, sourire que Ruth lui rendait.

Hebe, dans une longue robe ornée de fleurs imprimées, bizarrement fermée dans le dos par une longue ceinture, gloussait joyeusement à toutes les boutades et plaisanteries et son regard allait de l'un à l'autre comme un enfant émerveillé par le spectacle d'un cirque. Même Robert, Salome, Beauté — et Carrie dans sa cuisine — en passant la *crème brûlée* parfaitement réussie, souriaient avec joie et enthousiasme. Mam'zelle Nell et son Yankee de mari étaient rentrés à la maison, un nouveau bébé était en route et M'ame Ruth souriait et riait comme cela ne lui était pas arrivé depuis la toute première enfance de Mam'zelle Nell. On aurait dit que le soleil brillait à nouveau au-dessus de la Tanière du Renard. Seule Rip, dans le rocking-chair près du fourneau, qui, au fil des ans, était devenu *son* rocking-chair, ne souriait ni ne bavardait. Elle se balançait sans arrêt, ses longs doigts noirs occupés à recoudre les ruchés et les volants des lingeries d'Hebe, ses calmes yeux fixés sur la porte battante qui conduisait à la salle à manger.

« Qu'est-ce tu regardes, Rip ? » lui demanda Carrie au milieu de la soirée. Rip n'avait pas quitté son rocking-chair et ses yeux étaient toujours rivés sur la porte.

« J' regard' rien, dit Rip mais ses yeux ne quittèrent pas la porte.

— À t' voir, j' croirais bien qu' tu vas fair' des trous dans la porte avec tes yeux.

— J'essaie seul'ment d' voir c' qui s' passe. J'essaie d'entendre si tout va bien pour mam'zell' Nell.

— Sûr qu' ça va bien. T'as vu comme tout va bien pour elle, non ?

— J' parl' pas d' ce soir, dit Rip avec impatience. J' veux voir si tout va bien dans sa vie. C'est c' que j' voudrais entendre si tu voulais bien t' taire. »

Carrie resta silencieuse. Elle regarda Rip du coin de l'œil. Parfois, Rip marchait et conversait avec des choses que Carrie ne voyait pas ou ne voulait pas voir. A ce moment-là, il était

285

préférable de se tenir tranquille sans poser de questions. Carrie savait que les réponses lui auraient déplu.

Après ce dîner, ils vinrent régulièrement à la Tanière du Renard. Les femmes étaient aux petits soins avec Nell. Carrie lui cuisinait ses plats et ses gâteaux favoris. Ruth la comblait de petites choses frivoles achetées en ville ou commandées à Atlanta et à New York. Elles l'installaient confortablement sur des sofas ou des chaises longues, malgré ses protestations, l'enveloppaient dans des châles et des écharpes, même au plus fort de l'été. Elles dressaient pour le bébé des plans mirifiques qui tournoyaient dans l'air autour de sa tête. C'est au point qu'il venait toujours un moment où Nell devait leur demander de se taire. Aux silences soudains de Phillips, elle se rendait compte que ces plans ne lui plaisaient guère. Elle craignait qu'un faux pas vienne compromettre les nouvelles relations qui s'était établies avec Ruth. Déjà, une sorte d'usure avait commencé à éroder les bons sentiments nés au cours de ce dîner. Phillips et sa grand-mère pratiquaient une politesse neutre, prudente, qui jamais n'évolua en quelque chose de plus chaleureux. On aurait dit qu'ils avaient conclu un marché dont les termes n'étaient pas particulièrement du goût de l'un ou de l'autre. Ils étaient tels qu'ils pouvaient à peu près les accepter. Nell regrettait amèrement l'unique nuit d'amitié qu'ils avaient vécue mais les nouvelles relations étaient de loin préférables à l'hostilité du passé. Elle en vint rapidement à conclure qu'elle avait de la chance. Elle se laissa doucement porter par le courant de sa nouvelle vie qui ne manquait pas d'agrément.

Une fois seulement, cette *politesse* [1] faillit se métamorphoser en hostilité déclarée. Le drame fut évité grâce surtout à Ruth qui, avec beaucoup de dignité, laissa tomber le sujet. « Dis-moi ce que dit le docteur Hopkins à propos du bébé, avait demandé Ruth. Un nouveau bébé Fox, il doit être profondément ému.

— Je n'ai pas vu le docteur Hopkins », dit Nell à contrecœur. Elle avait redouté cet instant. « Je vais chez un médecin d'Atlanta. Il est vraiment très bien, Gamma. Il est jeune et il a des idées nouvelles au sujet de l'accouchement. Il pense pouvoir faire en sorte que Phillips puisse assister à la naissance de l'enfant à l'hôpital. Toutes les épouses des jeunes professeurs vont chez lui.

1. En français dans le texte.

— Que vous êtes modernes ! » dit Gamma. Il y avait quelque chose dans le son de sa voix qui incita Nell à la regarder. Elle s'aperçut que Phillips, lui aussi, regardait Ruth. Il avait le menton relevé, les narines palpitantes comme s'il anticipait, sans déplaisir excessif, une querelle.

« Vous autres jeunes gens, vous êtes si braves ! Avoir Phillips à tes côtés, je veux dire à la naissance du bébé ! poursuivit Ruth. Vous ne semblez pas vous soucier que ce soit si sale et tout et tout… Mais, ma chérie, j'avais espéré que ma première arrière-petite-fille… et proba-blement la seule si j'en crois mon état… naisse ici à Sparta. Et qu'en sortant de l'hôpital, tu viendrais ici pour une semaine ou deux. Nous pourrions prendre bien soin de toi et Rip pourrait s'occuper du bébé comme elle l'a fait avec tous les autres Fox. Une manière comme une autre de respecter la tradition, en quelque sorte. Tu pourrais peut-être y penser, non ? »

Nell garda le silence. Soudain, l'idée de sa grand-mère lui sembla merveilleuse : le calme et le silence de la grande maison blanche où tous les sons, les odeurs et les vibrations lui étaient aussi familiers que la texture de sa propre peau ! Le ciel de son propre lit à baldaquin, au-dessus d'elle, dans l'obscurité qui sentait bon le linge frais, l'odeur chaude du café le matin, qui montait de la cuisine et celle, énivrante des cèdres et des pins ! Si le jeune médecin d'Atlanta ne s'était pas trompé, le bébé naîtrait juste après Noël. Et Rip… le bruit régulier des pas légers de Rip, dans l'escalier, ses mains douces et longues, le timbre riche et musical de sa voix qui résonnait dans les oreilles de Nell comme le crépitement d'un feu de bois odorant !

« Je ne sais pas, Gamma… commença-t-elle.

— Il n'en est pas question, dit Phillips Jay. Nell ira à Atlanta et il n'y a pas à revenir là-dessus. Sa grossesse est trop avancée maintenant pour que nous changions de médecin et je veux qu'elle ait les meilleurs soins ainsi que le meilleur équipement. Et quand elle rentrera à la maison avec le bébé, c'est chez nous qu'elle viendra. Je m'arrangerai pour qu'elle ait une infirmière si le besoin s'en fait sentir. »

Un peu nerveuse, Nell regarda son mari puis sa grand-mère. Il avait parlé avec hostilité et de façon assez discourtoise. Cela ne ressemblait pas aux manières de Phillips. Mais Ruth se contenta de sourire gracieusement au mari de sa petite-fille.

« Mais, bien sûr, Phillips, dit-elle. Chez vous ! Comme c'est excitant ! Il m'avait semblé que nous approchions du moment où vous deviez rendre votre charmante petite maison, mais j'ignorais que vous en aviez déjà choisi une qui soit bien à vous. Racontez-moi ! Y a-t-il une nursery ? Mais bien entendu, il y aura une nursery. Et une chambre pour la nurse. Oh ! Nell, ma chérie, *j'espère* que c'est une de ces coquettes maisons coloniales en jolies briques que tu aimes tant au bord de la rivière. On en parlait encore l'autre jour avec Fancy Cobb. Fancy et Tom ont acheté l'une des premières pour Sissy et son époux quand ils se sont mariés. Tu te souviens, c'était le jour où tu as ramené d'Atlanta ces robes pour ta mère...

— Je me souviens, dit Nell sans la regarder.

— C'est l'un des duplex de la faculté, dit Phillips à haute voix. Il se situe derrière le terrain de sport du campus et c'est un logement provisoire. Jusqu'au jour où nous trouverons quelque chose qui nous plaise vraiment. Ce n'est pas luxueux mais nous avons deux chambres à coucher et ce sera parfait tant que le bébé sera petit. Il ne me semble pas raisonnable d'acheter avant d'être certain de ce que nous voulons. »

Ruth était silencieuse. Nell regarda ses pieds puis le dessin du petit tapis d'Orient. Elle n'osait faire un mouvement. Elle avait adoré la jolie maison de poupée immaculée alors que le duplex de la faculté était sinistre et totalement dépourvu de charme. En fait, il était presque sordide. Nell évoquait avec envie les nouvelles maisons coloniales au bord de l'Oconee, si jolies avec leurs azalées, leurs patios ouverts sur la rivière et caressés par la brise, leurs pelouses aérées, leurs trois ou quatre chambres spacieuses, leurs larges penderies et leurs hauts plafonds. Plus que tout autre chose, c'est d'espace qu'avait besoin Nell. C'était vraisemblablement dû à toutes les années passées dans les vastes surfaces de la Tanière du Renard mais ce besoin lui semblait luxueux et elle en avait honte. Néanmoins il existait. Être à l'étroit la mettait en colère et la désespérait. Elle se sentait comme un animal traqué. Soudain, elle éprouva une sorte de rancune à l'égard de Phillips. Pourquoi refusait-il avec obstination toute aide financière de Gamma ? Sans parler de ses propres parents. Pour arranger les choses avec ses parents, il aurait pourtant suffi d'un simple coup de fil. Juste quelques mots d'excuses... Mais elle savait qu'il préférerait mourir.

Ruth Fox n'avait encore rien dit mais la petite phrase « ne peut subvenir aux besoins de sa famille » flottait dans l'air, aussi visible que si elle avait été écrite en lettres de néon.

« Il est vrai qu'un bébé qui vient de naître n'a pas besoin de plus de quelques mètres carrés », dit-elle finalement en souriant. Et elle sonna Rip pour que soient servis la glace et le gâteau.

Sur le chemin du retour, Phillips fut sombre et silencieux mais au moins ne se lança-t-il pas dans une violente diatribe contre Ruth Fox ainsi qu'il l'aurait fait jadis. Nell eut l'impression d'avoir été remontée d'un puits sans fond.

Mais elle savait qu'il n'était pas heureux, pas vraiment heureux. Comme elle éprouvait un bien-être presque total, elle se sentit déchirée par le remords. Elle ne savait pas exactement pourquoi, depuis quelque temps, il semblait perpétuellement plongé dans l'insatisfaction. Elle ne lui posait pas de questions, craignant en effet que mettre les choses au point ne vienne augmenter son mécontentement. Lui, de son côté, préférait ne pas discuter, pas avec elle : en vérité, il n'avait pas une idée très précise de ce qui n'allait pas.

Il y avait manifestement plusieurs raisons. Il n'avait pas encore été nommé professeur à part entière et n'avait aucun espoir de l'être dans un futur proche. Il n'avait encore rien publié et quelque chose, au tréfonds de son être, lui disait qu'il ne publierait rien, en tout cas pas les romans avec lesquels il comptait marquer le monde des lettres de son propre label. L'argent était rare, surtout avec l'arrivée d'un nouveau bébé. Il n'avait aucun espoir d'en avoir plus dans un proche avenir. C'était une situation à laquelle Phillips n'était pas habitué. De plus, il s'était vite lassé de la compagnie des jeunes professeurs d'anglais, d'histoire, de psychologie ou de n'importe quelle autre discipline. Il les trouvait prétentieux et ennuyeux. Les invitations des grandes maisons blanches qui correspondaient aux maisons dans lesquelles il avait vécu et où il s'était rendu si souvent en Nouvelle-Angleterre, ces invitations ne venaient toujours pas.

Nell aurait pu lui affirmer qu'elles ne viendraient jamais. Elle l'avait su lorsqu'ils s'étaient enfuis pour se marier. Elle avait délibérément, ce jour-là, coupé quelques-unes des amarres qui, avant de le connaître, la liaient solidement à ce monde. Nell ne s'en souciait guère mais ce n'était pas le cas de Phillips.

De plus, il ne pouvait pas — ou ne voulait pas — rentrer chez lui.

Tandis que le temps passait, que Noël et la naissance de l'enfant approchaient, que Nell devenait chaque jour plus grosse, plus imposante, plus épanouie, il se raccrocha à l'idée de l'enfant et au moment émouvant où, dans la salle d'accouchement, là-bas à Atlanta, son fils serait déposé, hurlant, dans ses bras ; alors son propre univers aurait une autre couleur et sa vie stagnante retrouverait un sens.

Mais même ce bref moment où il aurait pu participer à un événement mémorable lui fut volé. La veille de Noël, ils étaient assis dans le petit salon de la Tanière du Renard, un plateau sur les genoux. Ils dégustaient un ragoût d'huîtres. Soudain Nell perdit ses eaux. Les douleurs commencèrent immédiatement et violemment. Ils eurent à peine le temps de la monter dans sa chambre. Au lieu du jeune médecin d'Atlanta, ce furent Rip et Ruth Yancey Fox qui mirent l'enfant au monde. Ce n'était pas un garçon mais une fille hurlante avec, sur sa tête étroite, les cheveux blonds des Fox. Le docteur Hopkins, arraché à son réveillon, n'arriva, tout essoufflé, que pour couper le cordon ombilical et déclarer que la mère et l'enfant étaient en excellente santé.

C'est ainsi que Phillips Jay fêta le troisième anniversaire de son mariage. Il était dans la maison de son ennemie intime. Il était seul dans le confortable bureau lambrissé que Claudius et Paul Fox avaient arpenté la nuit où leurs enfants étaient nés, il y avait de cela bien longtemps. Comme eux, il attendit jusqu'à ce qu'une voix nouvelle vienne le persuader qu'il était non seulement un homme mais un père.

Et dans l'air calme de ce matin de Noël, une autre petite Fox se mit à hurler.

Chapitre XXV

Mais Abigail Fox Jay n'était pas, en définitive, destinée à devenir une Fox de la Tanière du Renard. Dès le premier jour de sa naissance, ce fut une évidence. Elle était née en criant. Elle hurla à pleins poumons pendant les trois premières semaines de sa vie, semaines qu'elle passa comme la vieille Ruth Fox l'avait souhaité, à la Tanière du Renard et non dans le pauvre petit duplex de son père.

Sa naissance avait été facile pour Nell et presque indécemment rapide. Mais on n'avait pas eu le temps de pratiquer une épisiotomie et l'enfant, quoique née légèrement avant terme, était très grosse. Si bien que Nell avait été sérieusement déchirée. Elle préféra se reposer dans le lit à baldaquin de la maison familiale en suivant le traitement ordonné par le docteur Hopkins : lampe à infrarouge et antibiotiques. Elle garda le lit pendant trois semaines. La chambre était calme et obscure. Nell passa son temps à somnoler, à lire, à écouter la radio ou à savourer les plats délicieux préparés par Carrie et montés sur la pointe des pieds par Beauty ou Salome. Dans cette chambre fleurie aux plafonds hauts qui avait été celle de son enfance, dans cette maison où elle n'avait jamais pu se conduire en maîtresse ni même en égale des autres, où elle n'avait toujours été que la petite Nell, la dernière des Fox, il lui était plus difficile qu'à n'importe qui d'appréhender les réalités de la maternité. Parfois, elle restait étendue, à écouter les braillements du bébé dans la vieille nursery. Elle pensait à un bourdonnement de frelons et se demandait : « Qu'est-ce que c'est que ce bébé ? Comme c'est drôle d'entendre un bébé à la Tanière du Renard ! » Une fois ou deux, en se réveillant le matin, dans une semi-conscience, elle éprouvait, en entendant les cris, une sorte de rancune contre cet enfant parasite qui osait crier dans la nursery, dans sa nursery à elle, le seul bébé de la Tanière du Renard.

Elle se souvenait soudain qu'il s'agissait de son propre enfant. Il criait dans la maison de ses ancêtres. Bientôt, elle l'emmènerait chez elle, elle s'en occuperait et elle aurait même à s'en occuper pendant toute sa vie. Non sans éprouver une certaine honte, elle se sentait envahie par une peur irraisonnée

« Oh, mon Dieu ! murmurait-elle en tournant la tête dans l'obscurité et en s'enfonçant plus profondément dans les oreillers fraîchement parfumés à la lavande. Oh, mon Dieu ! Que vais-je faire avec ce bébé ? Je ne réussis pas encore à me conduire en adulte. Je ne sais même pas comment devenir un véritable écrivain. Comment ai-je pu penser que je pourrais un jour être mère ? » Elle versait alors des larmes de désespoir et d'impuissance.

Mais elle ne pleurait jamais très longtemps car elle se réveillait très vite. Lorsqu'elle revenait à la conscience, le plateau contenant un petit déjeuner tout chaud était là avec une chemise de nuit propre et une liseuse froufroutante. Gamma apportait le journal, des magazines, et annonçait les activités prévues pour la journée. Phillips, beau, impeccable malgré son air maussade, s'arrêtait pour l'embrasser et jetait un regard sur sa fille avant d'aller donner ses premiers cours. Maman rôdait en jacassant autour du lit comme une amie ou une sœur. Enfin, il y avait le bébé baigné, talqué, vêtu de dentelles et de ruchés. Les chemises pratiques et les couches que Nell avait achetées n'étaient pas utilisées. Abigail attendait dans les solides bras noirs de Rip d'être confiée en hurlant et gigotant dans ceux, blancs et timides, de Nell. Ce fut pour Nell une période de bonheur presque féérique.

Mais ce n'était pas ainsi que Nell pouvait faire son apprentissage de mère. Elle en avait pleinement conscience et, de ce fait, elle ne pouvait profiter pleinement des moments de grâce qui lui étaient miraculeusement accordés. C'était comme si Abby avait été une créature sauvage, dangereuse, imprévisible qui attendait simplement de se retrouver seule avec sa mère et de lui imposer sa volonté.

Car Abby était une créature sauvage. Même Rip, qui l'aimait plus que quiconque et qui s'en occupait constamment, même Rip devait admettre que la dernière des Fox n'avait rien à voir avec les autres bébés blonds aux traits délicats qui avaient appris à vivre dans la vieille nursery du second étage. Même son sommeil n'était pas paisible. Lorsqu'elle dormait, elle remuait, donnait des coups de pied, agitait ses petits poings, fronçait ses fins sourcils argentés, claquait ses mâchoires édentées l'une contre l'autre comme une tortue en colère. C'était comme si ses bulles de salive avaient été des effluves de bile et elle hurlait de l'aube au crépuscule.

« Qu'est-ce qu'elle a *qui ne va pas*, Rip ? demanda Nell au bord des larmes. Est-ce moi ? Regarde-la. On dirait qu'elle va exploser ! Honnêtement, je pense qu'elle me hait. Mon Dieu ! Et si elle... avait une déficience mentale, si elle était anormale ou quelque chose dans ce genre...

— Elle est juste en colère, dit Rip. Y a rien qui va pas dans son cerveau.

— Voici bientôt trois semaines qu'elle pleure sans arrêt. Elle pleure depuis le moment où elle est venue au monde. Elle ne s'arrête que lorsque je la nourris et c'est parce qu'elle me mord. Dis-moi, Rip, il n'y a que toi qui puisse me dire la vérité, as-tu entendu le docteur Hopkins confier à Gamma ou à Phillips qu'il y avait quelque chose d'anormal chez ce bébé ? A moi, il dit qu'il ne trouve rien et que certains bébés pleurent naturellement beaucoup. Mais, Rip, aucun bébé ne crie autant. Il doit y avoir quelque chose d'anormal qu'on ne me dit pas...

— Non », dit Rip. Elle était sincère. Elle aussi s'était inquiétée des cris du bébé. Elle avait écouté et n'avait pas quitté l'enfant d'une semelle pour savoir la vérité. « Le docteur Hopkins, y dit qu'elle est tout simplement une braillarde. Bientôt, ça va s'arrêter parc' qu'elle s'ra fatiguée. Y dit la vérité, mam'zelle. J'aurais pu dir' la même chose.

— Alors, qu'est-ce qu'elle a ? *Pourquoi ne s'arrête-t-elle pas de crier ?*

— Elle crie, dit Rip, parc' qu'ell' s' plaît pas ici. El' va s'arrêter dès qu' vous s'rez chez vous. Attendez et vous verrez, mam'zelle Nell.

— C'est absurde, dit Nell. Un bébé de trois semaines ne sait pas où il est.

— C' bébé-là, y sait », répondit tranquillement Rip. Et aussi étrange que cela pût paraître, elle avait raison. Dès qu'Abby, enveloppée dans une légère couverture de laine blanche qui avait appartenu à Alicia, eut quitté la Tanière du Renard, elle cessa ses cris. La première nuit qu'elle passa dans la petite chambre triste qui lui servait de nursery, chambre aussi triste que le linoléum qui recouvrait le sol, elle fit le tour du cadran. Elle s'éveilla, le visage souriant, en glougloutant et en gargouillant tranquillement dans son berceau. Certes, elle conserva toujours un caractère vif et autoritaire, elle fut toujours prête à hurler de rage, mais à partir de l'instant où ils laissèrent derrière eux la véranda de la Tanière du Renard pour regagner le duplex de la faculté, on n'entendit plus jamais les pleurs monotones et ininterrompus qui avaient été les siens pendant les trois premières semaines de sa vie.

« Je ne peux pas la blâmer, dit Phillips en regardant Abby qui tétait paisiblement le sein douloureux et veiné de bleu de Nell. Moi aussi, là-bas, j'aimerais parfois hurler pour faire crouler les murs. Pauvre gosse ! Regarde-la ! Je ne savais même pas jusqu'à ce jour qu'elle avait la peau blanche. Je me demandais si elle n'aurait pas toute sa vie un teint écarlate.

— Elle va te ressembler... et ressembler à Paul », dit Nell. Elle était si heureuse que son enfant se soit calmée que, pour la première fois, elle n'éprouva aucun chagrin à l'évocation de son frère, simplement une profonde tendresse. « Elle sera très belle. Malheureusement, j'ai bien peur qu'elle n'ait le caractère de Yancey. »

Ils avaient eu si rarement des nouvelles de Yancey depuis leur mariage que Nell, parfois, oubliait sa sœur pendant plusieurs mois. Phillips ne l'avait vue qu'une fois lors d'un week-end que Nell et lui avaient passé à New York. Elle ne lui avait pas plu : elle s'était montrée à son égard froidement ironique et ils avaient donc évité de la voir. Mais depuis la naissance d'Abby, Yancey était suspendue au téléphone. Elle appelait une fois par semaine, le soir, et elle semblait si désireuse de prendre des nouvelles du bébé, si sincèrement intéressée par Abby — ce qui n'était pas dans ses habitudes — que Nell en fut profondément touchée et reconnaissante.

La nouvelle de Nell parut dans *Redbook* l'été qui précéda la naissance d'Abby. C'était une étude fouillée et finement écrite sur le comportement d'une enfant introvertie de treize ans, dans une petite ville du Sud pendant la première année de la Seconde Guerre mondiale. Elle lui valut trois grosses enveloppes pleines de lettres de lecteurs enthousiastes que lui transmit le magazine. Les jeunes couples des autres appartements et duplex de la faculté à qui ils rendaient parfois visite furent très élogieux ainsi que les membres de la vieille garde de Sparta qui avaient connu Nell enfant.

Phillips aussi savait que la nouvelle de Nell était très au-dessus de la moyenne des œuvres de fiction publiées habituellement par ces magazines. Il était fier de Nell et ne ménagea pas ses compliments : après **tout**, ce n'était encore que de la littérature pour magazine féminin et il ne se sentait pas menacé. Même Nell finit par se persuader que sa nouvelle était bonne. Cela l'encouragea à écrire d'autres histoires. Elle put en terminer quelques-unes : Abby, **pendant sa** toute première enfance, dormait toute la journée. Plus tard, Nell choisit d'écrire l'après-midi quand Rip venait garder l'enfant.

Pendant toute cette période, le bonheur de Nell fut total Le **caractère** fantasque, la vivacité et la nervosité d'Abby, enfant au **visage** expressif et intelligent, s'apaisaient devant la présence sereine de Rip. Phillips, enfin nommé professeur titulaire, avait repris confiance en lui et s'était rasséréné. Le duplex était toujours trop petit mais l'œil exercé de Nell pour les couleurs et les tissus, grâce à la largesse extravagante de Ruth Fox, l'avait, avec des coussins, des plantes vertes, des bibelots et quelques petits accessoires, métamorphosé en quelque chose de charmant et de presque luxueux. Pendant que Rip berçait la petite fille pour l'endormir ou la promenait sur le campus dans son landau anglais qui coûtait un prix presque indécent, ou, plus tard, pendant qu'elle la surveillait au cours de ses jeux avec les autres enfants des universitaires, Nell pouvait s'installer devant sa machine à écrire, mettre sur le tourne-disques Fisher une pile de Vivaldi, d'Haendel ou de Palestrina et suivre son inspiration pendant trois ou quatre heures de suite. Plusieurs magazines féminins très respectables se disputaient à peu près tout ce qu'elle écrivait. Quand Abby fut en âge d'entrer au jardin d'enfants, Nell se rendit compte que son nom était devenu célèbre dans le monde de la littérature féminine. Dans l'ensemble, elle était très contente de son sort. La vie lui apportait tellement plus que tout ce qu'elle avait pu rêver.

L'excitation de sa mère, lorsqu'une de ses premières nouvelles fut au sommaire d'un de ses magazines favoris, n'émut pas plus Nell que les silences glacials et savamment étudiés de sa grand-mère à propos de son travail d'écrivain.

Mais ce travail ne rapportait pas que des fruits agréables. Il y avait en premier lieu l'attitude de Phillips à l'égard de l'argent qu'il pouvait rapporter. Autant il était généreux dans les appréciations qu'il formulait sur les histoires qu'elle écrivait (« C'est une forme littéraire très valable, encore que ce ne soit pas avec ça que tu secoueras le monde. Dans le genre, je ne connais personne qui écrive mieux que toi »), autant il se montrait inflexible et irrationnel par rapport à l'argent qu'elle gagnait. Ils se querellèrent plus d'une fois à ce propos.

Il lui avait ouvert un compte séparé à la *Sparta Bank Trust* où elle déposait les modestes chèques que lui envoyaient les magazines auxquels elle vendait ses nouvelles. Cela finit par faire une somme assez coquette avec laquelle elle acheta un ravissant petit canapé Regency. « Je ne m'assierai jamais là-dessus ! hurla-t-il. Et j'interdirai à Abby de s'asseoir dessus. Aucun de nos amis ne mettra les pieds ici tant que tu ne l'auras pas rendu. Je ne veux pas savoir ce que tu fais de ton argent, Nell, du moment que je n'en entends pas parler et que je ne vois rien de ce que tu peux acheter. Je te l'ai déjà dit. Donne-le au Peace Corps [1] ou au SCLC [2], je m'en fous, mais je ne veux pas qu'un seul centime de ce que tu gagnes soit dépensé pour la maison, pour les vêtements que nous portons ou la nourriture que nous mangeons. Je ne discuterai plus de cela avec toi. Tu connaissais mon opinion sur le sujet, tu n'en as pas tenu compte. Cette chose doit avoir quitté la maison dès demain.

— Phillips, tu n'es pas chic ! cria Nell, sa prudence coutumière étant balayée par ce flot d'injustice. Moi aussi, j'habite ici. Abby aussi habite ici. Cet appartement est horrible et tu le sais. Pourtant tu préfères que ta fille continue à vivre ici, dans ce trou à rat. Le jour où elle s'en apercevra, elle aura honte d'y faire venir ses amis. Mais tu refuses que ta propre épouse l'améliore. Je suis la moitié de notre couple, Phillips. Nous formons une équipe et j'ai mon mot à dire. J'irai plus loin. Avec mon argent, nous avons une somme assez grosse pour verser une provision sur une belle maison. Dans un an, nous pourrons nous offrir une des maisons au bord de la rivière. Si tu es trop obstiné pour accepter que ta belle-famille te prête de l'argent — un prêt, Phillips, pas un don — ou pour essayer d'arranger la brouille stupide et ridicule avec ton père, ton père qui ne connaît ni sa belle-fille ni sa petite-fille, tu pourrais au moins avoir un peu de considération pour ce que l'autre moitié du couple veut réaliser. Tu n'es pas le seul à commander ici ! »

Le visage de Phillips devint blême et les veines de son cou se

1. Peace Corps : agence du Département d'État américain fondée en 1961 et destinée à fournir des techniciens, des médecins, des professeurs, etc. (tous volontaires) aux pays sous-développés.
2. Southern Christian Leadership Conference : organisation noire du Sud.

mirent à battre. Elle en était venue à redouter ses accès de colère et avant même qu'il ne prit la parole, elle savait que, dès le lendemain, elle appellerait la boutique d'Atlanta en leur demandant de venir reprendre le canapé. Le poids de la colère de Phillips était trop lourd à supporter pour la plus jeune des Fox, la petite fille qui, toute sa vie, chercherait dans sa tête à se pelotonner dans la cage de treillis sous l'escalier, à la Tanière du Renard.

Et comme pendant toute cette période, elle n'alla pas contre la volonté de son mari, l'argent, à son compte en banque, s'accumula. Certes, elle nourrissait une vive rancune contre lui en pensant à tout ce qu'ils auraient pu acheter avec cet argent mais ils se querellèrent rarement à ce sujet. Et pour elle, c'était l'essentiel, ne pas se quereller. Aussi ce temps de la petite enfance d'Abby, ces années où Nell écrivit ses nouvelles, furent somme toute très paisibles.

Et d'ailleurs, la situation s'améliora : peu après que Phillips eut obtenu sa chaire de littérature contemporaine, son oncle Corydon Jay, dont il avait presque oublié l'existence, mourut à Tucson (« Il buvait comme un trou. C'était la brebis galeuse de la famille et je croyais bien qu'il ne se souvenait même pas de mon existence ») en laissant à Phillips cinquante mille dollars. Ils purent ainsi acheter la maison coloniale en brique avec ses quatre chambres, son mur en brique avec vue sur la rivière et un jardin rempli d'azalées et de cornouillers. Ils purent aussi passer l'été en Angleterre où Phillips fit des recherches sur le groupe de Bloomsbury (il avait eu l'idée d'écrire une étude sur Vita Sackville-West[1], à ses yeux la mère de tous les écrivains contemporains). Pendant ce temps, Nell et la petite Abby, alors âgée de sept ans, apprirent à boire le thé tout en visitant cathédrales et châteaux.

Le livre de Phillips fut terminé l'année suivante. Il fut publié et toute la presse universitaire en fit l'éloge. Dans sa faculté, on fêta l'événement par des cocktails et des dîners. Il prit l'habitude de retrouver dans son bureau, à cinq heures, au moins deux fois par semaine, le vieux docteur Crandall, chef du département d'anglais, et de discuter avec lui autour d'un xérès. Son visage s'arrondit, ses

---

1. Victoria Sackville-West (1892-1962) — Poète et romancière britannique née à Knole où se déroule son roman le plus important *The Edwardians* publié en 1930. *Orlando* de Virginia Woolf fut inspiré par l'amitié qui lia les deux romancières. Elle épousa l'écrivain et diplomate Harold George Nicholson.

cheveux blonds perdirent de leur éclat et ses tempes blanchirent bien qu'il eût à peine dépassé la trentaine. Il se mit à fumer une pipe qu'il laissait fumer et qui empestait toute la maison tandis que les cendriers étaient pleins de cendre infecte. Il commença un nouveau livre sur l'influence de la presse populaire sur le développement de la littérature de fiction pendant les années vingt.

« J'ai une théorie, dit-il à Nell et à une bande d'amis réunis pour dîner autour de la nouvelle table ancienne achetée pour la maison au bord de la rivière. Je pense que tous les journaux américains, les magazines populaires, ce domaine où évolue Nell... » Il leva son verre de vin dans sa direction. « ... non seulement ont été un tremplin pour les écrivains les plus marquants de cette époque — les Fitzgerald, Hemingway et autres Lewis — mais encore j'affirme qu'ils ont eu une influence décisive sur leur manière d'écrire. Ces magazines dictaient l'*œuvre*[1] future de chacun d'eux. Qui sait quel genre de romans Fitzgerald aurait écrit s'il n'avait, pour le meilleur et pour le pire, dépensé toute son énergie dans des nouvelles destinées à des magazines. Peut-être allons-nous découvrir que les magazines féminins de Nell, gentillets, brillants et inoffensifs, ont en réalité, sous leurs dehors fleuris, réussi quelques assassinats impunis d'authentiques génies. » Il adressa à Nell un large sourire et les autres invités présents, sourirent également avec indulgence.

« Eh bien ! Si avant même d'avoir commencé tes recherches, dit Nell, c'est là ton opinion, Phillips, tu n'auras aucune difficulté à faire coller ta théorie aux faits. »

Il changea rapidement de sujet et Nell eut la sensation qu'elle avait encore perdu un peu de terrain. Inexplicablement, elle éprouvait de plus en plus souvent cette sensation. Pourtant, ils connaissaient une période de plus grand confort, et la tension à propos de la carrière de Phillips avait diminué.

Mais dans l'ensemble, les jours, les mois et les années s'écoulèrent dans la paix et la tranquillité. L'été, il leur arrivait de se rendre à Sea Island où Gamma leur louait une maison. Elle-même n'y venait que rarement car elle détestait le soleil, les étalages de richesse et les expositions de chair opulente de la part des femmes riches qui prenaient d'assaut la charmante petite île comme des colonies

1. En français dans le texte.

d'oiseaux de proie. Ils retournèrent aussi en vacances en Europe. Cette fois, ils choisirent l'Italie : la petite Abby aux cheveux de lin s'habitua à ce qu'on crie sur son passage : *Bella, Bella Bella*. C'est là que l'enfant sentit naître en elle cette passion pour la musique qui devait la consumer pendant toute son existence. Nell, plus tard, en vint à penser que c'est probablement dans les jardins du Palais Pitti, à Florence, en assistant à une représentation, toute en noir et rouge, de Nabucco, qu'Abby fut ensorcelée par la musique.

Par la suite, pendant l'hiver, Nell écrivait ses nouvelles, Phillips assurait ses cours, fascinant ses étudiants par son éloquence, son brillant et son ironie, et Rip se balançait sur un nouveau rocking-chair dans la maison au bord de la rivière avant d'aller chercher Abby qui prenait des cours de piano avec un jeune professeur de musique de l'université. Qu'elle ait été admise dans la classe était un véritable hommage au talent extraordinaire qui se cachait dans les petits doigts potelés d'Abby : elle avait dix ans de moins que le plus jeune des élèves. À Noël, cette année-là, Phillips acheta un joli piano droit qu'on installa dans le *den*[1]. Dès lors, chaque jour, au retour de la classe, vers trois heures, après le départ de Rip pour la Tanière du Renard, Abby joua pendant des heures. Le *den* devint l'antre d'Abby comme la chambre d'amis, une chambre qui ne servait à rien, devint dans la journée l'antre de Nell et de sa machine à écrire.

« Kallen m'a dit vendredi dernier que, bientôt, il n'aurait plus rien à lui apprendre, dit Phillips un soir qu'ils écoutaient Abby qui travaillait sur une étude. Il pense que nous devrions l'envoyer dans une bonne académie où elle pourrait se consacrer entièrement à la musique et vivre son destin. Il pense qu'elle pourrait être un de ces oiseaux rares qui soient de valeur internationale. Il connaît plusieurs conservatoires qui la prendraient à la minute. Il n'y en a aucun dans la région mais je pense au collège de Performing Arts, à New York, sans parler, bien entendu, de Julliard et d'Eastman. Peut-être pas tout de suite mais un peu plus tard. Il faudra de toute façon que la décision soit prise pendant qu'elle est encore jeune et malléable. Bien sûr, cela semble au bout du monde mais, à New York, Yancey pourrait veiller sur elle. Tu sais que Yancey en a déjà parlé et cette perspective a enchanté Abby. Yancey, je sais bien que ce n'est pas

1. Petite pièce servant de boudoir ou de cabinet de travail.

l'idéal mais au moins elle est de *la famille* et elle ne voudra jamais qu'il arrive quoi que ce soit à Abby.

— Il n'en est pas question », dit Nell.

Pendant toute l'enfance d'Abby, Phillips s'était opposé aux invitations répétées de Yancey avec autant de force et d'irritation que Nell aujourd'hui, encore que pour des raisons différentes. Pour Phillips, il avait été totalement hors de question de confier une enfant de huit ou neuf ans à une étrangère arriviste habitant une ville impitoyable située à plus de mille cinq cents kilomètres. Qu'elle fût sa tante ne changeait rien. Mais lorsque Abby approcha de son treizième anniversaire, il fut bien obligé de reconnaître l'évidence de son talent extraordinaire. Les suggestions de Yancey commencèrent à lui sembler plus raisonnables. Phillips pouvait se résigner, pour sa vie personnelle, aux douceurs du Sud profond mais il ne voulait pas condamner son enfant à ce qu'il appelait ironiquement « des ressources créatrices de second ordre ». C'est avec tristesse qu'il verrait partir Abby : en approchant de l'adolescence, elle cessa, en effet, d'être l'amie de sa mère pour devenir la fille fantasque et volontaire de son père. Il était cependant prêt à risquer de la perdre pour qu'elle puisse prendre son essor.

Les objections de Nell étaient beaucoup plus enracinées. Elle savait que jamais elle n'abdiquerait. Jamais elle n'enverrait sa fille en pension dans un collège quelconque même si l'enfant elle-même le souhaitait. Nell avait vu dans son enfance trop de départs qui s'étaient terminés en tragédies. Ceux qui étaient partis n'étaient pas revenus. Le collège « pour son bien » n'était rien d'autre qu'une fiction commode et meurtrière dont avaient été victimes Paul et Yancey. Elle ne voulait pas qu'Abby les imite, un point c'est tout. Rien qu'à cette idée, son cœur se crispait douloureusement. Chaque fois que Phillips envisageait cette éventualité, elle se sentait envahie par une colère et une rage qui la brûlaient comme les feux de la Saint-Jean. Elle en voulait à Yancey qui s'efforçait avec un entêtement opiniâtre de séduire sa propre fille et de la détacher de sa mère. Bientôt, elle cessa de discuter d'une voix posée en choisissant ses mots et en avançant des arguments raisonnables. Elle se contenta, selon l'intensité de la discussion, de dire ou de hurler à Abby ou à Phillips d'une voix sèche : « Non ! Non ! Je ne veux plus en entendre parler. Vous perdez votre temps. Non, c'est non !

— Tu manques complètement de logique, Nell, et tu le sais,

disait Phillips. Tu parles comme une dingue. On dirait la Folle de Chaillot. Quand tu cries comme ça, tu as les mêmes yeux que ta grand-mère. Tu ne peux pas retenir ici Abby pendant toute sa vie. Que tu le veuilles ou non, son talent éclatera un jour. Au lieu de te conduire en mère stupide et entêtée, il serait préférable de faire preuve de bonne volonté et d'essayer de trouver un arrangement pour son éducation. Si tu continues, elle partira d'elle-même de la maison. Elle n'aura pas besoin de Yancey pour s'enfuir. Souviens-toi de ce que tu ressens lorsqu'on cherche à t'empêcher de faire quelque chose qui te tient vraiment à cœur. Ne vois-tu pas le parallèle existant entre la façon dont tu te conduis à propos des études musicales de ta fille et celle de ta fameuse grand-mère à propos de ta carrière littéraire ?

— Oh, ce n'est *pas du tout* la même chose, pas du tout ! » hurla Nell. Elle était ulcérée. Mais une nouvelle peur l'envahit : celle de perdre pour toujours sa fille à cause de sa propre peur. Ses objections inflexibles finirent par se réduire à : « Bon, nous en reparlerons lorsqu'elle aura seize ans. » Abby, Phillips et Yancey durent se contenter de cette vague promesse. Au moins le vent s'était un peu calmé. Avec le temps peut-être...

Et le temps passa. Le temps s'écoula. Comme dans toutes les familles modérément heureuses ou, plus exactement, pas vraiment malheureuses, tout arriva et rien n'arriva. Abby grandit en beauté et en talent. Son caractère s'affirma. Phillips s'avança inexorablement vers la présidence de sa faculté. À la Tanière du Renard, Hebe et Ruth s'agitaient, papillonnaient, gaspillaient leur argent et passaient leurs jours à rêver. Robert, Carrie, Beauty, Salome et Rip veillaient fidèlement sur elles. Elles ne cessaient de tendre leurs bras en direction de Nell et elles tissaient autour d'elle une véritable toile d'araignée qui la liait irrésistiblement à la Tanière du Renard. Hebe retomba en enfance tandis que Gamma devint une fragile porcelaine de Dresde. Rip resta magnifique. La sensualité presque enfantine de Nell se métamorphosa en beauté épanouie. Mais cette transformation fut si lente qu'elle ne s'en rendit pas compte. Seuls les étrangers virent clairement le changement. Personne ne tomba sérieusement malade, personne ne mourut. Ils se laissaient porter par les eaux lentes, paisibles et monotones des jours en oubliant que les années passaient...

Puis, dans la maison au bord de la rivière, par un jour d'avril 1973, Nell abandonna ses nouvelles. Elle glissa une feuille de papier dans sa machine à écrire et tapa :

LA VOIX DU SANG
roman
par Nell Geiger Jay

Chapitre XXVI

Nell travailla sur son roman pendant deux ans. Elle écrivait chaque matin pendant une heure environ après le départ d'Abby pour l'école. Ses heures d'écriture donnaient une authenticité à ses journées. Elle n'y renonça jamais même quand cela l'obligeait à bousculer toutes les autres heures.

Elle ne confia à personne qu'elle était en train d'écrire un livre. Au début, ce fut parce qu'elle n'osait pas y penser comme à un livre de peur que ne s'évanouisse l'idée de base et qu'elle n'eût en ce cas qu'une seule ressource : revenir à ses nouvelles pour *McCall's* et *Ladies' Home Journal*.

Elle n'éprouva aucune difficulté à garder son secret. Ruth et Hebe avaient l'habitude de ne pas recevoir de réponses à leurs appels téléphoniques pendant les heures où Nell écrivait. L'une de leurs distractions préférées était justement de la combler de supplications et de doléances à la minute même où elle s'arrêtait de travailler. Elles pensaient que Nell était comme à son habitude occupée à écrire ses nouvelles et elles ne lui posaient aucune question sur son travail. Elles n'en avaient d'ailleurs jamais posé. Phillips, tout occupé par les tractations assez délicates entourant l'imminent départ à la retraite du docteur Crandall en vint, petit à petit, à ne plus jamais lui demander : « Alors, chérie, comment va ton travail ? » Une seule fois, il lui fit remarquer que depuis bien longtemps, elle ne lui avait pas lu une histoire en prenant leur martini avant de dîner.

« Il y a quelque temps que je n'ai plus envie d'écrire de nouvelles, répondit Nell. De plus, actuellement, il me faut conduire Abby à Atlanta deux fois par semaine pour ses leçons avec Upshaw. Je n'ai plus le temps. Et puis Gamma et maman ne cessent de m'appeler. »

Nell prit longtemps beaucoup de plaisir à ces heures secrètes passées à écrire. Elle n'était pas mécontente de voir grossir la pile de

303

ses feuillets. Un jour — il y avait presque un an qu'elle avait commencé — elle se renversa dans un fauteuil et se mit à relire toutes les pages qu'elle avait noircies. Elle se rendit compte que ce paquet de feuilles tapées à la machine allait devenir un roman — et même un bon roman. Il lui était impossible de s'arrêter maintenant ou de prétendre qu'il s'agissait seulement d'un exercice de style. *La Voix du sang* était devenue, à un moment précis au cours de l'année précédente, un livre vivant qui respirait et réclamait toute son attention.

Mais elle ne dit toujours rien à personne, sauf à Rip. Ce même après-midi, elle découvrit qu'il lui était impossible d'assurer le rituel banal et rassurant de la vie quotidienne. Ce rituel avait été son unique soutien avant d'aller à la Tanière du Renard pour se confier à Rip. Elle arrêta sa voiture derrière la maison, grimpa les marches de la véranda et entra doucement dans la cuisine. Elle savait qu'à cette heure-là, sa mère et sa grand-mère faisaient la sieste dans leurs chambres respectives. Elle ne souhaitait pas les rencontrer pour l'instant. Elle n'avait qu'un désir : parler du livre à Rip puis rentrer chez elle et se remettre au travail.

Rip leva la tête de son rocking-chair près du fourneau. Tout était calme et paisible dans la cuisine. Carrie ne reviendrait pas avant cinq heures. Robert était derrière la maison en train d'astiquer la Chrysler. Beauty et Salome étaient encore chez elles à Suches. Rip était seule. Son regard affectueux où l'on pouvait lire la joie et la surprise se posa sur les joues brûlantes de Nell, sur ses yeux brillants couleur d'ambre.

« Mam'zelle Nell, dit-elle.

— Rip, dit Nell. Je suis juste venue te dire que j'écris un livre depuis bientôt un an... Un roman... Et c'est aujourd'hui seulement que je me suis aperçue que c'était un très bon bouquin. Je crois que je n'aurai aucun mal à le faire publier quand il sera fini. Ce sera une surprise pour tout le monde. Je te demande de n'en parler à personne mais je voulais que tu sois au courant.

— J' suis vraiment fièr' de vous, mam'zelle Nell. Je m' demandais quand c'est qu' vous alliez l'écrire, c'liv'. Je m' demandais si c'était pas c' que vous étiez en train d' faire, d'puis quèqu' mois.

— Oh ! Rip ! Il n'y a pas moyen de te faire une surprise ! Comment le savais-tu ? »

Les yeux de Rip se posèrent avec calme mais intensité sur le

304

visage de Nell : « C'est bien vrai qu' vous pourrez jamais m' fair' de surprise. Mais ça veut pas dir' que j' suis pas fièr' de vous. Je l' savais parc' que depuis quèqu' mois vous r'gardiez au fin fond d' vous. Là, y avait quèqu' chos' qui grossissait. Juste comm' quand vous portiez mam'zelle Abby. J' savais bien qu' c'était pas un p'tiot, c' coup-ci. Ça pouvait êt' qu'un liv'.

— Tu es une vieille sorcière, Rip... Comment savais-tu que ce n'était pas un bébé ?

— Mam'zell' Nell. J' pense qu' vous aurez pas d'aut' petiot. J' pens' que mam'zelle Abby, ça s'ra l' seul petiot qu' vous aurez avec m'sieur Phillips. J' vois p'us d' petiots pour vous mais j' vois bien qu' vous f'rez plein d' choses tout' seule. Alors je m' suis dit, elle va fair' des liv'. Y en a qui dis' qu' c'est aussi bien qu' des p'tiots. J' crois bien qu' pour vous, c'est mieux.

— Oui. Et il fallait que je te le dise, Rip. Je suis tellement heureuse, tout d'un coup, et je savais que tu le serais aussi.

— Bien sûr que je l' suis. Et si fière, mam'zell' Nell. Fière à en mourir. Maint'nant écoutez-moi, mam'zell' Nell... Tout l' monde s'ra pas fière. Vot' Gamma, ell' s'ra pas content' du tout. Vous faut pas oublier ça. Y faut qu' vous soyez prête.

— Oh... Gamma. Bien sûr qu'elle va blêmir et prendre ses grands airs. Elle va dire que je perds mon temps, que je néglige ma famille et mon dessin. Mais, Rip, ce n'est qu'un petit livre *innocent*, sans importance. Il n'y a rien dans ce roman qui puisse choquer qui que ce soit. Ne t'inquiète pas à cause de Gamma.

— C'est pas seul'ment d' vot' Gamma que j' m'inquiète, dit Rip.

— Mais, bon sang, qui d'autre s'en *préoccupe* ? Ce n'est pas comme si j'écrivais un essai ou quelque chose comme ça. Cela n'intéressera personne sinon Phillips, Abby et moi.

— Oui, je sais ça.

— Tu ne veux quand même pas dire Abby et Phillips ? Mon Dieu, Rip ! Abby ne s'intéresse qu'à sa musique et à sa petite personne. Elle ne s'est pas encore rendu compte que j'existe, sinon pour lui servir de chauffeur quand elle va à ses leçons de musique. Phillips m'a *toujours* encouragée à écrire.

— J'espèr' qu' vous avez raison, mam'zell' Nell. J' veux seul'-ment qu' vous soyez sur vos gard'. Comme ça, tout c' que les gens, y diront, ça n' vous f'ra rien. Vot' peau, elle est trop sensib'. Z'êt' toujours comme une écorchée. Vous croyez qu' tout l' mond' il est gentil parc' que, vous, vous êt' gentill', alors, ça vous fait mal. »

Sur le chemin du retour, elle pensa à la conversation qu'elle venait d'avoir avec Rip.

« Me voilà bien sûre de moi, tout à coup. Je lui ai parlé comme si la publication n'était plus qu'une question de jours. Je ne sais même pas à quel éditeur l'envoyer quand il sera fini si jamais je le termine un jour. Peut-être que toutes ces belles phrases finiront à la corbeille à papier. »

Mais elle savait que le livre serait publié.

Il lui coûta encore une année de travail. Quand il fut terminé, elle rendit visite à un vieil ami de la famille Fox, un professeur d'histoire qui avait publié chez un grand éditeur new-yorkais une trilogie sur la guerre de Sécession en Géorgie, un ouvrage aussi vanté qu'ennuyeux. C'est lui qui se chargea d'envoyer le manuscrit qu'il accompagna d'un petit mot destiné à l'un des directeurs littéraires de sa maison d'édition. La réponse fut rapide : ce directeur littéraire ne s'occupait pas personnellement des ouvrages de fiction mais il allait le transmettre au responsable du service des romans. Nell en aurait directement des nouvelles. Elle devait seulement patienter plusieurs semaines, le temps que le livre suive la filière habituelle.

Nell n'avait plus qu'à attendre.

Trois semaines plus tard, elle recevait un télégramme de cet éditeur : ils souhaitaient publier *La Voix du sang* et ils désiraient prendre contact avec elle pour discuter des termes du contrat. Quand Phillips rentra à la maison ce soir-là, Nell, un télégramme et une bouteille de Taittinger bien frappée l'attendaient dans le patio. Elle lui tendit le télégramme. Il le regarda fixement en silence pendant cinq bonnes minutes tandis que, nerveuse, elle marchait de long en large, les bras croisés. Puis il le posa sur la table de fer forgé. Il la regarda. L'excitation faisait briller les yeux et les joues de Nell. Elle n'avait jamais été plus jolie et elle le savait. Elle lui rendit son regard : un petit sourire joyeux qu'elle ne pouvait réprimer faisait trembler sa bouche enfantine. Elle se rendit compte que de ridicules larmes de joie emplissaient ses yeux. Elle les refoula avec une certaine impatience. Elle attendait. Elle sentit que, d'une manière ou d'une autre, sa vie allait à cet instant prendre son véritable visage comme un arc-en-ciel tout entier peut se refléter dans une seule goutte de pluie.

« Eh bien ! Regardez-moi cette petite cachottière ! » dit-il.

Après ça, sa vie fut complètement changée.

Pendant les sept mois qui précédèrent la publication de *La Voix du sang*, Phillips refusa d'en lire le manuscrit.

« Puisqu'il est évident que tu voulais que ce fût une surprise, dit il, autant qu'elle soit totale. Je lirai le premier exemplaire qui sortira des presses et nous ferons une petite fête. »

Si bien qu'elle rangea le manuscrit dans un tiroir.

Pendant des semaines, ils ne parlèrent pas du livre. Nell avait repris avec courage la routine ennuyeuse de ses journées bien ordonnées et dénuées d'intérêt : courses, réunions, travaux ménagers. Parfois, elle en oubliait que son premier roman devait paraître au printemps. Sa mère et sa grand-mère l'avaient oublié aussi ou faisaient semblant : elles n'y faisaient aucune allusion. Nell leur avait annoncé succinctement la nouvelle, le lendemain du jour où elle avait reçu le télégramme. Même Abby n'était pas au courant ni, du reste, personne à Sparta. D'ailleurs, les gens l'auraient-ils appris qu'ils ne s'en seraient guère préoccupés.

En janvier, Phillips fut nommé président de la faculté d'anglais. Pendant deux ou trois mois, ils furent plein de bonheur et Nell put masquer sa mélancolie derrière la joie qu'elle ressentait à le voir heureux. Aux repas, il fut à nouveau expansif, très en verve, racontant les potins universitaires dont il se gaussait à loisir maintenant que cette faculté était devenue la sienne. Il donna moins de cours puis cessa presque complètement d'enseigner. Il ne garda qu'une chaire, celle des romans contemporains qu'il avait, il y avait bien longtemps déjà, arrachée aux mains un peu usées du vieux docteur Oakes et incorporée à sa propre légende.

La Voix du sang parut au mois d'avril, et son bonheur s'évanouit.

C'était un court roman, écrit dans un style alerte et dépouillé. Il décrivait la vie d'une petite ville du Sud pendant les années trente et quarante. Le ton en était délicat mais l'observation était aiguë. I es personnages avaient une profondeur qui n'appartenait qu'à Nell. Il ne se vendit pas très bien. Mais deux faits l'empêchèrent de passer complètement inaperçu comme la plupart des premiers romans. D'une part, il reçut un accueil critique excellent dans la presse littéraire comme dans la presse universitaire. Et jusqu'à un certain point, la presse populaire suivit le mouvement. D'autre part, les personnages principaux étaient les membres d'une famille de pauvres

Noirs habitant un quartier semblable à celui de Suches : ils étaient intelligents, sympathiques, chaleureux et surtout, ils étaient des êtres humains authentiques avec de nombreuses facettes contradictoires.

Le premier fait fut suffisant pour s'attirer la condamnation de Phillips. Le second lui aliéna définitivement la Tanière du Renard et presque toutes les maisons blanches de Sparta.

Nell ne collectionna pas les critiques qui parurent dans les journaux. Elle refusa toutes les invitations à prendre la parole dans des clubs du livre ou des bibliothèques d'un bout à l'autre de la Géorgie. Elle refusa de faire une modeste tournée de trois États du Sud ainsi que ses éditeurs le souhaitaient. Elle n'accepta pas d'aller jusqu'à Atlanta pour participer à trois émissions de télévision destinées aux femmes au foyer. Elle ne participa à aucune séance de signature dans les magasins et elle cessa momentanément d'assister aux réceptions du campus : les gens que Phillips et elle connaissaient venaient la prendre par le bras, la regardaient d'un œil surpris comme si elle avait présenté un numéro de rodéo et c'est seulement à ce moment-là qu'ils la félicitaient pour son livre. Mais elle ne put endiguer le flot de lettres que ses éditeurs lui transmettaient, pas plus qu'elle ne put éviter les coups de fil à toute heure du jour, coups de fil d'admirateurs mais aussi quelques chuchotements pleins de haine où on la menaçait de brûler une croix sur sa pelouse. Le visage de Phillips devenait de plus en plus écarlate et ses lèvres de plus en plus pâles jusqu'au jour, un samedi matin, où il descendit en ville lui louer une boîte postale et demanda à la compagnie du téléphone de mettre leur numéro sur la liste rouge.

« Cela va avoir de graves inconvénients pour mon travail à l'université si notre numéro n'est plus dans l'annuaire, lui dit-il sèchement à son retour. Tu aurais pu y penser, ma chère, avant de commencer à noircir du papier. »

Il ne l'appelait plus jamais « mon amour » et il préférait « ma chère ». Leurs amis y trouvaient un certain charme vieux siècle et l'expression « ma chère » leur arrachait un sourire mais Nell accusait le coup. Elle savait qu'il ne lui pardonnerait pas de sitôt les bonnes critiques que son livre avait obtenues. Le professeur punirait l'élève qui avait eu l'effronterie de le surpasser face aux gens qui constituaient son propre univers.

Il cessa de travailler à son propre livre. Il n'en parla pas mais la machine à écrire sur son bureau demeura silencieuse et, dans la jolie boîte où il rangeait les pages déjà écrites, la pile resta à la même hauteur... mais bien visible. Elles auraient aussi bien pu être peintes en rouge. C'était comme un hurlement qui accueillait Nell dès qu'elle mettait les pieds dans la pièce : « Nell a fait cela. Nell m'a tué. » Quand elle lui demanda un jour — mais une fois seulement — si son livre avançait, il répondit : « Il n'avance pas du tout, comme tu peux t'en rendre compte. Un auteur dans la famille c'est plus qu'assez, tu ne trouves pas ? » Il eut un sourire crispé mais si douloureux qu'elle s'abstint désormais d'y faire allusion.

Elle aussi s'arrêta complètement d'écrire. Elle semblait incapable de faire travailler ses doigts aux tâches les plus simples et ses pensées étaient diffuses et sans profondeur comme si on l'avait plongée dans une argile humide et spongieuse.

À la Tanière du Renard, son livre provoqua une réaction que ni les docteurs, ni les remèdes, ni les médicaments ni les bons soins conjugués de Nell et Rip n'avaient pu réussir : Ruth Yancey Fox retrouva le goût de vivre et en même temps sa férocité. Elle fut tout simplement folle de rage. Sa colère et son énergie ne connurent plus de bornes. Elle qui, depuis si longtemps, traînait au lit appuyée contre des oreillers, faisait tinter une petite clochette pour satisfaire ses moindres désirs, réclamait Nell à tout propos en pleurnichant pour qu'elle vînt régler tel ou tel problème insignifiant, elle qui somnolait des après-midi entiers, passant ses journées dans des déshabillés de Pucci, était maintenant debout dès l'aube et, telle une tornade, tourbillonnait dans la cuisine et, en fait, dans tout le rez-de-chaussée. Elle faisait trembler les domestiques en les obligeant à enlever la poussière qui s'était déposée après plusieurs années de négligence. Elle mit la maison sens dessus dessous. Elle inspecta les moindres recoins, cria, tempêta avec une telle fréquence et une telle violence que Beauty et Salome, premières victimes de sa colère, rendirent leur tablier le jour même et s'en allèrent travailler au salon de coiffure de Suches. Très peu de temps après, ce fut au tour de Carrie. Elle argua qu'elle était trop vieille pour qu'on lui parle comme à « d' la racaille blanche ». Elle avait l'intention d'aller vivre chez sa fille à Macon et, pour changer, de se faire servir.

Robert tint pendant trois semaines. Il disparut simplement un jour en laissant ostensiblement les clés de la Chrysler sur le petit plateau d'argent de la table dans le grand hall de marbre. Ils apprirent par la suite que Robert avait trouvé du travail dans une compagnie de voitures de location à Atlanta et qu'il était considéré là-bas comme un homme très stylé.

Rip resta donc seule avec, sur les bras, la Tanière du Renard et deux vieilles femmes. Nell sentit s'accroître en elle son complexe de culpabilité : il ne faisait aucun doute que son roman avait rallumé l'incendie dans le cœur de Ruth Yancey fox. La vieille Ruth ne lui en avait parlé qu'une fois mais la scène avait été très éprouvante.

Elle n'avait pas élevé la voix mais ses paroles avaient brûlé, glacé, transpercé Nell. Jamais elle ne les oublierait. Nell s'était servie d'eux. Nell les avaient exploités, eux, sa propre famille, tous ceux de son sang, les morts et les vivants, les descendants. Nell s'était moquée d'eux, les avait trahis, les avait abandonnés. Nell avait amené la honte sur le nom des Fox. Nell n'était plus digne de porter le nom des Fox. Nell avait traîné dans la boue tous les morts de la famille et avait probablement tué sa propre mère, tout cela pour de la littérature de bas étage dont Ruth, au fond d'elle-même, avait toujours su qu'elle ne pouvait apporter que la ruine. « La Voix du sang, tu parles, avait dit Gamma d'une voix sifflante, plutôt La Trahison du sang. »

Après cela, plus jamais elles ne parlèrent du livre. En présence de Nell, Hebe était encore plus silencieuse et plus hébétée qu'à l'habitude. Gamma contenait sa colère mais on la sentait qui bouillonnait à l'intérieur. Nell s'en rendait compte lorsqu'elle pénétrait à la Tanière du Renard, rien qu'à voir les yeux de sa grand-mère qui n'avaient jamais été aussi étincelants. Elle s'y rendait souvent : sans Robert, sans Beauty, sans Salome et sans Carrie, les incidents et les problèmes domestiques se multipliaient et c'était elle qui, avec sa voiture, devait se charger de faire les courses de la maison. Nell était furieuse de se voir imposer ces nouvelles corvées. Cependant son bon sens lui disait qu'elle n'était pas responsable de la rage aveugle de sa grand-mère qui, en se conduisant avec ses domestiques comme un chien hargneux cherchant à mordre, les avait mis en fuite. Mais dans le sillage de sa colère surgissait la culpabilité : après tout, c'était son roman qui était à l'origine de tout. Bientôt, ce sentiment fut plus fort que sa colère et c'est sans proférer la moindre plainte qu'elle supportait le fardeau de ces deux vieilles femmes.

Un jour, en parlant à Rip, elle aborda le sujet de la vieille Ruth.

« Je suis désolée pour tout cela », dit-elle en matière de préambule, montrant du doigt la pile de linge à repasser juste à côté de la planche de Rip, dans la cuisine blanche de la Tanière du Renard.

« Mais désolée pou' quoi ? » demanda Rip. Elle leva la tête et lui sourit : sa dent en or brilla.

« Désolée pour tout le travail supplémentaire que ça t'occasionne. Tout ce repassage, la cuisine et tout ce que tu dois laver… Il faut que Gamma prenne quelqu'un pour t'aider. Si seulement je ne l'avais pas mise dans une telle colère…

— J'en fais pas plus que j' peux, mam'zell' Nell. On a fermé un tas d' pièces dans cett' vieil' maison. J' fais laver dehors tout l' ling qui s' lave à la main et, à elle' deux, ell' mang' pas plus qu'un oiseau. On a b'soin d' personne d'aut' et pour tout vous dir', j' voudrais pas qu'y ait qué'qu'un. C'te maison, j' la connais bien et on a ici tout c' qu'on a b'soin. C'est pas vot' faute. Faut pas penser ça. J' veux pas savoir c' que vot' Gamma, el' vous a dit. Vous y êt' pour rien.

— Mais c'est mon livre, tu le sais bien.

— J' sais just' qu' c'est c' qu'elle veut qu' vous croyez. Et c'est c' que vous croyez. Mais tout ça c'est pas vrai, mamz'ell' Nell. Ell' s' sert de vous comme elle l'a toujours fait. Ell' s' sert de vot' liv' pour vous t'nir en laisse. C'est pas vrai qu'ell' vous tient par le cou ? C'est pas vrai qu' vous v'nez cinq fois par jour ? Pour vous occuper d'elle, pour la conduir' quèqu' part ? Pour aller ach'ter n'importe quoi pour elle ou M'ame Hebe ? Pourquoi elle aurait b'soin d'un chauffeur ou d'une femm' de chambre ? Ell' vous a, ça suffit bien…

— Oui, tu as peut-être raison, Rip. Mais je ne peux m'empêcher d'y penser. Je ne peux pas refuser de venir, c'est tout. Elle ne sait pas conduire…

— Mais si, ell' sait » dit Rip en la regardant à nouveau. Le sourire s'était enfui. « Elle sait conduire et *elle conduit*. Elle a sorti deux fois la voitur' la s'maine dernière pendant qu' vous étiez à Atlanta avec mam'zell' Abby. Elle est partie comm' quand elle avait vingt-cinq ans. Ell' croit que j' l'ai pas vue mais j' l'ai vue. Mais j' crois qu' vous avez raison pour un' chose. Vous pouvez pas n' pas v'nir quand ell' vous appell'. C'est pas dans vot' natur', mam'zell Nell et on peut rien changer. Vous v'nez et vous fait' c' que vous pouvez. Mais faut pas penser qu' c'est vot' liv' qui y a fait du mal, c'est pas vrai. Ell' s' port' comme jamais elle s'est portée d'puis dix ans. L' docteur Hopkins, il a dit comme ça qu'elle avait un feu allumé sous elle. L'était bien content. Y dit aussi qu'elle a pas été aussi bien d'puis qu'elle était jeun' mariée. Et c'est vrai, y a qu'à la r'garder. »

Et c'était vrai. Ruth Yancey Fox avait retrouvé la beauté qu'elle avait eue dans son âge mûr : droite, éclatante, elle semblait projeter dans l'air des rayons lumineux. On aurait dit qu'un voile protecteur s'était soudain détaché de sa peau et qu'on la voyait à nouveau dans l'éblouissement de son éclat. Même au repos, il semblait qu'un feu couvait en elle. Nell pensait parfois que si elle posait sa main sur la chair de Gamma, elle percevrait quelque chose comme le ronronnement puissant d'un gros chat.

Au cours de ce printemps long et tourmenté, Phillips était le plus souvent trop fatigué pour faire l'amour. Lorsqu'il venait la rejoindre dans son lit, leur étreinte était silencieuse, rapide et bien proche de l'indifférence. Il s'agitait avec beaucoup de brutalité pour obtenir satisfaction. Leurs corps se couvraient de sueur et glissaient. Nell, plus d'une fois, sentit le plaisir grandir dans son ventre puis s'échapper juste avant de s'enfuir définitivement. Elle se sentait devenir furieuse et prête à céder à la violence devant la brutalité avec laquelle il la prenait. Elle serrait les dents et elle aussi accélérait le mouvement de ses reins pour en avoir fini au plus vite et pour mettre le plus rapidement possible un terme à cette parodie d'amour qui la laissait haletante, le corps collé aux draps humides. Un jour où il semblait mettre une éternité à jouir, elle tourna la tête pour éviter les lèvres de sa bouche et ne put s'empêcher de murmurer d'une voix impatiente : « Phillips, pour l'amour du ciel, dépêche-toi ! » Elle le sentit se raidir avant d'abandonner tout effort. Il se dégagea d'elle et regagna son lit. Il lui tourna le dos et ne fit pas le moindre mouvement pendant le reste de la nuit. Le matin, lorsqu'elle se réveilla, il était parti. Il avait laissé un mot sous la cafetière dans la cuisine : il avait une réunion très tôt ce matin-là et il prendrait son petit déjeuner sur le campus. À son retour, le soir, ils ne parlèrent de rien mais plus jamais il ne vint la rejoindre dans son lit.

La bulle de verre qui l'avait enveloppée et protégée après la mort de Paul descendit une fois de plus sur Nell. Aussi ne ressentit-elle ni angoisse ni chagrin. Elle se contenta d'assister avec un certain étonnement à la mort de son mariage et d'en mesurer les effets sur les comportements de Phillips et d'Abby. Ils étaient devenus des inconnus, des gens froids dont la causticité aurait pu la blesser s'ils avaient pu pénétrer sa carapace. Elle et Phillips ne changèrent rien à leurs habitudes quotidiennes. Ils continuèrent à voir leurs amis mais elle était obligée de se forcer pour les rencontrer. Il lançait des pointes du genre : « Je n'en sais rien. Ceci est strictement le domaine de notre petite romancière régionale. » Ou encore : « Ne me demandez rien, interrogez l'auteur. » Leur vie publique commune prit fin lors du dernier cocktail organisé au cours du printemps à la faculté. Le nouveau maître de conférences chargé du programme de la rencontre de la MLA[1] qui devait avoir lieu à Atlanta l'automne suivant, s'approcha de leur groupe et demanda à Nell d'une voix vibrante d'enthousiasme de venir lire un passage de son roman au cours de cette rencontre. Nell murmura un rapide refus mais le mal était fait. Phillips n'accepta plus les invitations pour le couple et c'est seul qu'il prit part aux activités officielles de la faculté. Cela la laissa indifférente : de toute façon, les invitations se raréfièrent. Bientôt, grâce aux vacances d'été, ils connurent un certain répit.

Abby, comme un jeune animal sauvage blessé, profitant de la discorde familiale et de la vulnérabilité de sa mère, se métamorphosa : l'enfant égocentrique mais innocente et enthousiaste qu'elle avait toujours été, devint une ennemie déclarée et sans indulgence. Elle qui, jusqu'ici, n'avait guère fait mention du livre de sa mère sinon pour raconter que les enfants en classe parlaient d'elle, rentrait quotidiennement à la maison en relatant à chaque fois une anecdote créée de toutes pièces et concernant les mauvais traitements qu'elle subissait à cause du roman de sa mère. Elle entra en rebellion ouverte contre Nell et fut franchement odieuse avec elle. Elle la ridiculisa ouvertement de plus en plus fréquemment et devant le refus obstiné de Nell de l'envoyer vivre à New York, chez Yancey, sa rage ne connut plus de bornes. Quelquefois, pendant les torrides nuits d'été, lorsqu'elle ne pouvait trouver le sommeil, Nell entendait sa fille qui sanglotait dans sa chambre. C'étaient les sanglots incontrôlables d'une enfant désespérée.

Le lendemain, à son réveil, elle se sentait glacée et brisée. Son chagrin ressenti par son détachement planait au-dessus de sa bulle de verre en compagnie de tous les autres chagrins.

Un soir, à la fin de l'été, elle confia à Phillips ce qu'elle ressentait. Ils étaient assis sur des chaises longues autour de la piscine du Country Club. Elle devait se souvenir plus tard que ç'avait été là leur dernière tentative pour parler ensemble de quelque chose d'important. Elle ne lui aurait rien dit, elle le savait, si elle n'avait été fatiguée,

1. Modern Language Association.

affamée, à moitié ivre, et si soudain sa langue n'avait été animée d'une sorte de vie propre qu'elle ne pouvait contrôler. La nuit était fraîche : l'automne n'était pas loin. L'eau verte et scintillante était plus chaude que l'air et ils portaient des sweaters. Ils observaient Abby et un groupe d'adolescents qui plongeaient, plaisantaient, prenaient des poses. C'était leur tour de chaperonner le club de natation dont les activités étaient bimensuelles. Sinon, ils n'auraient pas été là, allongés autour de la piscine à boire des daiquiris. Déjà Phillips, irrité, ne tenait pas en place sur les sangles de plastique de sa chaise longue.

Il l'écouta sans faire le moindre commentaire. Il resta silencieux si longtemps qu'elle crut qu'il ne lui répondrait pas. Finalement, il dit sans la regarder : « Je trouve tout à fait ridicule le spectacle d'une femme entre deux âges allongée au bord de la piscine d'un club, buvant du rhum en pleurant sur le vide et l'inutilité de sa vie, tout ça parce qu'elle ne sait pas qui elle est et qu'elle ne réussit pas à se ressaisir. S'il me fallait noter de 1 à 10 la réalité exacte des douleurs, je crois bien que les tiennes n'obtiendraient pas plus de 3. »

Nell sentit une vague de chagrin et de colère l'envahir brusquement puis se retirer. Nell se laissa alors submerger par la langueur de l'été.

« Quel argument spécieux ! dit-elle avec sérénité. Tous ceux qui souffrent, pour une raison ou pour une autre, doivent être pris au sérieux. Parce que, pour toi, pour être convaincant, un chagrin doit être obligatoirement digne et noble ? Parce que, pour toi, il y a des chagrins vulgaires et des chagrins importants ? Souviens-toi de la fin de *la Mort d'un commis voyageur,* quand la femme dont j'ai oublié le nom, enfin... l'épouse... se tourne vers la foule et lui hurle : " Il faut prêter attention ! " J'ai toujours aimé cette phrase et je crois beaucoup à cela.

— Seigneur ! dit-il d'une voix lasse. Tu ne vas quand même pas te mettre sur le même plan que Willy Loman, l'un des personnages les plus tragiques de la littérature ? Un fossile, un dinosaure, maudit par sa nature profonde. »

Nell resta silencieuse. Il se redressa sur un coude et la regarda. Ses yeux étaient très brillants. L'intérêt autant que la malveillance faisaient presque remuer son nez pointu.

« Sur ce plan, peut-être as-tu raison, dit-il. Lorsque nous nous sommes mariés, il y a de cela quelques milliers d'années, j'ai tout d'abord pensé qu'il te restait une chance de sortir du puits à goudron de la rue de l'Église. J'ai vraiment pensé que tu avais assez de cran pour t'échapper toute seule de ce bourbier. Mais, pour te parler franchement, Nell, je crois aujourd'hui que jamais tu n'y réussiras. Dans un million d'années, on creusera et on trouvera ta momie parfaitement conservée, au milieu des colonnes brisées de cette chère Tanière du Renard. On l'emmènera dans un musée où on la présentera comme le plus parfait spécimen de l'existence dans le Sud au XXe siècle. *Vulves Fulva, vixen, Circa 19* et des poussières, dans son habitat natal. Espèce éteinte vraisemblablement à cause de son refus de quitter son environnement hostile, telle sera la conclusion. »

Nell se leva sans mot dire. Elle alla jusqu'au vestiaire, se changea et rentra chez elle. Elle se remit en mémoire le jour de leur mariage : ce jour de Noël plein de soleil, lumineux, une journée perdue... À croire qu'elle s'était déroulée, loin, très loin dans un autre pays. Faisait-il froid ? Elle ne s'en souvenait plus. Peut-être même le soleil n'était-il pas aussi lumineux qu'elle le croyait... Après tout, les Noël dans le Sud sont parfois doux, gris, pluvieux et baignés d'une lumière opalescente...

« Quelle longue route nous avons parcourue, pensa-t-elle. Quelle longue route ! »

Chapitre XXVII

Vers la fin de ce même mois de septembre, les classes reprirent et, comme chaque année, une réception pour accueillir les nouveaux professeurs se déroula chez le président. C'était, de toutes les cérémonies du début de l'année scolaire, celle que Nell redoutait le plus. Mais cette réception était absolument *de rigueur*[1] et ils y assistaient chaque année.

Pour la première fois, Phillips devait être présenté comme président de la faculté d'anglais et, bien que grognant toujours contre le président de l'université, la chaleur et le punch, il s'habilla avec un soin particulier : pantalon léger gris, blazer d'été bleu, cravate club et chaussures de daim blanc. Ses cheveux blonds fraîchement lavés, que le soleil parait de reflets dorés, étaient brillants. Son visage était bronzé et le hâle faisait ressortir le bleu étonnant de ses yeux. Il se tenait toujours aussi droit même s'il commençait à prendre de l'estomac. Tandis qu'il s'habillait sous ses yeux, Nell se dit que Phillips serait bien plus élégant et séduisant que la foule transpirante qu'il allait côtoyer. Il avait toujours le profil « Côte est ». Il y avait plus de vingt ans qu'elle l'avait rencontré pour la première fois et, depuis cette date, il n'avait rien perdu du charme exotique acquis sur les campus prestigieux de la Nouvelle-Angleterre ou sur les sloops blancs de la mer du Nord. Il était toujours le centre d'intérêt de bataillons de jeunes étudiantes roucoulantes.

« Tu es superbe », lui dit-elle. Ses propres paroles la surprirent. Ils ne s'étaient pratiquement pas parlé depuis la conversation autour de la piscine du Country Club. Nell, bien à l'abri dans sa cloche de verre comme si elle était protégée par un scaphandre, n'en souffrait

---

1. En français dans le texte.

pas particulièrement. En fait, elle ne souffrait plus de rien. Elle était certaine de pouvoir vivre très longtemps à l'intérieur de son scaphandre.

« Merci beaucoup, ma chère, dit-il en levant avec dérision un sourcil blond. Ton approbation va illuminer ma soirée et me permettre de supporter le punch. »

Elle fit la connaissance de Lewis Wolfe dans la bibliothèque du président, une pièce haute de plafond, qui sentait la poussière et qui lui rappelait toujours la bibliothèque de la Tanière du Renard. C'était là qu'elle s'était réfugiée après s'être écartée de la foule qui s'entassait dans la salle à manger autour du bol de punch. La conversation s'engageait sur un terrain dangereux, celui de la littérature contemporaine dans le Sud, et l'un des nouveaux professeurs la regardait avec, sur son visage pâle, une expression qui proclamait sans ambiguïté : « Je sais qui vous êtes. »

Nell posa si brutalement son verre sur la table ronde rehaussée d'un plateau en cuir juste à côté du fauteuil profond dans lequel elle s'était laissée tomber, que le liquide pâle et visqueux déborda et se répandit sur la table.

« Oh, merde ! » dit Nell furieuse car la pièce semblait vide. Elle fouilla dans son sac à la recherche d'un mouchoir en papier afin d'éponger le punch.

« En fait, je crois qu'il serait préférable pour la table que cela en fût », dit une voix douce, grave et presque désincarnée. Un homme s'approcha de sa chaise, un mouchoir à la main. « Ce liquide va probablement percer la table et se répandre sur le tapis. »

Nell le regarda, muette de confusion et de surprise. Elle ne le connaissait pas et ne l'avait jamais vu auparavant. Il était plutôt petit, de la taille de Phillips, mais il devait peser dix kilos de plus. Il avait les cheveux noirs, un visage très pâle et des yeux bruns qui brillaient derrière des lunettes rondes d'aviateur. Il portait de grosses chaussures de marche sans chaussettes et un sweat-shirt bleu pâle sur lequel on pouvait lire : « Agnès Scott College. » Il sourit d'un sourire ingénu plein de douceur et d'ironie espiègle. L'ensemble était absolument charmant. L'expression « malicieux comme un lutin » jaillit dans l'esprit de Nell mais, à l'évidence, il s'agissait d'une expression beaucoup trop sophistiquée. Elle lui rendit son sourire.

Il se pencha, épongea le liquide avec son mouchoir, le renifla puis frissonna.

317

« C'est donner des perles aux pourceaux », dit-il. Nell éclata de rire.

« Je suis désolée que vous ayiez découvert mon mauvais caractère, dit-elle. Mais je ne savais pas que vous étiez là. C'est ce qui arrive quand on se terre dans les bibliothèques obscures. Je m'appelle Nell Jay. Mon mari est le président de la faculté d'anglais.

— Je sais qui vous êtes, dit-il. Je vous ai reconnue d'après la photo qui orne la jaquette de votre livre. Je vous ai suivie toute la soirée, attendant l'instant où je pourrais vous rencontrer sans témoin. Et j'aurais tendance à dire que M. Jay est le mari de Nell Geiger Jay, la romancière. À mes yeux, votre livre est l'une des grandes réussites de l'année et il est l'une des raisons de ma présence en ces lieux. Dès que je l'ai ouvert, j'ai eu envie de vous rencontrer, mais c'est en voyant votre photo sur la jaquette que je m'y suis décidé. Je suis venu ici avec l'intention non dissimulée de vous faire mienne et le fait que vous ayez un mari parfait qui est président de la faculté d'anglais, et vraisemblablement, pour compléter le tableau, un ou deux enfants modèles, ne change rien à mes projets. Vous êtes prévenue. »

Il lui adressa un sourire rayonnant.

Nell rit à nouveau. D'un geste spontané, rapide et plein de grâce, elle repoussa des mèches que la chaleur moite avait mouillées. Son rire résonna à ses propres oreilles : c'était celui d'une jeune fille dans une soirée dansante, une jeune fille qui sait pertinemment que sa jeunesse, sa beauté, sa personnalité la rendent invincible. « Ma parole, je suis en train de *flirter* avec cet homme ridicule engoncé dans ce sweat-shirt ridicule », se dit-elle. Elle en fut très agréablement surprise et le regarda à travers ses cils.

« Mais qui donc êtes-vous ? dit-elle. Avez-vous un nom ?

— Je m'appelle Lewis Wolfe. Vous devriez déjà être en train de *frissonner* comme disent les Français. Ce nom devrait tinter dans votre tête comme une cloche.

— Pas le moindre *frisson*, dit Nell. Mais une admiration éperdue pour votre sweat-shirt. Il vous va à ravir. Ma fille l'adorerait. Elle collectionne les sweat-shirts... bien que je ne sois pas certaine qu'Agnès Scott l'excite spécialement.

— C'est ma fille qui me l'a offert, dit-il. Elle non plus ne l'appréciait pas tellement. C'est une de ses plaisanteries : elle me l'a donné lorsqu'elle a su que je partais pour la Géorgie... Elle connaît quelques filles qui ont été à Scott et elle est persuadée que ce collège

318

représente toutes les valeurs surannées, banales et anachroniques qu'elle déteste dans le Sud. À seize ans, Leah déteste un assez grand nombre de choses.

— Je connais bien ce syndrome », dit Nell en faisant la grimace. L'évocation d'une fille lui fit l'effet d'une douche froide. « Mais Agnès Scott est une excellente école. Nombreux sont ceux qui pensent qu'elle vaut les Seven Sisters. Votre fille est-elle déjà venue dans le Sud ?

— Non. Toutes ses idées sur le Sud, ma fille les a prises dans *Autant en emporte le vent*. Le film, pas le livre. Je ne pense pas qu'elle sache lire. Au fait, je ne viens pas de l'est.

— D'où venez-vous ? D'une autre planète ? Maintenant que j'y pense, je ne vous ai pas vu entrer dans cette pièce. Vous vous êtes simplement matérialisé.

— Je suis né en Illinois et ma dernière incarnation a eu lieu en Iowa. J'enseigne la littérature anglaise à l'université. Je suis ici pour un an pendant lequel je parlerai des Victoriens. Je suis étonné que votre mari ne vous ait pas parlé de moi. Je lui avais fait une certaine impression lors de la conférence de la MLA. Je suis également juif et je ne pense pas qu'il y en ait d'autre à la faculté.

— Il ne m'a rien dit mais je ne pense pas que ce soit parce que vous êtes juif. Nous ne nous parlons plus guère depuis quelque temps », dit Nell. Elle s'interrompit. Qu'avait donc en lui cet homme au visage intelligent et ironique pour la faire jacasser comme une adolescente ? Elle lui adressa un sourire lugubre.

« C'est tant mieux pour mon pouvoir de séduction », dit-il. Son sourire en V s'accentua. Des fossettes incongrues se creusèrent. Mais ses yeux montraient une grande chaleur et un grand intérêt.

« Vous parliez de votre fille, dit Nell rapidement. Votre famille est-elle avec vous ? Ma fille Abby a quinze ans. Peut-être pourrait-elle faire visiter la ville à votre… je crois bien que vous l'avez nommée Leah, non ? Et si je peux vous trouver une maison ou vous être utile à quoi que ce soit…

— Je suis venu seul. » Son ton était neutre, sans amertume. « Je suis divorcé. Ma famille vit en Iowa. J'ai loué ici une ferme à l'extérieur de la ville, près de la rivière. Merci tout de même.

— Je suis désolée…

— Oui. Moi aussi. Maintenant, parlez-moi de votre nouveau roman. Parce que vous devez en avoir un en chantier…

319

— Non. Je ne prépare rien actuellement.

— Mon Dieu mais pourquoi ? » dit-il. Il semblait vraiment contrarié. « Ce serait une négligence criminelle de ne pas vous atteler à un nouvel ouvrage. »

Nell regarda d'un air intéressé le rond blanchâtre sur la table, là où elle avait posé son verre de punch. Elle sentit dans ses narines un certain picotement provoqué par des larmes en même temps qu'une douleur lui déchirait la gorge. Oh, mon Dieu ! Elle n'allait pas se mettre à pleurer ! pas maintenant dans cette horrible maison, pendant cette horrible réception, en face de cet étranger déroutant.

« Je me demande ce qu'il dirait si je lui avouais que je ne peux plus écrire parce que je ne sais pas qui je suis, que ma tête éclate en mille morceaux, que des catastrophes se produisent quand je me mets à écrire, que mon mariage est en train de partir en quenouille et que mon mari éprouve les plus grandes difficultés à me confier deux mots », se dit-elle.

« Votre mari est un fieffé imbécile », dit soudain Lewis Wolfe comme s'il avait lu dans ses pensées.

Nell plongea son visage dans ses mains et se mit à pleurer. « Tu avais raison, Rip, pensa-t-elle. Je l'ai trouvé. Cela m'a pris longtemps mais il est là, dans cette stupide bibliothèque au cours de cette stupide réception... Le seul endroit au monde... Il est petit, il est juif, il va être chauve, il vient de la pire région du monde, l'Illinois... et c'est l'autre bout de moi... »

« Venez, dit Lewis Wolfe. Sortons d'ici. »

Les portes-fenêtres étaient ouvertes. Il l'emmena sur la terrasse au cœur du chaud crépuscule de septembre. Ils s'éloignèrent rapidement le plus loin possible des petits points rouges des cigarettes et des bruits de voix. Il s'arrêta, regarda la terrasse autour de lui. Devant lui s'étendait la roseraie brûlée par la sécheresse. Il l'entraîna dans une allée dallée jusqu'à un petit belvédère dissimulé par une rangée de saules, tout au bout du jardin. Aveuglée par les larmes, Nell n'osait regarder ni à gauche ni à droite de peur de rencontrer quelqu'un à qui il serait impossible de ne pas dire bonsoir ou d'adresser quelques mots. Elle le suivait comme un automate. Par deux fois, elle trébucha à cause des hauts talons qu'elle n'avait pas l'habitude de porter. La main de Lewis Wolfe vint aussitôt à son secours. Avec son mouchoir imbibé de punch, il épousseta une partie du banc circulaire, à l'intérieur du belvédère. Il la fit asseoir et s'installa à ses côtés mais il ne la toucha pas.

« Vous feriez mieux de vous laisser aller une bonne fois, dit-il. Sinon vous allez vous tétaniser... »

Alors, elle se laissa aller. D'une seule coulée jaillit un torrent de paroles noyées dans les larmes. Cela surgit du plus profond d'elle-même, là où son chagrin, sa colère, son désespoir avaient été refoulés. Les mots se bousculaient à ses lèvres et débordaient de sa gorge comme si quelque abcès monstrueux avait soudain été percé et qu'un flot impétueux et incontrôlable de choses qui la brûlaient et la déchiraient en était sorties. Ses paroles furent d'abord incohérentes et son récit désordonné. Elle ne savait pas — jamais elle ne put s'en souvenir — par quel moment de sa vie elle avait commencé son récit. Mais elle se rappela que, d'une voix étouffée par les sanglots, elle avait essayé de lui faire comprendre ce que représentait pour elle la cage sous l'escalier, ce que furent sa terreur et son indignation devant « l'exil » de Paul et de Yancey, son désespoir à la mort de Paul et à la dépression de Yancey. Tout, sa colère, sa confusion, sa culpabilité, sa culpabilité surtout ; l'usure de la confiance et de l'intimité dans sa vie conjugale, les coups d'épingle comme les tempêtes, l'étonnement et la souffrance profonde ressentie devant le manque de communication avec son enfant... et, en plus, Gamma. Toujours. Définitivement. En dessous et au-dessus de tout, à travers tout, au-delà de tout. Gamma, belle, souriante, incompréhensiblement menaçante. Tout en pleurant et en parlant, Nell restait spectatrice d'elle-même : « Je suis vraiment complètement folle. Il n'est pas possible de se conduire ainsi devant un parfait inconnu. Jamais, au grand jamais, de toute ma vie, je n'ai agi ainsi. Dans quelques minutes, il n'aura rien de plus pressé que d'aller trouver Phillips en lui demandant de me faire soigner. Je vais finir ma vie dans un asile et sa carrière sera fichue. »

Le flot de paroles finit par ralentir puis par s'arrêter mais elle continua de pleurer.

Il la laissa pleurer en silence. Il ne la touchait toujours pas. Il ne dit pas un mot, n'eut aucun geste nerveux qui aurait pu trahir un certain malaise. Il ne fit pas mine de se lever pour aller chercher Phillips ou l'une de ses amies. Il se contenta de rester assis à ses côtés, dans le belvédère maintenant obscur et il attendit. Enfin les larmes commencèrent à se tarir. Elle eut encore quelques sanglots puis elle

321

cessa de pleurer. Nell s'installa dans le grand silence de la nuit, les bras posés sur les cuisses, les mains béantes avec, comme seul accompagnement sonore, le cri strident des dernières cigales de l'été. Il fouilla dans sa poche et en extirpa son mouchoir froissé qu'il lui tendit. Elle tamponna son visage ravagé, sentit sur ses paupières gonflées et sur ses lèvres la douceur gluante du punch en train de sécher. Ce n'était pas une sensation désagréable.

En fait, Nell se rendit compte qu'elle n'était pas du tout mal à l'aise. Elle ne se sentait pas le moins du monde comme une femme dont la vie ressemblerait à un nœud de serpents qu'elle tiendrait dans ses mains, une femme méprisée et tourmentée par son mari, ridiculisée et défiée par sa fille, un écrivain dont la source d'inspiration était subitement tarie. Par-dessus tout, elle n'avait pas l'impression d'être une femme entre deux âges plus ou moins hystérique qui venait de démêler de la manière la moins séduisante possible les fils de sa vie en face d'un inconnu aimable dont elle avait fait la connaissance à peine une demi-heure plus tôt. Tout compte fait, elle se sentait plutôt agréablement soulagée et — les mots lui traversèrent brusquement l'esprit — prête pour quelque chose qui pourrait être agréable.

« Si vous dites que vous êtes désolée et que vous ne savez pas ce qui vous a pris, dit Lewis Wolfe de sa voix grave et chaude, je vais là-bas dire à cette réunion de gens très sérieux que la femme du patron vient de s'épancher dans les bras du nouveau venu. Ils en parleront encore dans dix-sept ans.

— Ce n'est pas ce que j'allais dire » répondit Nell. Sa voix ne tremblait pas. La brise du soir rafraîchissait son visage et son cou humides de larmes. Il y avait dans l'air un parfum nouveau : on sentait la pluie, la fraîcheur, le mois d'octobre proche. « Je ne suis pas désolée du tout. Mais c'est vrai que je ne sais pas ce qui m'a pris. Ce n'est pas une chose que je fais souvent.

— Je veux bien le croire », dit-il.

Ils restèrent un court moment silencieux. Puis elle dit :

« Pourquoi êtes-vous là ?

— Il me semble que c'était faire preuve de galanterie.

— Non. Je veux dire à Sparta. Comment êtes-vous venu ici ?

— Pour vous enlever. Comme je vous l'ai dit.

— Ne vous moquez pas de moi. Je voudrais vraiment savoir. »

Il ne répondit pas tout de suite. Son visage, dans l'ombre des

322

saules, était impassible. Puis il parla : « Eh bien, j'ai entendu parler de la chaire, il y a deux ans, à la conférence du MLA qui se tenait à Saint-Louis. J'ai su que, cette année, elle serait libre et j'ai pensé que j'aimerais savoir à quoi ressemblait le Sud. C'était l'un des rares endroits au monde où je n'étais pas allé. Le mythe du Sud profond m'a toujours intrigué. Mais je pense avec quelque regret que, pour moi, cette expérience ne sera pas très convaincante. Jusqu'à présent, rien ici ne me semble vraiment réel. J'aime les choses réelles. Votre livre est réel. Faire jaillir la réalité de l'irréalité doit être une grande satisfaction pour un écrivain. »

Nell ne dit rien. Elle n'avait jamais appréhendé l'écriture sous cet angle. C'était là une des satisfactions supplémentaires qu'elle aurait pu retirer de son roman mais elle n'y avait même pas pensé. Elle pensa aussi, en regardant le visage de Lewis Wolfe dans la lumière blanchâtre de la lune énorme qui s'élevait derrière les branches de saule, qu'il devait en savoir long sur les choses réelles. Elle pensa qu'il était la chose la plus réelle qu'elle eût jamais rencontrée.

« Où avez-vous été encore ? dit-elle. D'où êtes-vous parti ? Dites-moi tout.

— Je suis né à Apple River, en Illinois. Et c'est vrai. C'est dans le comté de Joe Daviess, là-haut, dans le coin nord-ouest, sur la rive du Mississippi, en face de Dubuque, de l'autre côté de la frontière du Wisconsin, pas loin de Charles Mound, notre plus haute montagne. Elle s'élève à plus de trois cents mètres au-dessus d'Apple River. J'étais le seul gosse de la ville à n'y avoir jamais grimpé ni planté le drapeau de la ville. Je pense que c'est parce que je suis juif. Chacun à Apple River sait que les juifs ne sont pas des montagnards.

— Êtes-vous très sensible à ce sujet ? Je veux dire au fait que vous soyez juif ? dit Nell.

— Mon Dieu, non ! » Il rit et ses fossettes se creusèrent. « Il m'a presque fallu attendre d'être à l'université pour apprendre que je l'étais. Ma famille ne pratiquait pas. Papa n'était ni commerçant ni tailleur. Il travaillait à l'agence de développement agricole du comté. Il avait des yeux d'aigle et il était aussi blond qu'un Viking. Maman était grande, maigre, rousse et pleine de taches de rousseur. Je dois tenir d'un quelconque Oncle Moishe, là-bas en Russie. Je crois bien que c'est notre pays d'origine mais personne dans la famille ne le sait exactement. Non, la raison pour laquelle je n'ai jamais escaladé Charles Mound est que j'étais un petit garçon grassouillet qui ne

323

levait pas le nez de ses livres. Je ne m'intéressais pas à grand-chose en dehors des livres sinon aux animaux. J'adorais les animaux et je n'ai pas changé. Toutes les nuits, sur le seuil de la maison que j'ai louée, il y a des ratons laveurs et des opossums. J'ai amené avec moi mes deux chats, Hilton et Sheraton. Il faut que vous fassiez leur connaissance. Enfin il y a des chevaux dans la prairie, de l'autre côté de la rivière.

— À part nos deux filles adolescentes, nous avons quand même quelques petites choses en commun, dit Nell. J'ai, moi aussi, été seule pendant toute mon enfance, le nez plongé dans les livres. J'étais le désespoir de ma grand-mère. Elle pensait que je finirais dans la peau d'une vieille fille bibliothécaire.

— Pour une fois, je crois que votre fameuse Gamma — qui ressemble par bien des points à la Mère de Grendel[1] —, votre Gamma, j'aimerais qu'elle eût raison. Ce serait tellement plus facile pour moi de vous enlever sur mon blanc destrier si vous étiez une vieille fille bibliothécaire. »

En entendant cette phrase, Nell se sentit soudain mal à l'aise. « Où êtes-vous encore allé ? » dit-elle.

Il rit gentiment dans l'obscurité. « Eh bien, j'ai fréquenté l'université d'Iowa à Iowa City. C'était près de Cedar Rapids, si vous voulez savoir où ça se trouve. Et j'ai poursuivi mes études... Oh, après tout, pourquoi faire preuve de modestie ? Ce n'est pas en me traînant dans la boue que je gagnerai vos faveurs. J'ai été un Rhodes Scholar[2] et je suis parti d'Oxford pour visiter l'Europe tout entière. J'ai réussi à visiter à peu près toutes les grandes villes que je souhaitais connaître. J'ai fini mes études à New Haven. Alors, je suis reparti pour la Grèce, le Proche-Orient puis l'Extrême-Orient... La plupart du temps sans un sou en poche mais c'était une époque magnifique pour vivre sans un sou. C'était considéré comme romantique. Dans n'importe quel bureau de l'Américan Express, on rencontrait une petite de Bennington ou de Sweet Briar qui venait

1. Personnage d'un poème épique anglo-saxon composé probablement en 700. Le monstre Grendel et sa mère sont tués par le preux guerrier Beowulf.
2. Conformément au testament de Cecil John Rhodes, chaque année, des bourses d'études de trois ans à Oxford sont distribuées à des étudiants particulièrement brillants, les *Rhodes Scholars*, originaires de certaines colonies et dominions anglais ainsi que des États-Unis.

toucher le chèque envoyé par papa. Elle vous prenait en pitié et vous empêchait de mourir de faim. J'ai fait durer le plaisir le plus longtemps possible. Et j'ai fini par reprendre le chemin d'Iowa City où j'ai commencé à enseigner l'anglais. La boucle était bouclée. C'est là où j'ai fait toute ma carrière.

— Je suis vraiment impressionnée » dit Nell. Et c'était vrai. « Oxford et Yales et tous ces voyages... Avez-vous publié quelque chose ? Oubliez que j'ai dit cela... C'est mon côté " femme d'universitaire ". Cela ne mérite pas de réponse. Je *déteste* les gens qui posent cette question avant même de vous avoir serré la main. »

Il rit une fois encore. « Étant donné que vous avez fait beaucoup plus que de me serrer la main, je vais vous répondre. Oui, j'ai publié quelque chose. Plusieurs ouvrages très minces et très savants sur les Victoriens, des livres qu'on ne vous demandera jamais de lire mais qui m'ont valu dans quelques milieux une renommée indécente. D'autres questions, madame ?

— Je ne vois vraiment pas pourquoi vous êtes venu ici, dit Nell d'un ton sérieux. Je sais bien que c'est une bonne université et que la faculté d'anglais a une excellente réputation... Il fallait que je vous le dise... Mais, mon Dieu, avec votre *curriculum vitae*, vous auriez pu aller n'importe où dans ce pays. Peut-être que ce que je ne comprends vraiment pas, c'est pourquoi vous avez voulu quitter Iowa City.

— Je vous l'ai dit. Je suis venu ici pour vous séduire.

— *Lewis...*

— J'ai dû partir, Nell. Je ne pouvais rester là-bas plus longtemps. Cette chaire était libre, je m'en suis emparé. »

Sa voix était lointaine, dénuée d'expression, mais, dans le noir, le visage de Nell s'empourpra. Bien entendu, il s'agissait du divorce. C'était probablement plus récent qu'elle ne l'avait pensé lorsqu'il en avait parlé et, d'évidence, il en avait souffert.

« Je suis désolée, murmura-t-elle.

— Ne le soyez pas. »

Une petite femme brune en robe de soie imprimée écarta le rideau de branches de saule et regarda à l'intérieur du belvédère. Elle avait des lunettes harlequin sur le nez.

« Bonsoir, Nell. Il me semblait bien que c'était votre voix, dit-elle. Phillips vous cherche. Je crois qu'il veut vous présenter à ce nouveau type qui va enseigner la littérature américaine. Il a lu votre roman et voudrait vous connaître. »

Prise de remords, Nell bondit sur ses pieds. Depuis une heure, elle avait oublié Phillips et même le reste du monde. Elle se réjouit que l'obscurité et les frondaisons cachent son visage. Elle devait avoir des yeux affreux.

« Merci, Millicent, dit-elle. Le docteur Wolfe et moi avons fui loin du punch. Si vous retournez là-bas, dites à Phillips que j'arrive. »

Ils pénétrèrent dans le cercle de lumière en provenance de la terrasse. Nell sortit son poudrier de son sac. Elle se remaquilla rapidement et regarda ses yeux gonflés.

« J'ai l'air d'avoir fait deux jours de bringue, dit-elle.

— Vous mettrez ça sur le compte d'une allergie, dit Lewis Wolfe. Respirez un bon coup. Nous arrivons à votre club de fans. »

Phillips et le président traversèrent la terrasse en venant à leur rencontre juste en bas des marches de brique. Derrière eux se dessina la silhouette classique, silhouette qui était bien connue de Nell, du maître de conférence : long, mince, presque efflanqué, voûté, un peu obséquieux, scrutant de ses yeux de myope tout ce qui pouvait se passer autour de lui, jouant nerveusement avec son nœud de cravate, ses coudes osseux bien en vue au sortir de ses manches de polyester. Nell ne pouvait voir ses pieds mais il y avait fort à parier qu'il portait des Hush Puppies. Lorsque Lewis Wolfe et Nell s'arrêtèrent devant le petit groupe, il lui fit un large sourire.

« Ah, je vois que tu as fait la connaissance de Wolfe, lui dit Phillips. Il est, cette année, le joyau de ma couronne. »

Il la prit par la main et se tourna vers le jeune homme. Sa main était froide et sèche, celle de Nell était moite. Il retira vivement ses doigts.

« Bonsoir, Lewis. Nell, je te présente Curtis Culpepper qui nous vient tout droit des étendues sauvages de Madison, Wisconsin. C'est lui qui se chargera pour moi de la littérature américaine. Il a beaucoup aimé ton mélodrame sudiste et il souhaite s'agenouiller à tes pieds. »

Le président eut un petit rire étouffé tandis que le jeune homme gloussait nerveusement. Derrière elle, Lewis Wolfe émit un léger bruit de gorge. On aurait dit le grognement sourd et inoffensif d'un carnivore. Nell se sentit rougir. Elle regarda fixement Phillips qui arbora un sourire énigmatique.

326

Le visage du jeune homme était aussi écarlate que le sien.

« J'ai aimé votre roman, madame Jay », dit-il. Sa voix tremblait. « Il a été l'une des raisons de mon désir de venir ici, dans le Sud. J'en avais déduit que se profilait peut-être ici une renaissance... Non pas que j'aie pensé que le Sud pouvait être arriéré. Ce n'est pas du tout cela que je voulais dire...

— J'espère bien que non, Culpepper, sinon je serai obligé de vous échanger pour une somme d'argent que je ne vous divulguerai pas, contre un assistant en engineering structurel de Georgia Tech », dit Phillips. Son ton était neutre mais Nell savait qu'il était irrité. Elle souffrait pour le jeune homme maladroit. Elle chercha quelque chose de gentil à lui dire mais elle avait l'esprit trop vide pour trouver la réplique appropriée. Tous les hommes rirent sauf Lewis Wolfe.

« Eh bien, nous sommes deux, monsieur Culpepper. » Il adressa au malheureux jeune homme un sourire chaleureux. « C'est aussi grâce au livre de Mme Jay que j'ai fait le voyage de Sparta. Vous avez bon goût. C'est un merveilleux roman.

— Arrêtez, sinon Nell va se prendre au sérieux et, demain matin, je n'aurai pas droit à mon petit déjeuner » dit Phillips. Nell sentit que des doigts effleuraient son coude nu. Lewis.

« Allons dans la bibliothèque, dit le président. Entre nous, le punch d'Isabel m'a collé la langue au palais. J'ai un petit stock d'excellentes bouteilles cachées derrière M. Bulwer-Lytton[1]. Nous saluerons l'arrivée de M. Culpepper et du docteur Wolfe avec un bon vieux bourbon.

— Ce sera un grand plaisir », murmura le jeune homme avec reconnaissance. Le président s'apprêtait à les conduire à travers la terrasse et les portes-fenêtres éclairées. Phillips resta immobile. Il regardait fixement Lewis Wolfe.

« Merci beaucoup mais je pense que nous allons rentrer, Nell et moi, dit-il. J'ai une réunion très tôt demain matin avec les conseillers chargés de l'orientation des étudiants licenciés.

— Je dois aussi m'en aller, dit Lewis Wolfe. Il faut que je jette un coup d'œil à mon bétail. Bonne nuit, messieurs. Bonne nuit, madame Jay. Ce fut vraiment... un plaisir inattendu de vous rencontrer. »

---

1. Romancier et dramaturge anglais (1803-1873), auteur en particulier des *Derniers Jours de Pompéi*.

Il lui adressa un sourire malicieux, traversa la terrasse et se perdit dans la foule clairsemée qui n'avait pas quitté le buffet.

Dans la voiture, sur le chemin du retour, elle se tourna vers Phillips : « J'aime ton Lewis Wolfe. Il devrait être un bon élément pour ta faculté. » Prononcer son nom à haute voix lui sembla étrange et troublant. C'était un peu comme caresser un objet qu'on a volé dans un magasin et qu'on a dissimulé au fond de sa poche.

« Apparemment, vous vous entendez bien, dit Phillips. Millicent m'a raconté que vous êtes restés presque tout le temps dans le noir, cachés au fond du belvédère. De quoi avez-vous parlé ? Du futur de la littérature sudiste ?

— Nous avons parlé de nous enfuir ensemble, lui dit-elle après lui avoir lancé un regard de côté. Il est venu à Sparta dans le seul but de m'enlever à toi.

— Il vise haut. » Phillips eut un petit rire. « Surtout pour quelqu'un qui a déjà eu beaucoup de chance de trouver une université qui veuille bien de lui. »

Nell pivota sur son siège pour lui faire face.

« Il m'a parlé de lui, de ses activités passées. J'ai envie de te dire, moi, que tu as bien de la chance de l'avoir dans ton équipe, Phillips, dit-elle sèchement. Et je crois bien que tout le monde sera de cet avis.

— T'a-t-il dit aussi qu'il était alcoolique ? » Il ne détourna pas les yeux de la route mais Nell était certaine qu'une petite lueur de satisfaction y brillait. Phillips était sobre de nature et n'avait que mépris pour les excès. « Ne t'a-t-il pas dit qu'il s'était tellement saoulé qu'il avait à moitié tué sa femme et sa fille dans un accident de voiture ? Cela se passait avant que cette femme ait le bon sens de divorcer. T'a-t-il confié également que ses classes à l'université furent un tel gâchis que cette université a refusé de lui donner une nouvelle chance ? Lorsque je l'ai vu pour l'engager, il m'a juré sur la tombe de sa mère qu'il n'avait pas bu une seule goutte d'alcool depuis un an. Et autant que je le sache, c'est vrai. Mais je sais, et il sait, que j'ai pris un très gros risque en l'engageant. Je ne l'aurais pas pris s'il n'avait pas eu un tel *curriculum vitae*. Tu as raison sur ce point. J'ai bien peur, cependant, d'avoir à le surveiller de près. Une bringue... Un seul verre, même une simple haleine alcoolisée et je le balance. C'était un gros risque pour le nouveau président d'une faculté. J'espère qu'il saura s'en souvenir.

— Je suis sûre qu'il t'en sera reconnaissant », dit-elle. Elle pouvait à peine parler tant la colère l'étouffait. Elle aurait voulu prendre le visage de Phillips entre ses mains et lui arracher des yeux cette suffisance, au besoin jusqu'à ce qu'ils tombent de leurs orbites. Ses doigts la démangeaient. Elle pensa à la voix douce et nette de Lewis Wolfe dans la nuit : « J'ai dû m'en aller, Nell. Je ne pouvais plus rester là-bas plus longtemps. » En pensant à lui, son cœur se serra de chagrin.

Toute la semaine, la chaleur visqueuse de ce début d'automne persista. Une langueur lourde et moite imprégna la vie dans les rues et sur le campus de Sparta, ralentissant les allées et venues. Des trottoirs tourbillonnait et se réverbérait la chaleur au milieu des bouffées d'air froid qui, dès qu'on ouvrait les portes, s'échappaient des magasins climatisés. Il n'avait pas plu depuis des semaines et la ville était recouverte d'un manteau de fine poussière rose. Les arbres prirent une teinte jaune, puis rouge, puis bronze et enfin marron bien plus tôt que les années précédentes. Mais ils n'avaient pas la richesse et l'éclat qui rendaient si somptueux les automnes de Sparta. Ils semblaient morts et repeints.

Soudain, le vendredi, la chaleur tomba. La matinée était presque froide. Le sol était recouvert par la brume comme par un tapis de perles. L'air était bleu et lumineux. Les feuilles sur ces arbres qui semblaient morts et repeints, avaient soudain repris vie et chantaient. Nell s'éveilla, débordante de joie et transportée par un besoin de mouvement. Elle enfila un pantalon de tweed et un gros sweater irlandais blanc cassé. Elle gagna le supermarché pour faire des achats dont elle n'avait nul besoin. Quand elle en sortit, en poussant son chariot, elle tomba face à face avec Lewis Wolfe.

« Quelle coïncidence ! » dit-elle avec un rire franc et juvénile en réponse à son beau sourire. Il portait un blue-jean délavé et taché de peinture ainsi qu'une chemise à carreaux qui sentait la naphtaline. A le regarder, on avait l'impression qu'il avait dormi tout habillé. Il n'était pas rasé, ses cheveux n'étaient pas coiffés et ses lunettes étaient réparées avec du scotch. Dans cette lumière d'octobre, il apparaissait tellement comme l'antithèse de Phillips que Nell se demanda, l'espace d'un instant, si elle-même était bien Nell.

« Il n'y a pas la moindre coïncidence, dit-il. Voilà une semaine que je hante les épiceries. J'y suis connu comme le Fantôme des

Supermarchés. Je pensais bien qu'un jour ou l'autre, il vous faudrait bien acheter quelque chose quelque part.

— Oui... Eh bien, me voici ! » dit Nell, un peu éberluée. Elle se sentait aussi stupide qu'une gosse de quatorze ans qui est saisie par une joie secrète et qui se sent prête pour quelque chose d'extraordinaire, quelque chose qu'elle n'aurait jamais pu imaginer.

« En effet, vous voici ! dit Lewis Wolfe. Et juste à l'heure. J'ai un horrible vin que je viens de sortir du réfrigérateur et qui est en train de se réchauffer dans mon coffre, du thé glacé dans une bouteille, un morceau de brie qui est en train de s'étaler et une baguette de pain français en plastique. Je vais vous emmener chez moi pour un pique-nique et nous ferons probablement l'amour sur une couverture parce que j'ai aussi une couverture dans la voiture. »

Il avait prononcé ces mots avec douceur et gentillesse et Nell se mit à rire. Elle ne cessa de rire tandis qu'ils se rendaient à la voiture — une vieille Porsche qui avait bien besoin d'un coup de peinture — et elle ne cessa de rire pendant tout le trajet, sur la vieille route d'Atlanta et sur la petite route qui conduisait à la ferme de Lewis. Enfin, elle ne cessa de rire tout le long du chemin de graviers jusqu'à la maison de bois peinte en blanc avec des pignons, des ailes, une véranda, des frises dentelées. Les peupliers et les noyers donnaient de l'ombre. Aux alentours, on découvrait des granges, des enclos, des cages à poules et des prairies. Le rire de Nell n'avait rien à voir avec celui, mesquin et nerveux, proche de l'hystérie, qui était le sien depuis longtemps. C'était le rire d'une enfant plutôt disciplinée mais qui a participé à l'église, sous le nez des adultes sévères, à quelques farces et qui ne peut arrêter le fou rire jailli au tréfonds de son être. Il la regardait souvent en souriant et parfois, il l'accompagnait dans son rire mais c'était le sourire qu'il préférait. Il conduisait d'une main, adroitement et sans à-coups. Il sifflait tout en conduisant.

Il s'arrêta devant la véranda de la maison, sortit de la voiture, en fit le tour et lui ouvrit la portière. Elle sortit à son tour et regarda autour d'elle.

« Je connais cet endroit, dit-elle. C'est la vieille ferme de Turnipseed [1]. On y élevait des chevaux. Et on y vendait du cidre. Le verger y était splendide. Robert nous y avait conduites un jour,

---

1. Littéralement *Graine-de-Navet*.

Gamma, maman et moi, pour y acheter du cidre. C'était l'automne. Je m'en souviens maintenant. L'air sentait les pommes et le soleil. Et quelqu'un — je crois bien que c'était M. Turnipseed, un homme très grand qui portait une salopette et qui sentait la sueur et la pomme — me prit sur le devant de sa selle et me fit faire le tour de la cour sur un grand cheval.

— Et cela vous a plu ? demanda Lewis Wolfe.

— Oh, non ! J'avais bien trop peur. Vous savez, j'avais peur de presque tout lorsque j'étais petite. J'avais peur du poney dont j'avais hérité de Paul. Pourtant, il était presque aussi vieux que Mathusalem lorsque je l'ai eu. Mais j'ai dit à maman et à Gamma que je l'adorais. Je m'en souviens. Après cela, j'ai été terrifiée pendant des semaines à l'idée qu'elles pourraient acheter quelque monstrueux animal sur lequel je serais obligée de monter. Quand j'étais enfant, j'avais un sentiment très fort du péché et de la punition. Une vraie sainte nitouche. Et une sacrée menteuse. Vous m'auriez détestée.

— J'en doute fort. J'ai toujours eu un faible pour les menteurs. Ce sont, je pense, les derniers vrais moralistes. La plupart des gens mentent pour éviter de faire mal, soit à eux-mêmes soit aux autres, et éviter de faire mal est pour moi le devoir moral numéro un. Jouer le jeu de l'adversité est une abomination. Mais pourquoi avez-vous dit que vous l'adoriez si vous en aviez aussi peur ?

— Je pense qu'il ne faut pas laisser voir sa peur, dit Nell avec sérieux en le regardant. Quand les gens voient que vous êtes terrifié, vous devenez très vulnérable. Tout peut arriver. J'ai passé le plus clair de ma vie, d'une part à avoir peur d'une chose ou d'une autre, et d'autre part à essayer de le cacher. Je ne suis pas très fière d'avoir eu peur mais en revanche je ne suis pas mécontente d'avoir su le dissimuler. Il me semble que cela demande un vrai courage. C'est même une des rares choses dont je pourrais toujours me sentir vraiment fière.

— Que Dieu vous protège alors et que Dieu ait pitié de l'enfant que vous avez été, Nell, dit-il d'une voix très douce. Parce que, tout ça, ce sont des conneries. Pauvre petite fille ! Quelle sorte de maison est cette Tanière du Renard ? Quelle sorte de gens y habitent pour avoir agi ainsi avec vous ?

— Personne ne m'a jamais fait de mal volontairement, bien sûr », dit Nell. Mais tout à coup, elle n'en fut plus si sûre. Les jours, les mois et les années de son passé affleurèrent son esprit. C'était comme une masse énorme et confuse qui miroitait, palpitait et cherchait à se concrétiser.

« Allons, dit-il. Venez, Nell. Apportez le sac. Ce sont des pommes pour les chevaux. Il y en a encore quelques-uns là-bas, dans la prairie qui borde la rivière, exactement là où j'ai envie de vous emmener et de vous violer. Un garçon gentil, genre « idiot du village » vient les nourrir chaque matin. Moi, j'en fais autant l'après-midi contre une partie de mon loyer. C'est le seul moyen que j'ai trouvé pour m'offrir quelque chose d'aussi vaste. C'est une qualité à ajouter à toutes les autres, je suis pauvre comme Job. Y voyez-vous un inconvénient ?

— Non », dit Nell. Son cœur s'affolait dans sa poitrine. « Je ne vois pas d'inconvénient à ce que vous soyez pauvre. Et il ne me gêne plus que vous nourrissiez les chevaux. Je suis une grande fille maintenant, c'est différent... »

Ils marchèrent côte à côte à travers les herbes hautes et folles. Le soleil était haut maintenant. Il les réchauffait et leur dorait les paupières. Ils respiraient l'odeur douce et pénétrante de la poussière d'été, des feuilles d'automne, d'humus et de fumier séché qui montait du sol. Et leur parvenait, par bouffées, du verger au bord de la rivière, l'odeur, plus riche, des vieux pommiers. Ils passèrent sous le fil de fer rouillé qui clôturait le dernier enclos. Ils s'avancèrent dans une prairie devenue une mer de gerbes d'or et de plumes jaunes jusqu'à la ligne sombre des vieux arbres du verger. Sous les branches entremêlées des pommiers, l'herbe était verte, épaisse, brillante de gouttes de rosée. Lorsque, en marchant, ils écrasaient un fruit tombé, s'en dégageait une odeur d'encens. Les arbres, au-dessus de leurs têtes, portaient peu de pommes. Celles qui restaient accrochées aux branches noueuses et noires étaient dures et ratatinées mais l'odeur en était enivrante.

« Je suis ivre rien que de respirer cet air » dit Nell. Elle pencha la tête en arrière et prit une profonde inspiration. Puis elle se souvint soudain de ce que lui avait raconté Phillips dans la voiture et laissa échapper un « Oh » involontaire.

« Cela n'a aucune importance, dit-il sans tourner la tête dans sa direction. Je savais qu'il vous mettrait au courant sans tarder. J'allais le faire moi-même, cet après-midi. Et ne soyez pas inquiète, Nell. »

Ils sortirent du verger et arrivèrent au bord d'une petite butte dominant la lente et brune Oconee. A cet endroit, la rivière était étroite et basse. Les eaux étaient chargées de pollen d'ambroisie. Le courant était si faible que l'eau réussissait à peine à dépasser le gué de sable à l'endroit où, à en juger par les empreintes des sabots, les chevaux traversaient et retraversaient. Nell, en descendant vers la rivière, n'avait pas vu le moindre cheval. Derrière eux, la masse sombre du verger dressait un mur solide. Devant, de l'autre côté de la rivière, les prés s'élevaient en pente douce et, au sommet de la colline, un petit bois, que le soleil embrasait de mille feux, se détachait sur le ciel d'un bleu de cobalt. Il était midi passé.

Nell se sentait tellement bien qu'elle retint sa respiration.

« C'est un endroit magnifique, Lewis.

— Je suis heureux que vous l'aimiez, dit-il. Je l'ai trouvé le premier jour de mon arrivée. Et quand je vous ai rencontrée, j'ai su que ce serait ici que je vous emmènerais en premier. C'est maintenant, Nell. Vous le savez, n'est-ce pas ?

— Oui, dit-elle, je le sais.

— Est-ce que cela vous sera difficile ?

— Non », dit-elle avec étonnement, se sentant envahie par une joie profonde. Elle sentait ses mamelons se dresser, se raidir, frôler le tissu de son soutien-gorge. Une sensation délicieuse descendit le long de son estomac et de sa colonne vertébrale, se diffusa dans son ventre, entre ses cuisses. Elle se mit à haleter. Elle regarda Lewis illuminé par le soleil. Ils étaient de la même taille. Leurs yeux étaient exactement à la même hauteur. Ceux de Lewis étaient sombres, doux, brillants de plaisir, de certitude, de désir et de... quelque chose d'autre. « De bonté, pensa Nell. Par-dessus tout, il y a de la bonté dans son regard. Je n'ai jamais vu ça dans les yeux d'un homme. »

« Oh ! Non ! Oh ! Non ! murmura-t-elle en lui tendant les bras. Ce ne sera pas difficile du tout. »

Ce ne fut pas difficile. Ils se montrèrent d'abord maladroits, gauches, incapables comme des adolescents. Nell trébucha en enlevant son slip et le bouscula tandis qu'il était debout, tentant de se sortir de ses jeans étroits. Ils roulèrent doucement sur le sol dans un entremêlement de longues jambes lisses et bronzées et de courtes jambes musclées et poilues. On pouvait voir sur la peau de leurs fesses les marques rouges laissées par l'herbe rêche ou les petits silex de la rivière.

« Je ne me suis jamais sentie aussi jeune et nue de toute mon existence », hoqueta-t-elle lorsqu'il eut finalement réussi à dégrafer son soutien-gorge et qu'il l'eut jeté au loin. Il s'agenouilla à califourchon sur elle en la regardant. Il avait le visage rougi par l'effort et le plaisir. Ses yeux sans lunettes étaient brillants et chauds, d'une belle couleur marron, plus doux et plus larges qu'ils ne paraissaient derrière ses verres et, en quelque sorte, très vulnérables. Ses cheveux noirs tombaient sur son visage. Son sourire était calme, doux et solide.

« Je pense que tu es ce que j'ai vu de plus beau de toute ma vie », dit-il. Nell lui tendit les bras, l'attira contre elle.

Leur manière de faire l'amour ressemblait à Lewis lui-même, se dit-elle plus tard : lentement, doucement, vigoureusement mais avec une infinie tendresse. Pendant un long moment après qu'il l'eut pénétrée, elle ne sentit qu'une sorte de balancement simple et paisible, sur un rythme lent et régulier pareil au flux et au reflux de l'océan, rythme qui la reliait aux entrailles de la terre, diffusant en son bas-ventre une douceur musquée comme si elle s'était remplie de miel sauvage. La terre brûlée par le soleil, sous la couverture, le petit vent frais de la rivière lui caressant les reins et les jambes qui entouraient le corps de Lewis, le poids des rayons dorés du soleil sur ses paupières et le sommet de son crâne, l'odeur de la terre, des pommes, de la rivière, des chevaux et du muscat sauvage quelque part, très loin, l'immense voûte du ciel bleu, au-dessus d'elle, tous ces éléments semblaient faire partie d'une entité fondamentale qui se confondait avec lui, et qui était et n'était pas Lewis lui-même. Elle avait la sensation d'être possédée par le génie du lieu, le dieu inconnu et viril d'octobre. Soudain le doux miel se métamorphosa en une lave brûlante et épaisse qui déferla dans tout son être, le fit palpiter puis exploser. Elle entendit son cri, « Nell, je t'aime ! », mêlé à ses propres hurlements incohérents et le dieu d'octobre devint Lewis et Lewis seul, Lewis toujours. Pour elle, ce fut vraiment la première fois et peut-être la première fois du monde. Au-dessus d'eux allongés sur la couverture kaki, haut dans la voûte céleste, un aigle à queue rouge montait, planait, puis piquait vers le sol en une trajectoire vertigineuse avant de disparaître dans le ciel.

Plus tard, toujours nus et aussi inconscients de leur nudité que des enfants dans une baignoire ou des chiots au soleil, ils trempèrent le pain français dans le brie coulant. Ils mangèrent de bon appétit, léchant le fromage qui leur avait coulé sur les doigts. Il

334

étendit le bras pour saisir le sac dans lequel se trouvait le vin et la bouteille en plastique contenant le thé glacé.

« Que veux-tu, Éléanor mon amour ? Vin ou thé ?

— Du vin si possible. Oh, non. Attends. Je préférerais avoir du thé. Vraiment. Tu en as assez ?

— Nell, dit Lewis en reposant le sac et en se redressant. C'est maintenant qu'il nous faut parler de cette histoire d'alcoolisme. C'est un peu ridicule, au point où nous en sommes, que tu sois obligée de te conduire comme une douairière recevant un ivrogne sur les marches de la mission. M. le président t'a sûrement raconté que je suis un alcoolique et qu'à cause de ça, ma femme et ma fille ont été blessées dans un accident dont j'étais responsable. Et qu'en conséquence ma femme a demandé le divorce, emmenant ma fille avec elle. Tout cela est vrai. Par chance, je ne conduisais pas la voiture sinon je serais enfermé dans n'importe quelle prison de l'Iowa avec assez peu de chances d'en sortir dans un futur proche. C'était Harriett qui conduisait et nous étions en train de nous quereller. J'étais très très saoul. Je l'ai bousculée, la voiture a quitté la route et est partie dans le fossé. Je suis aussi responsable de l'accident que si j'avais été au volant. Harriett a eu la clavicule cassée ainsi qu'une large plaie au visage. Leah a perdu deux dents de devant et a eu le poignet cassé : elle était sur le siège arrière. Moi, je n'ai rien eu sinon quelques contusions et un œil au beurre noir. Les ivrognes rebondissent comme du caoutchouc, c'est bien connu.

— Tu n'as pas à me raconter tout cela, Lewis... commença Nell d'une voix malheureuse.

— Il faut que je te raconte. Je ne veux pas que cela se glisse entre nous chaque fois que nous allons faire l'amour, que nous nous disputons, que nous voyons un film ou que nous nous grattons les fesses. D'accord ?

— D'accord, dit Nell.

— J'ai toujours trop bu, dit-il. Depuis mon premier verre, quand j'étais encore au collège. J'aimais le goût de l'alcool et j'aimais l'état dans lequel il me mettait. Je ne me souviens pas que l'alcool m'ait jamais donné de courage ou la possibilité de briller devant des gens. Je n'ai jamais eu peur et je n'ai jamais été timide. Ce que j'aimais, c'étaient les sensations que l'alcool donne à tout. Le rituel, la qualité conviviale. Il me semble aussi que tout le monde buvait à cette époque. Quand on arrêtait d'étudier, on se mettait à boire. C'est

335

pourquoi, d'ailleurs, quand j'ai rencontré Harriett à New Haven, on a passé beaucoup de temps à boire avec mes amis et elle avait l'air d'aimer ça. Pauvre Harriett, je suis sûr qu'elle était vraiment convaincue d'avoir déniché un futur prix Nobel et je n'ai rien fait pour la détromper. Mes amis ont dû lui paraître de futurs Einstein en comparaison des gens du club qu'elle fréquentait à White Plains. Elle n'était pas idiote, seulement un peu candide. Quant à moi, je ne pouvais croire qu'une fille aussi riche et jolie qu'Harriett pût sérieusement s'intéresser à moi, le gosse grassouillet d'Apple River qui jamais n'avait escaladé le Charles Mound. Une nuit où nous avions bu plus que de coutume, nous avons pris la voiture, nous avons roulé toute la nuit jusqu'à Elkton dans le Maryland et nous nous sommes mariés.

— Mon Dieu, dit doucement Nell. Phillips et moi, nous nous sommes également enfuis pour nous marier. Ma mère et mon père en ont fait autant. C'est comme une malédiction. Ou un présage.

— Dans mon cas, ce fut une malédiction, dit-il. Il nous fallut moins de trois mois pour nous rendre compte que nous n'étions pas faits l'un pour l'autre mais Leah était en route. À cette époque et dans ce monde, on ne divorçait pas, surtout avec un bébé en route. Pour résumer cette longue et morne histoire, j'ajouterai que je suis resté à l'université de l'Iowa. Plus je montais en grade, plus je buvais. Finalement, mon comportement un peu scandaleux, les classes que je manquais, les discussions, les larmes, mon impuissance, nuit après nuit, ont fini par peser plus lourd que tout ce que je pouvais représenter. Au moment de l'accident, aussi bien l'université qu'Harriett en avaient assez de moi. Tous deux me flanquèrent à la porte et je ne les en blâme pas. J'ai même eu beaucoup de chance que cela ne se soit pas produit plus tôt. À moins qu'en fait, je n'aie pas eu tellement de chance. Dieu est témoin que je ne pouvais plus rien pour Harriett et qu'elle ne pouvait plus rien pour moi. Que j'aie pu faire du mal à ma fille me hantera ma vie entière. Cela m'a presque tué. Par chance, cela m'a aussi permis de m'arrêter. Je ne verrai probablement plus beaucoup Leah... Harriett ne me laissera pas la voir et elle a la loi pour elle... mais en même temps, je ne boirai plus.

— Oh, Lewis, je suis vraiment désolée, dit Nell. Leah, quand elle sera plus grande, comprendra sûrement tout ce qu'un mariage malheureux peut faire de mal à quelqu'un. Rien d'étonnant à ce que tu aies un peu trop bu...

— Non. Je n'ai pas " un peu trop bu ". J'étais un ivrogne. Et sans raison : il n'y a jamais de raison valable pour devenir un ivrogne. Ne fais pas de sentimentalisme. C'est un démon qui te possède et, pour satisfaire ce démon, tu mentiras, tu tricheras, tu voleras, tu trahiras sans arrêt les êtres que tu aimes le plus. C'est ainsi que tu agiras et, à la fin, ou tu arrêteras ou tu mourras. J'ai préféré arrêter.

— Merci de me l'avoir dit.

— Il n'y a pas de quoi, dit-il. Et maintenant, que dirais-tu d'un verre de thé ?

— Je m'en occupe », dit Nell. Elle attrapa la bouteille et les verres en carton. Elle fouilla dans le sac : « Tu prends du citron et du sucre ? »

Il renversa la tête en arrière et se mit à rire.

« Mon Dieu, je veux bien être pendu si tu n'es pas par moments l'incarnation même du Vieux Sud ! Tu viens juste de te faire baiser dans les bois sur une couverture par un ancien ivrogne poilu dont tu as fait la connaissance il y a à peine six jours, et tu es assise là, les jambes écartées et le cul tout nu au soleil, en me demandant si je prends du sucre et du citron dans mon thé. »

Nell croisa rapidement les jambes. « Peut-être que tu préfères de la ciguë », dit-elle.

Il rit encore, tendit la main et, d'un doigt léger, lui caressa les seins éclatants dans le soleil. Ses mamelons se dressèrent à nouveau. La peau de sa poitrine et de ses bras se hérissa.

« Ce que je préfère vraiment est secondaire, dit-il. Mais il vaudrait peut-être mieux que je te ramène chez toi. Sinon, ta famille va penser que tu as mal tourné. Ce qui, d'ailleurs, est exact. Qu'en penses-tu, Nell ? Crois-tu que tu vas pouvoir faire face ? Cette affaire risque de faire beaucoup de bruit, c'est le moins qu'on puisse en dire et Dieu sait où cela mènera. N'importe où, dis-tu. Tu es celle qui devra parlementer avec Herr Professor mais aussi avec Abby et avec toi-même. Sans parler de ces dames légendaires de la Tanière du Renard. Je ferai tout ce que je pourrai pour t'aider et je serai toujours là quand tu auras besoin de moi. Mais c'est toi qui devras, seule, mener la danse. Cela ne te fait pas peur ? Pourras-tu supporter ta culpabilité ? Parce que, tu sais, tu es bien la collectionneuse de culpabilité la plus originale du monde... »

Nell s'étendit sur le dos et s'étira. Les rayons du soleil tombaient sur son visage et sur ses seins. Elle remua voluptueusement les fesses sur la couverture chaude. Elle avait l'impression d'être lavée, libre, forte, jeune.

« Je souffrirai vraisemblablement de toutes ces choses, dit-elle, les yeux toujours fermés sous le poids du soleil. Et je n'ai aucune idée de ce qui va nous arriver. Mais pour l'instant, Lewis, je n'éprouve pas la moindre culpabilité et je ne ressens pas la moindre peur. »

Elle ouvrit les yeux et lui sourit. Puis elle regarda derrière lui. Une forme massive, d'un brun doré, remuait dans l'eau peu profonde de la rivière. Un ébrouement humide rompit le silence de l'après-midi. Un alezan était là, au milieu de la rivière. L'eau sombre qui coulait lentement clapotait autour de ses fanons, ses naseaux blancs dégoulinant d'eau fraîche. Il les regardait gravement.

« Je vais te montrer, Lewis, que je n'ai peur de rien », dit Nell qui contenait difficilement son fou rire. Elle bondit sur ses pieds et courut sur la rive. Elle posa une main assurée sur le garrot de l'alezan, sauta sur son dos, l'enveloppant de ses longues jambes. Surpris, le cheval hennit et partit d'un petit trot maladroit et hésitant. Il escalada la rive opposée, Nell nue dans la lumière dorée, cramponnée sur son dos, les mains enfoncées dans son épaisse crinière. De ses talons, elle le poussa. Penchée sur son encolure, elle frappa son flanc de la main. Le cheval piqua un petit galop. Il traversa facilement la prairie et grimpa la pente menant au petit bois qui, maintenant, se trouvait dans l'ombre. Lewis Wolfe s'était assis et, immobile comme une statue, les regardait. Les gerbes d'or atteignaient les flancs du cheval et les pieds de Nell s'enfonçaient dedans comme dans une mer fantastique.

À la lisière du bois, elle fit demi-tour. Ils reprirent le chemin de la rivière, en direction de l'homme sur la couverture qui écoutait le rire exalté, jubilant et invincible. Puis la voix lui parvint, une voix de femme venue de nulle part et hors du temps : « Lewis, Lewis, regarde-moi ! *Je n'ai pas peur !* »

Finalement, le soleil et la sueur perlant sur sa nudité païenne, elle laissa le cheval se mettre à l'amble puis au pas. Ils descendirent dans la rivière et s'arrêtèrent devant Lewis. Elle le regarda et vit qu'il pleurait.

Chapitre XXVIII

Mais elle finit par avoir peur. Sa liaison — Nell elle-même qui, pourtant, chassait le mot dès qu'il se glissait à sa conscience, ne pouvait l'appeler autrement — dura tout l'hiver et le printemps suivant. En même temps qu'elle se sentait apaisée, libérée, exaltée, transportée, elle était écrasée, déchirée par le poids de sa culpabilité et de sa peur. Il lui arrivait souvent de crier et de chanter sa joie, mais tout aussi souvent, elle pleurait de détresse. Les perturbations que vivait son esprit la laissaient dangereusement vulnérable.

Mais elle ne pouvait se résoudre à y mettre fin. Même aux plus sombres moments, lorsque ses remords de conscience la brisaient, elle savait qu'elle n'aurait pas la volonté de simplement envisager la rupture. Tout ce qu'elle pouvait faire, c'était d'en parler sans cesse à Lewis Wolfe. Tout ce qu'elle pouvait faire, c'était de pleurer jusqu'à ce que les larmes se changent en éclats de rire et que son esprit s'élance vers les hauteurs olympiennes. Il ne lui faisait aucun reproche, ne cherchait à apaiser ni ses remords ni ses angoisses et il faisait preuve de beaucoup de patience à son endroit. Quand, déchirée par le remords, elle regrettait de trahir la confiance des siens, pleurait en se demandant ce qui arriverait à son enfant, à son mari et aux deux vieilles femmes de la Tanière du Renard si jamais ils venaient à apprendre la vérité, il se contentait de lui répondre brièvement, d'un ton infiniment gentil et raisonnable.

« Que veux-tu qu'il leur arrive si elles découvrent la vérité ? Je parle de ta mère et de ta grand-mère. Elles se jetteraient sur cette nouvelle comme des sangsues, c'est tout. Je suis sûr que ton extraordinaire Gamma adorerait cela. »

Mais le plus souvent, il écoutait et elle essayait de lui faire voir et de lui faire comprendre ce qu'elle ressentait. De toutes les fibres de son être, elle essayait.

339

« Je veux être comme toi. Je veux être forte et libre. Je veux me libérer complètement de cette stupide université, de cette ville, du Sud tout entier si tel doit en être le prix. Peut-être même aussi de mon mariage, que Dieu me vienne en aide. Même de cela. Encore que je n'en sois pas certaine... C'était tellement bien au début, avec Phillips, tellement bien, tellement reposant. Je me sentais en sécurité. Oh, Lewis, je veux cette sécurité, j'ai besoin de cette sécurité. J'ai tellement peur de la perdre. Et c'est moi, avec ce roman, qui ai tout gâché. Sans parler d'Abby. Mon Dieu, qu'adviendra-t-il d'Abby ? Je suis déjà en train de la perdre à cette minute même, parce que j'ai tout fait de travers. Écoute-moi, Lewis : plus que tout au monde, je dois me conduire bien, rester dans le droit chemin. J'ai besoin de savoir que je suis une bonne petite fille. Je sais, c'est dingue et ça ne tient pas debout mais c'est absolument vital si je dois continuer à vivre dans ce monde : c'est la seule manière dont je sais me conduire. Si je quittais tout cela, si je les quittais tous, je n'aurais plus jamais la moindre chance de bien me conduire...

— Mais, dit-il, honnêtement étonné, c'est toi qui saignes à mort, *toi*, pas eux. À qui rends-tu service ?

— Je ne sais pas. À Dieu, peut-être. »

Il lui semblait souvent miraculeux que cette liaison n'ait pas encore été découverte. Nell savait depuis toujours que le radar vibrant de la ville n'avait pas son pareil pour dénicher la moindre matière à cancaner. Ils étaient discrets, certes, mais non sans négligence. Lewis faisait très attention, par exemple, à ne jamais l'emmener dans sa voiture : il ne voulait pas la voir plonger sous le tableau de bord à l'approche d'une silhouette ou d'une voiture. Il ne montait jamais non plus dans la voiture de Nell.

« Je refuse de me transformer, pour toi ou n'importe quelle autre femme, en crapaud, dit-il joyeusement. Et je ne tiens pas non plus à te voir t'accroupir au fond de ma voiture. J'éviterai les faux pas les plus évidents : je ne te téléphonerai jamais chez toi et je ne te toucherai jamais en public. Je m'arrangerai pour ne pas laisser tomber de ma poche, au club de l'université, tes slips avec tes initiales brodées et quelques autres trucs dans ce genre mais il ne faut pas m'en demander trop. Je suis à la ferme chaque après-midi à partir de trois heures. Et personne ne me rendra visite. C'est là que nous nous retrouverons quand nous nous retrouverons. Tu n'as pas besoin de m'appeler. Tu viens quand tu veux. Je serai toujours là. »

340

Tout se passa beaucoup mieux que Nell l'avait craint. Depuis longtemps, Abby la harcelait pour qu'elle la laisse aller à ses leçons bihebdomadaires à Atlanta dans la voiture d'une camarade de classe en âge de conduire. La jeune fille souffrait d'une acné assez horrible et elle devait se rendre deux fois par semaine dans une clinique pour y suivre son traitement. Il lui était facile de déposer Abby au Memorial Arts Center et de la reprendre plus tard.

Elle avait donc tous ses après-midi pour elle ce qui ne lui était pas arrivé depuis trois ans. Elle prenait au moins deux fois par semaine la vieille route d'Atlanta et le chemin de traverse menant à la ferme de Lewis. Elle ne changeait jamais d'itinéraire, ne portait pas de lunettes noires et ne songeait pas à acheter une voiture que personne n'aurait reconnue. Elle faisait des signes aux amis qu'elle rencontrait dans la rue ou qu'elle croisait en voiture à Sparta, comme elle l'avait toujours fait. Aussi incroyable que cela puisse paraître, à l'extérieur de la ville où sa présence aurait pu éveiller une quelconque curiosité, elle ne rencontra jamais quelqu'un de sa connaissance.

L'après-midi, dans le vieux lit haut perché de la ferme, sous le couvre-pieds en patchwork que la femme du fermier avait laissé à Lewis, ou sur le tapis de l'âtre devant la cheminée de la chambre, ou même dans la baignoire blanche en forme de bulbe et aux pieds de griffon, ils faisaient l'amour, roulaient l'un sur l'autre, éclaboussaient l'immense salle de bains et riaient aux éclats. Pendant ces deux heures passées chez Lewis, elle cessait d'être Nell Geiger Jay pour se transformer en une sombre créature au sang chaud, aux appétits dévorants. Mais même au plus fort de leurs transports amoureux, elle n'ignorait jamais que, bientôt, dans moins d'une heure, il lui faudrait redevenir Nell Jay. Souvent, étendus côte à côte, en regardant, à travers les vieilles vitres épaisses des hautes fenêtres de la chambre, tomber la nuit d'hiver, elle se demandait, en toute honnêteté, en toute humilité, ce qu'il avait bien pu trouver en elle pour l'aimer autant. Car il l'aimait. Même aux moments les plus sombres de sa vie, Nell n'en douta jamais, mais elle se demanda toujours pourquoi.

Elle devint plus gaie, plus belle. Les orages qui soufflaient, mouraient, renaissaient en elle, mettaient le feu à ses joues. L'excitation, le plaisir et la culpabilité faisaient briller ses yeux. Phillips semblait ne rien voir mais Abby — elle y pensait parfois avec terreur — avait remarqué quelque chose. Était-il possible qu'Abby, par un moyen ou par un autre, fût au courant ? Elle regardait longuement sa mère d'un regard voilé, purement féminin et vieux comme le monde. Aussitôt Nell se contractait de peur et de gêne. Elle avait déjà vu ce regard dans les yeux de Ruth Fox. Il transperçait ce qu'il fixait et en gardait longtemps les images. Nell craignait et détestait ce regard qui la forçait à baisser les yeux. Elle accorda plus d'attention à sa fille et à Phillips. Mais alors même qu'elle était aux petits soins pour eux, elle portait Lewis en elle. Elle sentait qu'elle pourrait continuer à vivre indéfiniment de cette manière. Au milieu de toutes ces convulsions de l'hiver, elle trouva une paix totalement anormale.

À la Tanière du Renard, les changements qui s'étaient opérés en Nell ne passèrent pas inaperçus. Ruth Fox ne fut pas longue à se rendre compte que son emprise sur Nell était menacée. Elle ne pouvait nommer le danger qu'elle sentait planer mais il était là et il nourrissait ses forces et sa volonté chancelantes. Ce nouveau défi la stimula.

« C'est incroyable, Ruth, s'émerveillaient les femmes de son âge. D'un seul coup, vous paraissez vingt ans de moins. Je vous embêterai jusqu'à ce que vous me confiiez votre secret. Iriez-vous consulter en cachette l'un de ces docteurs qui vous inoculent des cellules de brebis ? »

Rip se mit à surveiller Ruth Fox de plus près...

Car elle sortait en catimini : il n'y avait pas d'autre mot. Au moins deux fois par semaine, elle attendait qu'Hebe soit endormie et que Rip soit également en train de se reposer dans sa chambre du second pour sortir discrètement et gagner le garage. Elle laissait glisser la grosse Chrysler en roue libre dans la rue avant de mettre le moteur en marche. Elle ne parlait jamais de ses sorties et Rip ne sut jamais combien il y en avait eu avant qu'elle ne découvre le manège du Ruth pendant ces sombres après-midi d'hiver. Quand elle s'en aperçut, elle fut saisie d'une grande frayeur. Le danger était apparu au-dessus de la Tanière du Renard : Rip avait vu l'image d'un homme sans nom dont le visage s'était superposé sur celui de Nell. Le danger était de nouveau dans la maison. Rip se leva pour aller à sa rencontre.

Elle décida de suivre à pied la vieille Ruth Fox en voiture. Ce fut une entreprise moins difficile qu'elle ne l'imaginait : Ruth n'allait pas loin. Elle conduisait lentement et posément, saluait les passants comme si elle faisait partie d'un cortège royal, s'arrêtait longuement à chaque carrefour autour de l'université et examinait attentivement, pour une raison que Rip ignorait, les rues paisibles. Rip se mettait un châle de laine sur la tête, enveloppait sa mince silhouette dans le chaud et sombre manteau que Nell lui avait donné, et ses longues jambes lui permettaient sans trop de difficultés de ne pas perdre de vue la lente Chrysler.

Ce fut peu de temps avant Noël que Rip se rendit compte de ce que cherchait Ruth Fox lorsqu'elle sortait la Chrysler en cachette. Par la suite, du reste, en y réfléchissant, elle prit conscience qu'elle l'avait toujours su. Un jour où Rip s'était arrêtée à un carrefour pour mieux garder l'œil sur la Chrysler, elle aperçut le break Volvo de Nell qui sortait du parking du supermarché et tournait dans la Grand-Rue. La Chrysler, aussitôt, se mit à la filer comme un énorme chien de chasse. Les deux voitures furent rapidement bloquées dans l'embouteillage traditionnel des fêtes de Noël. Rip n'eut aucune peine à les suivre jusqu'au moment où Nell prit le chemin qui menait à sa maison, près de la rivière. Elle fit demi-tour et revint à la Tanière du Renard. Elle était depuis un bon moment dans sa chambre quand elle entendit la Chrysler qui se glissait dans le garage.

Rip tenait beaucoup à rentrer avant Ruth Fox. Celle-ci ne devait jamais savoir que Rip la suivait tout au long de ces après-midi d'hiver. Pendant longtemps, Rip se demanda si elle devait prévenir Nell que sa grand-mère l'épiait. Elle préféra attendre : à son avis, le temps n'était pas encore venu. Ruth n'avait encore rien trouvé. Si elle s'approchait un peu trop de la vérité, Rip en parlerait à Nell. Rip souhaitait que Nell gardât le plus longtemps possible pur et sans tache ce nouvel amour.

Comme cadeau de Noël, Lewis Wolfe offrit à Nell une petite pomme en or, convexe, joliment travaillée d'un côté mais plate et polie de l'autre. Au dos était gravée l'inscription : « B. E. B. & B. » Il attacha la fine chaîne d'or autour de son cou et la fit glisser entre les seins encore humides de sueur. Ils étaient nus, couchés dans le lit de la ferme. Dehors, la pluie était en train de se muer en petits flocons de neige. Les branches mortes des pommiers crépitaient dans la cheminée. Nell étira ses membres lourds, engourdis de plaisir. Elle soupira en pensant qu'elle devait rentrer. Elle toucha la pomme.

« Tu sais que je l'adore ! C'est magnifique ! Une pomme, c'est un cadeau parfait. Je n'oublierai jamais la première fois, dans le verger de pommes... Que signifient ces initiales au dos ? Lewis, je suis désolée mais je n'ai pas eu le temps de t'acheter quoi que ce soit...

343

— Cela n'a aucune importance. Écoute. À partir de maintenant tu ne dois jamais oublier la signification de ces initiales. Ce sont des mots qui doivent devenir pour toi aussi familiers que ton propre nom. Cela veut dire : " Baiser est bon et bien ". »

Ravie, elle rit. Elle roula sur le côté et l'étreignit. Elle enfouit son visage au creux de l'épaule de Lewis.

« Oh, mon Dieu, que tu es bête ! Rien ne pouvait mieux me convenir. J'ai besoin d'entendre ces mots au moins cinquante fois par jour. Je vais pouvoir regarder ces mots chaque fois que j'en aurai envie. Il me semblera, aux moments où j'ai tendance à devenir une pleureuse idiote, que tu es en train de me les répéter. Je t'aime, Lewis. Personne au monde n'aurait eu l'idée de me faire un tel cadeau.

— J'ose l'espérer. »

Il l'écarta légèrement et la regarda fixement. « O.K., Nell, il y a une autre raison en dehors du fait que te baiser est bon et bien. Il y a des choses que je veux que tu fasses. Je crois que tu es prête maintenant. Il est temps. Cette pomme t'aidera. Elle prendra ma place lorsque je ne serai pas derrière toi pour te pousser. »

Nell le regarda, sceptique :

« Quelles choses ?

— Avant tout, je veux que tu te remettes à écrire. Dès maintenant, quand tu rentreras chez toi, le soir. Et tout au long de tes vacances de Noël. Chaque fois que tu le pourras. Après le premier janvier, il sera temps de t'y mettre sérieusement, je veux que tu me le promettes. Promets-le-moi sur cette pomme. »

Il donna une chiquenaude à la pomme qui rebondit contre la gorge de Nell. « Si jamais tu doutes de toi, que ce soit pour ton roman ou pour tout autre chose, dis-toi que tu t'es révélée tellement supérieure à tout le monde qu'on t'a décorée. »

Nell se remit donc à écrire. C'était effrayant et assez terrible : son cœur cognait dans sa gorge lorsqu'elle tira un bloc-notes du tiroir depuis longtemps fermé de son bureau et qu'elle l'emporta dans son lit avec un crayon feutre tout neuf. Elle eut peur de se servir de sa machine à écrire : ils ne devaient pas savoir. Pas encore. Le courant électrique qui, jadis, avait entraîné ses doigts sur des coussins d'air avait disparu. Il n'y avait plus qu'une odeur de renfermé et de minuscules tas de mots rabougris. À la fin de la première heure, elle alla à la porte de sa chambre — Phillips maintenant dormait régulièrement dans la chambre d'ami qu'il s'était appropriée — et regarda si, sous sa porte, on distinguait un rai de lumière. On ne voyait rien. Elle se glissa dans le *den,* enferma soigneusement dans le tiroir du bas du bureau les pages qu'elle avait griffonnées, emmena la clef dans sa chambre et la cacha sur la planche du haut à l'intérieur d'un sac en satin noir. Elle glissa la pomme autour de son cou, chercha dans son tiroir à lingerie une chemise de nuit avec un col au ras du cou. À partir de cette nuit-là, elle écrivit dans son lit chaque soir et garda la pomme au bout de sa chaîne sous ses vêtements.

En mars, elle avait déjà écrit les trois premiers chapitres de son nouveau roman et elle les lui apporta. Il les emporta avec lui dans la cuisine de la ferme et, tandis qu'il les lisait, elle resta assise sous la véranda, ne pensant à rien, le visage caressé par un vent léger et par un pâle soleil de printemps.

Il revint une heure plus tard. Il avait une expression étrange. Il était immobile, dur, presque austère. Donc, il n'aimait pas ce qu'elle avait écrit. Elle resta assise, attendant simplement qu'il donne son verdict.

« C'est merveilleux, dit-il. Tu m'étonneras toujours. C'est une femme entièrement nouvelle qui a écrit cela. C'est une œuvre adulte, méchante, dure, drôle, intelligente, très intelligente. Tu dois continuer. Et, Nell... » Il s'assit à côté d'elle sur la marche du haut, lui prit les mains et avec ses yeux de myope, la regarda au travers de ses lunettes.

« ... Il faut que tu lui dises que tu t'es remise à écrire. Maintenant. Il le faut. Cela ne peut attendre. Sinon, tu ne maîtriseras plus ce livre. Il faut que tu fasses plus. S'il t'emmerde à propos de ce roman, s'il t'emmerde d'une façon ou d'une autre, tu lui annonces que tu le quittes. Et il faudra que tu le fasses. Tout de suite. Et si tu peux lui dire la vérité à notre sujet, tant mieux ! Fais-le et viens me rejoindre. Ce sera pour nous le vrai départ. Tu peux amener Abby, si tu veux. Je sais très bien m'y prendre avec les filles. Et cela ne me déplairait pas de m'occuper à nouveau d'une fille. Même si tu ne te sens pas capable de lui parler de nous, dis-lui au moins que tu t'es remise à écrire et fiche le camp de chez toi. »

Nell ôta vivement ses mains. Elle secoua la tête de droite et de gauche, en silence. Ses lèvres formèrent « s'il te plaît » mais aucun son n'en sortit. Il reprit les mains de Nell dans les siennes.

« Écoute, écoute, dit-il d'une voix douce mais insistante. Ne pense pas à moi. Fais-le pour toi. Si tu veux, si le sentiment de

345

culpabilité que te donne notre liaison est trop lourd à supporter, si aussi tu éprouves quelque remords à le quitter, ne nous voyons plus pendant quelque temps. Aussi longtemps qu'il le faudra. S'il le faut, ne me revois jamais. Contente-toi de foutre le camp avec ton roman. Ne regarde pas derrière toi, ni dans sa direction ni dans la mienne. Mais *fais-le ! Quitte-le ! Écris !* Le moment est venu. C'est l'heure. Tu es prête. »

Elle se mit à pleurer : « Je ne peux pas. Je ne peux pas. Ne me demande pas cela. Je ne peux pas le quitter et je ne peux pas te quitter. Dieu ! Jamais je ne pourrai…

— O.K. Je suis désolé. O.K. Mais au moins promets-moi que tu vas continuer à écrire. C'est tout. Continuer à écrire ! promets-moi aussi que si… quand… tu sentiras que tu peux le faire, promets-moi de lui dire… promets-moi d'essayer de le quitter. C'est ta vie, Nell…

— Ça, je peux te le promettre. Oui. Je peux te promettre d'essayer. »

Deux semaines plus tard, elle appela Lewis à son bureau, à la faculté d'anglais. C'était la première fois.

« Je pense que je peux essayer maintenant. Je vais faire photocopier mes trois premiers chapitres avant d'avoir perdu mon courage. J'y vais de ce pas. Et j'en enverrai aussitôt un exemplaire à mon éditeur. Dès que j'ai de ses nouvelles, j'en parle à Phillips.

— Et que lui diras-tu, Nell ? » Sa voix était naturelle.

« Que j'écris un autre livre… Et que je vais le quitter. Du moins, je crois que c'est ce que je vais faire… Je vais essayer…

— C'est bien », dit-il simplement.

Nell raccrocha, sortit de la maison, monta en voiture et posa soigneusement sur le siège à côté d'elle la grande enveloppe beige.

Dans le hall de la Tanière du Renard, dans la niche sombre sous l'escalier en spirale, Rip ôta son manteau et le jeta sur la vieille chaise Chippendale qui, depuis l'arrivée d'Alicia Fox, servait de chaise de téléphone. Elle décrocha le récepteur. Son cœur battait si fort dans sa poitrine qu'elle pouvait l'entendre résonner à ses oreilles et qu'elle sentait le battement de son sang dans son cou et dans ses tempes. Ce n'était pas seulement la fatigue de son retour rapide à la maison. Rip avait vu la Chrysler s'arrêter devant la boutique où les gens amenaient des papiers importants pour en faire des copies. Elle-même y était déjà allée porter puis reprendre des documents pour

Ruth Fox. Elle avait vu la Volvo de Nell démarrer juste avant l'arrivée de la Chrysler. Rip était sûre que la présence de Nell dans cette boutique avait quelque chose à voir avec un nouveau livre. Si Ruth Fox entrait dans le magasin, elle découvrirait l'existence de ce second roman. Ce serait pour elle une arme terrible contre Nell. Elle était rentrée presque en courant, terrorisée à l'idée qu'à son arrivée, la Chrysler aurait déjà pu être garée dans l'allée. Mais il n'y avait personne. Son cœur bondit de gratitude. De son long doigt, elle composa un numéro de téléphone. Son cœur se serra une nouvelle fois en entendant la voix claire d'Abby.

« Où qu'elle est, maman, mam'zelle Abby ?

— Elle n'est pas là. Elle est partie en voiture il y a environ une heure et je ne sais pas quand elle rentrera.

— 'Coutez voir, mam'zell Abby, vous lui dit' quand c'est qu'ell' rent', qu'y faut qu'elle m'appell' tout d' suite. Dit' lui qu'y faut pas qu'ell' dérang' mam' Ruth ou mam' Hebe, rien qu' moi.

— Excuse-moi, Rip, dit une nouvelle voix. Pourrais-je te parler une seconde ? Non, ne raccroche pas. Je ne serai pas longue. »

Ruth Yancey Fox était derrière elle, blanche et dorée dans un élégant manteau et de fines chaussures à talons aiguilles. Ses yeux aussi étaient cernés de blanc. Elle était presque phosphorescente dans l'obscurité. Les épaules droites et minces de Rip s'affaissèrent imperceptiblement mais son regard, quand elle tourna les yeux en direction de la vieille Ruth, était ferme et calme. Elle couvrit le récepteur avec la paume de sa main.

Ruth se rapprocha.

« Rip, il y a longtemps... Il y a très très longtemps, nous avons parlé toutes les deux de ce qui pourrait t'arriver si tu oubliais où est ta place, Rip. » Sa voix était très douce et très calme. Elle était si claire, remarqua Rip, qu'elle résonnait jusqu'au plafond du hall.

« Passe-moi le téléphone ».

Rip le lui tendit.

« Allô, bonjour ma chérie, dit gaiement Ruth Yancey Fox en s'emparant du téléphone. Dis à ta maman, à son retour, que j'aimerais bien qu'elle vienne nous voir. Et avec toi pour changer. Cela fait un temps infini qu'on ne t'a pas vue. Ah ! Oui ! Présente-lui nos félicitations pour le nouveau livre qu'elle est en train d'écrire. Dis-lui que je suis dans son secret mais je n'en parlerai à personne avant qu'elle soit prête. »

Rip entendit à l'autre bout du fil la voix d'Abby qui montait en un glissando de rage : « Que voulez-vous dire ? Elle écrit un nouveau livre... » glapit-elle. Ruth reposa le récepteur et monta dans les étages de la Tanière du Renard.

Ils trouvèrent Abby deux heures plus tard à la gare routière. C'est du moins Phillips qui l'y trouva. Nell n'était pas encore revenue de la ferme de Lewis où elle s'était rendue, tremblante d'excitation, en sortant de la poste. On avait appelé le chef de gare : une jeune fille avec une valise voulait prendre un billet pour New York et n'avait pas assez d'argent. L'employé avait refusé d'accepter un chèque. Elle avait eu une crise de nerfs et s'était écroulée sur le sol au milieu d'une foule de passagers à la fois fascinés et horrifiés. Le chef de gare était un jeune homme de la ville qui reconnut Abby Jay. Il appela aussitôt la Tanière du Renard. Ruth Fox garda, avec sa classe habituelle, son calme et sa réserve. Elle réussit à joindre Phillips à son bureau. Il prit le chemin de la gare. Quand Nell rentra chez elle, le visage en feu, plein d'une sorte de gaieté morbide, brûlante de détermination, le docteur avait déjà quitté la maison après avoir fait à Abby une piqûre anesthésiante, laissé une provision de Valium et promis de la recevoir le lendemain matin en consultation à son cabinet. Elle dormait d'un profond sommeil dans sa chambre. Phillips était assis dans le living-room, un scotch à la main. Il attendait Nell.

« J'ai entendu dire que tu écrivais un livre, dit-il sans la moindre acrimonie. Ce sera sans aucun doute un best-seller. Il a déjà fait sensation ici, au sein de ta propre famille. »

Le sang de Nell se glaça.

« Mais de quoi parles-tu ? »

— Va voir Abby dans sa chambre. Quand tu reviendras, je t'expliquerai ce que je veux dire. »

À la fin de cette longue soirée, Nell rassembla son nouveau manuscrit. Elle jeta, l'une après l'autre, chacune de ses pages dans le feu. Le lendemain, elle appela son éditeur. Elle lui demanda de lui retourner, sans l'ouvrir, le paquet qu'elle venait de lui envoyer. Elle retira la pomme de son cou et la rangea dans le fond du tiroir avec ses autres bijoux. Abby retourna en classe et reprit la routine de ses trajets bihebdomadaires à Atlanta. Phillips retourna à sa chaire et personne ne parla plus du livre de Nell. Pas même Lewis Wolfe après qu'elle lui eut raconté ce qui était arrivé.

La bulle de verre qui avait enveloppé Nell tout au long du printemps et de l'été, juste avant sa rencontre avec Lewis, reprit sa place. Elle continua à se rendre à la ferme en ces après-midi de fin d'hiver et de printemps : Lewis était le seul être qu'elle pouvait voir à travers sa bulle. Tous les autres lui apparaissaient brouillés comme si elle les regardait à travers un manteau de pluie. Cela ne semblait pas la gêner.

Un après-midi de mai, Ruth Yancey Fox pénétra dans le hall de la Tanière du Renard, sa mince silhouette se profilant à contre-jour. La lumière diffuse du soleil et de la pluie formait autour d'elle un étrange halo. « Le Diable est en train de battre sa femme » devaient dire ce jour-là les Sudistes de Sparta en voyant le soleil briller à travers la pluie printanière. Rip ne devait jamais oublier ce jour-là, ce mariage d'eau et de soleil et tous les autres événements. Toutes les femmes de la Tanière du Renard devaient se souvenir de ce jour...

Rip était en train de somnoler dans le rocking-chair de la cuisine. Pendant toute la nuit précédente, elle avait marché de long en large, gémissant de douleur, en proie à une crise de rhumatisme qui broyait ses longs pieds. En un instant, elle fut debout dans la salle à manger obscure et regarda Ruth qui traversait le hall. Elle portait l'imperméable en soie qu'elle s'était commandé à Hong Kong l'année précédente. À ses pieds, elle chaussait les ridicules et fragiles sandales de Charles Jourdan, à talons hauts de douze centimètres, que Yancey lui avait, sur sa demande, envoyées de New York. Sa démarche, sur le sol de marbre noir et blanc, était celle d'une somnambule : régulière, mesurée, aérienne. Rip vit son visage. Le cœur déchiré, elle comprit qu'elle avait échoué dans son rôle de chien de garde. Elle avait été trahie non par son cœur solide mais par ses os douloureux. Ruth Yancey Fox ressemblait à un petit buisson ardent au cœur d'une solitude désertique. Son sourire était radieux, indéfinissable. Elle parlait à mi-voix en montant l'escalier. Elle parlait d'un nouvel homme, un homme qui était venu livrer un assaut à la Tanière du Renard afin d'enlever pour toujours la dernière des femmes Fox à qui cette propriété était destinée.

« Elle les a trouvés, alors, se dit Rip. Elle sait tout sur mam'zell' Nell et son homme. J'ai pas été là quand y fallait. » Elle fut prise d'un étourdissement, une sorte d'engourdissement qui saisit ses doigts, monta le long de ses bras, monta, monta, toujours plus haut, la faisant chanceler, pencher la tête vers le tapis de laine claire de la salle à manger. Elle n'eut que le temps de s'accrocher au dossier de la chaise sur laquelle elle avait vu missié Claudius Fox le premier jour où, toute jeune fille, elle avait pénétré à la Tanière du Renard, cette chaise que la vieille Ruth occupait maintenant le soir. Elle s'agrippa à la chaise et lutta pour repousser le voile noir qui l'entourait. Quand les brumes se furent dissipées et qu'elle put relever la tête, elle redressa le dos, sortit à pas feutrés de la salle à manger, traversa le hall et monta les escaliers.

Sur le palier du premier, là où se trouvait le téléphone, Rip entendit le bruit métallique du récepteur qu'on reposait.

« Je te donne deux semaines » dit Philips Jay à Nell, de l'autre côté de la ville, dans la longue et basse maison coloniale dont le patio aux murs de brique était ouvert sur la rivière. Un petit vent frais y pénétrait, si doux et si léger en ce jour de mai où la pluie chantait et où un soleil, encore timide, s'était mis à briller. Il tenait toujours le téléphone à la main. Il ne l'avait pas reposé. Nell ne savait pas qui l'avait appelé. Elle était morte, sans curiosité. Tout cela n'avait aucune importance. La seule chose qui comptait était qu'Abby n'apprenne rien.

Il était à la fois glacial et dévoré par un feu brûlant. Nell se rendit compte qu'il était capable de tout, à cet instant précis. Même capable de la tuer. Cela non plus n'avait pas d'importance.

« Au cours de ces deux semaines, poursuivit Phillips Jay, tu décideras si oui ou non tu veux revenir avec Abby et moi. Si tu décides de revenir, tu vivras dans cette maison où nous avons toujours vécu et plus jamais il ne sera fait mention de cette escapade. C'en est terminé de ton œuvre littéraire. Tu n'écriras plus jamais. Et tu ne verras plus jamais Wolfe. Il partira à la fin du trimestre. Plus jamais il n'enseignera dans ce pays. J'y veillerai, tu peux me faire confiance. Ton nom ne sera jamais prononcé devant lui ni devant l'un de ses amis. Et il saura pourquoi.

« Si tu décides de ne pas revenir, j'enverrai Abby chez Yancey au début de l'été et elle restera là-bas. Quant à moi, je demanderai le divorce. Tu n'auras pas la garde d'Abby et tu ne la verras plus jusqu'à ce qu'elle soit en âge de décider si elle souhaite te voir. Je pense que tu sais déjà ce qu'elle décidera. Tu n'auras pas un sou de moi et aucun

350

tribunal, dans ce pays, ne pourra m'y contraindre. Si tu penses que toi et ton... amant... puissiez vivre de ta plume, n'hésite pas. Tu as ma bénédiction. De plus, je raconterai l'affaire à ta mère et à toute la vieille garde de Sparta qui t'est si chère. Toute l'université connaîtra les détails de ton aventure et tout le monde saura le nom de l'homme avec qui tu couches depuis Dieu sait combien de temps. Va chez ta grand-mère maintenant. Emmène suffisamment de vêtements pour que tu n'aies pas à revenir ou à m'appeler. Elle sera sans aucun doute ravie de te reprendre. Vraisemblablement, si tu ne reviens pas avec moi, tu finiras tes jours dans cette maison. Appelle-moi quand tu auras pris ta décision. »

Nell était dans la grande chambre baignée par la lumière diffuse de la pluie et du soleil. C'était cette chambre que Phillips et elle avaient partagé si longtemps. Nell était en train de faire ses valises quand le téléphone sonna. C'était Rip qui lui annonça que Ruth avait trébuché dans ses nouvelles sandales Jourdan à talons de douze centimètres. Elle était tombée la tête la première dans l'escalier en spirale de la Tanière du Renard et s'était brisée le cou. Elle était morte sur l'instant.

Sur le chemin de la Tanière du Renard, Nell s'arrêta à une cabine téléphonique pour appeler Lewis Wolfe à l'université. Il donnait un cours à cette heure-là mais une jeune étudiante était chargée, en son absence, de prendre les communications.

« Pourriez-vous aller chercher le docteur Wolfe, s'il vous plaît. Dites-lui que c'est Mrs. Jay, dit-elle. Et dites-lui que c'est urgent. »

Il vint à l'appareil très rapidement.

« Alors, tout est réglé, dit-il. Fais ce que tu as à faire là-bas... Je ne suis pas trop désolé pour ta grand-mère, Nell, et je pense que tu ne devrais pas l'être non plus. Et puis, viens me retrouver à la ferme. Nous repartirons à zéro et tout de suite. Je suis heureux, mon amour. En fait, je crois bien que je suis l'homme le plus heureux de l'Amérique du Nord et je n'exagère pas.

— Non, dit-elle.

— Qu'est-ce que ça veut dire, ce non ? Tu ne veux pas dire que tu vas reprendre la vie commune avec lui. Mon Dieu, Nell... Tu veux que je vienne là-bas, à la Tanière du Renard ?

— Non. Non, je ne veux pas. Ne viens pas ici, Lewis. Ne m'appelle pas. Je ne peux plus supporter tout cela. Je ne veux plus rien détruire. J'ai fait la folie de penser que j'étais libre de choisir. Je n'ai jamais été libre.

— Tu es libre maintenant.

— Non.

— J'attends ton coup de fil.

— Il ne viendra pas.

— J'attendrai. »

Quand elle remonta l'allée circulaire de la Tanière du Renard, Abby l'attendait sur la véranda.

Chapitre XXIX

La veille de l'enterrement de Ruth Fox, le temps était maussade et la pluie était menaçante. Il était tard lorsque Nell s'éveilla dans la maison silencieuse. Elle avait dormi d'un sommeil lourd et sans rêves. Les muscles de ses bras et de ses jambes étaient si raides et si douloureux qu'elle pensa avoir attrapé la grippe.

Elle jeta un coup d'œil à la pendule en or sur le manteau de cheminée de la vieille chambre. Neuf heures. Elle bondit nors au lit avec une telle brusquerie que la tête lui tourna. Des points lumineux dansèrent devant ses yeux.

La journée d'hier avait été éprouvante. Aux yeux de Nell, le moment le plus douloureux en avait été la querelle féroce avec sa sœur et sa fille.

Depuis que Yancey était descendue d'avion à l'aérogare d'Atlanta, ébouriffée et mal fagotée dans un ensemble sévère de soie et de toile mais sans avoir rien perdu de sa blondeur et de sa souplesse, la guerre avait été déclarée. Une première escarmouche avait eu lieu sur la route d'Atlanta. Nell n'avait pas demandé à sa fille de l'accompagner mais quand elle était montée dans la Volvo, Abby était déjà là, assise sur le siège avant, regardant droit devant elle, ses yeux dissimulés par d'énormes lunettes de soleil. Nell ne savait pas pourquoi elle était là, pas plus qu'elle ne savait pourquoi elle l'avait attendue sur la véranda de la Tanière du Renard, la veille, lorsqu'elle était rentrée.

« Es-tu sûre de vouloir venir ? dit-elle à sa fille d'un ton neutre. Le trajet est long. Il fait très chaud et tu n'as pas beaucoup dormi la nuit dernière.

— Yancey ne me pardonnerait jamais de ne pas être à l'aérogare pour l'accueillir », dit Abby d'un ton traînant. Nell se demanda quand sa voix avait acquis ce trémolo mourant. C'était exactement la

353

voix de la vieille Ruth. « Elle me l'a dit quand elle m'a appelée la nuit dernière. Elle a ajouté qu'elle était impatiente de me voir parce que nous avions beaucoup de choses à nous dire. Je sais qu'elle veut me parler de Julliard. »

« Elle est en train de me punir, pensa Nell, avec lassitude. Je pense qu'elle sait quelque chose pour Lewis. Elle m'en veut pour une raison quelconque mais je me demande si c'est parce qu'elle pense que je vais partir avec lui et la quitter, ou parce que je me suis conduite comme une parfaite imbécile. La seconde raison est probablement la bonne. »

« J'imagine, dit-elle, que ta tante Yancey pourra survivre au trajet depuis l'aéroport sans le plaisir de ta compagnie. Surtout dans l'humeur où tu es actuellement.

— Eh bien ! Je ne tenais pas à rester dans la maison avec grand-maman et toutes ces vieilles bonnes femmes horribles qui rôdent dans la maison et qui se faufilent presque dans le cercueil, dit Abby. Elle a l'air empaillé. On dirait qu'on va l'accrocher au-dessus de la cheminée. » Elle eut un petit rire nerveux.

« Elle a l'air d'une morte, c'est tout, dit sèchement Nell. Tu n'es pas obligée de rester avec Gamma si cela te bouleverse tant. Tu peux rentrer à la maison et rester avec papa.

— Ce qui est plus que tu ne peux faire... »

Nell la regarda douloureusement. Ainsi elle savait. Abby gardait les yeux fixés sur la route, la bouche déformée par l'énormité de ses propres paroles. Elles gardèrent le silence. Puis Nell dit : « Je vois que tu sais... à propos de M. Wolfe et moi. Lewis Wolfe. Je suppose que tu nous as entendus hier, ton père et moi... Je suis désolée que tu l'aies appris de cette manière. Si tu as entendu, tu dois savoir... les conditions que ton père a posées. Je ne te laisserai pas seule, Abby. Les choses ne vont sans doute pas très bien entre ton père et moi mais cela n'a rien à voir avec toi. Je t'aime. Ton bien-être est ce qui compte le plus pour moi. »

Abby pivota furieusement : « Ah ! Oui ! Tu parles comme tu te préoccupes de mon bien-être ! C'était mon bien-être que tu cherchais quand tu as écrit ton précieux bouquin ? parce que, peut-être, tu trouves que les résultats ont été pour nous absolument *merveilleux*. C'était mon bien-être que tu cherchais quand tu te fourrais dans le lit de ce vieux machin-chose... ? »

Quelque chose dans le regard de Nell fit taire Abby. Elle renifla bruyamment puis se plongea dans la contemplation du paysage de mai de l'autre côté de la vitre. Mais la première chose que Nell l'entendit dire à Yancey après qu'elle se fût jetée dans ses bras fut une courte confidence : « Maman et papa ont eu une scène horrible hier à propos d'un homme qui est l'amant de maman. Papa l'a flanquée à la porte et lui a dit de ne pas remettre les pieds à la maison avant une quinzaine si jamais elle les remet. » Elle avait parlé clairement et directement, les yeux braqués sur le beau visage mince de sa tante.

« Tu n'es pas drôle, Abby », dit froidement Yancey. Le visage d'Abby s'empourpra. Elle accéléra le pas pour les précéder. Son dos était ostensiblement droit.

« Que se passe-t-il, Nell ? dit Yancey.

— Exactement ce que ma charmante fille t'a confié en quelques mots. Il n'y manque que quelques détails savoureux dont je ne désire pas parler actuellement, Yancey. »

Sa sœur sembla n'avoir rien entendu. Elle rit joyeusement.

« Cette horrible maison, dit-elle. Cette maison sans homme. Nous n'avons pas de chance, Nell, tu sais, nous les femmes Fox.. parce que c'est ce que nous sommes, nous, des femmes Fox, quel que soit le nom que nous portons. Les hommes ne restent pas avec nous. Papa n'est pas resté. Paul non plus. Et maintenant Phillips. C'est la malédiction des Fox.

— Yancey...

— Je suis désolée, Nell. Vraiment, je suis désolée. Si tu veux m'en parler plus tard... Et si je peux faire quelque chose pour t'aider, je le ferai. J'y tiens. »

Mais en dernier ressort, Yancey ne fit rien pour l'aider. Au contraire. Dès l'instant où elle pénétra dans le hall de la Tanière du Renard, elle se montra de plus en plus revêche et vipérine. Nell eut l'impression qu'elle cherchait à blesser. Tout ce qu'elle pouvait apercevoir dans la vieille maison devenait prétexte à moquerie.

Nell avait quitté Hebe prostrée par le chagrin, le chagrin d'une enfant gâtée et protégée qui a perdu sa mère et qui soudain se trouve exposée aux aléas du destin. Mais Rip avait réussi à ce qu'elle se lève et s'habille. Lorsqu'elles revinrent d'Atlanta, Hebe était assise dans le petit salon, derrière le service à thé de Sheffield. Elle fut très heureuse de voir Yancey mais son plaisir fut celui d'une enfant qui accueille joyeusement une de ses amies qui s'est absentée pour quelques minutes.

« Oh ! Bonjour, Yancey ! dit-elle sur un ton guilleret.

— Bonjour maman ! » Yancey déposa un baiser sur la peau molle des joues de sa mère. « Maman est morte hier, reprit Hebe. Tu le savais ? Elle est tombée dans l'escalier et s'est brisé le cou. Rip ne m'a pas laissée la regarder lorsqu'elle était dans le corridor mais je l'ai vue quand elle est rentrée de chez Cromartie. Elle est dans le salon. Si tu veux, nous pouvons aller la voir, maintenant...

— Nous l'avons vue, maman », dit gentiment Nell. Yancey garda le silence. Rip ramena Hebe dans sa chambre. Elles entendirent aussitôt le poste de télévision qui se mettait en route.

« Mon Dieu, dit Yancey, mais elle est complètement cinglée !

— Elle n'est pas plus cinglée que toi, dit sèchement Nell. Elle a toujours eu cette attitude quand il y avait quelque chose dont elle ne voulait pas s'occuper. Tu devrais le savoir. Ça fait longtemps que tu n'as pas assisté à une crise dans cette maison... »

Yancey la regarda attentivement à travers un nuage de fumée.

« Ainsi donc, j'aurais dû tout sacrifier sur l'autel des responsabilités familiales comme l'a fait ma plus jeune sœur ? Pas question. Mais elle est cinglée et il va falloir trouver quelqu'un pour s'en occuper. Tu peux être sûre que ça ne sera pas moi.

— Je n'aurais même pas songé à te le demander », dit Nell en pinçant les lèvres.

Plus tard dans l'après-midi, Nell se rendit en ville chez Cromartie. Elle reprit les vêtements que Ruth portait lorsqu'on l'avait transportée. À son retour, elle gara sa voiture dans l'allée. Abby était dans le jardin derrière la maison. Elle poussait Yancey sur la vieille balançoire, celle-là même que Johnny Geiger avait accrochée à la branche d'un chêne le jour de la naissance de Nell, de longues années auparavant. Yancey se balançait très haut, la tête renversée en arrière, son long corps moulé dans des pantalons de toile et cambré comme un arc. Elle riait. Abby riait aussi en la poussant. Ce n'était plus le trémolo argenté horripilant qu'elle avait récemment adopté mais son rire habituel, grave, guttural, spontané.

Yancey vit Nell. Elle ralentit, s'arrêta avec le pied et se leva de la balançoire. Elle rejoignit Abby et se tint derrière elle, le menton posé sur le haut du crâne. Elle se balançait d'avant en arrière l'air heureux. Abby l'accompagnait dans son mouvement. Toutes deux eurent un sourire charmant à l'endroit de Nell. En les voyant ainsi, le cœur de Nell se serra. Elle sentit la colère la gagner.

« Rentre mettre une robe, Abby, dit-elle avec sécheresse à sa fille. Les gens vont bientôt arriver et tu ne peux les accueillir dans cette tenue.

— Je ne veux pas les accueillir, un point c'est tout ! dit Abby en regardant Yancey. Yancey et moi nous allons à Atlanta. Yancey affirme qu'il y a un ensemble Ralph Lauren chez Saks qui m'irait parfaitement. Il serait exactement ce qu'il me faut pour mes auditions. Je n'ai rien à me mettre qui ressemble, même vaguement, à ce qui se fait à New York. »

Elle regarda Nell d'un air de défi.

Nell fit demi-tour et se dirigea vers la maison.

« Je compte sur toi pour être en bas dans une heure, habillée comme il faut, Abby », dit-elle d'une voix tremblante.

Elle entendit la voix d'Abby qui glapit : « Je n'irai pas ! » Et quelques secondes plus tard, celle, complice, de Yancey : « Ne la mets pas en colère. Va et fais ce qu'elle te dit. Nous partirons discrètement demain, après cette foutue réception. Peut-être passerons-nous la nuit au *Peachtree Plaza* après avoir dîné quelque part dans un endroit amusant. Cela te ferait plaisir, ma chérie ? »

Nell ne put entendre la réponse d'Abby. Elle grimpa les marches basses de la véranda et se dirigea vers la tonnelle de glycine, sur le côté de la maison. Elle s'assit dans la vieille balancelle d'un autre âge, enfouit son visage dans ses mains et se mit à pleurer. Cela suffit à calmer sa colère pour quelques instants. Peu après, Yancey et Abby sortirent de la maison et montèrent dans la Chrysler de Gamma.

« Nous allons faire un tour en ville, lança gaiement Yancey. Tu n'as besoin de rien ? »

Nell ne répondit pas.

Elles revinrent très tard de leur promenade. Rip était en train de mettre le couvert dans la salle à manger. Nell, oublieuse de sa fatigue, était dans la chambre de sa mère, essayant de lui faire avaler le léger souper que Rip lui avait monté sur un plateau. Et ce furent soudain des rires accompagnant des pas qui dansaient dans l'escalier. Nell sentit une bouffée de colère qui montait en elle. Comment osaient-elles rire, comme deux enfants irresponsables, elles qui n'avaient rien fait pour les aider, bien au contraire, alors qu'il y avait tant à faire, tant de difficultés à surmonter ? Elles s'étaient désintéressées autant de la vieille dame morte qui gisait en bas, que de celle qui vivait en haut dans sa bonbonnière froufroutante. Les bons services de Rip, elle les avaient considérés comme un dû et elles avaient osé quitter la maison pour aller s'amuser. La main de Nell se crispa de rage. Hebe fit entendre un léger gémissement. Le bouillon que Nell essayait de lui glisser entre les lèvres dégoulina sur son menton. La rage montait en Nell. Elle était prête à exploser.

Sans frapper, elles entrèrent dans la pièce en bavardant. Hebe sursauta violemment et se laissa tomber sur sa pile d'oreillers à volants. Le plateau d'osier blanc vacilla. Le bouillon et les toasts se répandirent sur l'édredon de satin jaunâtre. Le beurre s'étalait sur les volants d'organdi soigneusement repassés. Yancey et Abby s'arrêtèrent net. Elles lancèrent un regard penaud sur le lit taché puis sur Nell. Hebe fit entendre ses gémissements habituels de petit chat. On n'entendait dans la pièce que la respiration oppressée de Nell. Soudain, Abby se mit à glousser. Elle roula des yeux en direction de Yancey, parodiant l'amusement et le dégoût d'une femme blasée.

« C'est tout simplement dégueulasse. » Elle avait adopté l'accent de Yancey.

Pendant un long moment, Nell regarda sa fille. Abby était au milieu de la chambre, son jeune corps se dessinant dans sa mince robe de jersey, ses longs pieds nus, disgracieux mais très sensuels dans des sandales à talons aiguilles. Les sandales étaient nouvelles. Elle ne les portait pas lorsque Yancey et elle avaient quitté la maison. C'est Yancey qui avait dû les lui acheter en ville. Nell regarda les lèvres d'Abby, maquillées avec art autour d'un rire affreux qui sonnait faux. Son visage était la caricature volontaire de celui de Yancey. Nell marcha droit sur Abby et la gifla violemment.

« Sors d'ici immédiatement ! hurla-t-elle à sa fille. Va dans ta chambre, enlève robe et chaussures et lave-toi le visage pendant que tu y es. Tu as l'air d'une petite putain !

— Oui. Et je suis sûre que je ne suis pas la seule dans la famille qui ait l'air d'une putain, répliqua Abby.

— *Sors d'ici !* hurla Nell, *avant que je ne te fasse sauter la tête des épaules ! Tu n'es pas ma fille ! Je ne te connais même plus !* »

Abby se mit à pleurer à chaudes larmes. Elle quitta la pièce en courant. Yancey se retourna pour affronter Nell. Son visage était livide.

« Bravo, Nell ! » Elle cracha ses paroles comme un serpent crache son venin. « Tu es parfaite dans ton rôle de mère américaine modèle.

Au point où en sont les choses, c'est ce que tu pouvais faire de mieux pour Abby. Elle vient de découvrir que sa sainte mère se fait baiser six fois par semaine par un mec de l'Iowa, que son père a flanqué sa mère à la porte, que son arrière-grand-mère a fait le plongeon dans l'escalier et s'est cassé le cou, et qu'enfin sa grand-mère est complètement cinglée. En prime elle a dû passer la journée avec un cadavre et une cargaison de vieilles femmes en train de chialer. Pour finir, elle reçoit une gifle et se fait traiter de putain par sa mère. Bravo !

— Yancey, s'il te plaît...

— Ferme-la ! Et d'abord, qu'est-ce que tu connais des putains ? Est-ce que tu sais seulement ce que c'est de baiser, bien que ce soit ce que tu penses avoir fait avec ton fameux prof depuis un an ? Tu ne sais rien ! Je parie que tu ne sais même pas ce que c'est, le plaisir. Le sexe te fait peur. Regarde-toi ! Tu ressembles toujours à une Barbara Bel Geddes [1] de quatorze ans avec tes jupes en jean et tes chemisiers à col ouvert. La Vierge éternelle. Ton visage, tes yeux, ta bouche sont vides. Regarde Abby ! Elle ne ressemble en rien à une petite putain. Elle a l'air d'un petit garçon. Et ça, c'est ton œuvre ! Si tu continues, à quarante ans, aucun homme ne l'aura encore touchée. Qu'est-ce qui ne va pas, Nell ? Tu as peur qu'elle ne découvre que c'est bon de baiser ?

— Je n'ai nul besoin de recevoir des sermons sur la manière dont je dois mener ma vie ou élever ma fille. Et surtout pas de ta part, Yancey. Tu nous as laissées tomber, il y a des années. Tu as disparu de la circulation à la mort de Paul et tu nous as laissées nous débrouiller seules. Depuis, tu n'as rien fait pour la famille. La seule chose qui a toujours compté pour toi, c'est ta magnifique carrière et les hommes qui ont occupé tes nuits. Tu n'as jamais eu la moindre pensée pour nous autres, ici. Toi toujours. Toi d'abord. Toi la première. Si seulement j'avais eu les mêmes chances que toi... »

La voix de Yancey s'éleva soudain au-dessus de celle de Nell, écrasant le joli chapelet de mots perlés.

1. Barbara Bel Geddes. Actrice américaine née à New York en 1922. Assez typique de la jeune femme « Bon chic bon genre. » A notamment interprété *Panique dans la rue* d'Elia Kazan, *Quatorze heures* d'Henry Hathaway, *Sueurs froides* d'Alfred Hitchcock. Depuis quelques années est devenue célèbre dans le rôle de la mère de la tribu Ewing dans le feuilleton télévisé *Dallas*.

« Mes chances ? *Mes chances ?* Mon Dieu, c'est vraiment trop drôle ! C'est toi qui n'a rien fait ! Rien, Nell ! Tu as toujours tout pris, tout reçu. Tout t'est toujours tombé dans le bec ! Tu n'as jamais eu à lever le petit doigt ! Ce n'est pas toi qui a été chassée d'ici. Tu étais leur préférée, la seule qu'il voulait garder à l'étable. Si tu es coincée maintenant dans la famille, tu ne peux t'en prendre qu'à toi-même. Tu n'as pas le moindre sens pratique, tu ne t'es jamais battue pour ta précieuse carrière sur laquelle tu te lamentes si douloureuse-ment, tu n'as jamais fait le moindre effort pour quitter cette maison et ces horribles vieilles femmes. Tu n'as même jamais essayé de résoudre les problèmes de ta propre famille ! Tu es incapable de garder un mari ou un amant et tu ne veux même pas laisser partir ta fille. Je pourrais faire des choses *formidables* pour Abby à New York. Elle pourrait avoir une vie *réelle*, la musique, Julliard, mais non... Tu te plains de maman ou de Gamma mais quand as-tu essayé de les fuir ? Quand as-tu jamais essayé de quitter cette maudite maison et ce maudit Sud, douceâtre, humide, plein d'odeurs nauséa-bondes, en un mot, ce Sud où l'on étouffe ? Tout ce qu'il y avait en toi, tu l'as laissé mourir sur place. Maintenant, tu es en train de tuer Abby aussi sûrement que si tu lui coupais ses racines avec une houe. Et tu crois que tu n'as pas eu mes chances ? Tu as *tout* eu ! Alors, que veux-tu de plus, Nell ? »

Devant les yeux de Nell, le visage de sa sœur se brouilla. Elle vit, comme à travers un voile noir et rouge, une série de Yancey, en rang d'oignon, comme sur une frise classique.

« Je veux que tu la fermes ! hurla-t-elle. Je veux que tu laisses ma fille tranquille ! Tu ne peux pas l'avoir, Yancey, tu ne pourras jamais l'avoir. Elle n'est pas Paul. Tu ne la transformeras pas en Paul. En aucune façon. Jamais. Tu m'entends ? *Paul est mort !* »

Un long silence pesant tomba dans la pièce. Le cœur battant, la poitrine haletante, les deux sœurs se regardaient en silence. Soudain Hebe se mit à pousser des cris stridents et prolongés comme la sirène d'une usine. Mais elles restaient immobiles, incapables de détacher leurs regards l'une de l'autre. Hebe hurlait toujours lorsque Rip entra précipitamment dans la pièce, la désapprobation se lisant clairement sur son visage. Elle alla vers Hebe et se pencha sur elle. Comme si elles répondaient à un signal, les deux sœurs baissèrent les yeux, sortirent de la pièce et regagnèrent leurs chambres respectives.

Assourdie et étourdie, Nell s'allongea sur le lit. Elle se rendit compte, avec un certain étonnement, qu'elle ne nourrissait plus la moindre colère ni contre Yancey ni contre Abby. Elle n'éprouvait pas non plus de remords. Dans l'obscurité, allongée sur l'étroit lit à baldaquin de son enfance, elle se débattait en aveugle, chaque parcelle de sa peau douloureusement sensible. La dispute n'avait pas rafraîchi l'atmosphère. Avec son odeur de mort, l'air de la Tanière du Renard était toujours aussi lourd et oppressant.

« Yancey me disait hier, juste avant notre querelle, qu'elle espérait presque pouvoir, après tant de temps, revenir à la maison, pensa-t-elle. Un peu comme s'il y avait ici une solution à ses problèmes, comme si elle allait y trouver une réponse à des questions qu'elle se pose depuis longtemps. Mais il n'y a ici aucune réponse. Pour aucune d'entre nous. Rien ne nous attend ici. Nous sommes arrivées ici au terme de toute chose. Toutes, sous ce toit, sommes mutilées, meurtries, affligées. Toutes, sauf peut-être Rip. Je ne vois pas ce qui peut encore nous intéresser ici... »

Curieusement, elle s'endormit.

Elle s'écarta du miroir de la salle de bains et s'en alla se regarder dans le trumeau de sa chambre. « Barbara Bel Geddes ? Une vierge ? Est-ce que vraiment je ressemble à ça ? » se dit-elle. Son chemisier en soie marron était en effet austère, chaste, classique. Elle fouilla dans sa valise et en sortit un long rang de perles qu'elle se posa sur la poitrine. Elle fit une grimace. C'était en effet Barbara Bel Geddes qui lui rendait son regard. Elle marqua une pause puis elle ouvrit la poche à fermeture Éclair, sur le côté de la valise. Elle y prit la pomme d'or porte-bonheur. Elle la mit autour de son cou et se regarda dans le trumeau. Le porte-bonheur se glissa dans le creux tendre de sa gorge et s'y blottit comme si l'or, lorsqu'on l'avait fondu, avait été coulé pour s'y ajuster exactement.

Quand, l'hiver dernier, elle l'avait enlevé en plein désespoir, il avait dit : « Tu le porteras encore. Quand tu en éprouveras le besoin, tu le remettras. Et quand, par la suite, tu le retireras, c'est que tu n'en auras plus besoin. »

« J'en ai besoin, maintenant », dit-elle à haute voix. Elle attacha la chaîne derrière son cou. La pomme brilla dans le creux de sa gorge. Elle était retournée du côté plat si bien que, dans la pâle lumière du matin, on pouvait lire très distinctement B.E.B. & B. Elle ne boutonna pas son chemisier et ne passa pas d'écharpe autour de son cou. Elle brossa ses cheveux, tira sa jupe et quitta la chambre. D'un pas léger mais plein d'appréhension, elle descendit le grand escalier en spirale de la Tanière du Renard pour s'occuper des formalités concernant l'enterrement de Ruth Yancey Fox.

Elle trônait maintenant dans l'acajou et l'argent, devant l'une des deux cheminées de marbre blanc du salon, directement sous le lustre imposant que Wade Howell Fox avait fait venir en 1817, lorsque la Tanière du Renard avait commencé à s'élever dans la rue de l'Église au cœur d'un bois de chênes. Dehors, la pluie menaçait mais ne tombait pas. Les portes-fenêtres, de chaque côté de la cheminée, étaient ouvertes mais l'air était lourd, calme, chargé des odeurs douceâtres des fleurs amoncelées autour du cercueil. Nell, automatiquement, sut trouver les mots appropriés pour les vieilles dames aux cheveux mauves, enchapeautées et gantées qui avaient été des amies de sa grand-mère. Elles semblaient plus frêles que d'habitude. La mort de cette parfaite petite poupée qui semblait invincible les affectait profondément : elles apparaissaient tellement plus vulnérables avec leurs veines gonflées, leurs membres noués par l'arthritisme, leurs visages délabrés. Nell sentait leur peur mais aussi leur curiosité un peu malsaine, curiosité qui l'emportait sur la peur. Elles se penchaient sur Ruth Fox pour évaluer le prix de sa robe. Elles disaient qu'elle était extraordinairement belle et qu'il était incroyable qu'elle ne se lève pas pour reprendre la barre de la Tanière du Renard comme elle l'avait toujours fait. Plusieurs pleuraient et durent être emmenées par leurs enfants ou de vieux serviteurs. Une vieille dame, dont le chuchotement résonna comme le cri d'un oiseau de nuit, s'écria : « Elle porte sur elle tous les diamants Fox. Vous ne pensez pas qu'elle va les emporter dans la tombe ? »

« Chut, Maman », murmura sa fille d'une voix sifflante. Elle l'entraîna dans la salle à manger. Un repas funèbre y était servi sur une ancienne nappe au-dessus de la table Hepplewhite. C'était l'œuvre de Rip.

« Je suis désolée, Nell », dit Yancey. Elle vint s'asseoir de l'autre côté du cercueil. Le ton de sa voix s'était radouci. Nell la regarda.

« D'accord. Moi aussi, je suis désolée », répondit-elle. Elle sourit mais toutes les deux savaient très bien que tout était loin d'être terminé.

« Je continue à te faire du mal, dit tristement Yancey. C'est ce que j'ai toujours fait. Je suis vraiment désolée pour ce qui s'est passé la nuit dernière. Et j'ajouterai qu'Abby est aussi désolée que moi, au cas où elle n'aurait pas le courage de te le dire en face. »

Nell détourna les yeux et porta son regard vers la salle à manger. Rip avait installé Abby derrière le service à café en Sheffield. Abby portait une robe-chemisier à manches longues et des chaussures à talons plats. Elle se tenait mal et renversait le café mais elle ne quittait pas son poste. Sentant les yeux de sa mère sur elle, Abby leva la tête puis la baissa. Ses épais cheveux blonds tombèrent en avant, masquant ses yeux. Nell avait eu le temps de voir le visage fermé et morose. Elle savait qu'Abby ne lui avait pas pardonné...

« Tu ne m'aimes pas... avait-elle crié. Tu ne m'as jamais aimée... »

« Aimer », pensa Nell. « Je ne veux plus entendre prononcer ce mot. Plus jamais. Que de chagrin dans cette maison au nom de l'amour. Abby misérable et vieillie à cause de l'amour, effrayée par lui. Yancey, desséchée et flétrie. Maman, là-haut, abrutie, transformée en un vieux bébé monstrueux. Phillips et moi, refroidis par l'amour, malades d'amour à tout jamais. Et Paul qui en est mort... »

Dans une sorte de perception surnaturelle, de révélation d'hallucination, elle vit soudain clairement son frère, mort depuis si longtemps. Paul, sa courte vie, son histoire, défilèrent devant ses yeux en une suite d'images. Il était là, devant elle, être de chair et de sang, vivant, palpable. Il semblait aussi présent que la terre, l'air et la lumière. Elle se sentait rongée par la douleur, par le chagrin, par l'amour pour lui.

« Mam'zell Nell. »

Rip était devant elle, le visage sombre, les sourcils froncés.

« Que se passe-t-il, Rip ?

— Y a un p'tit gars, y veut parler à mam'zell' Yancey. Y dit comme ça qu'y veut parler seul'ment à mam'zell Yancey. J'y ai dit qu'elle était assise ici avec M'ame Ruth mais y m'a dit qu'y va attendre... »

Le garçon, un adolescent maigre en Addidas, qui ressemblait à une bonne douzaine d'autres garçons de Sparta, apparut à la porte du salon. Nell se leva et se dirigea vers lui, suivie de Yancey.

« Êtes-vous mademoiselle Yancey Geiger ? » demanda-t-il. Yancey hocha la tête. Le garçon jeta un coup d'œil au paquet volumineux qu'il portait.

« Je suis Beau Howell, mademoiselle Geiger. Cet été, je travaille chez *Crum, Hulbert et Hill*. M. Stuart Hill Sr., m'a demandé de vous apporter ceci, de vous le remettre en main propre et de lui rapporter un reçu. Je dois vous en faire signer un. »

Il fouilla dans ses poches. Il était gêné par l'étroitesse de son blue-jean et le volume de son paquet. Elles attendaient.

« Qu'est-ce que c'est ? finit par demander Yancey.

— Nous ne savons pas, madame, dit Beau Howell en prenant un air important. Mrs. Ruth Yancey Fox l'a apporté à M. Stuart Hill Sr., enveloppé comme ça, il y a trois jours, en lui demandant de le garder dans son coffre jusqu'à sa... mort... puis de vous le donner en main propre, la veille de son enterrement. M. Hill Sr. m'a dit qu'il ne savait pas, quand il a pris le paquet, qu'il ne reverrait plus Mrs. Fox vivante...

— Qu'est-ce que cela peut bien être ? dit Nell, stupéfaite.

— Je crois que je vais l'emporter dans le bureau de grand-père pour l'ouvrir. Gamma, cela semble évident, voulait que cela reste secret sinon elle en aurait parlé au fameux M. Hill Sr. C'est aussi bien enveloppé que s'il s'agissait d'un colis pour Madagascar. Et si c'était mon héritage... ? une boîte de cobras ou quelque chose de ce genre. Nell, pourras-tu tenir la forteresse sans moi pendant quelques minutes ? »

Nell se dirigea vers le salon mais s'arrêta quand elle vit le visage de Rip. La vieille femme — pour la première fois aux yeux de Nell, elle eut l'air d'une vieille, d'une très vieille femme — regardait Yancey avec un visage grimaçant comme si elle subissait l'assaut de vents furieux, un visage paralysé par ce qui pouvait ressembler à de la peur. Son long corps était courbé. Elle s'appuyait lourdement d'une main sur la table à battants. Dans ses yeux, on pouvait distinguer des reflets irisés qui ressemblaient curieusement à des larmes.

« Rip » chuchota Nell.

Rip se tourna. Elle était redevenue Rip, impassible, droite et ne marquant plus le moindre signe de vieillesse.

« Ell' m'a pris par surprise » marmonna-t-elle entre ses dents sans regarder Nell. Elle sortit silencieusement du hall, traversa la salle à manger et disparut dans la cuisine. Nell la suivit un moment du regard puis elle retourna dans le salon où elle reprit sa place à côté du cercueil de sa grand-mère. L'après-midi n'en finissait pas de durer...

Il était quatre heures et demie lorsque Yancey, sortant du bureau de son grand-père, traversa le hall de la Tanière du Renard et entra dans le salon. Par les portes-fenêtres, la lumière irisée pénétrait obliquement dans la pièce. Ne restait qu'une poignée des amis les plus proches de Ruth Yancey Fox. Nell se redressa. Son dos lui faisait mal. Elle était heureuse d'être relayée dans cette corvée qui consistait à serrer des mains et à bécoter des joues. Les amis de Ruth Fox virent aussi Yancey. Ils s'arrêtèrent de bavarder et le silence s'installa. L'après-midi bourdonnait de silence.

C'est sans troubler ce silence que Yancey avança sur le tapis en direction du cercueil. Elle regarda sa grand-mère. Son étroite petite tête Fox, son cou, son dos étaient très raides. Dans le jour qui déclinait, son visage avait l'air chaste et extasié d'une effigie sculptée sur la tombe d'un croisé. Dans la faible lumière, son épaisse chevelure de lin semblait lancer des flammes. Elle souriait. Un sourire doux, rêveur, terrible.

Elle se tint debout auprès de sa grand-mère, morte et pourtant plus belle que toutes ses descendantes. Elle la regarda pendant un long moment. Puis elle glissa gentiment sa main sous le cou frêle et chargé de diamants. Elle souleva la petite tête au chignon doré de l'oreiller de satin jusqu'à ce qu'elle retombe délicatement sur la poitrine poudrée de blanc — comme une fleur sur une tige trop faible pour la soutenir. De petits murmures s'élevèrent dans la pièce où les quelques amis restant savouraient d'avance une scène de tendre affliction.

Lentement, Yancey leva la main droite. Elle gifla le visage blanc et mort avec une telle force que la petite tête lisse rebondit sur le coussin de satin et retomba mollement sur l'épaule, se présentant sous un angle grotesque. Les cheveux brillants se répandirent en désordre. Une mèche glissa gracieusement sur un œil fermé. Les lèvres peintes se desserrèrent. La bouche s'ouvrit, béante.

Le temps que Yancey tourne les talons, quitte le salon et grimpe l'escalier en spirale, l'assemblée, après avoir poussé quelques petits cris d'horreur, avait retrouvé le silence. Lorsque Nell, revenue de la surprise qui l'avait figée sur place, se pencha sur le cercueil, la marque rouge de la main de Yancey s'était effacée de la joue de sa grand-mère.

Ce ne fut que beaucoup plus tard que Nell prit conscience que la main de Yancey n'avait pu faire de marque sur le visage : Ruth Fox n'avait pas de sang.

Chapitre XXX

Nell fut parfaite en tout point.

Elle rejoignit les vieilles personnes consternées et terrifiées. Certaines s'étaient mises à pleurer bruyamment. Elle serra chacune d'elles gentiment dans ses bras puis les reconduisit doucement jusqu'à la grande porte.

« Il faut pardonner à Yancey. Vous avez pu voir qu'elle n'est plus elle-même, murmura-t-elle aux uns et aux autres. Gamma n'aimerait pas que nous la condamnions. Rentrez chez vous et prenez un peu de repos. »

Ils finirent par partir. Nell ferma elle-même la grande porte derrière le dernier des invités. La salle à manger et le salon étaient vides. Rip et Abby n'avaient pas assisté à cette scène pénible. C'était préférable. Peut-être ne l'apprendraient-elles jamais. Nell gagna le salon et redressa la tête de sa grand-mère afin qu'elle repose de nouveau contre le coussin de satin. Elle remit de l'ordre dans les cheveux dorés mais elle ne put rabattre les paupières. Aussi ferma-t-elle le couvercle du cercueil.

Elle grimpa l'escalier et jeta un coup d'œil dans la chambre de sa mère. Hebe, à qui on avait donné des calmants, ronflait paisiblement dans cette pièce obscure. Nell s'arrêta un moment devant la chambre de Yancey puis cogna doucement à la porte. Elle ne reçut pas de réponse. En hésitant, elle poussa la porte qui n'était pas fermée. Yancey était étendue sur son lit et tournait le dos à Nell. Elle était immobile. « Bien pensa Nell. Laissons-la dormir. Il vaut mieux que je ne lui parle pas maintenant. Tout cela a sûrement quelque chose à voir avec le paquet. Il faut que je découvre de quoi il s'agit. » La porte d'Abby était fermée mais on entendait de la musique à l'intérieur de la chambre. Nell redescendit au rez-de-chaussée.

Elle gagna la cuisine. Rip était assise dans son rocking-chair, les

366

mains occupées à raccommoder les éternels volants et ruchés d'Hebe. Elle avait l'air malade et un peu mal en point.

Elle releva la tête et regarda Nell fixement.

« Qu'est-c' qui va pas, mam'zelle Nell ? Où est mam'zelle Yancey ?

— Elle est en haut. Elle se repose. Maman aussi est endormie. Et je crois bien qu'Abby en fait autant. C'est le moment pour toi d'aller au lit. Je veux que tu montes dans ta chambre, Rip.

— Non. J' vais null' part. Y a quéqu' chose qui va pas et j' vas rester dans c' fauteuil jusqu'à ce que vous m' dit' c' que c'est. Ça a quèqu' chos' à voir avec les papiers que le p'tit gars, il a apportés à mam'zelle Yancey ?

— Comment sais-tu que ce sont des papiers ? » dit Nell, sa curiosité à peine éveillée. La fatigue, le choc causé par le geste de Yancey, avaient engourdi son esprit. Cette sensation n'était pas déplaisante.

« Ça m'a tout l'air d'êt' des papiers, mam'zelle Nell. Si y a des ennuis...

— Il n'y a aucun ennui, dit froidement Nell, rassemblant ses idées. Je veux que tu ailles dans ta chambre maintenant, Rip. J'ai besoin d'être seule pendant un moment. »

Rip quitta la pièce sans faire de bruit.

Nell se dirigea vers le bureau de son grand-père, ouvrit la porte et entra. Rien n'avait changé. La pièce était obscure et sentait toujours le renfermé. Il y avait pourtant dans l'air une certaine odeur masculine et réconfortante. C'est alors qu'elle vit, sur le buvard que Rip avait changé avant la réception, le paquet soigneusement rangé. C'était bien celui que Yancey avait emporté avec elle quelques heures plus tôt dans l'après-midi. Nell était sûre de le trouver là. Elle s'installa dans le fauteuil de cuir de son grand-père comme sa sœur l'avait fait avant elle et de son index inspecta le paquet. La couverture se défit. Elle constata qu'il contenait une pile de feuilles détachées, couvertes d'une écriture élégante et un peu pâlie : l'écriture de Gamma.

Nell se pencha sur les feuillets. Vers la fin de la pile, l'encre était plus claire. Sur les dernières pages, les lettres avaient été tracées avec une encre bleu-noir, encore fraîche. Elle reconnut l'épais papier à lettres de couleur claire qu'utilisait Gamma pour sa correspondance d'affaires. Elle s'était servie, sans nul doute, du stylo qu'elle gardait

367

toujours dans le tiroir du bureau de sa chambre. Que voulait dire tout ceci ?

Elle porta son attention sur la première page. C'était daté de 1949... Nell ne put lire le mois... Il semblait que ce fut une lettre. Elle commençait par ces mots : « Yancey, chère petite fille, la première-née de mes petits enfants... »

Elle fronça légèrement les sourcils. « 1949... Voyons, j'avais quel âge ? Sept ans ? Et Paul en avait neuf ou dix. Yancey devait être aux alentours de ses treize ou quatorze ans. Pourquoi Gamma lui aurait-elle écrit une lettre qu'elle ne lui aurait remise qu'aujourd'hui ? »

Elle feuilleta rapidement les papiers jusqu'à la dernière page qui était datée d'il y a seulement quatre jours. Son visage s'assombrit encore. « Elle a dû l'écrire la veille de sa mort » pensa Nell un peu stupidement. Son cerveau ne réussissait pas à se fixer sur la feuille de papier. Soudain, elle reçut un choc : son nom était là comme s'il était animé...

« ... et je sais où Nell va en ce moment. Demain je la suivrai et je verrai moi-même qui il est. Après cela, elle restera ici à la Tanière du Renard. Tout ira bien à nouveau. Elle ne partira pas avec cette bête malfaisante, quel qu'il soit. Nous serons toutes sauvées. Ne trouves-tu pas, ma biche, que j'ai agi avec habileté ? Je suis sûre que maman n'aurait pas fait mieux. C'est fort dommage que tu n'aies pas connu maman. Sur de nombreux points, tu lui ressembles. Adieu, maintenant, Yancey. Tu es au courant de tout ce que tu devais savoir et je suis certaine qu'à l'avenir ta conduite sera meilleure. Je n'en doute pas : tu vas avoir les réactions que j'attends de toi. Tu vois, je connais encore ma petite Yancey mieux qu'elle ne se connaît elle-même bien qu'elle nous ait quittées depuis longtemps. »

C'était signé simplement : « Gamma. »

L'air tout autour sembla se refroidir et se cristalliser. Doucement, lentement, toute chaleur et toute sensation quittèrent d'abord le bout des doigts de Nell puis ses mains, enfin ses bras. Ses lèvres étaient pétrifiées, sa respiration courte et rapide. Gamma. C'était Gamma qui avait téléphoné à Phillips pour le mettre au courant de l'existence de Lewis. Il y avait eu ensuite ce coup de téléphone annonçant sa chute...

Avec des doigts devenus insensibles, elle se saisit de la première page et commença à lire. Sa lecture dura très longtemps.

Tout y était. Tout ce qu'ils avaient cherché. Tout ce qui leur avait échappé. Tout ce qu'ils avaient pressenti mais n'avaient pu exactement circonscrire et tout ce qui attendait, soigneusement dissimulé dans la grande maison. Le pourquoi exact de leurs vies, de la sienne, de celle de Yancey, de celle de Paul, dans cette grande maison de femmes.

Le pourquoi. Mais aussi le comment. De son élégante écriture moulée qui n'était pas celle de Ruth, la blonde enfant de la filature, mais celle d'une femme entièrement différente, Ruth Yancey Fox leur avait tout raconté dans ses lettres à Yancey.

La découverte de cette grande maison blanche par l'étrange enfant en guenilles du prêcheur fou Cater Yancey. Les terribles dialogues échangés entre cette enfant et Pearl.

Sa mère anéantie. Le besoin forcené de posséder une terre, une maison et cette volonté âpre, implacable, guidant l'enfant vers le résultat final. L'acte horrible qui lui avait permis de vivre dans la maison des Fox, au prix de la vie de l'homme fou. La mise à mort lente et raffinée de sa belle-mère. Le modelage d'Hebe en femme-enfant, la liquidation de Johnny Geiger l'étranger. La découverte, à la date de la première lettre adressée à Yancey, que la maison pour laquelle elle avait lutté, comploté, tué, n'était pas à elle et ne resterait pas pendant des générations aux mains des femmes Yancey Fox, mais reviendrait à sa mort à un jeune garçon inoffensif dont elle avait dû supporter la présence à la Tanière du Renard, son petit-fils Paul. Paul, l'ennemi pour lequel elle avait forgé tout ce qui devait suivre : la cohabitation délibérée de Paul et de Jacob Lee ; l'étreinte de gosses chahuteurs qui lui servit de prétexte pour exiler définitivement Paul de la Tanière du Renard en l'envoyant dans une école de garçons de Virginie où la graine semée avait germé… comme elle l'avait espéré. L'impression grandissante que Yancey, s'approchant dangereusement de la vérité, allait la démasquer. Et la nécessité de la rejeter elle aussi de la Tanière du Renard en la rapprochant d'un Jacob Lee déjà en disgrâce.

Et puis Nell. La fabrication méticuleuse de Nell, l'élue, celle qui devait rester pour garder le temple. La peur et la répression utilisées comme armes pour transformer la petite fille en un être malléable et obéissant. Les manœuvres subtiles pour contrecarrer ses dons d'écrivain. Les tentatives presque totalement abouties pour la briser, la diminuer, l'asservir, la garder à jamais dans la maison des femmes

— la dernière des femmes Yancey Fox à jeter en pâture à la Tanière du Renard.

Enfin, au cours de la dernière année, pour faire échec à la menace que pouvaient représenter l'énergie et la combativité de Nell, l'espionnage minutieux de ses faits et gestes qui devait aboutir à la découverte du nouveau roman puis finalement, fatalement, de sa liaison avec Lewis Wolfe.

Dans chacune des pages mortes, le mal était présent. Ruth Yancey Fox avait totalement réussi à faire de sa maison une maison de femmes.

Nell reposa les papiers sur le bureau et regarda autour d'elle avec des yeux aveugles.

« Elle était folle, dit-elle à haute voix. Gamma était complètement folle depuis sa plus tendre enfance et personne ne l'a jamais soupçonné. »

Elle se leva, remit soigneusement en piles géométriques tous les feuillets du manuscrit. « Yancey, pauvre Yancey », pensa Nell simplement et rêveusement. « Il faut que j'aille lui parler ». Découvrir après tant d'années de souffrance que vous avez été chassée de chez vous à cause de la méchanceté d'une femme folle... Découvrir que votre juge et votre bourreau était le sang de votre sang, la chair de votre chair...

Quelque chose roula et craqua sous son pied. Elle s'arrêta, le ramassa, le déchiffonna machinalement. Elle devait tout laisser en ordre. Rien ne devait traîner, hors de la place habituelle. Tout devait être net, vérifié, impeccable. C'était une coupure de journal que le temps avait jaunie. Nell regarda le titre un peu stupidement, lisant mais sans les comprendre les petites lettres noires. Elle put lire :

« MADEMOISELLE LONGSHORE FIANCÉE À MONSIEUR GEIGER. »

Nell secoua la tête pour éclaircir ses idées. Paul n'avait jamais... Les sourcils froncés, elle redoubla d'attention pour examiner cette coupure de journal : elle annonçait le mariage, au mois de juin, de Mlle Molly Elizabeth Longshore de Sparta avec M. Paul Fox de New York City, habitant jadis le 15 rue de l'Église, à Sparta.

« LE MARIAGE AURA LIEU, SELON UNE LONGUE TRADITION EN USAGE DANS LA FAMILLE DU FIANCÉ, À LA TANIÈRE DU RENARD, LA DEMEURE FAMILIALE DE Mme HORATIO PAUL FOX, GRAND-MÈRE DE M. GEIGER », concluait l'article. Il était daté du 2 janvier 1958.

Cinq jours avant la mort de Paul de la main d'un professeur de français à l'université de Columbia, cet homme en colère qu'aucune d'elles n'avait jamais vu parce que lui-même était mort cinq secondes plus tard, cet homme dont Yancey avait dit qu'il était « joli, très joli garçon... »

Et c'était ce professeur qui — Nell, le cœur broyé, le comprit soudain — avait tenu entre ses mains une lettre anonyme venue d'une petite ville du Sud, l'avait ouverte et avait trouvé cette même coupure de journal...

Elle entendit, au fond de sa mémoire, la voix de Gamma qui dominait le martèlement de son sang à ses tempes : « Je ne suis pas pressée de me faire rembourser par Thomas Roundtree. Je trouve que cette dette est un excellent placement. On ne sait jamais, on peut avoir besoin de demander une petite faveur à un journaliste. Ils peuvent, comment dirais-je ? se persuader très facilement qu'une menace pèse sur leur journal... »

« Oh, mon frère ! » murmura Nell.

Soudain, il n'y eut plus de cloche de verre. Nell ramassa le paquet de papiers et commença une longue marche à travers la Tanière du Renard.

Elle marcha longtemps. Le crépuscule grisâtre succéda à la lumière irisée de l'après-midi puis l'obscurité de la nuit remplaça le crépuscule. Elle marchait toujours. Elle marchait à grands pas, montant et descendant les escaliers en spirale. Elle traversa les pièces vides du rez-de-chaussée : le hall, le salon, le petit salon, la salle à manger, la pièce du petit déjeuner, la véranda derrière la maison. Elle refit le chemin en sens inverse. Elle ne ralentit jamais son pas et ne prit pas le moindre temps d'arrêt. Elle marchait avec calme. Elle savait que la folie la guettait mais cela n'avait pas la moindre importance tant qu'elle pouvait marcher.

A huit heures et demie, Nell monta au second, cogna à la porte de Rip et pénétra dans la petite cellule nue dès qu'elle eut entendu un doux : « entrez ! » Sur le visage noir aux traits finement sculptés, elle put voir les traces argentées qu'avaient laissées les larmes en coulant. Rip était assise dans le vieux rocking-chair — c'était l'un des premiers souvenirs ancrés dans la mémoire de Nell — et elle se balançait d'avant en arrière, d'arrière en avant... Nell s'assit sur l'étroit lit de fer et regarda Rip.

« Quelque chose de terrible s'est produit, Rip... Ou plutôt s'est produit il y a de cela très longtemps, et nous venons seulement de le découvrir », dit Nell. Sa voix avait un son étrange. Elle résonnait à ses oreilles comme une cloche. La folie qui émanait de l'épaisse pile de feuillets qu'elle tenait dans les mains les enveloppa toutes deux comme un brouillard ou comme un lourd manteau.

« Oui, dit Rip.

— Il faut que ce soit toi qui en parles à maman. C'est à toi de juger ce qu'on doit lui dire et ce qu'on doit taire mais je crois qu'il faut quand même qu'elle le sache. Sinon, elle va apprendre ce qui est arrivé en bas cet après-midi... Devant la moitié de la ville, Yancey a giflé Gamma si fort qu'elle a failli lui faire sauter la tête... Cela la rendrait encore plus folle qu'elle ne l'est déjà. Dieu sait que je ne supporterai pas une folle de plus dans cette maison. »

Rip attendait, silencieuse, les yeux fixés sur Nell.

« Gamma a envoyé à Jean — tu sais, c'était ce garçon qui partageait l'appartement de Paul —, elle lui a envoyé une coupure de journal qui annonçait le mariage de Paul, dit Nell. C'était une fausse coupure. Elle pouvait faire la loi dans ce journal et elle a obligé le propriétaire à imprimer cette fausse annonce en deux exemplaires. Elle l'a envoyée à New York avec une lettre anonyme. Quand ce Jean l'a ouverte, il a tué Paul puis il s'est tué.

— C'est ça qu'y a dans les papiers ? » dit Rip. Sa voix grave ne laissait rien paraître. Elle aurait pu aussi bien parler à la petite Nell Geiger dans la chaleur de la cuisine de la Tanière du Renard devant des gâteaux et une tasse de thé irlandais avec son parfum de tourbe brûlée.

« Oui, dit Nell. Ça et bien d'autres choses. Je te raconterai tout, Rip, mais ce que je te demande, c'est d'en parler à maman pour moi. Il faut que tu le fasses ce soir. Je ne m'en sens pas capable.

— Mam'zell' Nell, dit Rip et Nell vit une nouvelle fois sur le visage émacié de la vieille femme la peur qu'elle y avait entrevue plus tôt lorsque Yancey avait gagné le bureau de son grand-père pour ouvrir le paquet. Mam'zell' Yancey, elle l'a lue, c'te coupur' ?

— Oui, j'en ai peur, Rip. Mais elle va bien. Je suis allée la voir avant... avant de lire tout ça. Elle était sur son lit. Elle dormait tranquillement. Il faut qu'on la laisse se reposer...

— Doux Jésus, mam'zell' Nell ». C'était presque un cri. « Allez la voir tout d' suit'. Elle va encor' perd' la tête comme l'aut' fois. »

La chambre de Yancey était inondée de lumière. Toutes les

372

lampes étaient allumées et le vieux lustre de cristal, au plafond, brillait de mille feux. A première vue, Nell n'aperçut que les vêtements de Yancey, empilés soigneusement au centre du vieux tapis persan rouge et or : robe, souliers, bas, slip et soutien-gorge. Même ses bijoux étaient là. Les coquilles d'or qu'elle portait toujours aux oreilles ainsi que le cadeau de l'un de ses amants, un lourd bracelet de chez Cartier.

Elle s'appuya contre le lit de Yancey. Elle tremblait tant elle avait peur. Sa sœur était blottie, nue, dans la ruelle. Elle était accroupie sur ses genoux, caressant le sol du bout de ses doigts comme un coureur nu attendant le signal du départ. Une écume rosâtre coulait sur sa bouche et son menton. Un long moment passa avant que Nell se rende compte que Yancey s'était mordue les lèvres et la langue jusqu'au sang.

Nell regarda le visage de sa sœur. Elle la secoua et lui hurla : « Bon Dieu ! Yancey ! Reviens ici ! Ne *la laisse* pas s'emparer de toi ! Tu peux l'envoyer faire foutre, Yancey. Cette sacrée sale bonne femme, tu peux te la payer ! Ce sacré sac d'os, t'en fais ce que tu veux ! Je te le dis, nom de Dieu ! Ce monceau de pourriture, ce tas de poussière, tu peux lui cracher dessus ! »

Les lèvres sanguinolentes de Yancey s'écartèrent en une sorte de rictus terrible.

« Paul n'a pas pu, dit-elle.

— Tu n'es pas Paul ! Paul aussi est mort. Paul aussi, c'est un sac d'os ! Paul aussi, c'est de la poussière, de la pourriture et... Yancey, écoute-moi. Tu peux vaincre Paul aussi ! Oui ! Même Paul ! Il le faut ! Parce que, Yancey, écoute-moi, *ils sont morts !* Paul et Gamma sont morts. Ils sont la mort et toi, tu es vivante, *tu es la vie !* Dieu, je n'aurais jamais pensé que je verrais le jour où Yancey Fox Geiger se laisserait baiser par un sac d'os ! Il n'y a que ça, *des os, de la poussière et de la merde...* Yancey, écoute-moi. Écoute ! Yancey... *Elle teignait ses cheveux !* »

Yancey prit une profonde inspiration qui fit frissonner jusqu'à la moelle Nell accroupie dans l'angle du lit. Elle se mit à rire. Puis à pleurer. Enfin elle tomba dans les bras de Nell. Toutes deux enlacées roulèrent sur le plancher dans l'espace poussiéreux qui séparait le mur du lit, ce lit qui avait été celui de Yancey Geiger enfant. Pour la première fois depuis plus de vingt ans, elles pleurèrent ensemble la mort de leur frère dont le souvenir restait plein d'éclat.

Soudain, Nell sentit que deux bras lui serraient la poitrine. Elle étendit la main et sentit de longs doigts souples et timides. Ils ne pouvaient appartenir qu'à une pianiste : Abby. Se dégageant doucement de Yancey, elle recouvrit de ses mains celles de sa fille.

Quatrième partie

ÉPILOGUE

Chapitre XXXI

Une semaine plus tard, Nell et Yancey étaient assises sous un lourd soleil dans la salle d'attente climatisée du terminal de Delta Airline à l'aérogare d'Atlanta. L'appel d'embarquement avait été retardé et les passagers pour New York se bousculaient avec impatience à l'intérieur d'une file désordonnée. Nell fit un écran de sa main pour se protéger de la lumière éblouissante et regarda sa sœur.

« Yancey. Était-il vraiment homosexuel ? » dit-elle. Elles n'avaient pas parlé de Paul mais il ne les avait pas quittées depuis une semaine : depuis sa mort, il n'avait jamais été plus près d'elles.

« Je ne sais pas, dit Yancey. Je ne suis même pas sûre qu'il le savait vraiment. Même après toutes ces années passées dans cette horrible école et toutes les années qui ont suivi, je ne pense pas qu'il savait vraiment s'il l'était ou non. Ce qui signifie, bien sûr, qu'il n'était pas réellement... quelque chose de précis. Pas même tout à fait homo-sexuel. Cela lui aurait permis d'être en paix avec lui-même. Il aurait pu, Nell, avoir une vie agréable et digne. Finalement, cela n'a pas d'importance : il est mort comme un homosexuel, non ? Je pense que c'est la première raison pour laquelle je la haïrai toujours... Avec tout ce qu'il avait, tout ce qu'il était, tout ce qu'il aurait pu être, il est mort en pensant qu'il n'était rien... rien du tout.

— Quoi qu'on fasse, on en revient toujours à Paul, n'est-ce pas ? dit Nell douloureusement. Par exemple, si tout ce qu'il voulait faire pour moi... Son désir de m'aider à aller à Columbia... Si elle ne l'avait pas entendu... Il serait peut-être encore... Oh ! Je ne sais pas. Le pire, ce qui est *le pire de tout*, est que je continue à penser que, peut-être, elle a fait tout cela par une sorte de terrible *amour* pour moi... Un amour malade, malsain, horrible mais un amour vrai, cependant... Pour me garder à ses côtés. Cette pensée ne me quittera jamais, Yancey.

— Il ne faut surtout pas, dit brusquement Yancey. Elle ne t'a

377

jamais aimée. Pas plus qu'aucun d'entre nous. Elle peut avoir eu *besoin* de quelques-uns... de maman et certainement de toi, mais elle avait besoin de vous pour cette maison et pour la terre sur laquelle elle est bâtie. Ce fut le grand amour de Gamma, cette maison. Dieu, comme cela a dû l'ulcérer de la quitter, comme elle devait *haïr* la simple idée de la quitter. Je suis certaine que ce fut sa dernière pensée avant de se rompre le cou... »

Elles restèrent silencieuses quelques instants, laissant résonner dans leur tête un petit craquement sinistre.

« Tu sais ce qui va être mon cauchemar pendant tout le reste de ma vie ? dit Yancey. L'idée que cette pointe de folie puisse être héréditaire. Son père, puis elle, puis moi... Et si ma folie était sa folie... Elle devait savoir que je craquerais une nouvelle fois lorsque je découvrirais qu'elle... l'avait tué. Certainement elle le savait. C'est pourquoi elle m'a envoyé ces saloperies de lettres. Et comment pouvait-elle le *savoir* ? »

Sa voix montait insensiblement. Nell la regarda fixement.

« Elle ne le savait pas, dit-elle avec assurance. Tu ne vois pas que c'était là son dernier coup ? Comme ça, la maison allait me revenir. En un sens, c'était également de ma faute. Elle savait qu'elle ne pouvait t'atteindre directement puisque tu ne mettais plus les pieds dans cette maison. Alors elle a choisi la manière la plus efficace. Il ne fallait pas être un génie pour savoir où était ton point faible, Yancey. Mais une chose est sûre, tu n'as pas flanché, non ? La Tanière du Renard est à toi maintenant, quand tu le veux et si tu la veux. Tu es entièrement libre de revenir chez toi, maintenant.

— Oh ! Dieu, non ! » dit Yancey. Elle rit. Ce fut un rire franc, sans retenue. Les épaules de Nell se décrispèrent.

« Je n'en veux pas. Je ne veux même pas la revoir. Je vais signer un papier pour que tout soit à toi à la seconde même où le testament sera validé. C'est à toi qu'elle doit revenir, Nell. Tu l'as gagnée. Tu l'as aimée malgré Gamma et tout le reste. Tu vas y rester. Et en un sens, elle te va bien. J'ai besoin de penser à toi, demeurant ici, à l'intérieur de la Tanière du Renard, surtout quand je serai très loin d'ici. Ce sera pour moi comme un havre. »

Nell lui sourit mais son visage rapidement se rembrunit.

« Je ne sais pas. Ce serait dur. Il y a eu trop de douleur dans cette maison. Ce serait si facile de partir. Pourtant, la Tanière du Renard... Tu sais, il est *possible* que je reste.

— Pas à cause de Phillips ?

— Non. Pas à cause de Phillips. Pauvre Phillips ! Avec Abby à tes côtés à New York, Gamma morte, le pire qui pouvait m'arriver derrière moi, il doit bien savoir qu'il ne peut plus rien contre moi. Il n'a plus de dents pour mordre. Nous n'avons pas été gentils avec Phillips. Ni le Sud ni les Fox. Il serait probablement ravi de me voir partir. J'aimerais que cela me préoccupe davantage. Si la maison pouvait *vraiment* être à moi, peut-être que je resterais. Qui sait, maman est peut-être sincère quand elle dit qu'elle ne veut plus jamais voir cette maison. Si elle peut aller d'elle-même après toutes ces années à la Greenhouse puis chez Neiman-Marcus puis à Sea Island pour un mois, peut-être qu'elle peut vraiment tout faire, même quitter la Tanière du Renard. Je crois bien que j'aimerais assez voir ce que deviendrait la Tanière du Renard dirigée par moi...

— Cela voudrait dire qu'elle a gagné, Nell, dit Yancey. As-tu pensé à cela ? Toi, l'élue, celle qui a été choisie, soignée, pour laquelle nous avons été détruits, tu occuperais la place même qu'elle t'avait assignée.

— Non, dit Nell. Elle n'a pas gagné, Yancey. C'est nous qui avons gagné. Parce que je pourrais mettre la clef sous la porte à l'instant même sans jeter le moindre regard en arrière. Et toi tu pourrais revenir aussi à l'instant même, sans que cela pose un problème. Si *tel* était ton désir. Voilà la vérité, Yancey, nous pouvons choisir. C'est pourquoi, en définitive, elle n'a pas gagné.

— Et si tu décidais de rester ici, dit Yancey, que deviendrait ton histoire d'amour ? Que ferais-tu de Lewis ? Vas-tu l'épouser ? Vas-tu vivre avec lui à la Tanière du Renard ? » Elle sourit. « Ça ne me déplairait pas, un Juif yankee à la Tanière du Renard. Gamma en ferait des cauchemars pendant toute l'éternité. Ça serait encore mieux que les flammes de l'enfer !

— Je ne sais pas, dit Nell. Je lui ai dit que je ne voulais plus le revoir... Et je ne suis encore sûre de rien... S'il le veut, Phillips peut lui faire beaucoup de tort à l'université. Mais, en fait, je ne crois pas qu'il le fera. Il me semble que depuis une semaine, nous sommes au-delà de ce genre de détails. Je déjeune avec Lewis tout à l'heure... au club, en plein jour et devant tout le monde. Peut-être en parlerons-nous. Et peut-être ne parlerons-nous de rien. Je suis lasse à en mourir de parler.

— Je te comprends. Pour moi, c'est pareil. En as-tu parlé à Phillips ?

379

— Non, mais je le ferai. » Nell grimaça un sourire. « Mes deux semaines ne sont pas encore terminées. »

Abby, les bras chargés de magazines, se fraya un chemin à travers la foule et vint les rejoindre. Elle marchait à longues enjambées souples et énergiques. Ses cheveux blonds flottaient sur ses épaules. Dans la lumière blafarde du matin, elle ressemblait plus que jamais à une peinture médiévale. Le temps d'un pincement de cœur, elle était l'image même de Paul. Elles sourirent involontairement à sa jeunesse, à son éclat et à Paul à travers elle. Dans la foule, derrière, un adolescent fit un commentaire admiratif qui fit rire Abby. Elle avait retrouvé son rire de gorge désinvolte, franc, léger, presque impudique. C'était un rire contagieux : plusieurs passagers impatients sourirent à leur tour et la regardèrent. Ils observèrent les trois femmes, toutes trois très belles et, si l'on s'en tenait aux apparences, toutes trois de la même chair et du même sang, trois femmes sur le point de se séparer.

« Oh, dit soudain Nell à sa fille. J'allais oublier. J'ai quelque chose pour toi.

— Quoi donc ? »

Abby sourit à sa mère mais elle n'était déjà plus tout à fait là : le grand Jet blanc qui l'attendait avait la force d'attraction d'un aimant. Le cœur de Nell se serra mais elle pensa : « Je n'ai jamais été aussi proche d'elle qu'à cet instant où je la laisse partir. Je sais maintenant que je ne la perdrai pas. »

Elle fouilla dans son sac et en sortit la pomme d'or. « Tourne-toi, dit-elle, et laisse-moi te l'attacher. »

Abby souleva la masse de ses cheveux blonds pour dégager son cou. Nell accrocha la fine chaîne. Le porte-bonheur rebondit contre la clavicule d'Abby et glissa à l'intérieur de sa robe à l'encolure dégagée. Elle la prit, la retourna et lut l'inscription gravée sur le revers.

« C'est joli, maman, dit-elle. Qu'est-ce que ça veut dire B.E.B. & B. ?

— Je te le dirai bientôt, je crois, dit Nell. Peut-être la prochaine fois que tu rentreras à la maison ou quand j'irai à New York. Nous verrons... »

L'appel d'embarquement retentit. Yancey mit ses mains de chaque côté du visage de Nell et regarda attentivement sa jeune sœur.

« Merci, murmura-t-elle.

— De quoi ? » Les larmes brulaient les yeux et la gorge de Nell.
« De m'avoir rendu la vie. »

Yancey et Abby s'éloignèrent dans le soleil.

Quand Nell pénétra dans le hall de la Tanière du Renard, Rip
l'attendait.

« Je suis désolée d'être en retard, Rip, dit Nell. L'avion a décollé
avec du retard. Attends voir. Voici ton argent pour les deux dernières
semaines et un petit extra pour Detroit. Non... » Rip hochait la tête
de droite et de gauche et voulait lui rendre les billets. « Un mois, c'est
long et on ne sait jamais ce qui peut arriver. Nous ferons les comptes
quand tu reviendras. Prends-les et profite de ton voyage. Emmène
tout le monde dîner. Achète à Jacob Lee les plus gros steacks qu'on
puisse trouver à Detroit. Oh, Rip... Embrasse-le pour moi. Pour
Yancey et moi. Cela fait si longtemps mais je ne l'ai pas oublié... »

Rip avait les yeux baissés sur les dalles de marbre noires et
blanches du hall. « Jacob Lee, il a été tué y a quinze ans. Y était en
train d' voler une boutiqu' d'alcool, dit-elle. Y rest' pus qu' ma sœur,
maint'nant. »

Le chagrin qui commençait à s'estomper revint avec force et
submergea Nell. Ce fut comme un coup violent reçu à la poitrine.

« Oh, Rip, murmura-t-elle. On n'a rien su. Mon Dieu, jamais on
l'a su ! Tu disais toujours que tout allait bien. Tu ne nous as jamais
rien dit... Pourquoi ne nous en as-tu pas parlé ?

— Y en avait une ici qui savait, dit Rip. C'est ici qu'on a app'lé. Y
en a un' qui l'a toujours su. »

Nell la regarda attentivement. « Gamma, dit-elle lentement.
Gamma...

— Vot' Gamma, j' la connais d'puis toujours, mam'zell' Nell.
J'étais tout' petit' quand j' suis v'nue ici. J' sais tout d'elle. Peut-êt'
que j' sais pas lire mais j' savais c' qu'y avait dans les papiers qu'elle a
laissés à mam'zell' Yancey. Ça sert à rien d' me le dir'. J'ai toujours
tout su. Tout sauf pour missié Paul. Mon Dieu, si seul'ment j'avais
su...

— *Oh, Rip, au nom du Dieu tout-puissant, pourquoi ne nous as-
tu jamais rien dit ?*

— Qui c'est qu'allait m' croire ? »

« C'est vrai, pensa Nell. Personne ne l'aurait cru. Ni maman ni
moi. Paul et Yancey l'auraient cru... mais ils n'étaient pas là. »

« Mais Rip, dit-elle. Jacob Lee. Il n'a pas. Il n'a jamais… Tu sais ce qu'elle lui a fait, non ? Comment as-tu pu rester ici après ça ?

— J'ai toujours cru qu'y fallait qu' quelqu'un y s'occup' de vous et d' M'ame Hebe, mam'zell' Nell » dit simplement Rip.

Les larmes jaillirent de nouveau dans les yeux de Nell. Et lentement, très lentement, elle commença à comprendre.

« Alors, tu savais que Gamma avait appelé Phillips et qu'elle lui avait tout dit sur Lewis Wolfe et moi ? dit-elle en regardant Rip qui restait la tête baissée.

— Oui, je l' savais.

— Et elle n'est jamais tombée dans ces escaliers, n'est-ce pas ? »

Rip releva la tête et regarda Nell droit dans les yeux.

« Non ».

Nell tendit les bras. Rip s'y jeta. Pendant un long moment, elles restèrent ainsi enlacées. Les deux dernières femmes Fox qui se disaient « au revoir ».

Dehors, le soleil se dégagea des grands arbres protecteurs de la rue de l'Église et écrasa le toit plat de la Tanière du Renard.

Rappel chronologique
de l'histoire des États-Unis
de 1619 à 1975

1619	les premiers esclaves noirs, achetés en Guinée sont débarqués à Jamestown, en Virginie, et servent de main-d'œuvre dans les plantations du Sud.
1620	les passagers du Mayflower, des calvinistes puritains, arrivent sur le continent américain pour échapper aux persécutions du roi d'Angleterre, Jacques Ier.
1636	cette élite commerçante, cultivée, ouvre à Boston le collège qui deviendra l'université de Harvard.
4 juillet 1776	les colons américains rejettent l'autorité du roi d'Angleterre. La déclaration d'Indépendance est rédigée par Thomas Jefferson.
1787	établissement de la Constitution des États-Unis qui ne fait aucune mention des Noirs et se borne à interdire la traite à partir du 1er janvier 1808.
1793	invention de la machine à égrener le coton pour répondre aux besoins de l'Europe industrielle.
1801	le gouvernement s'établit à Washington.
1860	4 millions d'esclaves. Élection du président Abraham Lincoln, hostile à l'esclavage et fervent partisan du maintien de l'Union.
20 décembre 1860	la Caroline du Sud décide de sortir de l'Union, suivie de la Géorgie, de la Floride, de l'Alabama, du Mississippi et du Texas.

1861	ces États du *Deep South* créent les États confédérés d'Amérique.
12 avril 1861	la guerre de Sécession éclate : les Confédérés du Sud contre les *Yankees* du Nord.
22 septembre 1862	proclamation d'émancipation sous le président Lincoln, affranchissant les Noirs des États confédérés.
1862	le *Homestead Act* stimule l'immigration en accordant 160 arpents de terre aux pionniers blancs qui s'installent dans le Sud. Apparition d'un contre-terrorisme blanc contre les *Yankees* et les Noirs : le Ku Klux Klan.
9 avril 1865	fin de la guerre de Sécession. Le général Lee capitule en Géorgie. L'Amérique industrielle l'emporte définitivement sur l'Amérique agrarienne.
14 avril 1865	assassinat du président Abraham Lincoln.
1866	la loi sur les *civil rights* donne aux Noirs le statut de citoyens.
1869	apparition du syndicalisme *(Knights of Labour)* avec le développement de l'industrialisation.
1875	loi interdisant toute discrimination raciale dans les transports et les lieux publics.
1886	*American Federation of Labour* luttant contre le *sweating system* et revendiquant une diminution des heures de travail, la protection des femmes et des enfants, l'amélioration des salaires.
1901	le président Théodore Roosevelt lutte contre les trusts et joue le rôle d'arbitre dans les conflits du travail (grève des mineurs de Pennsylvanie en 1902).
1907	les États-Unis font leur entrée sur la scène internationale. T. Roosevelt participe à la

	Conférence de La Haye. Début de la politique interventionniste.
1913	élection de Woodrow Wilson, précurseur d'un ordre nouveau, le *New Freedom*. Extension aux femmes du droit de vote. Création d'un impôt sur le revenu.
6 avril 1917	les États-Unis déclarent la guerre à l'Allemagne pour défendre la liberté des mers et, accessoirement, les Alliés.
Novembre 1919	Traité de Versailles.
1920	Woodrow Wilson, désavoué, est remplacé par W. C. Harding, un républicain.
1921	pour protéger l'américanisme, le Congrès restreint l'immigration étrangère par un système de quotas.
4 et 24 oct. 1929	chute spectaculaire des cours en bourse à Wall Street. Début de la dépression.
1930	4 millions de chômeurs.
1931	7 millions de chômeurs.
1932	11 millions de chômeurs, soit plus du quart de la population active.
8 novembre 1932	Franklin D. Roosevelt remporte les élections et installe pour 20 ans les démocrates au pouvoir. Le Sud est particulièrement touché par la crise. L'État se charge d'amorcer la reprise par toute une série de mesures (*Pump-Priming*).
1936	F. D. Roosevelt, réélu, entreprend un second *New Deal* : reconnaissance légale des syndicats ; amorce d'une Sécurité sociale.
1940	réélection de F. D. Roosevelt.
7 décembre 1941	l'attaque japonaise sur Pearl Harbor entraîne l'intervention des États-Unis dans la Seconde Guerre mondiale.
Février 1945	la conférence de Yalta jette les bases de la paix future.

12 avril 1945	mort du président F. D. Roosevelt peu avant la reddition de l'Allemagne (8/5/1945) et celle du Japon (15/8/1945).
1947	les États-Unis adhèrent à la charte des Nations unies.
4 avril 1949	pacte de l'O.T.A.N.
1950	début de la guerre de Corée.
1955-1957	Martin Luther King et le Black Power réclament la fin réelle de la ségrégation.
1960	élection de J. F. Kennedy.
1963	début de la guerre du Viêt-nam : de simple opération de police contre les infiltrations communistes du Viêt-minh ou du Laos, l'intervention américaine se renforce à la suite de l'incident du golfe du Tonkin en 1964. Le conflit s'éternise et divise l'opinion américaine.
22 novembre 1963	assassinat de J. F. Kennedy.
1975	le président Richard Nixon met fin à la guerre du Viêt-nam.

Achevé d'imprimer en janvier 1989
sur presse CAMERON
dans les ateliers de la S.E.P.C.
à Saint-Amand-Montrond (Cher)
pour le compte de France Loisirs

Dépôt légal : janvier 1989.
N° d'Édition : 14616. N° d'Impression : 2508.
Imprimé en France